MIDNIGHT

DEAN R. KOONTZ

Miroirs de sang	
Le monstre et l'enfant	
La peste grise	
La chair dans la fournaise	
La semence du démon	
Spectres	*J'ai lu* 1963/**6**
Le rideau de ténèbres	*J'ai lu* 2057/**5**
Le visage de la peur	*J'ai lu* 2166/**4**
Chasse à mort	*J'ai lu* 2877/**5**
La nuit des cafards	
Les étrangers	*J'ai lu* 3005/**9**
Le masque de l'oubli	
La voix des ténèbres	
Le temps paralysé	*J'ai lu* 3291/**6**
Une porte sur l'hiver	
L'antre du tonnerre	*J'ai lu* 1966/**3**
Feux d'ombre	*J'ai lu* 2537/**7**
L'heure des chauves-souris	*J'ai lu* 2263/**6**

DEAN R. KOONTZ

MIDNIGHT

TRADUIT DE L'ANGLAIS
PAR WILLIAM DESMOND

ÉDITIONS J'AI LU

Titre original :

MIDNIGHT
G. P. Putnam's Sons, New York

À Ed et Pat Thomas du Book Carnival – un couple d'une telle gentillesse que je les soupçonne parfois de ne pas être réellement des êtres humains, mais des étrangers venus d'un autre monde, meilleur que le nôtre.

PREMIÈRE PARTIE

Les nuits de la côte

Où de surnaturelles silhouettes cabriolent au son d'une musique de la mi-nuit qu'elles seules peuvent entendre.

Le Livre des Chagrins nombrables

1

Janice Capshaw aimait à courir la nuit.

Presque chaque soir, entre dix et onze heures, elle enfilait son survêtement gris à bandes bleues réfléchissantes, nouait ses tennis et, les cheveux retenus par un bandeau, courait ses dix kilomètres. On lui aurait donné dix ans de moins que ses trente-cinq ans, et elle attribuait l'éclat de sa jeunesse au fait qu'elle courait ainsi depuis vingt ans.

Le dimanche 21 septembre au soir, elle parcourut ainsi une partie d'Ocean Avenue, la rue principale de Moonlight Cove, puis elle tourna à gauche pour descendre jusqu'à la plage publique. Les boutiques étaient fermées, les vitrines éteintes. En dehors du rayonnement cuivré étouffé des lampadaires à vapeur de sodium, seuls quelques appartements étaient éclairés au-dessus des magasins, ainsi que le bar Knight's Bridge Tavern et l'église catholique Notre-Dame-de-Miséricorde, ouverte en permanence vingt-quatre heures sur vingt-quatre. Pas une voiture, personne en vue. Moonlight Cove avait toujours été une petite ville tranquille qui, loin d'aguicher avidement les touristes, comme les autres stations balnéaires de la côte, faisait tout pour les décourager. Janice appréciait le rythme mesuré de l'existence qu'elle menait ici, même si, depuis quelque temps, la ville lui paraissait parfois plus morte qu'assoupie.

Tandis qu'elle allongeait la foulée dans la rue en pente, passant d'une flaque de lumière ambrée à une autre et croisant les ombres portées des cyprès et des pins sculptés par le vent, elle ne vit, comme seul mouvement, que le paresseux déroulement serpentin des volutes d'un brouillard léger. Seuls bruits : le *slap-slap* discret de ses chaussures de sport à semelles de caoutchouc et sa respiration rythmée. Elle aurait pu être le dernier survivant de la planète, lancé dans un marathon postapocalyptique.

Elle n'aimait pas se lever à l'aube pour courir avant d'aller travailler et l'été, elle trouvait plus agréable de s'entraîner quand la chaleur du jour était tombée ; mais en réalité, elle courait aussi aux mêmes heures en hiver, car tout simplement elle aimait la nuit.

Même enfant, elle l'avait préférée au jour ; après le coucher du soleil, elle avait plaisir à s'installer dans la cour, pour écouter les grillons et les grenouilles sous le ciel étoilé. L'obscurité faisait du bien. Elle adoucissait ce que le monde diurne avait d'anguleux, estompait les couleurs violentes. Avec le crépuscule, le ciel paraissait reculer, l'univers s'agrandir. La nuit était plus vaste que le jour et la vie, dans son royaume, semblait offrir davantage de possibilités.

Elle atteignit Ocean Avenue, traversa le parking et arriva sur la plage. Au-dessus du léger brouillard ne dérivaient que quelques nuages épars, et le rayonnement argenté de la pleine lune n'avait pas de mal à percer la brume, lui procurant un éclairage suffisant pour voir où elle allait. Certaines nuits, le brouillard trop dense ou la couche de nuages trop épaisse lui interdisait de courir sur la plage. L'écume blanche des rouleaux, ce soir, surgissait des flots noirs en rangs fantomatiques phosphorescents, et le vaste croissant de sable luisait faiblement entre le point où ils se brisaient et la ligne des hauteurs, tandis que la brume elle-même scintillait dans le clair de lune automnal.

Comme elle traversait la plage pour aller courir sur le sable humide et plus dur de la grève, Janice Capshaw se sentit merveilleusement vivante.

Richard – feu son mari, emporté trois ans auparavant par un cancer – prétendait que ses rythmes circadiens étaient tellement décalés après minuit qu'il lui avait dit un jour : « Tu aurais dû naître vampire ! » À quoi elle lui avait répondu : « Attention, je vais te sucer le sang... » Dieu, qu'elle l'avait aimé ! Elle avait tout d'abord redouté de trouver ennuyeuse une existence de femme de pasteur luthérien. Il n'en avait rien été. Trois ans après sa mort, il lui manquait chaque jour – et encore plus chaque nuit. Il avait été...

Soudain, tandis qu'elle passait à proximité de deux grands cyprès tordus ayant poussé au milieu de la plage, à mi-chemin entre la grève et les falaises, Janice eut la certitude de ne pas être seule dans la nuit. Elle n'avait vu aucun mouvement, entendu aucun autre bruit que ceux de ses pas, de sa respiration haletante, de son cœur qui cognait ; seul son instinct l'avertissait qu'elle avait de la compagnie.

Elle crut tout d'abord qu'un autre coureur s'entraînait sur la plage, et ne s'inquiéta pas. Il y avait à Moonlight Cove quelques maniaques de la forme auxquels il arrivait de courir la nuit, quand ils ne pouvaient faire autrement ; deux ou trois fois par mois, elle rencontrait l'un d'eux en chemin.

Mais lorsqu'elle s'arrêta pour regarder derrière elle, elle ne vit qu'une étendue de sable déserte, éclairée par la lune, et le ruban incurvé et luminescent du ressac, les formes noyées d'ombre mais familières des amas rocheux et des arbres qui s'élevaient ici et là le long de la rive. Le seul bruit était le grondement grave des brisants.

Se disant que son instinct la trompait et qu'elle était seule, elle repartit en direction du sud, le long de la plage, retrouvant rapidement son rythme. Elle n'avait pas parcouru cinquante mètres, cependant, qu'elle surprenait du coin de l'œil un mouvement, à une trentaine de mètres sur sa gauche : une forme fugitive, rendue floue et vague par la nuit et le brouillard, venait de bondir d'un cyprès vers un groupe de rochers érodés, où elle avait disparu.

Janice fit halte et, scrutant le rocher, se demanda ce qu'elle avait bien pu apercevoir. La forme lui avait paru plus grosse qu'un chien, peut-être même de la taille d'un homme ; mais la vision périphérique ne lui avait pas permis de la distinguer plus en détail. L'amas de roches ne faisait pas dix mètres de long pour une hauteur qui allait de un à trois mètres, et la pluie et le vent l'avaient sculpté jusqu'à ce qu'il ressemblât à un morceau de cire à demi fondu, bien assez grand pour dissimuler ce qu'elle avait vu.

– Il y a quelqu'un, ici ? demanda-t-elle.

Elle n'attendait pas de réponse, et n'en obtint pas.

Gagnée par une sensation de malaise, elle n'avait pourtant pas peur. Elle devait être victime du clair de lune et du brouillard et avait sans doute vu un animal – mais pas un chien, qui serait probablement venu vers elle au lieu de se cacher. Comme il n'existait aucun prédateur, le long de la côte, assez redoutable pour lui faire peur, elle se sentait plus curieuse qu'intriguée.

À rester immobile, couverte de transpiration, elle commença à sentir la fraîcheur de l'air et se mit à sautiller sur place pour ne pas se refroidir, surveillant les rochers avec l'espoir de voir un animal en bondir et s'enfuir, vers le nord ou le sud.

Quelques personnes possédaient des chevaux, dans le pays, et les Foster tenaient même un centre équestre où ils prenaient des bêtes en pension. La ferme se trouvait à environ quatre kilomètres, sur le flanc nord de la baie, non loin de la côte. L'un de leurs pensionnaires avait peut-être pris la clef des champs. La chose qu'elle avait vue du coin de l'œil n'était pas de la taille d'un cheval, mais il pouvait s'agir d'un poney. N'aurait-elle pas dû entendre, cependant, le bruit des sabots, même étouffé par le sable ? Évidemment, si c'était bien l'une des bêtes des Foster (ou de quelqu'un d'autre), elle devait tenter de la rattraper, ou au moins signaler où on pouvait la trouver.

Finalement, comme rien ne bougeait, elle fit en trottinant le tour des rochers. Il y avait bien quelques recoins sombres à la base et dans les fissures mais le clair de lune laiteux en révélait l'essentiel ; aucun animal ne s'y trouvait caché.

Pas un instant elle ne songea sérieusement qu'elle aurait pu voir autre chose qu'un autre sportif ou un animal, ou qu'elle courait un réel danger. En dehors de rares actes de vandalisme ou de petits cambriolages – toujours l'œuvre d'un ou plusieurs adolescents désœuvrés – et des accidents de la circulation, la police locale n'avait pas grand-chose à faire. Viols, agressions et meurtres étaient rarissimes dans une communauté aussi petite et soudée que celle de Moonlight Cove ; c'était comme si, dans ce repli de la côte, la vie s'écoulait à l'écart des grands courants qui agitaient le reste de la Californie.

Janice retourna sur le sable mouillé, convaincue cette fois d'avoir été victime de ces deux grands mystificateurs que sont le clair de lune et le brouillard. Elle avait imaginé ce mouvement et était bien seule sur la plage.

Elle remarqua que le brouillard s'épaississait rapidement, mais continua néanmoins en direction de la pointe sud de la baie. Elle était sûre d'avoir le temps de s'y rendre et de revenir jusqu'au bas d'Ocean Avenue avant que la visibilité ne devînt quasi nulle.

Une brise de mer s'éleva et baratta le brouillard qui parut passer de l'état gazeux à celui de bouillie laiteuse, comme du lait se transformerait en beurre. Le temps pour Janice d'atteindre l'extrémité sud de la plage, le vent soufflait plus fort et le ressac se faisait plus agité, lançant des voiles d'écume sur les roches du brise-lames dont les hommes avaient prolongé la pointe naturelle de la baie.

Quelqu'un se tenait au sommet de la muraille de roches, haute de plus de six mètres, et regardait vers elle. Janice leva les yeux au moment où un coup de vent plus fort dispersait la brume. Le clair de lune dessina une silhouette.

La peur, cette fois, s'empara d'elle.

L'étranger se tenait en face d'elle, mais elle n'en distinguait cependant pas les traits, dans la pénombre. Il paraissait grand, au moins un mètre quatre-vingt-dix, mais elle était peut-être le jouet de la perspective.

En dehors de sa silhouette, seuls ses yeux étaient visibles, et c'étaient eux qui avaient déclenché sa peur. Ils brillaient d'une lueur ambrée comme ceux d'un animal pris dans des phares de voiture.

Sur le coup elle resta tête levée, clouée sur place par ce regard. Éclairé en contre-jour, la surplombant, grand et immobile sur ce rempart rocheux, les vagues explosant en écume sur sa droite, on aurait dit une idole de pierre aux yeux de topaze dressée pour quelque culte démoniaque, au plus sombre du Moyen Âge. Janice aurait voulu faire demi-tour et s'enfuir, mais était incapable du moindre mouvement ; elle se sentait comme enracinée dans le sable, victime de cette terreur paralysante qu'elle n'avait jusqu'ici connue qu'en cauchemar.

Elle se demanda même si elle était bien éveillée. Peut-être cette course nocturne n'était-elle qu'un mauvais rêve, et peut-être se trouvait-elle en réalité couchée dans son lit, en sécurité sous de chaudes couvertures.

Puis l'homme émit un étrange grognement grave, coléreux et sifflant, qui trahissait la souffrance d'un manque atroce, brûlant – et avait aussi quelque chose de glacial.

Il bougea.

Il se laissa tomber à quatre pattes et entreprit de descendre le chaos rocheux du haut brise-lames, non pas comme un homme l'aurait fait, mais avec la vivacité et la grâce d'un félin. Il ne lui faudrait que quelques secondes pour la rejoindre.

Janice sortit de sa paralysie, fit demi-tour et se précipita en direction de l'entrée de la plage – à près de deux kilomètres de là. Des maisons éclairées se dressaient au sommet de la falaise escarpée qui dominait la baie, et certaines avaient des escaliers qui descendaient vers la plage, mais la jeune femme n'était pas sûre de trouver la première marche dans l'obscurité. Elle ne gaspilla pas ses forces à crier, car elle aurait eu bien peu de chances d'être entendue. Et même si crier ne l'avait ralentie que légèrement, elle risquait d'être rattrapée et réduite au silence bien avant que quelqu'un eût réagi.

Jamais ses vingt ans d'entraînement n'avaient joué dans sa vie un rôle aussi crucial qu'aujourd'hui ; il ne s'agissait plus de santé mais, elle le savait, de survie. Coudes au corps, tête baissée, elle piqua un sprint, recherchant la vitesse plutôt que l'endurance, car elle pensait qu'il lui suffirait d'atteindre le bas d'Ocean Avenue pour trouver la sécurité. L'homme – ou le diable savait quoi – qui la poursuivait n'oserait sans doute pas rester à ses trousses dans les rues éclairées et habitées.

Des nuages d'altitude striés se ruèrent à ce moment-là devant la lune ; la lumière se mit à diminuer et à se raviver sur un rythme irrégulier, créant dans le brouillard de plus en plus dense une armée de fantômes vibrants qui la faisaient sursauter et lui donnaient l'impression qu'une meute l'entourait de toute part. La surnaturelle palpitation de la lumière contribuait à donner à la poursuite l'irréalité du rêve et elle en arrivait presque à croire qu'elle se trouvait en fait dans son lit, profondément endormie ; cependant, elle ne s'arrêta pas et ne jeta même pas un coup d'œil par-dessus son épaule, car rêve ou pas, l'homme aux yeux de topaze était toujours à ses trousses.

Elle avait parcouru la moitié du chemin jusqu'à Ocean Avenue lorsqu'elle se rendit compte que deux des fantômes du brouillard n'étaient nullement des fantômes. L'un d'eux courait, debout comme un homme, à moins de dix mètres sur sa droite ; l'autre bondissait à quatre pattes dans l'écume et les flaques laissées par les vagues, un peu plus près sur sa gauche ; ce dernier avait la taille d'un homme mais n'en était certainement pas un, car aucun homme n'aurait pu se déplacer avec cette grâce et cette aisance dans une posture d'animal. Elle n'avait qu'une idée vague de leur forme et de leur taille, et ne pouvait voir ni leur visage ni aucun détail, sinon ces yeux étrangement lumineux.

Elle savait – elle ignorait comment – qu'aucun des deux n'était l'homme qu'elle avait vu sur le brise-lames. Celui-ci était derrière elle et courait debout ou à quatre pattes. Elle était pratiquement encerclée.

Janice ne chercha pas à imaginer ce qu'ils étaient. L'analyse de cette démentielle expérience devrait attendre plus tard ; pour l'instant, elle acceptait l'existence de l'impossible. Veuve d'un pasteur, dotée d'un esprit profondément religieux, elle avait assez de souplesse pour céder devant l'inconnu et l'inimaginable, quand ils se produisaient.

Galvanisée par la peur qui l'avait tout d'abord paralysée, elle accéléra encore sa foulée. Ses poursuivants l'imitèrent.

Elle entendit un geignement bizarre et ne comprit pas tout de suite que c'était le bruit de son souffle torturé qui lui parvenait.

Évidemment excitées par sa terreur, les formes fantomatiques se mirent à pousser des gémissements. Les voix s'élevaient et s'abaissaient, allant d'un grognement guttural à un bêlement aigu prolongé. Pis que tout, au milieu de ces hululements faisaient irruption des rafales de mots, énoncés d'une voix rauque et pressée :

– *Attrapez cette salope, attrapez cette salope, attrapez cette salope...*

Au nom du ciel, à quoi, à qui avait-elle affaire ? Pas à des hommes, bien sûr, et pourtant ils se tenaient debout comme des hommes, s'ils le voulaient, et parlaient comme des hommes... Que pouvaient-ils être d'autre que des hommes ?

Janice sentit son cœur doubler de volume dans sa poitrine et se mettre à cogner violemment.

– *Attrapez la salope...*

Les mystérieuses silhouettes qui la flanquaient commencèrent à se rapprocher et elle tenta d'accélérer encore, mais il n'y avait aucun moyen de les distancer. L'intervalle qui les séparait s'amenuisait Elle les devinait du coin de l'œil, sans oser regarder directement, redoutant d'être une fois de plus paralysée d'horreur par ce qu'elle risquait de voir – et de succomber.

Elle succomba, néanmoins. Quelque chose bondit sur elle de derrière. Elle tomba. Un poids énorme la cloua au sol et les trois créatures commencèrent à la toucher et à tirer sur ses vêtements.

Les nuages devinrent plus denses devant la lune et de grands pans d'ombre tombèrent comme de funèbres voiles célestes.

Une main enfonça durement la tête de Janice dans le sable humide ; mais tournée de côté, sa bouche restait dégagée et elle cria enfin, faiblement, tant elle était hors d'haleine. Elle se débattit, rua, moulina des bras dans un effort désespéré pour frapper ses assaillants, qui brassa surtout de l'air et du sable.

La lune était complètement cachée et elle ne voyait plus rien, maintenant.

Bruit de tissu déchiré. L'homme à califourchon sur elle lui arrache son blouson Nike qu'il met en pièces, non sans la griffer profondément au passage. Elle sent le contact brûlant d'une main qui lui paraît humaine malgré sa rudesse.

Un instant, elle n'est plus étouffée par le poids de son assaillant ; elle se tortille pour se dégager, essaie de s'enfuir, mais ils lui tombent dessus et l'écrasent sur le sable, cette fois à hauteur de l'eau qui monte et repart au rythme des vagues.

Tour à tour gémissant et haletant comme des chiens, sifflant et grognant, ses assaillants laissent échapper de frénétiques bouffées verbales tandis qu'ils l'empoignent :

– ... *chope-la, chope-la, chope-la...*

– ... *veux, veux, la veux, la veux...*

– ... *maintenant, vite, maintenant, vite, vite, vite...*

Ils lui arrachèrent son pantalon de survêtement, pour la déshabiller, mais elle ignorait si c'était dans le but de la violer ou de la dévorer ; ni l'un ni l'autre, peut-être. Ce qu'ils désiraient restait au-delà de sa compréhension. Elle comprenait seulement qu'ils étaient submergés par un besoin d'une puissance monstrueuse, car l'air glacial était aussi épaissi de leur état de *manque* que par le brouillard et les ténèbres.

L'un d'eux enfonça plus profondément sa figure dans le sable mouillé ; l'eau monta autour d'elle, de quelques centimètres seulement, mais cela suffisait pour la noyer, et ils ne la laisseraient pas respirer. Janice savait qu'elle s'en allait, elle était clouée au sol, impuissante, et qu'elle allait mourir, tout cela parce qu'elle aimait à courir la nuit.

2

Le lundi 13 octobre, vingt-deux jours après la mort de Janice Capshaw, Sam Booker quittait l'aéroport de San Francisco pour Moonlight Cove dans une voiture de location. Pour tuer le temps sur l'autoroute, il joua à dresser mentalement la liste des raisons qu'il avait de continuer à vivre. Au bout d'une heure et demie de ce sinistre amusement, il n'en avait trouvé que quatre : la bière Guinness (Stout), la nourriture mexicaine (quand elle était excellente), Goldie Hawn et la peur de la mort.

L'épais et sombre breuvage irlandais n'avait jamais manqué de lui donner un bref sursis dans les moments où les peines du monde l'écrasaient trop. Les restaurants servant de l'excellente cuisine mexicaine étaient plus difficiles à trouver que la Guinness ; cette consolation ne lui était donc pas permise aussi souvent. Quant à la créature de rêve Goldie Hawn – du moins l'image qu'elle projetait sur l'ecran –, il en était amoureux depuis longtemps parce qu'elle était belle, mais également un brin délurée, intelligente, pleine de bon sens, et parce qu'elle paraissait trouver la vie fichtrement marrante. Ses chances de rencontrer Goldie Hawn dans une petite ville côtière de Californie comme Moonlight Cove étaient un million de fois plus faibles encore que d'y tomber sur un bon restaurant mexicain, et il était content qu'elle ne fût pas la seule raison qu'il avait de vivre.

Les pins et les cyprès géants se firent de plus en plus nombreux le long de la nationale 1, un tunnel vert sombre qui projetait des ombres allongées dans la lumière de la fin d'après-midi. Sans nuages, le ciel avait pourtant quelque chose de menaçant : d'un bleu très pâle, morne en dépit de sa pureté cristalline, il était bien différent du bleu tropical auquel il était habitué, à Los Angeles. En dépit de la température, qui dépassait les dix degrés, l'éclat aveuglant du soleil, comme s'il se reflétait sur de la glace, paraissait pétrifier les couleurs du paysage et les ternir d'une fausse couche de gelée blanche.

Peur de la mort. La meilleure des quatre raisons. Bien qu'il n'eût que quarante-deux ans – un mètre quatre-vingts, quatre-vingts kilos, santé actuellement bonne –, Sam Booker avait déjà flirté six fois de près avec la mort ; il avait entraperçu l'autre rive, mais n'avait pas eu envie de la gagner.

Un panneau apparut : OCEAN AVENUE, MOONLIGHT COVE 2 MILES.

Sam ne redoutait pas la douleur de mourir, qui passerait en un instant. Ni de laisser sa vie inachevée : cela faisait plusieurs années qu'il ne nourrissait ni rêves ni espoirs et il n'avait donc rien à terminer, aucun but particulier à atteindre. Mais il avait peur de ce qu'il y avait après la vie.

Cinq ans auparavant, plus mort que vif sur une table d'opération, il avait vécu une expérience terrifiante. Tandis que les chirurgiens luttaient frénétiquement pour lui sauver la vie, il avait eu la sensation de s'élever hors de son corps et avait regardé, depuis le plafond, sa carcasse et l'équipe médicale qui s'affairait autour. Puis il s'était soudain retrouvé lancé à toute vitesse dans un tunnel, jeté vers une lumière éblouissante, vers l'Autre Côté : tous les clichés qui sont le pain béni des histoires de quasi-mort, dans les journaux à sensation. À l'ultime moment, l'art des médecins l'avait ramené sur la terre des vivants, non sans qu'il ait eu le temps, néanmoins, de jeter un coup d'œil sur ce qu'il y avait à l'autre bout du tunnel. Et ce qu'il avait vu lui avait collé une frousse démesurée. Bien que souvent cruelle, la vie était préférable à ce qu'il soupçonnait maintenant se trouver sur l'autre bord.

Il atteignit la sortie pour Ocean Avenue. Un autre panneau lui indiqua qu'il était sur le point d'arriver à Moonlight Cove.

Quelques maisons se nichaient dans la pénombre mauve au milieu des arbres, des deux côtés de la chaussée à deux voies ; alors qu'il restait une heure de jour, une douce lumière jaune brillait déjà aux fenêtres. Certaines étaient de ce style bavarois, demi-rondins et avant-toit prononcé, que quelques architectes, dans les années quarante et cinquante, avaient cru (à tort) devoir s'harmoniser avec la côte du nord de la Californie. D'autres étaient des bungalows de style Monterey, aux murs de planches blanches ou de bardeaux et à toit de bardeaux de cèdre, riches en détails ornementaux un rien rococo-Disney. Comme la prospérité de Moonlight Cove ne datait que d'une dizaine d'années, nombre d'habitations étaient des constructions modernes aux formes pures, avec de nombreuses fenêtres, faisant penser à des bateaux qu'une formidable lame de fond aurait fait échouer sur ces collines qui dominaient la mer.

Dès que Sam s'engagea dans Ocean Avenue – l'artère du quartier commerçant longue de six pâtés de maisons – la sensation que quelque chose allait de travers s'empara de lui. Des boutiques, des restaurants, des bars, un marché, deux églises, la bibliothèque municipale, un cinéma et d'autres établissements divers s'alignaient dans le désordre, le long de cette avenue qui descendait en pente vers la mer ; mais il s'en dégageait, aux yeux de Sam, une étrangeté aussi indéfinissable que puissante qui le fit frissonner.

Il n'arrivait pas à élucider les raisons de cette sensation de malaise instantanée, qui avait peut-être quelque chose à voir, cependant, avec les morbides jeux d'ombre et de lumière de l'endroit. À la fin de cette journée d'automne, dans l'éclat sans joie du soleil mourant, la pierre grise de l'église catholique semblait un édifice d'acier venu d'ailleurs, dont la fonction n'aurait rien eu d'humain. Une boutique d'alcools en stuc blanc avait l'air d'avoir été taillée dans des ossements javellisés par le temps. Les reflets du soleil approchant de l'horizon posaient une cataracte d'un blanc glacial sur de nombreuses vitrines, comme si on les avait peintes pour dissimuler l'activité de ceux qui travaillaient à l'intérieur. Les ombres portées des bâtiments, des pins et des cyprès étaient brutales, pointues, coupantes comme des lames.

Sam freina à hauteur d'un feu rouge, à mi-chemin du quartier commerçant. Comme il n'y avait aucun véhicule derrière lui, il prit le temps d'étudier les gens qui marchaient sur le trottoir. Ils n'étaient pas nombreux, une dizaine environ, et il leur trouva aussi quelque chose qui clochait, même si cette mauvaise impression tenait à des raisons encore plus obscures que celles du malaise produit par la ville elle-même. Ils marchaient d'un pas vif, décidé, la tête haute, avec un air pressé qui paraissait en contradiction avec cette paisible communauté de bord de mer, qui comptait seulement trois mille âmes.

Il soupira et continua de descendre Ocean Avenue, se disant qu'il avait trop d'imagination. Moonlight Cove et ses habitants lui auraient sans doute paru parfaitement ordinaires s'il avait quitté la nationale dans le seul but de trouver un restaurant ; au lieu de cela, il était arrivé en sachant qu'il y avait ici quelque chose de pourri, et c'est ainsi qu'il voyait sous un jour menaçant la scène la plus innocente.

C'est du moins ce qu'il essayait de se dire. Mais sans arriver à se convaincre.

S'il était venu à Moonlight Cove, c'est parce que des gens y étaient morts, que l'explication officielle de ces décès laissait bigrement à désirer et qu'il avait le pressentiment que la vérité, une fois découverte, se révélerait particulièrement inquiétante. Avec le temps, il avait appris à faire confiance à ses pressentiments ; et cette confiance lui avait sauvé la vie.

Il gara la Ford de location devant un magasin de souvenirs.

À l'ouest, tout au bout d'une mer d'un gris ardoise, un soleil anémique s'enfonçait dans un ciel qui virait lentement au rouge sombre. Des vrilles de brouillard commençaient à s'élever des vagues.

3

Assise sur le plancher, dans le placard de la cuisine, adossée à une étagère de boîtes de conserve, Chrissie Foster regarda sa montre. À la lumière crue de l'unique ampoule qui pendait du plafond, elle constata que cela faisait presque neuf heures qu'elle était confinée dans ce minuscule cagibi sans fenêtre. Elle avait reçu la montre-bracelet pour son onzième anniversaire, plus de quatre mois auparavant, ravie que ce ne fût pas une montre de môme avec des mickeys dessus, mais un objet délicat, comme pour une dame, plaqué or, avec des chiffres romains, une vraie Timex comme en portait sa mère. La tristesse submergea Chrissie quand elle la consulta. La montre symbolisait une époque de bonheur et d'unité familiale disparue pour toujours.

En plus de se sentir triste, seule et énervée par des heures de captivité, elle avait très peur. Certes, elle n'était pas aussi terrorisée que ce matin, lorsque son père l'avait portée sans ménagement à travers la maison pour la jeter dans le placard ; car à ce moment-là, elle était encore sous le coup d'une terreur panique, provoquée par ce qu'elle venait de voir. Par ce que ses parents étaient devenus. Mais on ne pouvait demeurer dans cet état de terreur paroxystique ; peu à peu, il avait cédé la place à une peur fiévreuse moins intense, qui la laissait brûlante et frissonnante en même temps, nauséeuse et migraineuse – comme si elle était sur le point d'avoir la grippe.

Elle se demandait ce qu'ils allaient lui faire lorsque finalement ils la sortiraient du cagibi. Non, en fait, elle savait très bien ce qui allait se passer : ils lui feraient subir la même transformation qu'eux-mêmes avaient subie. Elle se demandait, en réalité, comment on provoquait cette transformation et ce qu'elle allait exactement devenir. Elle avait compris que son père et sa mère n'étaient plus des gens comme les autres, mais quelque chose d'autre, sans avoir de mots pour décrire ce qu'ils étaient devenus.

Lorsqu'elle tentait de s'expliquer ce qui se passait à la maison, ce manque de mots ne faisait qu'exacerber sa peur, car elle avait toujours aimé les mots et eu foi en leur pouvoir. Elle prenait plaisir à lire à peu près n'importe quoi : poésie, nouvelles, romans, le journal, les magazines, ou les textes au dos des paquets de céréales, si elle n'avait rien d'autre sous la main. Son institutrice, Mme Tokawa, prétendait qu'elle lisait comme quelqu'un de quinze ans. Lorsqu'elle ne dévorait pas un livre, elle écrivait souvent des histoires de son propre cru. Elle avait d'ailleurs récemment décidé que lorsqu'elle serait grande, elle écrirait des romans comme ceux de Paul Zindel, ou comme ceux du sublimement idiot Daniel Pinkwater, ou encore, mieux que tout, comme Andrée Norton.

Mais pour le moment, elle était à court de mots ; sa vie allait être très différente de ce qu'elle avait imaginé. Elle était autant effrayée par la remise en question de cet avenir confortablement livresque que par les transformations qui s'étaient produites chez ses parents. À environ huit mois de son douzième anniversaire, Chrissie venait de prendre une conscience aiguë des incertitudes que réserve la vie – apprentissage cruel pour lequel elle n'était guère préparée.

Elle était pourtant loin d'avoir déjà renoncé. Elle avait l'intention de se battre. Elle n'allait pas les laisser la changer sans opposer de résistance. Peu après avoir été jetée dans le cagibi, elle avait séché ses larmes et s'était mise à en explorer les étagères, à la recherche d'une arme. Le local contenait essentiellement de la nourriture en paquets, bouteilles ou boîtes de conserve, mais on y trouvait aussi du linge et du matériel de bricolage. Elle pensait avoir découvert l'outil parfait : une petite bombe aérosol de WD-40, un lubrifiant à base d'huile. D'un tiers plus petite que les bombes aérosol ordinaires, ses dimensions la rendaient facile à dissimuler. Si elle arrivait à les prendre par surprise et à les aveugler temporairement, elle aurait une chance de s'échapper.

Comme si elle lisait un titre de journal, elle dit : « *Chrissie, douze ans, se fait la belle grâce à une bombe aérosol domestique.* »

Elle tenait le WD-40 à deux mains, y trouvant un certain réconfort.

De temps en temps, un souvenir vivace et perturbant lui revenait : le visage de son père lorsqu'il l'avait jetée dans le placard – rouge et gonflé de colère, le tour des yeux bleui, les narines frémissantes, les lèvres étirées lui découvrant les dents dans un ricanement bestial, tous les traits révulsés de rage.

– T'en fais pas, je vais revenir, avait-il éructé en postillonnant. Je vais revenir.

Il avait claqué la porte avant de la bloquer à l'aide d'une chaise de cuisine à dos droit coincée sous la serrure. Plus tard, lorsque le silence se fut rétabli dans la maison, Chrissie avait tenté d'ouvrir la porte en poussant dessus de toutes ses forces, mais la chaise lui offrait une résistance trop grande.

T'en fais pas, je vais revenir. Je vais revenir.

Son visage torve et ses yeux injectés de sang lui avaient fait penser à la description de Hyde par Stevenson, dans *Docteur Jekyll et Mister Hyde,* qu'elle avait lu quelques mois avant. Il y avait de la folie dans son père ; il n'était plus le même homme que naguère.

Plus perturbant encore était le souvenir de ce qu'elle avait vu à l'étage, sur le palier, lorsqu'elle était revenue après avoir manqué le bus scolaire et avait pris ses parents par surprise. Non. Ce n'étaient plus ses parents, plus du tout. Elle avait affaire à... quelque chose d'autre.

Elle frissonna.

Agrippa plus fort la bombe de WD-40.

Soudain, pour la première fois depuis des heures, un bruit lui parvint de la cuisine. On ouvrait la porte à l'arrière de la maison. Bruit de pas. Au moins deux personnes, peut-être trois ou quatre.

– Elle est là-dedans, entendit-elle dire son père.

Le cœur de Chrissie s'arrêta, puis repartit sur un rythme plus tendu et rapide.

– Ça va prendre du temps, remarqua un autre homme, dont Chrissie ne reconnut pas la voix grave, au timbre légèrement râpeux. Vous comprenez, c'est plus compliqué avec un enfant. Shaddack n'est même pas sûr que nous soyons prêts pour les enfants. C'est risqué.

– Il faut pourtant qu'elle soit convertie, Tucker.

La voix de sa mère, cette fois-ci, mais une voix changée. Elle n'avait pas sa douceur habituelle, cette musicalité naturelle qui convenait si bien pour lire les contes de fées.

– Oui, évidemment, il faut le faire, répondit l'étranger dont le nom était sans doute Tucker. Je le sais bien, et Shaddack aussi. C'est lui qui m'a envoyé ici, non ? Je dis simplement que ça pourrait prendre plus de temps que d'habitude. Nous avons besoin d'un endroit où la contrôler et la surveiller pendant la conversion.

– Dans sa chambre, à l'étage.

Conversion ?

Tremblante, Chrissie se leva et se tint face à la porte.

Frottements et grincements de la chaise que l'on retire d'en dessous de la serrure.

Elle tient la bombe dans la main droite, encore dissimulée derrière le dos, l'index sur l'éjecteur à pression.

La porte s'ouvre et son père la regarde.

Alex Foster. Chrissie tente de penser à lui sous ce nom, et non comme à son père. Alex Foster, point. Difficile, cependant, de nier que par certains côtés il était encore son papa. Et de toute façon, « Alex Foster » ne convenait pas mieux que « papa » car il était quelque chose d'autre.

La rage ne déformait plus son visage. Il *se* ressemblait davantage ; tignasse blonde épaisse, visage large, agréable, aux traits accusés, une poignée de taches de rousseur jetées en travers du nez et des joues. C'était dans les yeux que la différence devenait terrible. Ils paraissaient déborder d'un sentiment d'urgence, d'une tension extrême. Affamés. Oui, c'était ça : papa avait l'air affamé, dévoré par la faim, rendu fou par la faim, mourant de faim... d'une faim pour autre chose que de la nourriture. Elle ne comprenait pas la nature de cet appétit mais le sentait, comme un besoin pressant qui donnait à ses muscles une tension permanente, un état de manque d'une telle puissance, si brûlant qu'il montait de lui en vagues, comme de la vapeur au-dessus d'une eau bouillante.

– Sors d'ici, Chrissie, dit-il.

Chrissie laissa retomber les épaules, cilla comme si elle réprimait des larmes, exagéra les frissons qui la secouaient et fit tout pour avoir l'air petite, effrayée, vaincue d'avance. À contrecœur elle s'avança.

– Allez, grouille-toi, fit-il avec un geste impatient de la main.

La fillette franchit le seuil et vit sa mère qui se tenait à côté d'Alex, un peu en retrait. Sharon était une jolie femme, avec ses cheveux auburn et ses yeux verts, mais il n'y avait plus ni douceur ni rien de maternel en elle. Elle avait le même air dur, changé, dévoré de la même énergie difficilement contenue que son mari.

Près de la table de la cuisine se tenait un étranger en jeans et veste de chasse à carreaux. Tucker, évidemment, à qui s'était adressée sa mère : grand, mince, anguleux. Les cheveux noirs, coupés en brosse. Des yeux sombres, enfoncés sous des sourcils osseux, proéminents. Le nez aquilin comme un coin de bois fiché au milieu de son visage. La bouche réduite à un simple trait, et la mâchoire prognathe d'un prédateur capable de casser en deux un petit animal d'un seul coup de dents. Il tenait une sacoche de médecin à la main.

Alex tendit la main vers sa fille lorsqu'elle sortit du cagibi ; elle brandit alors la bombe de WD-40 et lui en aspergea les yeux à moins de soixante centimètres. Tandis que son père poussait des hurlements de surprise et de douleur, elle se tourna et aspergea à son tour sa mère en plein visage. À demi aveuglés, ils voulurent l'attraper à tâtons, mais elle leur échappa et fonça dans la cuisine.

Tucker, bien que surpris, réussit à la saisir par un bras.

Elle fit un brusque demi-tour et lui lança un coup de pied entre les jambes.

Il ne la lâcha pas, mais ses grandes mains devinrent sans force. Elle s'arracha à sa prise et courut jusqu'au couloir.

4

De l'est, montait sur Moonlight Cove un crépuscule dont la brume paraissait être composée non point de vapeur d'eau, mais d'une lumière mauve et fumeuse. En sortant de sa voiture, Sam Booker trouva l'air frisquet et se félicita d'avoir un lainage sous sa veste de velours. Tandis que les lampadaires s'allumaient automatiquement, il commença une promenade de flâneur sur Ocean Avenue, faisant du lèche-vitrines, prenant le pouls de la ville.

Il savait Moonlight Cove prospère et pratiquement sans chômeurs – grâce à New Wave Microtechnology qui y avait installé son siège social une dizaine d'années auparavant. Il découvrait cependant les signes d'une économie déclinante. On avait mis la clef sous la porte chez Taylor (cadeaux) et chez Saenger (bijouterie) ; à travers les vitrines poussiéreuses, il aperçut des étagères et des casiers vides, abandonnés dans la pénombre. Un magasin de vêtements à la mode annonçait des soldes monstres pour cause de cessation d'activité, et à en juger par la pénurie de clients, il avait du mal à écouler sa marchandise, pourtant vendue à cinquante ou même soixante-dix pour cent de son prix.

Le temps de parcourir les deux pâtés de maisons vers l'ouest, côté plage, et de revenir de trois pâtés (par l'autre trottoir) jusqu'à la Knight's Bridge Tavern, le crépuscule triomphait presque. Un brouillard nacré montait de la mer et l'air lui-même paraissait iridescent, saisi d'un délicat chatoiement. Une brume couleur prune enrobait toutes choses, sauf là où les lampadaires déversaient leur lumière jaune adoucie par la vapeur d'eau. Les ténèbres, au-dessus, paraissaient tout vouloir engloutir.

Un seul véhicule se déplaçait dans l'avenue, à trois coins de rue de là, et Sam était pour l'instant l'unique piéton. La sensation de solitude, combinée à l'étrange lumière mourante, lui donnait l'impression de se trouver dans une ville fantôme, habitée seulement par des morts. Le brouillard venu du Pacifique gagnait les hauteurs en s'épaississant, et renforçait le sentiment que *toutes* les boutiques de la rue étaient vides, qu'elles n'avaient rien à offrir sinon leurs toiles d'araignée, le silence, la poussière.

Tu n'es qu'un crétin d'entêté, se dit-il. Avec ton goût immodéré pour le sinistre.

L'expérience l'avait rendu pessimiste. Les événements traumatisants de sa vie ne le prédisposaient certainement pas à l'optimisme béat.

Des vrilles de brouillard s'enroulèrent à ses chevilles. À l'autre bout de la mer gagnée par la nuit, ce qui restait des dernières lueurs du jour se noyait lentement. Sam frissonna et entra dans la taverne pour prendre un verre.

Parmi les trois autres clients, aucun n'avait l'air d'une humeur bien joyeuse. Dans l'un des box en vinyle noir du fond, deux personnes d'âge moyen, penchées l'une vers l'autre, parlaient à voix basse. Au bar, un type au visage grisâtre était avachi sur sa bière pression qu'il tenait à deux mains, avec un froncement de sourcils comme s'il venait d'y découvrir qu'une mouche y barbotait.

Pour se conformer à son nom, le Knight's Bridge en rajoutait jusqu'à la nausée en matière d'atmosphère « pub britannique ». Des écus armoriés sculptés en bois et peints, sans aucun doute copiés dans quelque ouvrage héraldique, tous différents, enjolivaient chacun des dossiers des hauts sièges du bar. Une armure complète se dressait dans un coin, et des scènes de chasse au renard ornaient les murs

Sam se glissa sur l'un des sièges, le plus loin possible de l'homme au visage gris, et le barman se précipita vers lui, passant un chiffon propre au passage sur un comptoir en chêne poli déjà immaculé.

– Bonsoir, monsieur. Qu'est-ce que ce sera ?

C'était un homme tout en rondeurs ; petite bedaine ronde, avant-bras courts et musclés sous un chaume épais de poils noirs, visage dodu, bouche trop petite pour être en harmonie avec le reste, nez cassé au petit bout tout rond, et yeux arrondis au point de lui donner un air de surprise permanent.

– Vous avez de la Guinness ? demanda Sam.

– À mon avis, il n'y a pas de véritable pub sans Guinness. Si nous n'en avions pas... autant dire que nous serions dans un salon de thé.

Il avait un timbre mielleux, et chacune de ses paroles paraissait aussi ronde et replète que lui. Il donna à Sam l'impression de s'empresser un peu trop.

– L'aimez-vous très froide ou juste légèrement rafraîchie ? J'ai l'une et l'autre.

– Très légèrement rafraîchie.

– Un connaisseur !

Puis il revint avec la bière.

– Je m'appelle Burt Peckham. Je suis le proprio.

Sam versa lentement la *stout* le long du verre pour la faire mousser le moins possible, et répondit :

– Moi, c'est Sam Booker. Charmant, votre établissement, Burt.

– Merci. Vous devriez passer le mot, ce serait gentil. J'essaie de le garder accueillant et bien approvisionné, mais depuis quelque temps la clientèle se fait rare, alors que c'était bondé presque tous les soirs, il n'y a pas si longtemps. Comme si toute la ville s'était mise au régime sec, ou comme si chacun fabriquait son petit mélange dans sa cave.

– On est lundi soir.

– Depuis deux mois, la salle est la plupart du temps à moitié vide même le samedi soir, ce qui n'arrivait jamais avant.

Des fossettes d'inquiétude creusèrent le visage rond de Burt Peckham. Il frottait lentement le comptoir tout en parlant.

– Pourquoi ? Je me dis que les Californiens ont peut-être été trop loin, à force de vouloir être en superforme. Ils rentrent tous à la maison, à faire de l'aérobic devant leur magnétoscope, à bouffer du germe de blé et du blanc d'œuf ou je ne sais quelle cochonnerie diététique, et à boire de l'eau minérale, des jus de fruits et du lait de souris. Moi je dis qu'un verre ou deux par jour, c'est *bon* pour la santé.

Sam but quelques gorgées de Guinness, poussa un soupir de satisfaction et dit :

– En effet, ça donne l'impression de ne pouvoir vous faire que du bien.

– Évident ! Bon pour la circulation. Bon pour les intestins. Le curé devrait chanter ses vertus tous les dimanches, au lieu de prêcher contre. Tout est une question de modération – ce qui comprend deux bières par jour.

Se rendant peut-être compte qu'il polissait le bar de manière un peu obsessionnelle, il posa le chiffon et croisa les bras.

– Vous êtes juste de passage, Sam ?

– En réalité, mentit Sam, je me balade tranquillement tout le long de la côte depuis Los Angeles jusqu'à l'Oregon. Je cherche un coin tranquille où je pourrais prendre une demi-retraite.

– La retraite ? Vous blaguez ?

– Une *demi*-retraite.

– Mais vous avez à peine quarante, quarante et un ans ?

– Quarante-deux.

– Et vous êtes quoi ? Cambrioleur de banques ?

– Non, agent de change. J'ai fait quelques bons investissements qui commencent à payer. Je crois que je peux laisser tomber la course à l'échalote et bien m'en tirer en gérant mon seul portefeuille. J'ai envie d'un coin paisible, sans pollution, sans crime. J'en ai ma claque de L.A.

– On gagne vraiment de l'argent en bourse ? demanda Peckham. Moi qui croyais que c'était aussi risqué que de jouer au baccara à Reno. Est-ce qu'ils n'ont pas tous bu le bouillon, il y a deux ans, quand le marché s'est effondré ?

– C'est un jeu où les petits sont toujours jobards, mais on peut en tirer son épingle quand on est professionnel, à condition de ne pas se laisser emporter par l'euphorie. Les actions ne peuvent pas monter éternellement, mais elles ne peuvent pas baisser éternellement non plus. Tout l'art consiste à anticiper le moment où il faut nager à contre-courant.

– Tout de même, fit Peckham, songeur, prendre sa retraite à quarante-deux ans... Et moi qui croyais en avoir pour la vie, quand j'ai acheté cette affaire. J'ai dit à ma femme, quand ça va bien, les gens boivent pour fêter ça, quand ça va mal, pour se consoler. Donc, pas de meilleur boulot que tenir une taverne. Et maintenant, regardez ça ! (De la main, il balaya la salle presque vide.) J'aurais mieux fait d'aller vendre des préservatifs dans les couvents.

– Puis-je avoir une autre Guinness ?

– Eh, les affaires reprendraient-elles ?

Lorsque Peckham revint avec une deuxième bouteille, Sam reprit la conversation.

– Un peu le genre d'endroit que je cherche, Moonlight Cove. J'ai bien envie d'y rester quelques jours, histoire de voir à quoi ça ressemble. Vous pouvez me recommander un motel ?

– Il n'en reste qu'un. Ça n'a jamais été une ville bien touristique. Personne ne le souhaitait vraiment ici, je crois. Jusqu'à l'été dernier, nous avions quatre motels. Trois ont fermé. Je ne comprends pas... c'est un patelin charmant, et pourtant on dirait qu'il est en train de mourir. Pour autant que je sache, les gens ne s'en vont pas, mais... bon Dieu, nous perdons *quelque chose*. (Il reprit machinalement le chiffon et se mit à frotter de nouveau le bar.) Allez donc voir au Cove Lodge, sur

Cypress Lane. C'est la dernière rue qui coupe Ocean Avenue avant la plage ; elle suit la falaise et vous aurez probablement une chambre avec vue sur la mer. C'est propre et tranquille.

5

Arrivée au bout du couloir, Chrissie Foster ouvrit violemment la porte, bondit sous le vaste porche, descendit les marches en deux enjambées, trébucha, se rattrapa, tourna à droite et, passant à côté d'une Honda bleue (appartenant évidemment à Tucker), fonça à travers la cour dans la direction des écuries. Les claquements secs de ses tennis résonnaient comme des coups de canon dans le crépuscule qui gagnait rapidement. Elle aurait aimé courir silencieusement – et plus vite. Même si ses parents et Tucker arrivaient après que les ombres l'auraient engloutie, ils pourraient toujours deviner à l'oreille la direction qu'elle prenait.

Le ciel était presque entièrement d'un noir calciné, même si une barre d'un rouge profond luisait sur l'horizon, vers l'ouest ; on aurait dit que toute la lumière de cette journée d'octobre avait réduit à la cuisson et qu'il n'en restait que cette tache écarlate intense, au fond du chaudron céleste. Des volutes de brouillard montaient subrepticement de la mer proche, et Chrissie espérait le voir s'épaissir rapidement et prendre une consistance de pudding, car tout ce qui contribuerait à la dissimuler serait bon pour elle.

Elle atteignit le premier des deux longs bâtiments et fit rouler la grande porte de côté. Une bouffée de l'odeur familière lui parvint, pas désagréable : paille, foin, cheval, cuir, liniment, crottin.

Elle trouva l'interrupteur des veilleuses, et trois ampoules de faible puissance se mirent à briller, mais trop discrètement pour déranger les occupants. Dix stalles aux proportions généreuses s'alignaient de chaque côté de l'allée de terre battue, et plusieurs des chevaux la regardèrent avec curiosité par-dessus leur demi-porte. Quelques-uns appartenaient aux parents de Chrissie, mais la plupart étaient en pension pour le compte de propriétaires habitant Moonlight Cove ou les environs. Les chevaux soufflèrent, s'ébrouèrent et l'un d'eux hennit doucement tandis que Chrissie se précipitait vers le dernier box sur la gauche, où se trouvait une jument gris pommelé du nom de Godiva.

On pouvait accéder aux stalles directement de l'extérieur, mais avec la saison froide, les portes étaient verrouillées pour mieux conserver la chaleur. Godiva était une bête douce et particulièrement patiente avec Chrissie, mais nerveuse dans le noir. Comme la fillette ne pouvait perdre même quelques secondes à la calmer, elle avait dû la rejoindre par l'intérieur de l'écurie.

Mais Godiva était prête. Elle secoua la tête et agita la crinière, épaisse et lustrée, qui lui avait valu son nom, et souffla par les naseaux pour saluer Chrissie.

Celle-ci, après un coup d'œil vers l'entrée de l'écurie – elle s'attendait à voir surgir Tucker ou ses parents à chaque instant –, souleva le loquet de la demi-porte. La jument sortit dans l'allée.

– Je compte sur toi, Godiva. Si tu savais comme je compte sur toi !

Elle n'avait pas le temps de la seller, ni même de lui glisser un mors entre les dents. Une main sur le flanc de la bête, elle la guida à travers la sellerie jusque vers l'entrée du fond, qu'elle ouvrit.

Sans étrier, cependant, elle ne pouvait se hisser sur Godiva.

Un tabouret de maréchal-ferrant se trouvait dans un coin de la sellerie. Gardant une main contre la jument pour la calmer, Chrissie réussit à rapprocher le siège du pied.

Derrière elle, à l'autre bout de l'écurie, Tucker s'écria :

– Ici ! Elle est ici !

Et il se précipita vers Chrissie.

Le tabouret n'était pas bien haut et ne valait pas un étrier.

Elle entendait le martèlement des pas de Tucker qui se rapprochait, se rapprochait – mais elle ne le regarda pas.

– Je la tiens ! cria-t-il.

Chrissie s'accrocha à la magnifique crinière blanche de Godiva, et se jeta de toutes ses forces sur le dos du cheval, tendant la jambe, plus haut, plus haut, s'agrippant avec l'énergie du désespoir au flanc de la jument et à sa crinière. Elle dut lui faire mal, mais la bête resta stoïque. Elle ne se cabra ni ne hennit, comme si quelque instinct chevalin lui avait dit que la vie de la fillette dépendait de sa sérénité. Puis Chrissie se retrouva à califourchon sur Godiva, encore dangereusement penchée, mais perchée dessus, étreignant la jument des genoux ; une main accrochée à la crinière, elle lui donna une claque de l'autre.

– Vas-y !

Tucker tendit une main vers elle au moment où elle poussait ce cri ; il la saisit à la jambe, s'agrippa à son jeans. Il était fou de colère ; ses yeux enfoncés fulguraient, ses narines palpitaient et ses lèvres fines découvraient ses dents. Chrissie réussit à lui donner un coup de talon dans la mâchoire, et il lâcha prise pour la deuxième fois.

Simultanément, Godiva s'élançait dans la nuit par la porte ouverte.

– Elle a pris un cheval ! s'étrangla Tucker. Elle est à cheval !

La jument pommelée fila tout droit vers la pente herbeuse qui descendait jusqu'à la mer, à deux cents mètres de là, la mer où les derniers feux d'un rouge sombre du couchant jetaient d'ultimes reflets étouffés sur l'eau noire. Mais Chrissie craignait de gagner la plage, ne sachant pas exactement où en était la marée. À certains endroits de la côte, la grève, déjà étroite à marée basse, était recouverte à marée haute jusqu'aux premiers rochers ou jusqu'à la falaise, et tout passage devenait impossible. Elle ne pouvait prendre le risque de tomber dans un cul-de-sac avec Tucker et ses parents à ses trousses.

Alors qu'elle n'avait pas l'avantage d'une selle et qu'elle était lancée au grand galop, Chrissie réussit à trouver une meilleure position ; dès qu'elle ne fut plus penchée sur le côté comme un cascadeur, elle empoigna l'épaisse crinière blanche à deux mains et essaya de s'en servir comme substitut aux rênes. Elle tira pour faire tourner Godiva à gauche et l'éloigner de la mer, l'éloigner aussi de la maison et, par l'arrière des écuries, lui faire gagner le chemin de huit cents mètres qui rejoignait la route départementale, où elle pourrait plus facilement trouver de l'aide.

Au lieu de se rebeller contre cette cruelle méthode de guidage, la jument, patiente, réagit aussitôt et vira à gauche aussi gracieusement que si elle avait eu un mors et senti l'appel des rênes. Le tonnerre de ses sabots se doubla d'un écho quand elles passèrent le long des écuries.

– T'es une sacrée bonne fille, Godiva ! cria Chrissie à sa monture. Si tu savais comme je t'aime !

Elles passèrent loin de la première entrée de l'écurie, et Chrissie vit Tucker qui surgissait de celle-ci. Il était manifestement pris de court en la voyant partir dans cette direction et non vers la mer. Il piqua un sprint vers elle, mais s'il se montra capable d'une pointe stupéfiante, il n'était pas de taille par rapport à Godiva.

Elles arrivèrent au chemin, et Chrissie maintint la jument sur le bas-côté, plus souple, qui longeait la chaussée. Elle se penchait le plus possible en avant, terrifiée à l'idée de tomber, ébranlée dans tout son corps par le martèlement brutal des sabots de l'animal. La tête de côté, elle voyait la maison sur sa gauche, mais ses fenêtres éclairées n'avaient plus rien d'accueillant. Ce n'était plus son foyer, mais l'enfer entre quatre murs, et les lumières qu'elle apercevait lui paraissaient les feux démoniaques des cellules de Hadès.

Soudain, elle vit quelque chose qui traversait en courant la pelouse, devant la maison, en direction du chemin. Vers elle. Quelque chose de bas qui allait très vite – la taille d'un homme qui aurait couru et bondi à quatre pattes, à environ vingt mètres d'elle, se rapprochant. Elle vit une deuxième silhouette étrange, presque de la même taille, galopant derrière la première. En dépit des lumières de la ferme qui les éclairaient de dos, Chrissie ne distinguait guère que leur forme générale, mais elle savait cependant à quoi elle avait affaire. Enfin, presque : elle savait probablement *à qui* elle avait affaire, mais elle ignorait toujours ce que *c'était* exactement. Même si elle les avait vus ce matin, en haut de l'escalier ; qui ils étaient avant, oui, des gens comme elle. Maintenant ? Elle ne savait pas.

– Allez, Godiva, allez !

Même sans la sollicitation d'un coup de guides, la jument allongea la foulée comme si elle était en liaison psychique avec sa cavalière.

Elles dépassèrent la maison, franchirent à toute allure un champ herbeux, et longèrent, haletantes, le macadam du chemin vers la route, à sept cents mètres à l'est maintenant. La jument aux pieds légers détendait à fond les muscles de sa croupe, et ses foulées puissantes créaient un bercement rythmique tellement jubilatoire que Chrissie en oubliait presque le côté panier à salade de la chevauchée ; elle avait l'impression que monture et cavalière effleuraient la terre, volaient presque. Elle jeta un coup d'œil par-dessus son épaule et ne vit pas les deux silhouettes bondissantes, mais la fillette était sûre qu'elles n'avaient pas abandonné leur poursuite au milieu des ombres. L'incandescence rougeâtre, à l'horizon, tournait au violet, les lumières de la maison s'éloignaient rapidement et ce n'était pas le maigre croissant de lune qui commençait à pointer une corne argentée au-dessus des collines, à l'est, qui améliorait la visibilité, de moins en moins bonne.

Si elle ne pouvait voir ceux qui la poursuivaient à pied, elle n'eut en revanche aucun mal à repérer les phares de la Honda de Tucker, qui décrivit une boucle serrée pour regagner l'allée et se joindre à la poursuite.

Chrissie pensait que Godiva était capable de courir plus vite qu'un homme ou que n'importe quel animal, à l'exception d'un cheval plus puissant qu'elle, mais elle savait aussi qu'elle ne pourrait rien contre une voiture. Il ne faudrait que quelques secondes à Tucker pour les rattraper. Elle revoyait nettement le visage de l'homme : le front aux arcades sourcilières osseuses, le nez à l'arête aiguë, les yeux profondément enfoncés, comme deux billes dures et noires. Il dégageait la même aura de vitalité aberrante que Chrissie avait parfois observée chez ses parents – mélange d'une surabondance d'énergie nerveuse avec un air bizarre d'être affamé. Elle savait qu'il ferait n'importe quoi pour l'arrêter, qu'il serait même capable de télescoper Godiva avec la Honda.

Il ne pouvait évidemment pas suivre la jument à travers champ avec la voiture. À contrecœur, à l'aide des genoux et d'une torsion de la crinière, Chrissie dut détourner Godiva de la direction de la route, c'est-à-dire de l'endroit où elle avait le plus de chances de trouver rapidement de l'aide. L'animal réagit sans hésitation et fonça vers les bois qui s'étendaient à l'autre bout de la prairie, à cinq cents mètres en direction du sud.

La forêt n'était qu'une masse sombre et hérissée dont la ligne ne se détachait qu'à peine sur un fond de ciel presque aussi noir. C'était davantage sa mémoire que la vue qui lui faisait anticiper les obstacles du terrain, et elle se prit à espérer que la vision nocturne de la jument fût meilleure que la sienne.

– Ça c'est une bonne fille, une bonne fille, allez, va ! va ! cria-t-elle pour encourager sa monture.

L'air était calme et froid, mais le vent de la course suffisait à la fouetter. Chrissie voyait les bouffées de l'haleine de Godiva passer en volutes cristallisées, et elle-même, bouche ouverte, exhalait ses propres nuages de vapeur. Son cœur battait au rythme des foulées frénétiques et elle avait l'impression de ne presque plus faire qu'un avec Godiva, de partager le même cœur, le même sang, le même souffle.

Bien que sa vie fût l'enjeu de la fuite, elle se sentait aussi agréablement surexcitée qu'elle était terrifiée, et fut abasourdie de s'en rendre compte. Faire face à la mort – voire, peut-être, à quelque chose de pire que la mort – s'avérait particulièrement enivrant, exerçait sur elle une sinistre séduction d'une manière et dans une mesure qu'elle n'aurait jamais imaginées. Elle fut presque aussi effrayée de cette émotion inattendue que des êtres qui la pourchassaient.

Elle s'accrochait fermement à Godiva, rebondissant parfois sur son dos à de dangereuses hauteurs, mais sans lâcher prise, fléchissant et contractant ses muscles en mesure avec ceux du cheval. À chaque fois que les sabots martelaient le sol, Chrissie sentait grandir en elle l'espoir de s'échapper. La jument avait le cœur solide et de l'endurance. Quand elles eurent traversé les trois quarts du champ, alors que les frondaisons le surplombaient déjà, la fillette décida de prendre de nouveau en direction de l'est dès qu'elles auraient atteint la lisière ; pas exactement dans la direction de la route départementale, mais...

... Godiva chuta.

La jument avait posé un sabot dans une dépression de terrain – terrier de lapin, fossé naturel –, trébuché et perdu l'équilibre. Elle tenta de se redresser sans y parvenir, et s'effondra avec un hennissement terrifié.

Chrissie eut un instant peur que sa monture ne retombât sur elle et ne l'écrasât, ou au moins ne lui cassât une jambe. Mais sans étrier pour la retenir par le pied ni pommeau de selle par le vêtement, et comme elle avait instinctivement lâché la crinière, elle se trouva sur-le-champ éjectée par-dessus la tête de la jument, très haut dans les airs. Le sol avait beau être mou et rendu plus élastique encore par la densité des herbes sauvages, elle le heurta si violemment qu'elle en eut la respiration coupée, et qu'elle se serait déchiré la langue si elle l'avait eue entre les dents au moment où ses mâchoires claquèrent l'une contre l'autre. Elle était retombée à trois mètres de Godiva et ne risquait rien de ce côté-là.

La jument fut la première à se relever, donnant presque l'impression d'avoir rebondi. Les yeux agrandis par la terreur, elle passa au petit galop près de Chrissie, boitant légèrement de la jambe droite, qu'elle avait tout au plus foulée ; avec une fracture, elle ne se serait jamais relevée.

La fillette l'appela, mais sa respiration était encore douloureuse et entrecoupée, et c'est un murmure qui sortit de ses lèvres.

– *Godiva !*

La jument continua vers l'ouest, vers la mer et l'écurie.

Le temps de se mettre à quatre pattes, Chrissie avait compris qu'un cheval boiteux ne lui servirait à rien, et elle ne renouvela pas son effort pour l'appeler. Elle était encore à la recherche de son souffle, légèrement étourdie, mais elle savait qu'elle devait absolument s'éloigner ; une chose ne faisait pas de doute : la poursuite continuait. Elle apercevait les phares de la Honda, garée le long de l'allée à plus de trois cents mètres au nord. Avec la disparition des dernières traînées sanglantes à l'ouest, la prairie était noire. Impossible de se rendre compte si des silhouettes basses s'y déplaçaient ou non à toute vitesse ; elles devaient cependant s'approcher, et il ne leur faudrait qu'une minute ou deux pour lui mettre la main dessus.

Elle se leva, prit la direction des bois, avança d'un pas titubant sur une quinzaine de mètres avant de récupérer complètement, puis finit par démarrer au pas de course.

6

Avec les années, Sam Booker avait découvert que, sur toute sa longueur, la côte californienne offrait au voyageur des auberges charmantes, remarquables par une architecture de pierre de taille de qualité, des charpentes patinées par les intempéries, des plafonds voûtés, des verres biseautés et des jardins luxuriants aux allées de briques usées. En dépit des images de confort qu'évoquait son nom et de l'emplacement spectaculaire qu'il occupait, le Cove Lodge était loin d'être l'un de ces bijoux californiens. Ce n'était qu'une boîte ordinaire, bêtement rectangulaire, enduite en stuc, avec un étage, quarante chambres, et comportant une cafétéria miteuse à une extrémité mais pas de piscine. Pour le service, il se réduisait à des machines à glaces et à sodas, une au rez-de-chaussée, l'autre à l'étage. L'enseigne qui dominait le bureau de réception n'était ni clinquante ni enjolivée d'une débauche de néons, mais petite et simple. Et économique.

Sam se vit attribuer une chambre au premier avec vue sur l'océan, ce qui en fait lui importait peu. À en juger par le petit nombre de véhicules dans le parking, cependant, les chambres bien situées ne devaient pas manquer. Chaque niveau du motel comptait vingt unités, dix de chaque côté d'un couloir intérieur revêtu d'une moquette rase, d'un orange criard qui blessait la vue. Les chambres à l'est donnaient sur Cypress Lane, celles à l'ouest sur le Pacifique. Les quartiers de Sam se trouvaient au coin nord-ouest et comportaient un grand lit de cent soixante au matelas fatigué et au couvre-lit bleu-vert râpé, deux tables de nuit grêlées de brûlures de cigarettes, une télévision boulonnée à son étagère, une table, deux chaises droites, une commode dans le même état que les tables de nuit, un téléphone, une salle de bains et une grande fenêtre servant de cadre à une marine grand format, pour l'instant d'un noir d'encre.

Lorsque les commis voyageurs au bout du rouleau et démoralisés se suicidaient en cours de tournée, c'était dans ce genre de chambre.

Le policier défit ses bagages et rangea ses vêtements dans la penderie et les tiroirs de la commode. Puis il s'assit sur le bord du lit et contempla longuement le téléphone.

Depuis le motel, il ne pouvait appeler Scott, son fils, resté à Los Angeles. Si jamais la police locale s'intéressait à lui, elle viendrait faire un tour au Cove Lodge, fouinerait partout, retrouverait son appel et essaierait de déterminer son identité par celle de ses correspondants. Pour conserver l'anonymat, il ne pouvait appeler qu'un numéro : celui de son contact au bureau de L. A., une ligne protégée où on lui répondrait :

– Birchfield Securities, puis-je vous aider ?

Qui plus est, l'annuaire faisait état de la Birchfield, société fictive dans laquelle Sam était supposément agent de change ; impossible de remonter jusqu'au FBI. Il n'avait pour l'instant aucun compte rendu à faire, et ne décrocha donc pas. En sortant dîner, il appellerait Scott depuis une cabine.

Il n'avait aucune envie de lui téléphoner et n'agirait que par devoir, ce que Sam trouvait horrible. Cela faisait au moins trois ans que les échanges avec son fils avaient cessé d'être agréables, depuis que Scott avait treize ans, et alors qu'il était orphelin de mère depuis déjà un an. Sam se demandait s'il aurait si rapidement mal tourné, et mal tourné à ce point, si Karen avait vécu. Le cours de ses pensées le mena inévitablement à se poser la question du rôle qu'il avait joué dans ce qui arrivait à Scott : aurait-il mal tourné indépendamment de la qualité de son environnement parental ? Sa chute était-elle inscrite dans les étoiles, sa faiblesse était-elle congénitale ? Ou sa dégringolade était-elle le résultat direct de l'incapacité de son père à le guider dans une meilleure direction ?

S'il continuait à broyer du noir ainsi, il allait rejouer la grande scène de *La Mort d'un commis voyageur* à Cove Lodge – même s'il n'en était pas un.

La Guinness brune.

La nourriture mexicaine (quand elle est excellente).

Goldie Hawn.

La peur de la mort.

En tant que raisons de vivre, c'était une liste pathétiquement courte. Peut-être suffisaient-elles, au fond.

Il alla aux toilettes puis se lava les mains et le visage à l'eau froide. Il se sentait toujours fatigué, et nullement rafraîchi.

Il retira sa veste de velours, prit dans sa valise un étui à revolver d'épaule en cuir souple et l'enfila. Puis il chargea le .38 Smith & Wesson Chief Special avant de le glisser dans l'étui et de remettre sa veste. Ses vêtements étaient coupés de telle manière qu'on ne devinait aucun renflement suspect, et l'étui placé loin contre son flanc restait invisible même veste déboutonnée.

Pour les missions clandestines, la silhouette et le visage de Sam étaient aussi anodins que ses tenues. Ni grand ni petit, musclé avec à peine un peu de graisse, il n'avait pas le genre haltérophile à nuque épaisse qui aurait attiré l'attention. Son visage ne présentait rien de spécial : ni beau ni laid, ni trop allongé ni trop carré, aucun trait spécialement accusé, il ne comportait même pas une petite cicatrice. La coupe de ses cheveux châtain clair était d'un style vieux comme le monde et aurait passé inaperçu à l'âge de la brosse comme à celui des queues de cheval.

De toute sa personne, seuls ses yeux frappaient. Ils étaient gris-bleu, striés de marques plus sombres. Les femmes lui avaient souvent dit qu'elles n'en avaient jamais vu d'aussi beaux. Il fut un temps où il était sensible à ces hommages féminins.

Il bougea les épaules pour s'assurer que l'étui était bien en place.

Il ne s'attendait pas particulièrement à devoir se servir de l'arme dès ce soir. Il n'avait pas commencé à fouiner et n'avait pu attirer l'attention. N'ayant bousculé personne, personne n'avait de raison de le bousculer.

Malgré tout, il avait décidé de porter son revolver dès maintenant. Il ne pouvait d'ailleurs le laisser dans la chambre du motel ou dans la voiture de location ; si quelqu'un procédait à une fouille systématique, il le trouverait et il perdrait son anonymat. On imagine mal un agent de change plus tout jeune à la recherche d'un havre de paix pour sa retraite, se promenant avec un calibre 38 de ce modèle. C'était une arme de flic.

Il mit la clef dans sa poche et alla dîner.

7

Une fois l'enregistrement fait à la réception du Cove Lodge, Tessa Jane Lockland passa un long moment devant la grande fenêtre de sa chambre, lumières éteintes. Elle contemplait la vaste étendue noire du Pacifique et la plage sur laquelle sa sœur se serait aventurée, paraît-il, pour exécuter une sinistre mission d'autodestruction.

La version officielle affirmait qu'elle s'était rendue seule la nuit sur la plage, dans un état dépressif aigu. Elle aurait ingurgité des doses massives de Valium, avalant les cachets à l'aide de Coke diététique. Puis elle se serait déshabillée et aurait entrepris de partir pour le Japon à la nage. Perdant conscience à cause du Valium, elle n'aurait pas tardé à se laisser couler dans l'étreinte froide de la mer et se serait noyée.

– Des conneries, dit doucement Tessa, comme si elle s'adressait à son vague reflet dans la vitre.

Janice Lockland Capshaw avait toujours été d'un naturel joyeux et d'un indéracinable optimisme – trait si commun dans le clan des Lockland qu'il en paraissait génétique. Il ne lui était jamais arrivé de s'asseoir dans un coin, abattue, et de s'apitoyer sur elle-même. Et si jamais elle s'était laissée aller, il ne lui aurait pas fallu deux secondes pour éclater de rire (s'apitoyer sur soi ? Ridicule !), se lever et choisir, en manière de psychothérapie, entre un film et le tour du parc (ou de la plage) au pas de course. Même à la mort de Richard, Janice n'avait pas laissé son chagrin développer de métastases dépressives – et pourtant Dieu sait si elle avait aimé son mari.

Qu'est-ce qui aurait donc pu la jeter dans une telle dégringolade ? À voir l'histoire que la police voulait lui faire avaler, Tessa se sentait devenir sarcastique. Autant imaginer que Janice avait fait un repas tellement ignoble dans un restaurant que le suicide avait été son seul recours. Ouais. Ou bien sa télé ayant fait hara-kiri, elle avait manqué son feuilleton préféré sur la famille Machin-Truc, ce qui l'avait plongée dans un désespoir sans fond. Tiens pardi. Ces scénarios étaient tout aussi plausibles que le tissu d'absurdités qui émaillaient le rapport de la police de Moonlight Cove.

Suicide ?

– Connerie, répéta Tessa.

Depuis la fenêtre de sa chambre, elle ne voyait qu'une bande étroite de la plage, en dessous, l'endroit où les vagues venaient se briser. On devinait la partie sablonneuse à la lumière glacée de la lune dans ses premiers quartiers : un ruban sinueux et pâle qui s'incurvait vers le sud et le nord, épousant la forme de la baie.

Tessa se sentit submergée par le désir de se rendre sur la plage d'où sa sœur serait soi-disant partie pour cette funèbre baignade. Cette plage où la marée avait rejeté son cadavre gonflé et ravagé, quelques jours plus tard. Elle se détourna de la fenêtre et alluma une des lampes de chevet. Elle prit une veste en cuir dans le placard, l'enfila, jeta son sac à main sur son épaule et quitta la pièce. Elle était certaine – irrationnellement certaine – que le seul fait de se tenir à l'endroit où Janice s'était trouvée lui donnerait un indice de ce qu'était la vérité, grâce à quelque intuition fulgurante.

8

Tandis qu'une lune en argent martelé s'élevait au-dessus des collines sombres, à l'est, Chrissie courait le long de la lisière, à la recherche d'un chemin pour pénétrer dans le bois avant d'être rejointe par ses poursuivants. Elle arriva rapidement à la hauteur de la Pyramide, une formation rocheuse qui faisait deux fois sa taille et devait son nom à ses trois pans coupés terminés par une pointe usée par le temps : toute petite, elle avait imaginé qu'une tribu déplacée d'Égyptiens hauts comme trois pommes l'avait construite, des siècles auparavant. Ayant joué dans cette prairie et dans ces bois pendant des années, elle connaissait le terrain comme sa poche, mieux en tout cas que ses parents ou Tucker, ce qui lui donnait un avantage. Dépassant la pyramide, elle s'engagea dans l'étroite piste de daims qui s'enfonçait vers le sud, entre les arbres.

Elle n'entendit personne derrière elle et ne perdit pas de temps à scruter l'obscurité. Mais elle soupçonnait le trio de ses poursuivants d'être, comme de vrais prédateurs, des chasseurs silencieux, ne se révélant qu'au moment de frapper.

La forêt côtière se composait essentiellement de variétés de pins au milieu desquels on trouvait quelques beaux liquidambars, dont les feuilles d'automne incendiaient la forêt, de jour, mais qui, pour l'instant, se réduisaient à des fragments de draperie funéraire.

Chrissie suivit le chemin sinueux lorsqu'il s'enfonça dans un petit canyon. Les arbres poussaient en général assez loin les uns des autres, permettant ainsi à la lumière froide du croissant de lune d'atteindre le sous-bois, et de glacer la piste d'une croûte de lumière. Le brouillard était encore trop léger pour filtrer ce faible rayonnement, mais à certains endroits, l'entrelacs des branches absorbait la clarté lunaire.

Même lorsque la lune lui révélait son chemin, Chrissie n'osait pas courir, de peur de trébucher sur les racines superficielles des arbres, ou encore de heurter les branches basses ; mais elle pressait le pas.

Comme si elle lisait le récit de ses propres aventures, un livre comme ceux qu'elle aimait tant, elle pensa : *La jeune Chrissie avait le pied aussi sûr que l'esprit vif et inventif, et les ténèbres ne l'intimidaient pas davantage que ses monstrueux poursuivants. Quelle fille, tout de même !*

Elle n'allait pas tarder à atteindre le bas de la pente, où elle pourrait prendre en direction de l'ouest, vers la mer, ou de l'est vers la route secondaire qui coupait le canyon d'un pont. À plus de trois kilomètres de la périphérie de Moonlight Cove, cette région était très peu peuplée, en particulier en bordure de mer, où tout un secteur était interdit à la construction. Bien qu'ayant peu de chances de trouver de l'aide du côté de l'océan, ses perspectives, si elle prenait vers l'est, n'étaient guère meilleures, dans la mesure où la route secondaire était peu fréquentée et bordée de rares maisons ; par ailleurs, Tucker risquait d'y patrouiller avec la Honda, s'attendant peut-être à ce qu'elle vînt y faire du stop.

Se demandant avec une angoisse grandissante ce qu'elle devait faire, elle parcourut les trente derniers mètres. Les arbres qui flanquaient la piste laissèrent la place à ces chênes buissonneux, hérissés de piquants et impénétrables, appelés *chaparral*. Quelques fougères immenses, auxquelles convenaient bien les fréquents brouillards côtiers, avaient envahi le sentier et Chrissie frissonna en les repoussant : on aurait dit que des dizaines de petites mains essayaient de l'agripper.

Un ruisseau, large mais sans profondeur, empruntait le fond du canyon, et elle s'arrêta au bord pour reprendre son souffle. Son lit était en partie à sec. À cette époque de l'année, l'eau se réduisait à un filet coulant dans le chenal central. La lune s'y reflétait vaguement.

Aucun souffle de vent.

Pas un bruit.

Serrant les bras contre elle, Chrissie se rendit compte à quel point il faisait froid. Avec ses jeans et sa chemise de flanelle bleue à carreaux, elle était suffisamment habillée pour une belle journée d'octobre, mais pas pour une soirée fraîche et humide d'automne.

Elle était glacée, hors d'haleine, terrorisée, incertaine de ce qu'elle devait faire – mais surtout, elle s'en voulait de toutes ses faiblesses, celles du corps comme de l'esprit. Les merveilleuses aventures racontées par Andrée Norton étaient pleines d'intrépides jeunes héroïnes capables d'endurer des poursuites beaucoup plus longues – sans compter des froids plus intenses et toutes sortes d'autres épreuves – que celle-ci, de garder tout leur sang-froid, de prendre des décisions rapides et, en général, intelligentes.

Aiguillonnée par la comparaison avec une héroïne nortonienne, Chrissie s'engagea sur le dépôt de limon, venu de l'érosion de collines avoisinantes, qui tapissait le lit à sec du ruisseau, puis tenta de sauter par-dessus la partie où ruisselait en gazouillant la mince pellicule d'eau. Son bond fut trop court de quelques centimètres et elle mouilla ses tennis. Elle continua néanmoins à avancer dans le limon qui collait à ses chaussures, sur l'autre bord, escalada la berge mais ne se dirigea ni vers l'ouest ni vers l'est mais vers le sud, le long de la paroi du canyon, pour gagner la partie boisée qui reprenait en haut.

Elle venait de quitter la pointe extrême de son territoire de jeu et entrait maintenant en un domaine inconnu, mais elle n'avait pas peur de se perdre. Elle distinguait l'est de l'ouest grâce au brouillard qui montait et à la position de la lune, ce qui lui permettait de garder le cap au sud sans trop dévier. Elle pensait tomber, au bout d'un kilomètre et demi environ, sur une dizaine de maisons et sur le vaste périmètre de New Wave Microtechnology, qui s'étendait entre les écuries Foster et la ville de Moonlight Cove. Là, elle pourrait trouver de l'aide.

C'est à ce moment que commenceraient ses véritables problèmes. Il lui faudrait convaincre quelqu'un que ses parents n'étaient plus ses parents, qu'ils avaient changé, ou qu'ils étaient possédés, sous l'emprise d'un esprit... ou d'une force. Et qu'ils voulaient qu'elle devînt comme eux.

Ouais, pensa-t-elle, bonne chance.

Elle était intelligente, dégourdie et responsable, mais c'était aussi une gamine de douze ans. Elle allait avoir du mal à emporter la conviction, elle ne se faisait pas d'illusions. On l'écouterait, on hocherait la tête, on lui sourirait puis on appellerait ses parents – et ses parents auraient moins de difficultés qu'elle à paraître crédibles...

Il faut pourtant essayer, se dit-elle, tandis qu'elle attaquait l'escarpement sud du canyon. Si je n'essaie même pas de convaincre quelqu'un, que faire d'autre ? Me rendre ? Pas question.

Derrière elle, lancé de l'autre côté du canyon, celui qu'elle venait de descendre, lui parvint un cri. Un cri qui n'était pas entièrement humain – mais pas celui d'un animal non plus. À ce cri répondirent un deuxième, puis un troisième, chacun émanant clairement d'une nouvelle créature, car le timbre différait sensiblement chaque fois.

Chrissie s'immobilisa sur le raidillon, s'appuyant d'une main à l'écorce profondément fissurée d'un pin, à couvert sous des rameaux parfumés. Elle se retourna et écouta ses poursuivants qui poussaient simultanément leur cri, des hululements qui lui rappelaient ceux d'une meute de coyotes... mais en plus étranges, plus effrayants encore. Un son glacial, qui transperçait les chairs et s'enfonçait comme une aiguille jusqu'à la moelle.

Ces hurlements indiquaient probablement qu'ils étaient sûrs d'eux. Qu'ils ne doutaient pas de l'attraper, et qu'ils n'avaient nul besoin de garder davantage le silence.

– Qu'est-ce que vous êtes donc ? murmura la fillette.

Elle soupçonna qu'ils voyaient aussi bien que des chats dans l'obscurité.

Pouvaient-ils aussi la flairer, comme des chiens ?

Se sentant bien seule et vulnérable, elle se détourna des chasseurs et de leurs appels, et escalada la pente de la falaise sud du canyon, aussi vite que possible.

9

Au bas d'Ocean Avenue, Tessa Lockland traversa le parking vide pour gagner la plage. La brise de nuit du Pacifique commençait à peine à se lever, encore faible mais fraîche, et elle se réjouit d'avoir un pantalon, et un lainage sous sa veste de cuir.

S'enfonçant dans le sable mou, elle s'approcha des ombres du bord de l'eau, que n'atteignait pas la lumière du dernier lampadaire de la rue. Elle passa à côté d'un haut cyprès solitaire, si radicalement modelé par les vents dominants qu'il lui rappela une sculpture de Erté, tout en lignes courbes et fondues. Une fois sur la partie humide, la marée haute venant lécher le sable à deux pas de ses chaussures, Tessa regarda à l'ouest. Le croissant de lune était encore trop mince pour éclairer l'immensité marine ; elle ne distinguait que les trois premiers moutonnements de rouleaux bas qui, avec leur crête d'écume, surgissaient des ténèbres et chargeaient inlassablement la plage.

Elle essaya de se représenter sa sœur sur cette grève déserte, engloutissant trente ou quarante cachets de Valium avec un Coke hypocalorique, puis se déshabillant complètement pour plonger dans l'océan glacé. Non. Pas Janice.

De plus en plus convaincue que les autorités de Moonlight Cove étaient soit des menteurs, soit d'une incompétence crasse, Tessa se mit à marcher lentement vers le sud, à la limite du ressac. Dans la luminosité ouatée de la jeune lune, elle étudia le sable, les cyprès isolés qui poussaient ici et là, en retrait sur la plage, et les masses rocheuses usées par les intempéries. Elle ne recherchait pas d'indices matériels susceptibles de lui dire ce qui était réellement arrivé à Janice ; le vent et les marées les avaient effacés au cours des trois dernières semaines. Non, elle espérait que le paysage et les éléments de la nuit – les ténèbres, le vent frisquet, les arabesques du brouillard qui insensiblement s'épaississait – lui inspireraient une théorie sur ce qui s'était véritablement passé, et une approche qui lui permît de conforter cette théorie.

Cinéaste, Tessa était spécialisée dans les films industriels et les documentaires divers. Lorsqu'elle éprouvait des doutes sur le sens et les objectifs d'un projet, elle avait souvent remarqué que l'immersion dans un contexte géographique précis pouvait lui inspirer l'approche narrative et thématique qui lui manquait. Avant de donner le premier tour de manivelle d'un nouveau film de voyage, par exemple, elle passait souvent deux ou trois jours à se promener nez au vent dans une ville comme Singapour, Hong Kong ou Rio, s'imprégnant simplement de détails et d'atmosphère – méthode plus efficace que de passer des milliers d'heures à lire et à se creuser la cervelle, même s'il fallait tout de même aussi lire et se creuser la cervelle.

Elle avait à peine parcouru une cinquantaine de mètres quand elle entendit un cri, suraigu, obsédant, qui la paralysa sur place. Le son, lointain, monta et descendit deux fois avant de mourir.

Frissonnant davantage à cause de cet étrange appel que de l'air frais d'octobre, elle se demanda ce qu'elle venait d'entendre. Ce hurlement avait eu beau avoir quelque chose de canin, il ne provenait pas d'un chien, elle en était certaine. Et s'il avait eu aussi un côté gémissant assez félin, il ne provenait pas non plus d'un chat ; aucun chat domestique n'aurait pu produire ce volume sonore, et pour autant qu'elle le sût, aucun puma ne hantait les forêts côtières, en tout cas pas aussi près d'une ville de la taille de Moonlight Cove.

Alors qu'elle était sur le point de reprendre sa marche, le même hurlement surnaturel coupa de nouveau la nuit, et elle eut la nette impression qu'il provenait du sommet de la falaise surplombant la plage, plus loin vers le sud, là où les lumières des maisons avec vue sur la mer allaient en se raréfiant. Cette fois, le cri se termina par une note gutturale et plus prolongée que l'on aurait pu à la rigueur attribuer à un gros chien ; elle avait pourtant le sentiment qu'il provenait d'un autre animal. Sans doute l'un des habitants des maisons de la falaise devait-il posséder quelque espèce exotique, comme un loup ou un félin originaire d'ailleurs.

Cette explication ne la satisfit pas non plus, car il y avait eu quelque chose, dans ce cri, de familier, de connu, qu'elle n'arrivait pas à situer, et qui n'avait rien à voir avec un chien ou un félin. Elle attendit un nouveau hurlement, mais rien ne vint.

Autour d'elle, l'obscurité grandissait. Le brouillard donnait l'impression de se cailler, et un nuage rebondi glissa devant la moitié inférieure du croissant de lune.

Elle décida qu'elle serait mieux à même d'absorber les détails du tableau à la clarté du jour, et fit demi-tour vers les lampadaires emmitouflés de brume d'Ocean Avenue. Elle ne prit conscience de la vitesse à laquelle elle marchait (elle courait presque) que lorsqu'elle eut retraversé la plage et le parking, et parcouru la moitié d'un pâté de maisons de l'avenue en pente raide. Et encore, ce fut sa propre respiration haletante qui, soudain, attira son attention.

10

Thomas Shaddack dérivait dans des ténèbres absolues, ni froides ni chaudes, avec l'impression d'être sans poids, de ne plus rien ressentir avec sa peau, de ne plus avoir de membres, de muscles ni de squelette, de ne plus posséder la moindre substance physique. Un fil ténu de pensée le reliait à son moi corporel, et dans les recoins les plus obscurs de son esprit, il avait encore conscience d'être un homme – du genre échalas, un mètre quatre-vingt-six pour soixante-quinze kilos, mince, osseux, le visage étroit, le front haut, et des yeux noisette si clairs qu'ils étaient presque jaunes.

Il avait également vaguement conscience de flotter, nu, dans un caisson d'isolation sensorielle de luxe qui ressemblait plus ou moins aux poumons d'acier d'autrefois, mais en quatre fois plus grand. L'ampoule à très faible puissance n'était pas allumée, et aucune lumière ne pénétrait dans le caisson. Le bain dans lequel Shaddack flottait était profond de quelques dizaines de centimètres et composé d'une solution à dix pour cent de sulfate de magnésium pour obtenir la meilleure flottaison possible. Contrôlée par ordinateur – comme tout, dans cet environnement –, la température de l'eau évoluait entre 34°, celle où le corps était le moins affecté par la gravité, et 37°, celle où le différentiel avec le corps humain restait marginal.

Il ne souffrait pas de claustrophobie. Une minute ou deux après avoir refermé l'écoutille derrière lui, l'impression de confinement avait complètement disparu.

Presque complètement privé de sensations – pas de vue, pas de sons, peu ou pas de goûts, aucune stimulation olfactive, aucun sens du toucher, impression d'être sans poids, nulle part, hors du temps –, Shaddack laissait son esprit rompre avec toutes les ennuyeuses contraintes de la chair et s'élever vers des hauteurs intellectuelles et des idées d'une redoutable complexité, qui auraient été, sinon, hors de sa portée.

Même sans le coup de main de la privation sensorielle, il était un génie. Le magazine *Time* l'avait dit, ce devait donc être vrai. Il avait fait de New Wave Microtechnology, une petite entreprise déficitaire au capital initial de vingt mille dollars, un géant de trois cents millions de dollars spécialisé dans la microtechnologie de pointe.

Pour le moment, néanmoins, Shaddack ne faisait aucun effort pour se concentrer sur les problèmes actuels de recherche de NWM. Il se servait du caisson aux seules fins de se détendre, afin de provoquer une vision spécifique qui ne manquait jamais de le ravir et de l'exciter.

En dehors du mince fil qui le reliait à la réalité, il se croyait, dans cette vision, à l'intérieur d'une vaste machine en pleine activité ; sa taille était telle que l'on ne pouvait pas plus l'évaluer que celle de l'univers. Elle était le paysage de son rêve, mais avec infiniment plus de détails et d'intensité que dans un rêve. Comme un moucheron qui aurait volé dans les entrailles mystérieusement éclairées de ce colossal mécanisme imaginaire, il dérivait le long de murs titanesques, au milieu de colonnes d'axes de transmission en pleine rotation, de chaînes d'entraînement, de myriades de pistons reliés à des vilebrequins, lesquels entraînaient à leur tour d'autres bielles faisant tournoyer de nombreux volants de toutes dimensions. Des servomoteurs bourdonnaient, des compresseurs haletaient, des distributeurs d'allumage pétillaient tandis que des courants électriques circulaient dans un réseau de millions de fils, pour atteindre les recoins les plus lointains de la structure.

Pour Shaddack, ce qu'il y avait de plus excitant dans ce monde visionnaire était la façon dont les bielles d'acier, les pistons en alliage, les durs joints de caoutchouc et les chemises d'aluminium étaient reliés à des éléments organiques pour constituer une entité révolutionnaire, animée de deux formes de vie : l'efficacité des mouvements mécaniques et la pulsation des tissus organiques. Comme pompe, il employait des cœurs qui battaient, infatigables, sur cet ancien rythme boiteux, branchés par d'épaisses artères à une tubulure de caoutchouc serpentant dans les murs ; certains envoyaient du sang à des parties du système nécessitant une lubrification organique, d'autres aspiraient et refoulaient une huile à haute viscosité. Dans d'autres sections de cette machine infinie, on trouvait des dizaines de milliers de sacs pulmonaires faisant office de soufflets et de filtres ; des tendons et des excroissances tumorales servaient de joints entre les éléments de tubulure caoutchouteuse, scellements plus souples et sûrs que ne l'auraient été des raccordements en matière non organique.

Imbriqué en une structure parfaite, il y avait là le meilleur des systèmes mécanico-organiques intégrés. Au fur et à mesure que Thomas Shaddack parcourait imaginairement les avenues sans fin de son endroit de rêve, il était de plus en plus captivé par lui, quoiqu'il ne comprît pas – ou ne se souciât pas de comprendre – quelle fonction ultime il remplissait, quel produit ou quel service résultait de tout ce mouvement. L'entité l'excitait simplement parce qu'elle était manifestement efficace dans ce qu'elle faisait (quoi que ce fût) et parce que l'intégration de ses éléments organiques et non organiques touchait à la perfection.

Toute sa vie – de toutes les années dont il se souvenait sur les quarante et une qu'il comptait –, Shaddack avait lutté contre les limitations de la condition humaine, s'était battu de toutes ses forces et de toute son énergie pour s'élever au-dessus de la destinée de l'espèce. Il voulait être plus que simplement homme. Il désirait posséder le pouvoir d'un dieu et remodeler non seulement son propre avenir, mais celui de toute l'humanité. Dans l'intimité de son caisson de privation sensorielle, transporté par sa vision d'un organisme cybernétique, il se sentait plus proche de cette métamorphose tant souhaitée qu'il n'aurait pu l'être dans le monde réel, et c'était ce qui le revigorait.

Pour lui, cette vision ne se réduisait pas à une simple stimulation intellectuelle doublée d'émotion : elle était également puissamment érotique. Tandis qu'il flottait au cœur de cette machine semi-organique imaginaire, la regardant palpiter et vibrer, il s'abandonna à un orgasme qu'il éprouva de toutes les fibres de son corps, et pas seulement dans ses parties sexuelles ; il ne se rendait pas compte de sa violente érection et il n'eut même pas conscience des vigoureuses éjaculations autour desquelles tout son corps se contracta : le plaisir était diffusé dans tout son organisme plutôt que dans son seul pénis. Des filaments laiteux de sperme s'étirèrent dans la solution de sulfate de magnésium.

Quelques minutes plus tard, le minuteur du caisson activa la lumière intérieure et déclencha une alarme feutrée. Shaddack fut rappelé de ses rêves et rendu au monde réel, celui de Moonlight Cove.

11

Les yeux de Chrissie Foster avaient fini par s'accoutumer à l'obscurité, et elle arrivait à trouver rapidement son chemin, même sur ce territoire qui ne lui était pas familier.

Lorsqu'elle atteignit le bord du canyon, elle passa entre deux cyprès de Monterey pour gagner une autre sente de gibier – ou un sentier muletier – orienté au sud. Protégés du vent par les arbres environnants, ces deux cyprès étaient devenus énormes et prospères, et n'avaient rien des formes torturées de leurs congénères exposés sur la plage. Elle envisagea un instant de grimper dans ces branches au feuillage épais, avec l'espoir que ses poursuivants passeraient en dessous sans la remarquer. Mais elle n'osa pas courir ce risque ; si jamais ils la sentaient ou devinaient sa présence par tout autre moyen, elle se trouverait prise au piège.

Elle pressa donc le pas et atteignit rapidement une lisière ; au-delà, s'étendait une prairie dont la pente allait d'est en ouest, comme la plupart des terres de la région côtière. La brise se fit sentir avec suffisamment de force pour soulever en permanence ses longs cheveux blonds. Le brouillard n'était pas aussi léger que lorsqu'elle avait fui à cheval, mais le clair de lune arrivait encore à glacer de ses reflets les hautes herbes (elles lui arrivaient aux genoux) qui ondulaient sous les bouffées du vent.

Tandis qu'elle traversait le champ en courant pour gagner le bosquet d'arbres suivant, elle vit un gros camion, bardé de feux de signalisation au point de ressembler à un arbre de Noël, roulant vers le sud sur la nationale, à plus d'un kilomètre à l'est, le long de la crête de la deuxième rangée de collines. Elle renonça à l'idée de chercher de l'aide sur la lointaine autoroute, car il n'y circulait que des étrangers se rendant au diable, qui seraient moins enclins encore à la croire que les gens du pays. De plus, elle lisait les journaux et regardait la télé, et avait entendu parler des assassins psychopathes qui rôdaient sur les autoroutes ; elle n'eut pas de mal à imaginer le titre d'un journal à sensation qui aurait résumé son destin : *Une ado tuée et dévorée par une bande de cannibales circulant en van Dodge ; servie avec garniture de brocolis et décoration de persil ; les os gardés pour la soupe !*

La route secondaire se trouvait à mi-distance, et courait sur la première ligne de crête, mais on n'y voyait aucune circulation. De toute façon, elle avait déjà rejeté l'idée de s'y rendre, de peur de tomber sur Tucker et sa Honda.

Certes, elle avait bien cru distinguer trois timbres distincts dans les surnaturelles vociférations de ses poursuivants, ce qui signifiait probablement que Tucker avait abandonné son véhicule pour se joindre aux Foster. Peut-être, en fin de compte, pouvait-elle tenter maintenant de gagner la route secondaire.

Elle pensait à cela en sprintant dans la prairie. Mais avant qu'elle eût pris sa décision, les cris atroces s'élevaient de nouveau derrière elle, encore dans le bois qu'elle avait quitté, mais cependant plus proches. Deux ou trois voix hurlèrent simultanément comme si une meute de chiens courants était lancée à ses trousses – des molosses plus étranges et sauvages que des chiens ordinaires.

Chrissie se retrouva soudain suspendue en l'air, tombant dans ce qui lui parut être, pendant un instant, un vrai gouffre. Mais il ne s'agissait que d'un canal de drainage de deux mètres de large, profond d'un mètre quatre-vingts, qui coupait la prairie en deux, et elle roula au fond sans se faire de mal.

Les hurlements coléreux devinrent plus forts, plus proches et les voix avaient maintenant quelque chose de frénétique... une note exprimant le besoin, la faim.

Elle bondit sur ses pieds et commençait à escalader l'autre bord du canal, lorsqu'elle s'aperçut que sur sa gauche, vers le haut, le fossé aboutissait à un gros conduit qui s'enfonçait sous la terre. Elle s'immobilisa et envisagea cette nouvelle option.

Le cercle de béton était à peine visible, pâle sous le faible éclairage lunaire. Elle avait tout de suite compris qu'il s'agissait du système de drainage qui récupérait l'eau de la nationale et de la route secondaire, loin et plus haut à l'est. Son avance, à en juger par les hurlements suraigus, s'amenuisait. Elle craignait de plus en plus de ne pas avoir le temps d'atteindre le couvert des arbres, de l'autre côté de la prairie. L'égout n'était peut-être qu'un cul-de-sac, un refuge aussi peu sûr que l'aurait été le cyprès, mais elle décida de prendre le risque.

Elle se laissa glisser au fond du canal et fila jusqu'au gros conduit. Il faisait un mètre vingt de diamètre. En se penchant légèrement, elle pouvait y marcher. Elle ne fit cependant que quelques pas : il s'en dégageait une puanteur qui lui donnait la nausée.

Un animal avait crevé et se putréfiait dans ce lieu obscur. Elle ne pouvait voir de quelle bête il s'agissait. C'était peut-être aussi bien ; la charogne pouvait avoir un aspect encore plus repoussant que son odeur. Sans doute quelque bête sauvage, malade et mourante, s'était-elle réfugiée dans le conduit pour s'y abriter.

Elle battit hâtivement en retraite, et aspira de grandes bouffées d'air frais.

Du nord, lui parvinrent alors des hululements confondus qui lui hérissèrent littéralement les cheveux sur la nuque.

Ils se rapprochaient à toute vitesse, ils arrivaient.

Elle n'avait plus le choix ; il lui fallait se cacher au plus profond de l'égout, avec l'espoir qu'ils ne la repéreraient pas à l'odeur. Elle comprit soudain que l'animal en décomposition était un avantage pour elle, car si jamais ses poursuivants avaient le flair d'un chien de chasse, la puanteur de la charogne avait une chance de masquer sa propre odeur.

Pénétrant de nouveau dans le tuyau où régnait un noir de poix, elle suivit le sol concave qui montait en pente douce sous la colline. Au bout de dix mètres, elle posa le pied sur quelque chose de mou et glissant. L'épouvantable odeur de putréfaction lui explosa au nez, plus puissante que jamais, et elle comprit qu'elle avait marché sur le cadavre de l'animal.

– Beurk !

Elle suffoqua et sentit son estomac se soulever mais serra les dents et *refusa* de vomir. Lorsqu'elle eut dépassé la masse putride, elle frotta la semelle de sa chaussure sur le béton.

Puis elle se dépêcha de s'éloigner dans l'égout. Cavalant genoux ployés, épaules courbées, tête rentrée, elle se dit qu'elle devait avoir l'air d'un troll pressé de se réfugier dans son terrier secret.

À une vingtaine de mètres de l'animal mort, Chrissie s'arrêta, s'accroupit et se tourna vers l'entrée du conduit. Par l'ouverture circulaire, elle avait vue sur la partie à ciel ouvert du canal qu'éclairait le clair de lune ; elle distinguait mieux les choses que ce qu'elle aurait cru, car, par contraste avec les ténèbres du tuyau, la nuit paraissait plus brillante.

Un silence total régnait.

Un courant d'air léger et régulier, en provenance des grilles de drainage de l'autoroute, éloignait d'elle l'odeur de décomposition au point qu'elle ne la sentait même plus ; l'air dégageait seulement des effluves d'humidité et de moisi.

Le silence persistait.

Elle retint sa respiration et tendit l'oreille.

Rien.

Toujours accroupie, elle fit passer son poids d'un pied sur l'autre.

Silence.

Elle se demanda si elle ne devrait pas s'enfoncer plus profondément dans le boyau. Puis si par hasard il ne s'y trouverait pas des serpents. Cet endroit ne constituait-il pas un refuge parfait pour les serpents à la recherche d'un abri, la nuit, quand il faisait frais ?

Silence.

Où se trouvaient ses parents ? Tucker ? Une minute à peine auparavant, ils avaient été sur le point de la rejoindre.

Silence.

Les serpents à sonnettes étaient communs dans les collines de la côte, même si leur activité se réduisait à cette époque de l'année. Si jamais elle tombait sur un nid de...

La tension devenait telle, avec ce silence qui se prolongeait anormalement, qu'elle se sentit l'envie de crier, ne fût-ce que pour briser ce charme surnaturel et malsain.

Un cri suraigu, à l'extérieur, rompit la trêve du silence. Son écho se répercuta sur les parois du conduit, dépassa Chrissie et alla se perdre loin derrière elle, comme si les chasseurs l'approchaient non seulement par l'entrée, mais aussi depuis les profondeurs de la terre.

Au-delà de l'ouverture de l'égout, des silhouettes noires bondirent dans le canal.

12

Sam découvrit un restaurant mexicain sur Serra Street, à deux coins de rue du motel. Il lui suffit d'en humer les effluves pour savoir que la cuisine y était bonne. Mélange de chili, de chorizo brûlant, de tortilla à la farine de maïs, de cilantro, de petits piments, de jalapeño chiles, d'oignons...

Le restaurant Perez était aussi dénué de prétention que son nom : une seule salle rectangulaire aux boxes de vinyle bleu le long des murs, des tables au milieu, et la cuisine dans le fond. Contrairement à Burt Peckham, à la Knight's Bridge Tavern, la famille Perez ne manquait pas de travail. En dehors d'une table pour deux vers le fond, où le conduisit une hôtesse adolescente, toutes les autres étaient occupées.

Serveurs et serveuses étaient habillés en jeans et sweaters, avec un simple tablier blanc comme signe distinctif. Sam ne demanda même pas une Guinness, bière qu'il n'avait jamais trouvée dans un restaurant mexicain, mais ils avaient de la Corona, qui conviendrait très bien si les plats étaient bons.

Ils se révélèrent excellents. Peut-être pas le sommet de ce que peut produire la cuisine mexicaine, mais bien supérieurs à ce que l'on pouvait attendre d'un établissement situé dans un patelin de trois mille habitants si loin vers le nord. Les chips de maïs étaient faites maison, la salade copieuse et croquante, la soupe de bondigas épaisse et suffisamment poivrée pour le faire légèrement transpirer. Le temps qu'arrive l'enchilada de crabe à la sauce tomatillo, il était déjà à demi convaincu qu'il devrait réellement venir s'installer à Moonlight Cove, quitte à cambrioler une banque pour financer sa retraite anticipée.

Une fois passé le moment de surprise dû à la qualité de la nourriture, il commença à prêter un peu plus d'attention aux autres convives et ne tarda pas à remarquer quelques singularités.

Un calme inhabituel régnait dans la salle, si l'on considérait qu'il s'y trouvait entre quatre-vingts et quatre-vingt-dix personnes. Les restaurants mexicains de cette qualité – nourriture excellente, bonne bière, margaritas qui décoiffent – sont des lieux de fête. Les conversations n'étaient animées, chez Perez, qu'à un tiers des tables. Le reste de la clientèle mangeait en silence.

Après avoir incliné son verre pour y verser la nouvelle Corona qu'on venait de lui apporter, Sam se mit à étudier les dîneurs silencieux. Trois hommes d'âge moyen, installés dans un box non loin de lui, engloutissaient tacos, enchiladas et chimichangas, échangeant occasionnellement un regard, mais pas un mot. De l'autre côté, dans un autre box, deux couples d'adolescents dévoraient avec conviction des doubles portions de tapas sans les rires et les bavardages habituels à leur âge. Leur concentration était telle que, plus Sam les observait, plus ils lui paraissaient étranges.

Un peu partout dans la salle, des gens de tous âges, en groupes divers, étaient concentrés sur leur assiette. Dotés d'un vaillant coup de fourchette, ils descendaient amuse-gueule, soupe, salades, entrées diverses et spécialités ; certains réclamaient souvent « encore quelques tacos » ou « un autre burrito », sans oublier de commander crèmes glacées et flans. Les joues se gonflaient, les mâchoires mastiquaient et ils enfournaient une nouvelle bouchée dès qu'ils avaient avalé la précédente. Quelques-uns mangeaient la bouche ouverte. D'autres déglutissaient avec tant de force que Sam entendait le bruit. Ils étaient rouges, en sueur (sans doute à cause de la sauce épicée au jalapeño), mais aucun n'éprouvait le besoin de lancer le moindre commentaire (« Costauds, ces piments ! » ou « Extra, ce plat ! ») à ses compagnons de table.

Quant au tiers des convives qui jacassaient joyeusement tout en avançant sur un rythme plus normal dans leur repas, ils paraissaient ne pas remarquer la hâte quasi fiévreuse avec laquelle les autres mangeaient. Les mauvaises manières de table ne sont évidemment pas rares, et au moins le quart de la population de n'importe quelle ville donnerait des vapeurs au maître d'hôtel d'un grand restaurant ; malgré tout, la gloutonnerie de la majorité des clients du Perez ne laissait pas d'intriguer Sam. Il supposa que les dîneurs bien élevés, forts déjà de nombreuses expériences, étaient vaccinés contre ce comportement.

Le bon air frais de la mer, sur la côte nord, pouvait-il aiguiser à ce point l'appétit ? Quelque tradition ethnique locale, quelque conjonction historique particulière s'opposaient-elles à la tradition occidentale, universellement acceptée, des manières de table ?

Ce qu'il voyait dans le restaurant Perez lui paraissait une énigme sur laquelle se serait jeté tout sociologue en mal de sujet de thèse. Au bout d'un moment, cependant, Sam dut cesser d'observer les clients les plus goinfres, car leur comportement en arrivait à lui couper l'appétit. Plus tard, tandis qu'il calculait le pourboire à laisser en sus de l'addition, il jeta un coup d'œil circulaire autour de lui et se rendit compte qu'aucun des gros mangeurs ne buvait de bière, de margarita ou quoi que ce soit d'alcoolisé. Ils prenaient de l'eau fraîche, du Coca-Cola, parfois du lait dont ils buvaient verre sur verre ; mais tous ces gourmands, hommes et femmes, semblaient être des abstinents convaincus. Il n'aurait peut-être pas fait cette observation s'il n'avait été un flic – et un bon flic – habitué non seulement à observer, mais à réfléchir sur ce qu'il voyait.

Il se rappela alors à quel point la Knight's Bridge Tavern était désertée.

Quelle tradition ethnique ou religieuse inculquait-elle le mépris de l'alcool tout en encourageant les mauvaises manières et la goinfrerie ?

Il n'en avait pas la moindre idée.

Le temps pour Sam de terminer sa bière et de quitter la table, il se disait qu'il exagérait, que cette étrange fixation sur la nourriture se limitait à quelques clients, que, depuis sa place au fond, il n'avait pu observer tous les autres dîneurs. Lorsqu'il se dirigea vers la sortie, cependant, il passa près d'une table où plusieurs jeunes femmes, jolies, bien habillées, bâfraient à qui mieux mieux, sans parler, le regard vitreux ; deux d'entre elles ne semblaient pas sentir les débris de nourriture qui leur avaient coulé sur le menton, et la troisième avait un chandail bleu roi couvert de miettes de chips de maïs, comme si elle préparait un plat pané.

Il fut content de sortir dans l'air pur de la nuit.

En sueur, à la fois à cause des plats épicés et de la chaleur du restaurant, il aurait bien voulu retirer son veston, mais n'avait pu le faire à cause de l'arme dans son holster. Il savoura le brouillard froid qui montait de la mer, aiguillonné par une brise légère mais régulière.

13

Chrissie les vit descendre dans le canal de drainage, et crut pendant un instant qu'ils allaient en escalader l'autre versant pour poursuivre leur chemin dans la même direction. Mais l'un d'eux se tourna vers l'ouverture de l'égout, puis s'en approcha à quatre pattes, en quelques enjambées silencieuses et sinueuses. La fillette avait beau ne voir qu'une silhouette noire, elle éprouvait de la difficulté à penser que cette chose pût être l'un ou l'autre de ses parents, ou encore l'homme qui s'appelait Tucker. Et pourtant, de qui d'autre pouvait-il s'agir ?

Entrant dans le tunnel de béton, le prédateur se mit à scruter les ténèbres. Ses yeux luisaient doucement, vert ambré, pas autant qu'au clair de lune, ou qu'une peinture réfléchissante, mais tout de même visibles comme des braises sous la cendre.

Chrissie se demanda ce qu'ils étaient capables de voir dans le noir absolu. Leur regard ne pouvait certainement pas le pénétrer sur la trentaine de mètres qui la séparait de l'ouverture. De telles capacités seraient surnaturelles.

La chose regarda directement vers elle.

Mais au fait, qu'est-ce qui lui prouvait qu'elle n'avait pas affaire à quelque chose de surnaturel ? Et si ses parents s'étaient transformés en loups-garous ?

Une transpiration acide l'envahit. Elle espéra que la puanteur de l'animal mort masquerait sa propre odeur.

Se redressant en une position semi-accroupie qui bloqua presque toute la lumière argentée qui provenait de l'entrée, le chasseur avança lentement.

L'écho de sa respiration puissante était amplifié par les parois du tuyau. Chrissie adopta une respiration réduite au minimum, bouche ouverte, afin de ne pas trahir sa présence. Soudain, alors qu'elle n'avait progressé que de deux ou trois mètres dans le tunnel, la chose se mit à parler d'une voix râpeuse, dans un murmure tellement précipité que les mots se bousculaient les uns les autres :

– *Chrissie, tu es là, tu es là, non ? Viens, Chrissie, viens, viens, te veux, te veux, envie ma Chrissie, envie ma Chrissie.*

Cette voix bizarre et frénétique se traduisit, dans l'esprit de la fillette, en une image terrifiante : une créature en partie lézard, en partie loup, en partie humaine – en partie quelque chose d'impossible à identifier. Et pourtant elle soupçonnait que son aspect réel devait être encore pire que tout ce qu'elle pouvait imaginer.

– *T'aider, veux t'aider, maintenant, viens, viens, viens me trouver, tu es là, tu es là ?*

Mais le pire était que cette voix, en dépit de son timbre rauque et de son étrangeté, gardait quelque chose de familier. C'était celle de sa mère. Changée, certes, mais tout de même la voix de sa maman.

Des crampes douloureuses tordirent l'estomac de la fillette qui mit quelques instants à comprendre qu'une autre douleur, plus cruelle encore, la torturait ; un sentiment d'irréparable, celui d'avoir perdu sa mère – sa mère qui lui manquait, qu'elle voulait retrouver, sa *vraie* mère. Si jamais elle avait porté sur elle l'un de ces crucifix guillochés comme on en voit toujours dans les films de vampires, elle se serait probablement avancée en le brandissant pour sommer l'abominable démon qui possédait sa mère de déguerpir. Mais un crucifix n'aurait probablement pas marché car rien, dans la vraie vie, n'est aussi simple qu'au cinéma ; en outre ce qui était arrivé à ses parents était infiniment plus étrange que les histoires de vampires, de loups-garous et de démons jaillis de l'enfer. Pourtant, si elle avait eu un crucifix, elle aurait tout de même essayé.

– *Mort, mort, mort, sens la mort, pue la mort...*

La chose-mère avança rapidement dans le boyau jusqu'à la hauteur de l'endroit où Chrissie avait mis le pied sur un cadavre amolli par la putréfaction. L'éclat des yeux phosphorescents était directement lié au clair de lune, car il allait en diminuant ; la créature abaissa le regard vers la charogne.

De l'entrée de l'égout parvint un bruit d'éboulement, suivi d'un appel lancé d'une voix aussi effrayante que celle du chasseur qui se penchait maintenant sur l'animal mort :

– *Elle là, elle là dis ? Trouver quoi, trouver quoi ?*

– *... raton laveur...*

– *Quoi, quoi, quoi ?*

– *Raton mort, pourri, asticots, asticots,* répondit le premier.

Chrissie fut frappé de la terreur macabre d'avoir peut-être laissé une empreinte de chaussure dans la bouillie en putréfaction du raton laveur mort.

– *Chrissie ?* fit la deuxième chose en s'aventurant dans l'égout.

La voix de Tucker. Son père devait évidemment la chercher dans l'autre partie de la prairie ou dans la forêt.

Les deux prédateurs ne cessaient de s'agiter. Chrissie entendait des grincements (de griffes ?) contre le béton du boyau. Ils paraissaient tous deux pris de panique – non, pas de panique, car il n'y avait pas trace de peur dans leur voix. Mais de frénésie. Comme si en eux un moteur s'était emballé, qu'ils fussent sur le point d'en perdre le contrôle.

– *Chrissie là, elle là ?* demanda la chose-Tucker.

La chose-mère leva les yeux et regarda droit dans les ténèbres, droit dans la direction de la fillette.

Tu ne peux pas me voir, pensa-pria Chrissie. Je suis invisible.

L'éclat des yeux des deux chasseurs se réduisait maintenant à deux paires de points en argent terni.

Chrissie retint sa respiration.

Tucker reprit :

– *Faut manger, faut manger.*

– *Trouver fille, fille, trouver d'abord fille, après manger, après,* répondit la créature qui avait été sa mère.

On aurait dit des animaux sauvages qui auraient reçu, par magie, le don d'un embryon de parole.

– *Maintenant, maintenant, tout brûlé, manger, manger,* répondit Tucker avec insistance.

Chrissie tremblait tellement qu'elle craignit un instant qu'ils n'entendissent les frissons qui la secouaient.

– *Tout brûlé, petits animaux dans prairie, entends-les, sens-les, chasser, manger, manger, maintenant.*

Chrissie retenait toujours sa respiration.

– *Rien ici,* répondit la chose-mère. *Asticots c'est tout, ça pue, va manger, puis la trouver, manger, manger, la trouver après, va.*

Les deux prédateurs battirent en retraite et s'évanouirent.

Chrissie osa respirer.

Après avoir attendu une minute pour être sûre qu'ils étaient vraiment partis, elle fit demi-tour et marcha en troll vers le fond de l'égout en pente, suivant la paroi à tâtons, du bout des doigts, à la recherche d'un conduit tributaire. Elle dut parcourir environ deux cents mètres avant d'en trouver un. Ce conduit latéral faisait la moitié du boyau principal. Elle s'y glissa les pieds les premiers puis se retourna sur le ventre, face à l'ouverture. Elle allait passer la nuit là. Si jamais ils revenaient dans le boyau vérifier s'ils ne pouvaient détecter son odeur au-delà de la charogne, elle serait au moins à l'abri de l'appel d'air qui soufflait dans le boyau principal, et peut-être ne la sentiraient-ils pas.

Elle fut réconfortée à l'idée qu'ils ne possédaient pas de pouvoirs surnaturels, puisqu'ils n'avaient pas exploré l'égout plus avant : ils ne voyaient pas tout, ils ne savaient pas tout. Ils étaient anormalement puissants et rapides, étranges et terrifiants, mais pouvaient aussi commettre des erreurs. Elle commença à se dire qu'avec le jour, elle aurait une petite chance de sortir des bois et de trouver de l'aide avant d'être rattrapée.

14

À l'extérieur du restaurant Perez, Sam Booker vérifia sa montre. Sept heures dix, seulement.

Il entreprit de se promener sur Ocean Avenue, rassemblant toute son énergie pour appeler Scott à Los

Angeles. La perspective de cette conversation avec son fils le préoccupait, et lui fit oublier l'énigme des dîneurs gloutons et grossiers.

À sept heures et demie, il s'arrêta dans une cabine près d'une station-service, au coin de Juniper Lane et Ocean Avenue. Il se servit de sa carte de crédit pour cet appel à longue distance à son domicile de Sherman Oaks.

À seize ans, Scott s'estimait assez grand pour rester seul à la maison lorsqu'une mission contraignait son père à partir pour plusieurs jours. Sam n'était pas tout à fait d'accord et aurait préféré le voir rester avec sa tante Edna. Mais Scott avait fini par l'emporter en faisant une vie d'enfer à sa tante, et Sam répugnait à infliger de nouveau ce supplice à sa belle-sœur.

Il lui avait fait répéter à plusieurs reprises les procédures de sécurité – verrouillage des portes et des fenêtres, emplacement de l'extincteur, comment jaillir hors de la maison de n'importe quelle pièce en cas de séisme –, il lui avait même appris l'usage du pistolet. De l'avis de Sam, le garçon manquait encore par trop de maturité pour rester seul plusieurs jours d'affilée à la maison ; au moins était-il prêt à parer à toute éventualité.

La sonnerie retentit neuf fois. Sam était sur le point de raccrocher, lâchement soulagé, lorsque Scott finit par décrocher.

– Allô !

– C'est moi, Scott. Papa.

– Ouais ?

Du hard rock, style « heavy metal », le volume au maximum, constituait le fond sonore. Il se trouvait probablement dans sa chambre, la stéréo tellement poussée que les fenêtres en tremblaient.

– Pourrais-tu baisser la musique ? demanda Sam.

– J' t'entends très bien, grommela Scott.
– Peut-être, mais moi pas.
– De toute façon, j'ai rien à dire.
– S'il te plaît, dit Sam (mettant l'accent sur le « s'il te plaît »), baisse-la.
Scott lâcha le combiné, qui cogna bruyamment la table de nuit. Sam en eut mal à l'oreille. L'adolescent ne diminua qu'à peine le volume du son ; puis il reprit l'appareil et dit :
– Ouais ?
– Comment ça va, Scott ?
– Ça va.
– Et à la maison, pas de problèmes ?
– Pourquoi, il devrait y en avoir ?
– Je te demande, c'est tout.
– Si t'appelles pour savoir si je fais la foire avec des copains, rassure-toi, je suis tout seul. (Ton boudeur.)
Sam compta jusqu'à trois pour se donner le temps de contrôler sa voix. Des volutes du brouillard, qui s'épaississait, passèrent devant la cabine.
– Et l'école, aujourd'hui ? Ça a marché ?
– Tu crois que j'y suis pas allé ?
– Je sais bien que si.
– Tu ne me fais pas confiance.
– Mais si, mentit Sam.
– Je suis sûr que tu crois que j'y suis pas allé.
– Et y as-tu été ?
– Ouais.
– Et c'était comment ?
– Débile. Toujours les mêmes conneries.
– Je t'en prie, Scott. Tu sais que je t'ai déjà demandé de ne pas employer ces mots quand tu me parles, répliqua Sam – qui se rendit alors compte que la confrontation qu'il aurait tant voulu éviter risquait de se produire.
– Je suis désolé. Toujours le même caca.

À la manière dont il prononça « caca », on aurait pu tout aussi bien comprendre « papa ».

Sam changea de sujet de conversation.

– C'est vraiment la campagne, par là, tu sais.

L'adolescent ne répondit pas.

– Des collines boisées qui tombent jusqu'à l'océan.

– Et alors ?

Suivant le conseil que lui avait donné le psychologue que Scott et lui avaient vu ensemble et séparément, Sam serra les mâchoires, compta jusqu'à trois et tenta une nouvelle approche.

– As-tu déjà dîné ?

– Ouais.

– Et tes devoirs ?

– Y en avait pas.

Sam hésita, puis décida de laisser tomber. Le psychologue aurait été fier de la tolérance et du sang-froid exemplaire dont il faisait preuve.

– Qu'est-ce que tu envisages de faire, ce soir ? finit-il par demander.

– *J'écoutais* de la musique.

Sam avait parfois l'impression que la musique avait joué un rôle dans ce qui rendait son fils si fermé. Ce type de rock martelé, frénétique, sans mélodie, avec des refrains monotones et des rythmes qui l'étaient encore plus était tellement vide d'âme et abrutissant qu'on aurait dit la musique produite par une machine intelligente, longtemps après la disparition du dernier homme. Au bout de quelque temps, Scott avait perdu un peu de son intérêt pour le hard-rock au profit du groupe U-2, mais leur conscience sociale simplette n'était pas de taille face au nihilisme forcené des autres. Scott revint au « heavy metal », variante « black metal », cette fois – ces groupes qui prétendent pratiquer une religion satanique, et qui, en tout cas, en adoptent les accessoires. Son engouement ne fit que croître et il devint de plus en plus asocial et morose. À plusieurs reprises, Sam avait envisagé de confisquer la collection de disques, de la réduire en miettes, de s'en débarrasser. Mais cette réaction lui paraissait absurdement exagérée. Après tout, Sam avait eu lui-même seize ans à l'époque où les Beatles et les Rolling Stones brûlaient les planches et ses propres parents avaient dénigré leur musique, prédisant qu'elle conduirait Sam et tous ceux de sa génération à leur perte. Il avait pourtant fini par bien tourner, en dépit de John, Paul, George et Ringo. Il était le produit d'une époque de tolérance sans précédent, et refusait de se montrer aussi fermé et intransigeant que ses parents l'avaient été.

– Bon, je crois que je ferais mieux d'y aller, dit Sam.

L'adolescent garda le silence.

– Si jamais il arrivait quoi que ce soit, appelle tante Edna.

– Elle pourrait rien faire de plus que moi.

– Elle t'aime beaucoup, Scott.

– Ouais, bien sûr.

– C'est la sœur de ta mère ; elle voudrait t'aimer comme si tu étais son propre fils. Il faut simplement lui en donner l'occasion. (Après quelques instants de silence, Sam prit une profonde inspiration et ajouta :) Moi aussi, je t'aime, Scott.

– Ah ouais ? Qu'est-ce que c'est supposé me faire ? Me rendre tout ramollo en dedans ?

– Non.

– Parce que c'est raté.

– Je... constatais simplement un fait.

Citant apparemment l'une de ses chansons favorites, le garçon répondit :

Rien ne dure éternellement ;
Même l'amour est mensonge,
Et sert à manipuler ;
Aucun Dieu là-haut dans le ciel.

Clic.

Sam resta un moment immobile, écoutant la tonalité. « Parfait. » Il reposa le combiné sur son support.

Seule la fureur, en lui, excédait la frustration. Il avait une envie folle de démolir quelque chose, n'importe quoi, et de se faire croire qu'il massacrait celui qui lui avait volé son fils.

Une douloureuse sensation de vide lui montait aussi du creux de l'estomac, car il aimait réellement Scott. L'aliénation de cet enfant était dévastatrice.

Il se sentait incapable de retourner au motel, pour le moment. Il n'aurait pu dormir, et la perspective de rester planté des heures devant la boîte à crétins, à regarder des feuilletons débiles, lui était insupportable.

Lorsqu'il ouvrit la porte de la cabine, des volutes de brouillard se glissèrent à l'intérieur comme pour l'attirer dans la nuit. Pendant une heure, il arpenta les rues de Moonlight Cove, s'enfonçant dans les quartiers résidentiels que n'éclairaient pas de lampadaires et où arbres et maisons donnaient l'impression de flotter dans la brume, comme s'ils n'étaient pas enracinés dans la terre mais retenus à elle par la plus légère des attaches, sur le point de rompre.

Quatre coins de rue au nord d'Ocean Avenue, sur Iceberry Way, alors que Sam marchait d'un pas vif, laissant la fatigue et l'air frisquet de la nuit épuiser sa colère, il entendit des pas pressés. Quelqu'un courait. Non, trois ou quatre personnes couraient. On ne pouvait s'y tromper, même si le bruit avait quelque chose de mystérieusement étouffé et ne ressemblait pas aux solides *clap-clap-clap* d'un joggeur.

Il se retourna et regarda la rue qui s'enfonçait dans l'ombre.

Le bruit de pas cessa.

Comme des nuages étaient venus emmitoufler le croissant de lune, c'était surtout la lumière qui tombait des fenêtres – de ces maisons de style Monterey, bavarois ou anglais, nichées au milieu des pins et des genévriers de part et d'autre de la rue – qui éclairait la scène. Le quartier, relativement ancien, avait beaucoup d'allure, mais le manque de maisons modernes avec de grandes baies vitrées contribuait à le rendre obscur. Deux des propriétés du secteur possédaient des éclairages de jardin, quelques autres des lampes de fiacre au bout de leur allée, mais le brouillard réduisait la portée de ces poches lumineuses. Dans la mesure où Sam voyait quelque chose, il était seul sur Iceberry Way.

Il reprit sa marche. Cependant, il n'avait pas encore atteint le coin de rue suivant qu'il entendait de nouveau courir. Il se retourna vivement, mais ne vit toujours rien. Le son devint encore plus étouffé, comme si les coureurs étaient passés d'une surface dure à la terre molle, puis s'étaient glissés entre deux maisons.

Peut-être se trouvaient-ils dans une autre rue. L'air froid et le brouillard pouvaient jouer des tours avec les bruits.

Il restait cependant sur ses gardes, intrigué, et il quitta silencieusement le trottoir craquelé et déformé par les racines pour s'engager sur la pelouse de l'une des maisons, et gagner l'ombre épaisse et noire d'un immense cyprès. Il étudia les environs et, au bout de trente secondes, aperçut un mouvement furtif sur le côté ouest de la rue. Quatre silhouettes sombres apparurent au coin d'une maison, courant le dos courbé.

Lorsqu'elles traversèrent la pelouse qu'éclairaient deux taches de lumière venues de lampes-tempête juchées sur des poteaux, leurs ombres, monstrueusement déformées, dansèrent sauvagement sur la façade en stuc blanc de la maison. Elles disparurent au milieu de buissons avant que Sam ait pu juger de leur taille ou de quoi que ce fût.

Des mômes, pensa-t-il, sans doute en train de préparer un mauvais coup.

Il ne savait pas pourquoi il était si sûr d'avoir affaire à des jeunes ; peut-être à cause de leur vivacité et de leur comportement, qui n'avait rien d'adulte. Soit ils préparaient une mauvaise plaisanterie à quelque voisin détesté, soit ils étaient à ses trousses. Son instinct lui dit que c'était lui qu'on poursuivait.

La délinquance juvénile aurait-elle été un problème dans une communauté aussi réduite et soudée que celle de Moonlight Cove ?

Toute ville, certes, possède son lot de voyous. Mais dans l'atmosphère quasi rurale d'une agglomération comme celle-ci, les activités délictueuses des jeunes comportent rarement des agressions et des voies de fait, des vols à main armée, et encore moins des assassinats pour le plaisir. À la campagne, ce sont les excès de vitesse, l'alcool, les filles et quelques vols anodins qui valent des ennuis aux gosses ; ils ne patrouillent pas en bande dans les rues, à la recherche d'un mauvais coup, comme dans les grandes villes.

Sam n'en restait pas moins méfiant vis-à-vis du quatuor accroupi dans l'obscurité d'un massif de fougères et d'azalées, de l'autre côté de la rue, trois maisons plus haut. Après tout, il se trouvait à Moonlight Cove parce que des choses bizarres s'y passaient : elles pouvaient très bien être liées à un problème de délinquance juvénile. La police dissimulait la vérité sur plusieurs décès intervenus au cours des deux mois précédents, et il n'était pas exclu qu'elle protégeât quelqu'un. Aussi improbable que cela parût, elle couvrait peut-être les crimes commis par quelques fils de riches familles – des gosses ayant abusé de leurs privilèges de classe et poussé le jeu au-delà de ce qui est admissible en pays civilisé.

Sam n'en avait pas peur. Il savait comment se comporter, et il avait en plus le .38 sur lui. En vérité, il aurait pris plaisir à donner une leçon à ces morveux. Mais la confrontation avec un groupe de voyous adolescents se serait forcément terminée au commissariat local, et il préférait ne pas attirer sur lui l'attention des autorités afin de ne pas anéantir l'objet de sa mission.

Il trouvait cependant curieux qu'ils envisagent de l'agresser dans un quartier résidentiel comme celui-ci. Il lui suffirait de crier pour que les gens sortent sous leur porche voir ce qui se passait. Bien entendu, comme il ne tenait pas à se faire remarquer, il n'appellerait pas.

Le vieil adage sur la discrétion faisant l'essentiel de la valeur ne s'était jamais aussi bien appliqué. Il quitta l'abri du cyprès et se dirigea non vers la rue mais vers la maison, qu'aucune lumière n'éclairait. Certain que ces galopins ne sauraient dire la direction qu'il aurait prise, il envisageait de quitter le quartier en catimini et de les semer ainsi.

Il atteignit la maison, la longea sur le côté et déboucha sur une arrière-cour où un portique de balançoire se dressait, si déformé par les ombres et le brouillard que l'on aurait dit une araignée géante se dressant dans l'ombre pour l'attaquer. Au bout de la cour, il sauta pardessus un grillage au-delà duquel une allée étroite desservait une série de garages. Il avait l'intention de se diriger vers le sud, vers Ocean Avenue et le centre de la ville, mais un pressentiment le fit changer d'itinéraire.

Franchissant l'étroite allée, il passa devant une rangée de poubelles métalliques et sauta par-dessus une autre barrière basse. Il venait d'atterrir dans l'arrière-cour d'une maison qui donnait sur une rue parallèle à Iceberry Way.

À peine venait-il de quitter l'allée qu'il entendit le bruit de pas étouffé sur la chaussée de cette rue. Les ados – si c'en était bien – étaient toujours rapides, mais nettement moins discrets.

Ils se dirigeaient dans la direction de Sam depuis le coin de la rue. Le policier éprouvait le sentiment désagréable qu'une sorte dc sixième sens leur dirait dans quelle cour il s'était réfugié et qu'ils seraient sur lui avant qu'il ait pu gagner la rue suivante. Son instinct lui commanda d'arrêter de courir et de se terrer. Certes, il était en bonne forme physique, mais il avait quarante-deux ans et ses poursuivants dix-sept ou dix-huit, peut-être. À son âge, il fallait être fou pour se croire capable de distancer des adolescents.

Au lieu de piquer un sprint à travers la cour, il se glissa vivement jusqu'à un garage construit en planches à clins, espérant que la porte latérale serait ouverte. C'était le cas. Il pénétra dans les ténèbres totales et referma la porte derrière lui, juste au moment où il entendait ses poursuivants faire halte, dans l'allée, à la hauteur de la grande porte roulante du garage. Ils s'étaient probablement arrêtés là non point parce qu'ils savaient où ils se trouvaient, mais parce qu'ils essayaient de deviner où il pouvait se cacher.

Dans ces ténèbres sépulcrales, Sam chercha à tâtons une clef ou un verrou qui permît de bloquer la porte, mais ne trouva rien.

Il entendit les quatre gosses qui échangeaient quelques phrases à voix basse, sans distinguer leurs paroles. Les voix avaient un timbre bizarre, retenu et excité à la fois.

Sam resta près de la petite porte. Il agrippa la poignée à deux mains pour l'empêcher de tourner, au cas où ses poursuivants fouilleraient le coin et tenteraient d'ouvrir.

Ils firent silence.

Sam tendit l'oreille.

Rien.

L'air froid était chargé d'une odeur de graisse et de poussière. Il ne voyait strictement rien, mais il supposa qu'un ou deux véhicules devaient se trouver dans le garage.

S'il n'avait pas peur, il commençait à se trouver bien imprudent. Comment diable s'était-il mis dans cette situation ? Lui, un adulte, agent du FBI formé (et bien formé) aux techniques d'autodéfense, armé d'un revolver dont il savait se servir avec une redoutable précision, voilà qu'il fuyait devant quatre malheureux gamins. Il se retrouvait là pour avoir agi instinctivement et il avait toujours implicitement obéi à son instinct, mais en l'occurrence...

Il entendit un mouvement furtif à l'extérieur du garage. Il se tendit. Frottement de pas. Se rapprochant de la petite porte. Un seul des poursuivants, estima Sam.

Incliné en arrière, tenant la poignée à deux mains, Sam tira de toutes ses forces sur la porte pour la coller à l'encadrement.

Les pas s'arrêtèrent juste de l'autre côté.

Il retint sa respiration.

Une seconde passa, une deuxième, une troisième.

Fais un essai et tire-toi, pensa Sam, irrité.

Il se sentait de plus en plus ridicule et démangé par l'envie de sauter sur le gosse. Il pouvait jaillir du garage comme un diable de sa boîte, ce qui ficherait sans doute une telle frousse au punk qu'il filerait en criant, sans demander son reste.

Puis il entendit une voix de l'autre côté de la porte, à quelques centimètres de lui ; et bien que ne sachant pas, absolument pas, ce qu'il entendait, il comprit tout de suite qu'il avait eu raison d'écouter son instinct, raison de se planquer. La voix était retenue, rauque, extraordinairement effrayante, et son débit frénétique était celui d'un psychotique en crise ou d'un drogué en état de manque :

– *Ça, brûle, envie, envie...*

Son poursuivant paraissait se parler à lui-même sans même peut-être en avoir conscience, comme un homme fiévreux en proie au délire.

Un objet dur vint gratter contre la porte de bois. Sam tenta d'imaginer ce que c'était.

– *Nourrir le feu, le feu, nourrir, nourrir,* reprit le gosse de sa voix frénétique réduite à un souffle, et où se mêlait à la prière et au gémissement un grondement menaçant.

Une voix comme Sam n'en avait jamais entendu chez un adolescent – ni même chez un adulte, en vérité.

En dépit de l'air froid, son front se couvrit de sueur.

L'objet inconnu frotta de nouveau contre la porte.

Le gosse serait-il armé ? Était-ce le canon d'un revolver qui se promenait sur le bois ? la lame d'un poignard ? un simple bâton ?

– *Ça brûle, ça brûle...*

Une griffe ?

C'était une idée ridicule. Il ne pouvait cependant s'en débarrasser. En esprit, il voyait distinctement l'image d'une griffe de corne, dure et effilée – une vraie serre de rapace – arrachant des éclats au bois.

Sam s'accrocha de plus belle au loquet. De la transpiration coula le long de ses tempes.

Finalement, l'ado fit une tentative pour ouvrir la porte. Le bouton, à l'intérieur, bougea un peu entre les mains de Sam, qui ne le laissa pas tourner davantage.

– ... *Ô mon Dieu, ça brûle, ça brûle...*

La peur finit par gagner Sam. Le gosse paraissait complètement cinglé. Un drogué bourré de PCP en train d'orbiter autour de Mars, non, pis que cela, beaucoup plus étrange et dangereux qu'un détraqué à la poussière d'ange. Sam était mort de frousse parce qu'il ne savait pas à quoi il avait affaire.

Le gosse fit une deuxième tentative.

Sam colla de toutes ses forces la porte à l'encadrement.

Des mots rapides, frénétiques :

– *Nourrir le feu, nourrir le feu...*

Je me demande s'il ne peut pas renifler mon odeur, là-dedans ? songea Sam. Et les circonstances étaient tellement bizarres que l'idée ne lui parut pas plus farfelue que celle des griffes.

Son cœur battait la chamade. La sueur lui brûlait le coin des yeux. Les muscles de son cou, de ses épaules et de ses bras se raidissaient de douleur ; il tirait bien plus que nécessaire pour garder la porte fermée.

Au bout d'un moment, ayant apparemment conclu que sa proie ne se trouvait pas dans le garage, le gosse abandonna. Il retourna au pas de course vers l'allée. Et tandis qu'il s'éloignait le long du bâtiment, il émit un gémissement bas, à peine audible ; un gémissement de souffrance, de manque... et d'excitation animale. Il luttait pour étouffer son cri, sans y parvenir complètement.

Sam entendit des pas félins se rapprocher, venant de plusieurs directions. Les trois autres poursuivants rejoignirent l'ado dans l'allée, et leurs voix murmurantes étaient pleines de la même anxiété frénétique, bien qu'ils fussent beaucoup trop loin pour que Sam pût distinguer leurs paroles. Ils se turent brusquement et, un instant plus tard, comme une meute de loups réagissant instinctivement à l'odeur d'une proie ou d'un danger, ils filèrent dans l'allée, prenant la direction du nord. Bientôt s'atténua l'impact sourd de leurs souples enjambées et un silence de tombeau retomba autour du policier

Sam resta dans l'obscurité du garage pendant encore plusieurs minutes, toujours solidement agrippé au bouton de porte.

15

Le cadavre du garçon gisait dans un fossé le long de la route secondaire, au sud-est de Moonlight Cove. Des taches de sang ressortaient sur son visage, d'une pâleur de givre. Dans l'éclat aveuglant des deux projecteurs montés sur trépied de la police, ses grands yeux restaient fixés sans ciller sur une rive incommensurablement plus lointaine que celle du Pacifique tout proche.

Debout près d'une lampe encapuchonnée, Loman Watkins se força à regarder le petit corps, à être le témoin de la mort du jeune Eddie Valdovski, parce que Eddie, huit ans, était son filleul. Loman avait fait ses études secondaires avec le père d'Eddie, Georges, et était amoureux – au sens strictement platonique – de la mère du jeune garçon, Nella, depuis vingt ans. Eddie était un gamin merveilleux, intelligent, curieux de tout, bien élevé. Était. Et maintenant... atrocement écorché, sauvagement mordu, griffé et déchiré de partout, la nuque brisée, il n'était plus qu'un tas d'ordure en décomposition, tout son potentiel détruit. Une flamme soufflée. Privé de la vie, la vie était privée de lui.

Des innombrables horreurs dont Loman avait été témoin au cours des vingt et un ans qu'il avait passés dans la police, celle-ci était peut-être la pire. Et étant donné ses relations personnelles avec le gamin, il aurait dû être profondément secoué, sinon ravagé. Et cependant, à peine était-il affecté à la vue de ce petit corps tourmenté. Tristesse, regret, colère et des bouffées d'autres émotions l'assaillirent, certes, mais à peine, et passagèrement – poissons invisibles effleurant un nageur, brièvement, dans des eaux nocturnes. Il ne ressentait rien du chagrin qui aurait du le crucifier.

Barry Sholnick, l'un des officiers nouvellement recrutés pour renforcer les forces de police de Moonlight Cove, enjamba le fossé et, un pied sur chaque bord, prit une photo d'Eddie Valdovski. Un instant, le flash de l'appareil fit briller un reflet d'argent dans les yeux vitreux.

L'incapacité croissante à éprouver des sentiments que Loman constatait en lui était, bizarrement, la seule chose qui lui en faisait ressentir profondément un : la peur. Une peur qui frisait l'épouvante. Il était depuis peu de plus en plus terrorisé par son détachement émotionnel – durcissement du cœur non désiré mais apparemment irréversible et qui n'allait pas tarder à le laisser avec des ventricules de marbre et des oreillettes en granit.

Il faisait partie de la Nouvelle Race, maintenant, et différait à bien des titres de ce qu'il avait été. Il présentait toujours le même aspect – un mètre soixante-quinze, taillé en force, avec une figure large à l'expression remarquablement innocente pour quelqu'un exerçant ce métier –, mais il n'était pas seulement ce qu'il paraissait être. Un plus grand contrôle de ses émotions, une attitude plus stable et plus analytique étaient peut-être des avantages induits par le Changement qui n'avaient pas été prévus. Mais s'agissait-il réellement d'avantages ? Ne rien éprouver ? Aucun chagrin ?

En dépit de la fraîcheur de la nuit, des gouttes de sueur froide perlèrent à son front, à sa nuque et sous ses bras.

Ian Fitzgerald, le coroner, était occupé ailleurs, mais Victor Callan, propriétaire du salon funéraire Callan, assistant du coroner, aidait un autre policier, Jules Timmerman, à fouiller les environs, à la recherche d'indices que l'assassin aurait pu laisser derrière lui.

En réalité, leur numéro n'avait pour but que d'épater la dizaine de personnes, résidant dans le secteur, qui s'étaient rassemblées de l'autre côté de la route. Même si l'on trouvait des indices, en effet, aucun suspect ne serait arrêté. Aucun procès n'aurait lieu. Si l'on retrouvait jamais l'assassin d'Eddie, il n'en serait pas fait état et on en disposerait de manière à dissimuler l'existence de la Nouvelle Race aux yeux de ceux qui n'avaient pas subi le Changement. Car il ne faisait aucun doute que le tueur était ce que Thomas Shaddack appelait un « régressif », un de ceux de la Nouvelle Race ayant mal tourné. Très mal tourné.

Loman se détourna du petit cadavre. Il s'éloigna le long de la route en direction de la maison des Valdovski dont les contours, à quelques centaines de mètres, se dessinaient vaguement dans la brume.

Il ignora les badauds, même si l'un d'eux lui lança :

– Eh, chef ! Qu'est-ce qui se passe, bon sang ?

On était dans une zone semi-rurale, à l'extrême limite de l'agglomération. Les maisons étaient très éloignées les unes des autres et leurs lumières n'éclairaient que des îlots dans la nuit. À mi-chemin de la maison, alors qu'il se trouvait encore à portée de voix de la scène du crime, Loman se sentit isolé. Les arbres, torturés par des siècles de vents marins lors de nuits bien moins calmes que celle-ci, s'inclinaient vers la route à deux voies, et leurs branches torses surplombaient l'accotement de gravier sur lequel il avançait. Il ne cessait d'imaginer des mouvements furtifs dans les rameaux au-dessus de lui, ou dans les ténèbres épaissies de brouillard, entre les troncs.

Il ne put s'empêcher de poser la main sur la crosse de son revolver.

Cela faisait neuf ans que Loman Watkins était le chef de la police de Moonlight Cove, et plus de sang avait coulé dans sa juridiction, au cours du dernier mois, que pendant les huit ans et onze mois qui avaient précédé. En outre, il était convaincu que le pire restait à venir. Quelque chose lui disait que les régressifs étaient plus nombreux et constituaient un problème plus sérieux que Shaddack ne voulait bien l'admettre – consciemment ou non.

Il redoutait presque autant les régressifs que sa nouvelle attitude froide et dépouillée de toute passion.

Contrairement aux sentiments de bonheur, de chagrin, de joie, de peine, la peur brute était un mécanisme de survie, et peut-être ne perdrait-il pas contact avec elle aussi radicalement qu'avec les autres émotions. Cette pensée le mit aussi mal à l'aise que les mouvements fantomatiques dans les arbres.

La peur, se demanda-t-il, allait-elle être le seul sentiment à prospérer dans ce meilleur des mondes que nous bâtissons ?

16

Après avoir dîné d'un hamburger graisseux, de frites ramollies et d'une bouteille glacée de Dos Equis dans la cafétéria déserte du Cove Lodge, Tessa Lockland retourna dans sa chambre, se cala contre les oreillers, sur le lit, et appela sa mère au téléphone, à San Diego. Marion décrocha dès la première sonnerie.

– Salut, m'man, dit Tessa.

– D'où appelles-tu, T-J ?

Enfant, Tessa n'avait jamais pu décider si elle préférait son premier prénom, Tessa, ou le deuxième, Jane, et sa mère avait pris l'habitude de l'appeler par ses initiales.

– Du Cove Lodge, répondit Tessa.

– C'est bien ?

– C'est ce que j'ai trouvé de mieux. Moonlight Cove n'est pas une ville qui cultive le tourisme. Si le Cove Lodge n'avait pas cette vue spectaculaire sur l'océan, c'est le genre de boui-boui où l'on ne survivrait qu'en regardant des films porno à la télé dans des chambres louées à l'heure.

– Est-ce propre, au moins ?

– À peu près.

– Sinon, j'insiste pour que tu changes tout de suite.

– Voyons, maman ! Quand je tourne en extérieur, je suis souvent loin d'avoir tout le confort désirable, tu sais. Lorsque j'ai fait ce documentaire sur les Miskitos, en Amérique centrale, je suis allée chasser avec eux et j'ai dormi dans la boue.

– T-J, ma chérie, il ne faut jamais dire que l'on a dormi dans la boue. Les porcs dorment dans la boue. Tu peux dire que tu as dormi à la belle étoile et que tu en as bavé, pas que tu as dormi dans la boue. Même les expériences les plus pénibles valent la peine, si l'on conserve son sens de la dignité et du style.

– D'accord, maman, je sais. Je voulais simplement dire que le Cove Lodge n'avait rien d'un palace, mais que c'était mieux que de dormir dans la boue.

– À la belle étoile.

– Si tu veux. (Il y eut un silence de quelques instants.)

– Bon Dieu, qu'est-ce que je donnerais pour être avec toi ! reprit Marion.

– Voyons, m'man, avec ta jambe cassée !

– J'aurais dû filer à Moonlight Cove dès que j'ai appris qu'ils avaient retrouvé la pauvre Janice. Si j'avais été là, on n'aurait pas incinéré le corps. Par Dieu, ils ne l'auraient pas fait ! Je l'aurais empêché, je me serais arrangée pour faire faire une autopsie par des autorités dignes de confiance, et je n'aurais pas eu besoin de te mêler à tout ça. Je m'en veux, tu ne peux pas savoir !

Tessa se laissa aller contre les oreillers et soupira.

– Arrête de t'accuser comme ça, m'man. Tu t'es cassé la jambe trois jours avant qu'on ne trouve le corps de Janice. Tu ne pouvais pas plus voyager à ce moment-là qu'aujourd'hui. Ce n'est pas ta faute.

– Il y a eu une époque où une jambe cassée ne m'aurait pas arrêtée.

– Tu n'as plus tout à fait vingt ans, m'man.

– Oui, je sais, je suis vieille, répondit Marion d'un ton malheureux. Des fois, quand je pense à mon âge, ça me fiche la pétoche.

– Mais tu n'as que soixante-quatre ans, et tu en fais à peine cinquante ! Et comment tu te casses la jambe, hein ? En faisant du parachutisme ! Pour l'amour du ciel, arrête, je ne vais sûrement pas te plaindre.

– Le réconfort et la pitié sont pourtant ce que de vieux parents attendent de bons enfants.

– Si jamais par malheur tu me surprenais en train de te traiter de vieille ou de m'apitoyer sur toi, tu me botterais les fesses à m'en faire oublier comment on s'assoit.

– Botter les fesses de sa fille de temps en temps est l'un des plaisirs qui restent à une vieille maman, T-J. Mais bon Dieu, il sortait d'où, cet arbre ? Cela fait trente ans que je saute en commandé, et je n'avais encore jamais atterri sur un arbre. J'aurais juré qu'il n'était pas là au moment de l'approche finale, quand j'ai choisi mon point d'atterrissage.

Si une partie de l'optimisme fondamental devant la vie qui caractérisait la famille Lockland venait du côté de Bernard, feu le père de Tessa, une autre avait sa source – renforcée d'une bonne dose « d'indomptabilité » – dans le patrimoine génétique de Marion.

– Ce soir, reprit Tessa, dès mon arrivée, j'ai été sur la plage où on l'a retrouvée.

– Ça a dû être affreux pour toi, T-J.

– J'ai tenu le coup.

Au moment de la mort de Janice, Tessa voyageait dans les campagnes afghanes, à la recherche des conséquences de la guerre d'extermination dont la population et la culture afghanes avaient été victimes, avec l'intention de préparer un documentaire sur la question. Sa mère n'avait pu lui faire parvenir la nouvelle de la mort de Janice que quinze jours après qu'on avait retrouvé son corps sur la plage de Moonlight Cove. Cela faisait cinq jours qu'elle était rentrée d'Afghanistan et qu'elle n'arrivait pas à se débarrasser d'une impression de culpabilité vis-à-vis de sa sœur. Comme sa mère. Mais elle avait dit la vérité : elle tenait le coup.

– Tu avais raison, m'man. La version officielle pue.

– Qu'as-tu appris ?

– Rien, encore. Mais je me suis promenée sur la plage, là où soi-disant elle aurait vidé le tube de Valium, où elle serait partie pour sa dernière baignade et où on l'a trouvée deux jours plus tard. Et j'ai tout de suite senti que leur histoire ne tenait pas debout. Je l'ai senti dans mes tripes, m'man. Et d'une manière ou d'une autre, je vais finir par découvrir ce qui s'est réellement passé.

– Promets-moi de faire attention.

– Promis.

– Si jamais Janice a été... assassinée...

– Ça ira.

– Et si, comme je le pressens, la police ne semble pas au-dessus de tout soupçon...

– Écoute, m'man. Je mesure un mètre soixante-deux, je suis blonde, j'ai les yeux bleus, l'air déluré et aussi dangereux qu'un écureuil de Walt Disney. Toute ma vie, j'ai dû batailler pour qu'on me prenne au sérieux, à cause de mon allure. Toutes les femmes ont envie de me materner ou de jouer à la grande sœur avec moi, et quant aux hommes, ils font les papas où essaient de m'emballer aussi sec. Et ils sont bigrement rares, ceux qui voient tout de suite qu'au-delà de mon physique, j'ai un cerveau en bon état de marche, supérieur, en tout cas, à celui d'un moustique ; en général, il leur faut un certain temps pour comprendre. C'est pourquoi je vais me servir de mon apparence au lieu d'essayer de la dissimuler. Il n'y aura personne pour me trouver dangereuse.

– Tu gardes le contact ?

– Bien sûr.

– Si jamais tu te sens en danger, fiche le camp. Sur-le-champ.

– Ça ira très bien.

– Promets-moi de filer si tu sens le moindre danger, insista Marion.

– Je te le promets. Mais tu dois me promettre de rester quelque temps sans sauter d'un avion en l'air.

– Je suis trop âgée pour ça, maintenant. Eh oui, je suis une vieille. Une ancienne. Je vais devoir me consacrer à des activités plus conformes à mon âge. J'ai toujours eu envie d'apprendre le ski nautique. Et j'ai aussi bien aimé ton documentaire sur le moto-cross, tu sais ? Ça doit être marrant, de foncer dans la boue.

– On ne fonce pas dans la boue, m'man. On traverse un terrain accidenté.

– Ah oui, j'oubliais. Le style.

– Je t'aime, m'man.

– Moi aussi je t'aime, T-J. Plus que la vie.

– Je les ferai payer pour Janice.

– Si quelqu'un mérite de payer. N'oublie pas, T-J, que si notre Janice n'est plus, tu es encore là, toi. Et que ton premier devoir reste envers les vivants, et non les morts.

17

Assis à la table en Formica de la cuisine, Georges Valdovski étreignait un verre de bourbon de ses grosses mains abîmées de travailleur, sans arriver à les empêcher de trembler ; la surface du liquide ambré ne cessait de s'agiter.

Lorsque Loman Watkins entra et referma la porte derrière lui, l'homme ne leva même pas les yeux. Eddie était son seul enfant.

Georges était grand, les épaules larges, solidement bâti. À cause d'yeux profondément enfoncés dans leurs orbites, de lèvres fines et de traits aigus, il avait un air mauvais, en dépit d'une certaine beauté générale. Son aspect rébarbatif était cependant trompeur : sensible, la gentillesse même, il s'exprimait habituellement avec timidité.

– Comment ça va ? demanda Loman.

Georges se mordit la lèvre inférieure et hocha la tête comme pour dire qu'il survivrait à ce cauchemar, mais il ne croisa pas le regard du policier.

– Je vais aller voir Nella, reprit Loman.

Cette fois, Georges n'acquiesça même pas.

Le policier traversa la cuisine trop brillante, et ses semelles couinèrent sur le lino. À la porte de la salle à manger, il s'arrêta, se retourna et dit :

– On retrouvera ce fumier, Georges. Je te jure qu'on le retrouvera.

L'homme leva finalement les yeux de son bourbon. Des larmes brillaient dans son regard, mais il ne les laissait pas couler. C'était un Polonais cabochard et fier, bien déterminé à rester fort.

– Eddie jouait dans la cour, c'était la fin de l'après-midi, juste là-derrière dans la cour, on pouvait le voir depuis la fenêtre, dans sa propre cour... Quand Nella l'a appelé pour le dîner, la nuit tombait, comme il n'a pas répondu tout de suite, on a pensé qu'il avait été chez un voisin jouer avec d'autres gosses sans demander la permission, comme il aurait dû.

Il avait déjà raconté tout cela, plusieurs fois, mais il paraissait avoir besoin de le répéter encore et encore, comme pour en user l'horrible réalité, la dissoudre aussi sûrement que dix mille passages d'une cassette dans un magnétophone finiraient par effacer la musique et ne laisser qu'un sifflement neutre.

– On a commencé à le chercher, on ne le trouvait nulle part, on n'a pas eu peur pour commencer, on était même plutôt un peu en colère contre lui, et puis on a commencé à s'inquiéter, de plus en plus, et c'est au moment où on allait t'appeler qu'on l'a trouvé dans le fossé, mon Dieu Seigneur, tout massacré dans le fossé.

Il prit une profonde inspiration, puis une deuxième ; les larmes retenues brillaient toujours dans ses yeux.

– Faut être un monstre pour faire ça à un gosse, pour l'emporter et lui faire ça et après le ramener et le jeter là où on l'a trouvé, non ? Ça n'a pas pu se passer autrement, parce que... parce que... on aurait entendu les cris si ce salopard était resté dans le coin. Il a bien fallu qu'il l'emmène, qu'il lui fasse tout ça, et puis qu'il le ramène pour qu'on le trouve. Comment peut-on être aussi barbare, Loman ? Pour l'amour du ciel, quel est l'homme qui peut faire ça ?

– Un psychotique, répondit le policier, comme il l'avait déjà fait, et rien n'était plus vrai : les régressifs étaient des psychotiques.

Shaddack avait trouvé une formule pour les caractériser : psychose métamorphico-induite.

– Probablement drogué, ajouta-t-il, mentant cette fois.

Les drogues – en tout cas les produits illégaux conventionnels – n'avaient rien à voir avec la mort d'Eddie. Loman était surpris par la facilité avec laquelle il mentait à son vieil ami, une chose qu'il aurait été naguère incapable de faire. L'immoralité du mensonge était un concept qui convenait mieux à l'ancienne race et à leur monde d'émotions turbulentes. Les vieilles idées sur ce qui était immoral finiraient d'ailleurs peut-être par n'avoir plus aucun sens pour la Nouvelle Race, car si elle changeait aussi radicalement que Shaddack le prévoyait, efficacité, promptitude et performances maximales deviendraient les maîtres mots absolus.

– Les drogués sont une vraie plaie pour le pays, de nos jours. Ces types se brûlent la cervelle. Pas de morale, aucun but dans la vie, sinon des sensations factices. Voilà l'héritage d'une époque avec trop de laisser-faire ; ce type était détraqué par la drogue, Georges, et je te jure que je l'aurai.

Georges abaissa les yeux sur son verre. Il en but une gorgée.

Puis, plus pour lui-même que pour Loman, il dit :

– Eddie jouait dans la cour, la nuit tombait, juste là-derrière dans la cour, on pouvait le voir de n'importe quelle fenêtre...

Sa voix mourut.

À contrecœur, Loman monta jusque dans la chambre à coucher des parents pour voir comment Nella s'en sortait.

Elle était allongée sur le lit, légèrement soulevée par des oreillers. Le docteur Jim Worthy était assis à côté d'elle ; à trente-huit ans, il était le plus jeune des trois médecins de Moonlight Cove. Il avait la moustache soigneusement taillée, portait des lunettes cerclées de métal, manifestait un faible pour les nœuds papillons et passait à juste titre pour sérieux.

Sa sacoche était à ses pieds, et il avait encore le stéthoscope autour du cou. Il remplissait d'un fluide doré une seringue d'une taille exceptionnelle.

Worthy se tourna pour regarder Loman. Leurs yeux se rencontrèrent, ils n'eurent pas besoin de parler.

Soit qu'elle eût entendu le bruit étouffé des pas du policier, soit qu'elle eût senti sa présence par d'autres moyens plus fins, Nella Valdovski ouvrit les yeux. Ils étaient rouges et gonflés. Elle était encore ravissante avec ses cheveux couleur de lin et des traits si délicats qu'ils paraissaient être l'œuvre d'un maître ciseleur plus que celle de la nature. Sa bouche se détendit et trembla lorsqu'elle prononça le nom du policier.

– Oh, Loman...

Il fit le tour du lit et vint prendre la main que Nella lui tendait. Elle était humide, froide, et agitée de frissons.

– Je vais lui administrer un tranquillisant, dit Worthy. Elle a besoin de se calmer, de dormir si possible.

– Je ne veux pas dormir, protesta Nella. Je ne peux pas dormir... pas après ça... plus jamais après ça.

– Calme-toi, calme-toi, fit Loman en lui caressant la main. (Il s'était assis sur le bord du lit.) Le docteur Worthy va s'occuper de toi. C'est pour ton bien, Nella.

Pendant la moitié de sa vie, le policier avait aimé cette femme, l'épouse de son meilleur ami, sans jamais trahir ses sentiments. Il s'était toujours raconté qu'il s'agissait d'une attirance toute platonique. À la regarder, maintenant, il comprit qu'elle n'avait pas été que cela.

Quelque chose le perturbait, néanmoins... voyons, il savait ce qu'il avait ressenti pour elle au cours de toutes ces années, il s'en souvenait très bien, mais il ne ressentait plus rien. Son amour, sa passion, son désir agréable mais mélancolique s'étaient évanouis au même titre que la plupart de ses autres réactions émotionnelles ; s'il avait toujours conscience de ce qu'il avait éprouvé pour elle, ses anciens sentiments se réduisaient à un ancien « moi » qui se serait détaché de lui comme un fantôme quitte un cadavre.

Worthy posa la seringue sur la table de nuit. Il déboutonna et releva la manche de la blouse de Nella, et entoura son bras d'un gros élastique pour faire ressortir une veine.

Tandis que le médecin lui nettoyait le bras avec un coton imbibé d'alcool, Nella reprit :

– Qu'allons-nous devenir, Loman ?

– Tu verras, tout va aller bien, répondit-il, lui caressant toujours la main.

– Comment peux-tu dire ça ? Eddie est mort. Il était si mignon, si petit et si mignon, et maintenant il est parti. Plus jamais ça n'ira bien, plus jamais.

– Tu vas très bientôt te sentir mieux, l'assura Loman. La douleur va disparaître sans même que tu t'en rendes compte. Les choses n'auront plus la même importance que maintenant. Je te le promets.

Elle cligna les yeux et le regarda comme s'il proférait des absurdités – mais elle ne savait pas, à ce moment-là, ce qui allait lui arriver.

Worthy enfonça l'aiguille dans son bras.

Elle tressaillit.

Le fluide doré passa dans son sang.

Elle ferma les yeux et se remit à pleurer doucement, non pas à cause de la piqûre, mais de la mort de son fils.

Peut-être vaut-il mieux en effet ne pas aimer autant, ne pas dépendre autant des autres, songea Loman.

La seringue était vide.

Le policier et le médecin échangèrent un autre regard.

Nella frissonna lorsque l'aiguille quitta son bras.

Le Changement exigerait deux autres injections, et quelqu'un devrait rester auprès de Nella au cours des quatre ou cinq heures suivantes, non seulement pour lui administrer le produit, mais pour l'empêcher de se faire mal pendant la conversion. Rallier la Nouvelle Race ne se faisait pas sans douleur.

Nella fut prise d'un nouveau frisson.

Worthy inclina la tête ; la lumière de la lampe de chevet se refléta de telle manière dans ses verres qu'elle cacha ses yeux, lui donnant une apparence menaçante inhabituelle.

Les frissons secouèrent Nella de façon plus forte et prolongée.

Sur le seuil, Georges Valdovski demanda :

– Qu'est-ce qui se passe, ici ?

L'attention de Loman avait été tellement tournée sur Nella qu'il n'avait pas entendu Georges monter. Il se leva aussitôt, lâchant la main de la femme.

– Le docteur a pensé qu'elle...

– Qu'est-ce que c'est que cette aiguille à chevaux ?

– Un tranquillisant, répondit Worthy. Elle a besoin de...

– Un tranquillisant ? Mais c'est une dose à assommer un bœuf, oui !

– Écoute, Georges, intervint Loman, le toubib sait ce qu'il fait, et...

Sur le lit, Nella entra en transe, sous l'effet de l'injection. Son corps se raidit soudain, ses mains se refermèrent en poings serrés, ses mâchoires se crispèrent, faisant saillir les muscles de son visage. À sa gorge et à ses tempes, des artères gonflèrent et leurs battements, accélérés avec l'augmentation foudroyante du rythme cardiaque, devinrent visibles. Son regard prit un aspect vitreux et elle passa dans cet état crépusculaire particulier qu'induisait le Changement, où l'on n'était ni pleinement conscient ni pleinement inconscient.

– Qu'est-ce qu'elle a ? demanda Georges.

Entre ses mâchoires contractées, les lèvres tirées en arrière par une grimace de douleur, Nella émit un étrange grognement retenu. Puis elle arqua le dos jusqu'à ne plus toucher le lit que des épaules et des talons. Elle paraissait déborder d'une énergie violente, comme une marmite soumise à une trop grande pression de vapeur, sur le point d'exploser. Finalement, elle s'effondra sur le matelas, secouée de frissons plus violents que jamais, et se mit à transpirer abondamment.

Georges regarda tour à tour Worthy et Loman. Il comprenait manifestement que quelque chose n'allait pas du tout, mais pas du tout, sans cependant avoir la moindre idée de la nature de ce qui n'allait pas.

– Arrête.

Loman sortit son revolver lorsque le Polonais recula vers le palier.

– Avance-toi jusqu'ici, Georges, et allonge-toi sur le lit à côté de Nella.

L'homme resta pétrifié sur le seuil de la porte ; incrédule, stupéfait, il regardait le revolver d'un œil effaré.

– Si tu essaies de partir, reprit Loman, je devrai te tirer dessus, et je n'y tiens pas.

– Tu ne le ferais pas, répondit Georges, comptant sur la protection de dizaines d'années d'amitié.

– Si, je le ferais, répliqua froidement le policier. Je te tuerais s'il le fallait, et on camouflerait ça sous une histoire qui ne te plairait pas trop. On dirait qu'on t'a pris en contradiction flagrante, qu'on a trouvé des preuves que c'est toi qui as tué Eddie, tué ton propre fils, pour des raisons sexuelles tordues et que lorsqu'on t'a mis le nez sur ces preuves, tu as tenté de t'emparer de mon arme. Bagarre. Une balle t'atteint, mortellement. Affaire classée.

De la part de quelqu'un qu'il avait toujours pris pour un ami intime et très cher, les menaces de Loman Watkins paraissaient tellement monstrueuses que Georges, sur le coup, resta sans voix. Puis, tandis qu'il revenait lentement dans la pièce, il demanda :

– Tu... tu laisserais croire que j'ai fait *ça* à Eddie ? Mais pourquoi ? Où veux-tu en venir, Loman ? Qu'est-ce que tu trafiques ? Qui... qui protèges-tu ?

– Allonge-toi sur le lit.

Le docteur Worthy préparait déjà une deuxième seringue.

Sur le lit, Nella ne cessait de frissonner, de tressaillir, de se tordre. La sueur lui coulait sur le visage. Ses cheveux étaient mouillés et emmêlés. Elle avait les yeux ouverts, mais paraissait ne pas se rendre compte de la présence d'autres personnes dans la pièce. Peut-être n'avait-elle pas conscience de l'endroit où elle se trouvait. Elle voyait un autre lieu, ou bien son regard était-il tourné vers l'intérieur ; Loman ignorait ce qu'il en était. Il ne se rappelait rien de sa propre conversion, sinon que la douleur avait été atroce.

S'approchant du lit avec répugnance, Georges Valdovski reprit ses questions.

– Mais qu'est-ce qui se passe, Loman ? Par le Christ, à quoi rime tout ça ? Qu'est-ce qui ne va pas ?

– Tout ira très bien, le rassura le policier. C'est pour ton bien et celui de Nella, tu verras.

– *Quoi*, pour mon bien ? Au nom du Ciel...

– Allonge-toi, Georges, et ne t'inquiète pas.

– Qu'est-ce qui arrive à Nella ?

– Allonge-toi, Georges, c'est pour ton bien, répéta Loman.

– C'est pour votre bien, confirma le docteur Worthy, tandis qu'il finissait de remplir la seringue avec le liquide doré.

– Vraiment, insista Watkins. Fais-moi confiance, Georges.

Du revolver il lui montra le lit, avec un sourire qui se voulait rassurant.

18

La maison de Harry Talbot, construite en séquoia dans le style Bauhaus, comportait de multiples fenêtres. Elle se trouvait à trois coins de rue du centre de Moonlight Cove, sur le côté est de Conquistador Avenue, une artère qui devait son nom au fait que les conquérants espagnols y auraient bivouaqué quelques siècles auparavant en remontant la côte californienne. Il arrivait à Harry de rêver d'avoir été l'un d'eux, s'avançant vers les territoires inconnus du nord ; un rêve d'autant plus agréable qu'il n'y était jamais cloué sur un fauteuil roulant.

L'essentiel de l'agglomération était bâtie sur les pentes boisées qui faisaient face à la mer, et le terrain de Harry surplombait l'avenue ; la maison était un observatoire parfait pour quelqu'un dont l'occupation principale, dans l'existence, consistait à épier ses concitoyens. Depuis sa chambre, à l'angle nord-ouest du deuxième étage, il voyait, au moins en partie, toutes les rues qui se trouvaient entre Conquistador Avenue et la baie – Juniper Lane, Serra Street, Roshmore Way et Cypress Lane – ainsi que les voies transversales est-ouest. Au nord, il apercevait des tronçons d'Ocean Avenue et voyait même un peu plus loin. Bien entendu, ses possibilités auraient été sérieusement limitées si la maison n'avait pas eu un étage de plus que la plupart des autres, et s'il n'avait disposé d'un télescope à réfraction de 60 mm ainsi que d'une paire de bonnes jumelles.

À vingt et une heures trente, le lundi soir 13 octobre, Harry se trouvait assis sur son tabouret conçu sur mesure, entre les deux grandes fenêtres nord et est, l'œil vissé à l'oculaire du télescope. Le haut tabouret possédait des bras et un dossier, quatre pieds très écartés ainsi qu'un contrepoids en dessous pour éviter tout risque de déséquilibre, quand il devait passer du siège au fauteuil roulant. Il avait aussi fait installer un harnais, rappelant une ceinture de sécurité, qui lui permettait de se pencher en avant sans craindre de rouler à terre.

Comme son bras et sa jambe gauches étaient complètement morts et sa jambe droite trop faible pour le soutenir, et qu'il ne pouvait compter que sur son bras droit – que, grâce à Dieu, le Viêt-cong avait épargné –, même le transfert depuis le fauteuil à moteur électrique jusqu'au tabouret restait une entreprise risquée et éprouvante. Mais l'effort valait la peine car chaque année, Harry Talbot vivait davantage de choses, grâce aux jumelles et au télescope, que l'année précédente. Perché sur son tabouret spécial, il en arrivait presque, parfois, à oublier son handicap : à sa manière, il participait à la vie.

Son film préféré était bien entendu *Fenêtre sur cour* avec Jimmy Stewart, qu'il avait dû voir une bonne centaine de fois.

Ce soir-là, le télescope était pointé sur l'arrière du salon funéraire Callan, l'unique entreprise de pompes funèbres de Moonlight Cove, sur le côté est de Juniper Lane, la première rue parallèle à Conquistador Avenue en direction de la mer. La vue plongeait entre deux maisons situées de l'autre côté de sa propre rue, passait le long du tronc d'un pin parasol gigantesque et enjambait une allée de service qui courait entre Juniper Street et Conquistador. L'arrière du salon funéraire donnait sur cette allée, et Harry disposait d'un angle qui comprenait une partie du garage, dans lequel était garé le corbillard, l'entrée de derrière du bâtiment proprement dit, et l'entrée de la nouvelle aile dans laquelle les cadavres étaient embaumés et préparés pour être exposés ou incinérés.

Au cours des deux derniers mois, il avait assisté à des choses curieuses, chez l'entrepreneur de pompes funèbres. Ce soir, cependant, aucune activité inhabituelle ne venait rompre la monotonie de la veille patiente de Harry.

– Moose ?

Le chien quitta son coin et s'avança d'un pas tranquille à travers la pièce plongée dans l'obscurité. C'était un labrador adulte, à peu près invisible dans le noir. Il vint toucher du museau la jambe droite de Harry, celle qui sentait encore quelque chose.

L'infirme caressa la tête du chien.

– Va me chercher une bière, mon vieux.

Moose, chien d'assistance formé par Canine Companions for Independence, était toujours heureux que l'on eût besoin de lui. Il partit d'un pas vif vers le petit réfrigérateur situé dans un angle de la chambre, appareil de comptoir que l'on pouvait ouvrir à l'aide d'une pédale.

– Non, il n'y a rien là-dedans, dit Harry. J'ai oublié de monter un pack de six, cet après-midi.

Le chien avait déjà découvert l'absence de Coors dans le réfrigérateur. Il s'engagea dans le couloir, et Harry entendit le léger cliquetis de ses griffes contre le bois poli. Aucune pièce n'avait de moquette, car le fauteuil roulait plus facilement sur les surfaces dures. Sur le palier, le chien se souleva de toute sa hauteur et appuya sur le bouton d'appel de l'ascenseur. Le ronronnement du moteur emplit aussitôt la maison.

Harry reporta son attention sur le télescope et l'arrière du salon funéraire. Des vagues de brouillard dérivaient par la ville, parfois épaisses et masquant la vue, parfois plus fluides. Des lumières éclairaient l'arrière de l'établissement, et la vue restait assez nette ; grâce au télescope, il avait l'impression de se trouver entre les deux piliers de brique qui marquaient l'entrée de l'allée de service. Par une nuit sans brouillard, il aurait pu compter les rivets dans la porte métallique du crématorium.

Derrière lui, les portes de l'ascenseur s'ouvrirent. Moose y entra, les portes se refermèrent et l'appareil descendit.

Lassé d'observer toujours le même endroit, Harry fit lentement pivoter le télescope vers la gauche, sur le terrain vacant qui, au sud, jouxtait le salon funéraire ; il ajusta le champ de vision de manière à voir au-delà, exactement par la fenêtre de la salle à manger des Gosdale, dont la maison était située sur le côté ouest de Juniper Street.

De sa bonne main, il dévissa l'oculaire qu'il posa sur la haute table métallique, à côté de lui, et le remplaça avec rapidité et habileté par l'un des autres, afin d'obtenir une vision plus précise. Comme le brouillard était pour l'instant à demi dissipé, il voyait dans la salle à manger presque aussi bien que s'il avait été accroupi sous le porche des Gosdale, le visage à la fenêtre. Herman et Louise Gosdale jouaient aux cartes avec leurs voisins, Dan et Vera Kaiser, comme ils le faisaient tous les lundis soir et aussi parfois le vendredi.

L'ascenseur atteignit le rez-de-chaussée, et le silence se rétablit. Moose, deux étages plus bas, se dirigea vers la cuisine.

Par les nuits exceptionnellement claires, lorsque Dan Kaiser était assis dos à la fenêtre, Harry arrivait à voir parfois les cartes qu'il avait en main. Il avait imaginé la tête que ferait Herman Gosdale s'il lui téléphonait pour lui faire la description, assortie de quelques conseils, du jeu de son adversaire.

Mais il ne voulait surtout pas que les gens sachent qu'il passait le plus clair de son temps dans sa chambre à coucher – qu'il laissait la nuit dans l'obscurité pour ne pas se faire remarquer – et participait par procuration à leur existence. Ils ne l'auraient pas compris. Les personnes bénéficiant de quatre membres intacts se sentent d'emblée mal à l'aise avec les handicapés, ayant trop facilement tendance à croire que les infirmités physiques contaminent aussi l'esprit. Ils le jugeraient au moins indiscret, fouineur ; pire, ils verraient peut-être en lui un vulgaire voyeur dégénéré.

Ce n'était pourtant pas le cas. Harry Talbot avait établi un règlement très strict sur l'usage qu'il faisait des jumelles et du télescope, et il le respectait fidèlement.

Pour commencer, il n'essayait jamais d'observer une femme déshabillée.

Arnella Scarlatti, par exemple, vivait dans une maison de l'autre côté de sa rue, trois portes plus loin vers le nord. Il avait découvert accidentellement qu'elle passait parfois la soirée dans sa chambre, à lire ou écouter de la musique en tenue d'Ève. Elle ne branchait qu'une simple lampe de chevet, et un voilage masquait la fenêtre, entre les rideaux ; et comme elle ne s'en approchait pas, elle ne songeait pas à tirer ces derniers. En fait, à moins d'avoir le point de vue et le matériel de Harry, personne n'aurait pu la voir. Arnella était ravissante. En dépit du voilage et du faible éclairage de la lampe de chevet, Harry avait pu examiner en détail son corps exquisément parfait. Surpris par sa nudité, l'œil rivé à son oculaire par la stupéfaction, il avait admiré ses rondeurs sensuelles, sa poitrine plantureuse, ses longues cuisses, pendant peut-être une minute. Puis, le front brûlant autant d'embarras que de désir, il avait détourné le télescope. Harry avait beau n'avoir pas touché une femme depuis vingt ans, plus jamais il ne dirigea son appareil sur la chambre d'Arnella. Très souvent, le matin, il l'observait par l'une des fenêtres de sa cuisine, au rez-de-chaussée, pendant qu'elle prenait son petit déjeuner, étudiant son visage parfait. Il la trouvait si belle qu'il n'avait pas de mots pour la décrire ; et d'après ce qu'il savait d'elle, c'était aussi quelqu'un de bien. D'une certaine manière, il se sentait amoureux d'elle – comme un garçon peut être amoureux de son institutrice, une personne qui restera toujours hors de sa portée ; mais il ne se servit jamais du prétexte d'un amour non payé de retour pour caresser du regard son corps sans voile.

De même, s'il surprenait l'un de ses voisins dans quelque posture gênante, il détournait aussitôt l'instrument. Il les regardait se disputer, oui, rire ensemble, manger, jouer aux cartes, tricher avec leur régime, faire la vaisselle et accomplir toutes les innombrables menues tâches de la vie quotidienne, mais nullement pour les rabaisser, dire du mal d'eux ou trouver des raisons de se sentir supérieur. Il n'attendait aucune sensation forte de son observation. Il ne désirait qu'une chose, prendre part à leur vie, partager quelque chose – même si c'était à sens unique – et en faire une sorte de famille élargie ; il voulait avoir des raisons de *se soucier* d'eux, et ainsi connaître une vie émotionnelle plus pleine.

Le moteur de l'ascenseur ronronna de nouveau. Moose avait évidemment été jusqu'à la cuisine, ouvert l'une des quatre portes du réfrigérateur de comptoir, et ramenait une bouteille bien fraîche de Coors.

Harry Talbot avait des tendances grégaires et lorsqu'il était revenu de la guerre en n'ayant plus l'usage que d'un seul membre, on lui conseilla d'aller habiter dans un centre réservé aux handicapés, où il pourrait bénéficier d'une vie sociale dans une atmosphère attentive. Les conseillers l'avertirent qu'il aurait du mal à se faire accepter s'il essayait de vivre parmi les bien-portants ; qu'il se heurterait à leur cruauté, inconsciente, certes, mais blessante, en particulier la cruauté de l'exclusion involontaire, et qu'il finirait par connaître de terribles sentiments de déréliction et de solitude. Mais Harry était aussi farouchement indépendant qu'il pouvait aimer la société, et la perspective de vivre dans un tel centre, avec pour seuls compagnons des handicapés comme lui et le personnel soignant, lui parut pire encore que pas de compagnon du tout. Si l'on ne comptait pas Moose, il vivait maintenant seul ; et en dehors de la femme de ménage qui venait une fois par semaine (il dissimulait ce jour-là le télescope dans un placard), il ne voyait pas grand monde. Il put vérifier quotidiennement le bien-fondé des avertissements donnés par les conseillers ; ceux-ci, pourtant, avaient sous-estimé la capacité de Harry à trouver la consolation et un minimum de sentiment d'appartenance sociale par l'observation subreptice et sans méchanceté de ses voisins.

L'ascenseur atteignit l'étage ; la porte s'ouvrit et Moose vint directement jusqu'au tabouret de Harry.

Harry repoussa le télescope, monté sur un plateau roulant. Il caressa de nouveau la tête du chien, puis prit la bouteille de bière dans sa gueule ; le labrador la tenait par le fond, pour des raisons d'hygiène. Harry la plaça entre ses jambes sans force, prit une lampe-crayon sur le côté du tabouret et en dirigea le rayon lumineux dessus pour s'assurer qu'il s'agissait bien d'une Coors et non de Coca-Cola diététique.

Telles étaient les deux boissons que le chien avait appris à aller chercher, et la plupart du temps le bon toutou faisait la différence entre les mots « bière » et « Coke », assez longtemps pour se rendre jusqu'à la cuisine. Il lui arrivait de temps en temps d'oublier en cours de route et de revenir avec la mauvaise bouteille. Plus rarement encore, il rapportait des objets bizarres sans rapport avec l'ordre qu'il avait reçu : une pantoufle ; un journal ; par deux fois, un carton de biscuits à chien encore scellé ; une fois, un œuf dur, tenu si délicatement que la coquille était arrivée intacte ; sa trouvaille la plus bizarre avait été un balai à cabinets pris dans la réserve de la femme de ménage. À chaque fois, le deuxième essai de Moose s'avérait bon.

Depuis longtemps, Harry avait conclu que, loin de se tromper, l'animal se permettait de temps en temps une petite plaisanterie. De l'intimité de leurs rapports, il ressortait que les chiens possédaient, il en était convaincu, le sens de l'humour.

Cette fois-ci, ni erreur ni plaisanterie : Moose avait apporté une Coors, et Harry se sentit encore plus assoiffé en la voyant.

Il éteignit la lampe-crayon et dit :

– Bon, bon garçon, booooon chien, ça.

Moose poussa un petit gémissement joyeux, et resta au garde-à-vous auprès du tabouret, attendant un autre ordre.

– Va, Moose. Couché. T'es un bon chien.

Déçu, le labrador décampa vers son coin où il se roula en boule, tandis que son maître faisait sauter la capsule et prenait une longue rasade de bière.

Harry posa la bouteille sur la table, rapprocha le télescope et retourna à son exploration de la nuit, de son voisinage, de sa famille élargie.

Les Gosdale et les Kaiser jouaient toujours aux cartes.

À l'arrière du salon funéraire, seules les volutes de brouillard bougeaient.

À un coin de rue vers le sud, sur Conquistador Avenue, pour l'instant éclairée par les lampadaires de jardin des Sternback, Ray Chang, propriétaire du seul magasin de télévision et d'électronique de la ville, promenait son chien, un retriever doré. Ils avançaient d'un pas tranquille, l'animal reniflant chaque arbre, à la recherche de celui qui lui conviendrait pour se soulager.

La tranquillité et la familiarité de ces scènes plaisaient à Harry, mais cette atmosphère bon enfant se dissipa instantanément lorsqu'il tourna le télescope vers la fenêtre nord, en direction du domicile des Simpson. Ella et Denver Simpson occupaient une maison de style espagnol – toit de tuiles, murs couleur crème – de l'autre côté de Conquistador Avenue, deux coins de rues plus haut, juste derrière le vieux cimetière catholique et à un pâté de maisons d'Ocean Avenue. Comme rien dans le cimetière – sinon, partiellement, un arbre – ne faisait obstacle à la vue qu'en avait Harry, il avait une excellente visibilité latérale sur les fenêtres de deux de leurs façades. Il s'ajusta sur les lumières de la cuisine. Au moment où le flou de l'image se dissipait pour laisser place à un tableau aux détails précis, il vit Ella Simpson qui se débattait entre les bras de son mari, lequel la coinçait contre le réfrigérateur ; elle se tordait, lui griffait le visage, criait.

Un frisson parcourut la colonne vertébrale endommagée par des éclats d'obus de Harry.

Il comprit aussitôt que ce qui se passait chez les Simpson était en rapport avec d'autres événements inquiétants auxquels il avait récemment assisté. Denver était le chef du bureau de poste de Moonlight Cove et Ella tenait un salon de beauté qui marchait bien. Ils avaient un peu plus de trente ans, et c'était l'un des rares couples de Noirs de la communauté ; à ce que savait Harry, c'était un ménage heureux. Cette bagarre leur ressemblait tellement peu qu'elle ne pouvait qu'avoir un lien avec ces autres événements.

Ella se libéra de la prise de Denver. Elle n'eut que le temps de faire un pas : il lui lança un coup de poing qui l'atteignit sur le côté du cou. La jeune femme tomba durement au sol.

Dans le coin de la chambre, Moose sentit la tension de son maître. Il leva la tête et poussa un premier, puis un deuxième jappement étouffé.

Penché sur le tabouret, l'œil rivé à l'oculaire, Harry vit deux hommes surgir de la partie de la cuisine qui ne lui était pas visible. Ils n'étaient pas en uniforme, mais il reconnut tout de même deux policiers de Moonlight Cove : Paul Hawthorne et Reese Dorn. Leur présence fut pour Harry une confirmation de son intuition : cet incident faisait partie du bizarre ensemble de violences et de conspirations dont il prenait de plus en plus conscience, depuis quelques semaines. Pour la énième fois, il se prit à souhaiter vivement pouvoir comprendre ce qui se passait dans cette petite ville, naguère si calme. Hawthorne et Dorn relevèrent Ella, la tenant fermement entre eux. Elle avait l'air sonnée, sans doute sous l'effet du coup de poing de son mari.

Denver parlait ; Harry n'aurait su dire à qui. La rage lui tordait le visage avec une telle intensité qu'il en eut froid dans le dos.

Un troisième homme fit son apparition, allant directement à la fenêtre pour baisser les stores. Depuis quelques instants, une masse plus compacte de brouillard montait de l'océan, mais Harry eut tout de même le temps de reconnaître le docteur Ian Fitzgerald, le plus vieux des trois toubibs de Moonlight Cove. Cela faisait presque trente ans qu'il était médecin dans la ville, et il portait l'affectueux surnom de Doc Fitz. C'était le médecin personnel de Harry, qui le connaissait comme un praticien sérieux, compétent et humain ; sur le moment, il lui parut plus froid qu'un iceberg. À l'instant où les lattes du store se rejoignaient, Harry aperçut sur son visage une dureté de traits et une férocité dans le regard, là aussi tout à fait inhabituelles. Grâce au télescope, l'invalide avait l'impression d'être à trente centimètres du vieux médecin : il crut voir des traits familiers et en même temps un visage complètement étranger.

Ne pouvant plus observer la cuisine, il élargit le champ pour avoir une vue générale de la maison. Il appuyait tellement sur l'oculaire qu'un élancement douloureux irradiait dans son œil. Il maudit le brouillard qui prenait de la consistance, mais essaya de se détendre.

Moose poussa un gémissement interrogatif.

Au bout d'une minute, une pièce s'alluma à l'étage de la maison, au coin sud-est. Harry réduisit aussitôt le champ sur la fenêtre. La chambre conjugale. En dépit du brouillard, il vit Hawthorne et Dorn arriver, encadrant Ella. Ils la jetèrent sur le couvre-lit matelassé bleu.

Denver et Doc Fitz suivaient. Le médecin posa sa sacoche de cuir sur l'une des tables de nuit. Denver tira les rideaux devant la fenêtre qui donnait sur Conquistador Avenue, puis se dirigea vers celle ouvrant sur le cimetière, par laquelle Harry les observait. Un instant, Denver scruta la nuit, et Harry éprouva l'étrange sensation que l'homme le regardait, bien qu'ils fussent à deux coins de rues l'un de l'autre, comme si le Noir avait eu la vue de Superman ou un télescope incorporé de son cru. Harry avait déjà connu à plusieurs reprises cette sensation d'être nez à nez avec quelqu'un, bien avant le début de tous ces étranges événements, et savait parfaitement que Denver ne le voyait pas. Il n'en fut pas moins impressionné. Puis le postier tira les rideaux, là aussi, mais pas parfaitement, laissant un espace de cinq ou six centimètres entre les deux pans.

Tremblant, mouillé d'une sueur froide, Harry essaya plusieurs oculaires, dans un effort pour améliorer la netteté de l'image, jusqu'à ce qu'il fût si près de la fenêtre que la fente étroite entre les rideaux remplissait la lentille. Il avait l'impression non pas d'être derrière la fenêtre, mais au-delà des rideaux, debout dans la chambre.

Les volutes les plus épaisses de brouillard se désagrégèrent, emportées vers l'est, et un voile plus léger flotta de l'océan, ce qui améliora encore la vue qu'avait Harry. Hawthorne et Dorn clouaient Ella sur le lit. Elle se débattait, mais ils la maintenaient par les bras et les jambes, et la lutte était par trop inégale.

Denver prit sa femme par le menton et lui fourra un mouchoir en boule ou un morceau de tissu blanc dans la bouche, la bâillonnant.

Harry aperçut brièvement le visage de la femme, pendant qu'elle résistait encore à ses assaillants. La terreur lui agrandissait les yeux

– Oh, merde.

Moose se leva et se rapprocha.

Dans la maison des Simpson, le courageux combat d'Ella avait fini par faire remonter sa jupe sur ses jambes ; on voyait sa culotte jaune. Les boutons de sa blouse verte avaient lâché. En dépit de cela, rien ne donnait l'impression qu'un viol allait se produire, on ne sentait aucune tension sexuelle. Ce qu'ils voulaient lui faire (mais quoi donc ?) était peut-être encore plus inquiétant et cruel – et certainement plus bizarre – qu'un viol.

Doc Fitz passa au pied du lit, empêchant Harry de voir Ella et ceux qui la maintenaient. Le docteur tenait une bouteille pleine d'un liquide ambré dont il remplissait une seringue hypodermique.

Il s'apprêtait donc à faire une piqûre à Ella.

Mais de quoi ?

Et pourquoi ?

19

Après avoir parlé avec sa mère à San Diego, Tessa Lockland resta assise sur son lit, au motel, et regarda un documentaire sur la nature à la télé. À haute voix, elle se mit à critiquer le maniement de la caméra, la composition des plans, l'éclairage, le montage, la narration – bref, toute la production – avant de se rendre brusquement compte qu'elle devait avoir l'air d'une cinglée à se parler ainsi toute seule. Puis elle se moqua d'elle-même en parodiant les commentaires qu'auraient pu faire divers critiques de cinéma, chacun à sa manière, du documentaire – ce qui était assez drôle, vu le style prétentieux de la plupart des critiques, à la télé. Elle n'en parlait pas moins toujours toute seule, ce qui était un peu trop excentrique, même pour une non-conformiste arrivée à trente-trois ans sans jamais avoir connu la monotonie d'un horaire de bureau. La visite du lieu où sa sœur se serait « suicidée » lui avait mis les nerfs à vif, et elle cherchait dans la dérision un soulagement à ce triste pèlerinage. Mais, en de certaines circonstances, même le fol entrain des Lockland n'était pas de mise.

Elle coupa la télé et alla prendre le seau à glace, sur la commode. Quelques pièces à la main, elle laissa la porte entrouverte et se dirigea vers la machine à glaçons et le distributeur de soda, à l'extrémité sud du premier étage.

Tessa s'était toujours glorifiée d'avoir évité la monotonie des horaires de bureau. Excès de vanité, en réalité, dans la mesure où ses journées de travail étaient souvent de douze ou même de quatorze heures, et non de huit. Elle était pour elle-même plus exigeante que n'importe quel patron ne l'aurait été dans un travail de routine. En outre, ses revenus n'avaient rien de faramineux. Elle avait connu quelques années fastes, durant lesquelles elle n'aurait cessé de ramasser de l'argent même si elle l'avait voulu, et beaucoup plus d'années de vaches maigres, où elle avait à peine gagné de quoi subvenir à ses besoins. Si elle faisait la moyenne de ses revenus des douze dernières années, depuis qu'elle avait quitté l'école de cinéma, avait-elle récemment calculé, elle arrivait à vingt-deux mille dollars par an, chiffre qu'il faudrait sérieusement réviser à la baisse si elle ne renouait pas rapidement avec le succès.

Et pourtant, en dépit de ses maigres revenus et de l'insécurité chronique de son métier d'auteur de documentaires, elle avait le *sentiment* d'avoir réussi – et pas seulement parce que ses œuvres étaient en général bien accueillies, ou à cause des dispositions optimistes de son caractère. Sa réussite était d'avoir toujours résisté à l'oppression de l'autorité et trouvé, dans son travail, le moyen d'être la maîtresse de son propre destin.

Au bout du long couloir, elle poussa une porte coupe-feu et se retrouva sur le palier, où se tenaient la machine à glaces et le distributeur de boissons. Bien approvisionné en marques diverses, ce dernier ronronnait doucement, mais la machine à glace était vide et en panne. Elle allait devoir descendre s'approvisionner à la machine du rez-de-chaussée. Ses pas, dans l'escalier tout en béton, réveillèrent des échos bruyants et froids qui lui donnèrent l'impression d'être au cœur d'une vaste pyramide ou de quelque ancienne construction, dans la seule compagnie d'invisibles fantômes.

Il n'y avait aucun appareil au pied des marches, mais un panneau indiquait qu'ils se trouvaient à l'extrémité nord du motel. Le temps qu'elle obtienne sa glace et son Coke « Light », elle aurait perdu assez de calories pour mériter autre chose qu'une de ces insipides boissons diététiques.

Au moment où elle posait la main sur la poignée du coupe-feu du corridor du bas, elle crut entendre la porte s'ouvrir sur le palier du premier. Si elle ne s'était pas trompée, c'était le premier indice, depuis son arrivée, trahissant la présence d'un autre client dans ce motel à l'air abandonné.

De l'autre côté de la porte, la même hideuse moquette orange qu'au premier recouvrait le sol du corridor. Le décorateur avait sans doute des goûts clownesques en matière de couleurs. Ou un lot invendable à fourguer. Elle cligna les yeux.

Elle aurait préféré avoir mieux réussi en tant que cinéaste, ne serait-ce que pour s'offrir des hôtels qui ne lui offensent pas les sens. De toute façon, comme c'était le seul de Moonlight Cove, une fortune ne lui aurait pas épargné cet abominable éclat orange. Le temps d'atteindre le palier nord et de franchir le deuxième coupe-feu du couloir, elle trouva reposant et même agréable le gris du béton brut décoffré de la cage d'escalier.

La machine à glaces, là, fonctionnait. Elle remplit le seau de glaçons en demi-lune, puis le posa sur le haut de l'appareil. Elle entendit alors la porte palière du premier étage, en haut des marches, qui s'ouvrait avec un grincement faible mais prolongé.

Elle se tourna vers le distributeur pour y prendre un Coke, s'attendant à ce que quelqu'un descendît du premier étage. Ce n'est que lorsque tomba la troisième pièce de vingt-cinq cents dans la fente qu'elle prit conscience de la manière *furtive* dont on avait ouvert cette porte. Ce grincement retenu et prolongé... comme si on savait que les gonds manquaient d'huile et qu'on essayait de réduire leur bruit.

Un doigt sur le bouton de sélection, Tessa hésita, l'oreille tendue.

Rien.

Silence froid, béton brut.

Elle se sentait exactement comme sur la plage, un peu plus tôt dans la soirée, lorsqu'elle avait entendu cet étrange cri lointain. Une deuxième fois, elle sentit la chair de poule lui hérisser la peau.

Elle avait l'impression absurde que quelqu'un, sur le palier du premier, venait de franchir la porte et la maintenait ouverte, attendant qu'elle appuyât sur le bouton afin que le grincement des gonds fût couvert par le tintamarre de la boîte roulant dans le bac.

Bien des femmes actuelles, conscientes de la nécessité d'être endurcies dans un monde dur, s'en seraient voulu d'éprouver de telles appréhensions et les auraient traitées par le mépris. Mais Tessa se connaissait bien. Elle n'était portée ni à l'hystérie ni à la paranoïa, et elle ne resta pas à se demander si la mort de Janice ne l'avait pas un peu trop éprouvée : elle ne récusa pas l'image mentale d'une présence hostile invisible, là-haut sur le palier.

Trois portes s'ouvraient au bas de la cage d'escalier. La première, au sud, était celle par laquelle elle était arrivée et donnait sur le corridor. La deuxième s'ouvrait sur l'arrière du motel, où une allée de service, de toute évidence, longeait le bâtiment d'un côté et la falaise de l'autre. Par la troisième, dans le mur est, elle pourrait certainement gagner le parking en face de l'établissement. Au lieu d'appuyer sur le bouton – laissant même son seau à glace sur la machine –, elle alla silencieusement jusqu'à la porte sud et l'ouvrit.

Elle aperçut un mouvement à l'autre extrémité du corridor. Quelqu'un venait de s'esquiver vers l'autre cage d'escalier. Elle ne put distinguer qu'une vague forme, car l'individu était déjà de l'autre côté de la porte, qui se referma sur lui.

Deux hommes au moins – elle supposa qu'il s'agissait d'hommes et non de femmes – étaient à ses trousses.

Au-dessus de sa tête, dans sa propre cage d'escalier, les gonds sans huile émirent un grincement retenu, à peine audible. L'autre homme était évidemment fatigué d'attendre un autre bruit pour couvrir celui de la porte.

Pas question d'emprunter le couloir : elle y serait prise au piège

Elle aurait pu crier avec l'espoir d'alerter d'autres clients et de dissuader ses poursuivants de s'obstiner, mais elle hésita, à l'idée que le motel était peut-être aussi désert qu'il en avait l'air. Son cri pouvait ne lui valoir aucune aide, tout en faisant comprendre à ses poursuivants qu'ils avaient été repérés et qu'ils n'avaient plus besoin de prendre de précautions.

Au-dessus d'elle, quelqu'un descendait furtivement l'escalier.

Tessa se précipita vers la porte est et courut dans le brouillard nocturne, le long du bâtiment, jusqu'au parking qui donnait sur Cypress Lane. Elle passa au sprint devant la cafétéria, maintenant fermée, et arriva, haletante, jusqu'au bureau de réception du motel.

Celui-ci était ouvert ; les marches baignaient dans une lumière de néons jaunes et roses, opacifiée par la brume, et l'homme qui se tenait derrière le comptoir était le même que celui qui l'avait accueillie, quelques heures auparavant. La cinquantaine, grand, un peu enveloppé, rasé de frais, les cheveux coupés court, son pantalon en velours côtelé et sa chemise de flanelle vert et rouge lui donnaient tout de même un petit air négligé. Il reposa un magazine, baissa le volume de la musique country, à la radio, se leva de sa chaise pivotante et, les sourcils froncés, écouta Tessa raconter, de manière un peu trop précipitée, ce qui venait de se passer.

– Écoutez, on n'est pas dans une grande ville, ici, ma petite dame, dit-il quand elle eut terminé. C'est un coin paisible, Moonlight Cove. Ce n'est pas le genre de chose qu'on a à craindre chez nous.

– Mais je n'invente rien, protesta-t-elle, avec des coups d'œil nerveux au brouillard teinté par les néons qui dérivait en volutes, de l'autre côté de la porte.

– Oh, je suis sûr que vous avez entendu quelqu'un, mais ce n'était pas ce que vous avez cru. Nous avons en effet d'autres clients. Ce sont eux que vous avez aperçus ou entendus, et sans doute voulaient-ils de la glace ou un Coke, tout comme vous. (Il avait quelque chose du bon grand-père chaleureux, lorsqu'il souriait.) Je dois dire que l'endroit a un petit côté inquiétant quand il y a si peu de monde.

– Écoutez, monsieur...

– Quinn, Gordon Quinn.

– Écoutez, monsieur Quinn. Ça ne s'est pas du tout passé comme cela.

Elle sentait qu'elle lui donnait l'impression d'une folle apeurée, alors qu'elle savait bien que ce n'était pas le cas.

– Je ne suis pas du genre à prendre un client innocent pour un violeur ou un malfaiteur. Je n'ai rien d'une hystérique. Ces types, là, n'avaient pas de bonnes intentions.

– Bon, très bien... je pense que vous vous trompez, mais je vais aller jeter un coup d'œil.

Quinn sortit par la petite porte latérale du comptoir.

– Vous y allez simplement comme ça ?

– Comment, comme ça ?

– Sans arme ?

De nouveau il sourit et, comme précédemment, elle se sentit ridicule.

– Ma petite dame, répondit-il, en vingt-cinq ans de gérance de ce motel, il n'y a pas eu un client dont je n'ai pu venir à bout « comme ça ».

Bien que l'attitude paternaliste et suffisante de Quinn agaçât Tessa, elle ne discuta pas avec lui et le suivit, au milieu des écharpes mouvantes de brouillard, jusqu'à l'autre bout du bâtiment. L'homme était comme une armoire à glace et elle, qui n'était pas bien grande, avait l'impression d'être une gamine escortée jusqu'à sa chambre par son papa, déterminé à lui montrer qu'aucun monstre ne se cachait sous son lit ou dans le placard.

Il ouvrit la porte métallique par laquelle elle avait fui la cage d'escalier nord. Personne ne les y attendait.

Le distributeur de sodas ronronnait et un léger cliquetis provenait de la machine à faire les glaçons. Son seau de plastique se trouvait toujours juché dessus, avec ses glaçons en demi-lune.

Quinn alla ouvrir la porte qui donnait sur le couloir.

– Personne là non plus, dit-il avec un geste de la tête.

Tout était silencieux. Il ouvrit ensuite la porte de la façade est et regarda à l'extérieur, de chaque côté. Il lui fit signe depuis le seuil, insistant pour qu'elle jetât aussi un coup d'œil.

Elle vit une étroite allée, flanquée d'un garde-fou, qui courait entre le bâtiment et la falaise, et qu'éclairaient des veilleuses jaunes à chaque extrémité. Déserte.

– Vous avez bien dit que vous aviez mis l'argent dans l'appareil, mais que vous n'aviez pas pris votre boisson ? demanda Quinn, qui laissa la porte se refermer toute seule.

– En effet.

– Et qu'est-ce que vous vouliez ?

– Du Coke « Light ».

Il appuya sur le bon bouton du distributeur, et une boîte roula dans le bac. Il la lui tendit, indiqua le seau en plastique posé sur l'autre machine et dit :

– N'oubliez pas votre glace.

Portant son seau de glaçons et son Coke, les joues en feu et une rage froide au cœur, Tessa le suivit par l'escalier nord.

Personne n'y rôdait. Les gonds sans huile du premier grincèrent quand ils s'engagèrent dans le couloir de l'étage, lequel était également désert.

La porte de sa chambre était entrouverte, comme elle l'avait laissée. Elle hésita à entrer.

– Vérifions tout de même, dit Quinn.

Personne, ni dans la petite chambre, ni dans le placard, ni dans la salle de bains adjacente.

– Vous vous sentez mieux ? demanda-t-il.

– Je n'ai rien imaginé.

– Je n'en doute pas, répondit-il, toujours aussi paternaliste.

Comme Quinn sortait de la chambre, Tessa dit :

– Ils étaient là, et ils étaient bien réels, mais j'imagine qu'ils se sont esquivés maintenant. Ils ont dû s'enfuir quand ils ont compris que je les avais repérés et que j'allais chercher de l'aide.

– Eh bien, c'est parfait comme ça ! Vous êtes sauve. S'ils ont fichu le camp, c'est pratiquement comme s'ils n'avaient jamais été là.

Tessa eut besoin de tout son sang-froid pour ne pas dire autre chose que « Merci beaucoup », avant de refermer la porte. La serrure avait une position de verrouillage, qu'elle utilisa. Au-dessus, il y avait un verrou simple ; elle l'engagea. Elle mit aussi en place la chaîne de sécurité.

Elle alla à la fenêtre et vérifia qu'elle ne serait pas facile à ouvrir pour un éventuel assaillant ; un des panneaux glissait sur lui-même vers la gauche lorsque l'on manœuvrait une crémone, mais de l'extérieur, il aurait fallu casser la vitre pour l'atteindre. Sans compter que son agresseur aurait eu besoin d'une échelle, étant donné que la chambre était au premier.

Elle resta un moment assise sur le lit, l'oreille tendue aux bruits lointains du motel. Le moindre son lui paraissait maintenant étrange et menaçant. Elle se demanda s'il y avait un rapport entre cette désagréable expérience et la mort de Janice, trois semaines auparavant. Et si oui, ce qu'il signifiait.

20

Au bout d'environ deux heures passées dans l'égout pluvial de la prairie en pente, Chrissie Foster se sentit gagnée par la claustrophobie. Certes, elle était restée enfermée bien plus longtemps dans la penderie, plus étroite encore, mais ce boyau de béton où régnaient des ténèbres sépulcrales était de loin bien pis. Peut-être son impression naissante d'étouffer dans une cage était-elle due à l'effet cumulatif d'avoir passé toute la journée et une grande partie de la soirée dans des endroits confinés.

Venant de l'autoroute, très loin au-dessus d'elle, de l'endroit où commençait le système de drainage, le rugissement puissant des poids lourds se répercutait en échos dans le réseau de tunnels, et ne cessait d'évoquer des images de dragons dans son esprit. Elle mit les mains sur ses oreilles pour ne plus les entendre. Un intervalle de temps important séparait souvent le passage des camions, mais ils se présentaient parfois en trains de six, huit, voire douze, et le grondement continuel devenait oppressant, affolant.

À moins que son violent désir de sortir du conduit n'eût quelque chose à voir avec le fait de se trouver sous terre. Allongée dans le noir, écoutant passer les poids lourds, tendant l'oreille, dans les moments de silence, dans la crainte du retour de ses parents et de Tucker, Chrissie avait l'impression de se trouver dans un cercueil de béton, victime d'une inhumation hâtive.

Lisant à haute voix le livre imaginaire de ses propres aventures, elle murmura : *La jeune Chrissie ne se doutait guère que le boyau était sur le point de s'effondrer et de se remplir de terre, et qu'elle allait être écrasée comme un insecte et y rester éternellement prisonnière.*

Elle savait qu'elle avait intérêt à ne pas en bouger. Ils risquaient d'être encore occupés à patrouiller dans la prairie et dans les bois voisins, à sa recherche. Elle était plus en sécurité dans l'égout que partout ailleurs.

Mais elle subissait la malédiction d'une imagination trop vive. Bien qu'elle fût sans aucun doute l'unique occupante du conduit sans lumière dans lequel elle s'était réfugiée, elle se voyait entourée de toutes sortes de bestioles immondes : des serpents ondulants, des araignées par centaines, des cafards, des rats, des colonies entières de chauves-souris suceuses de sang. Elle finit même par se figurer qu'un enfant, quelques années auparavant, s'était aventuré dans l'égout pour jouer et s'était perdu dans ses multiples embranchements, et que son cadavre, jamais retrouvé, gisait quelque part par là. Bien entendu, son âme inquiète était restée sur terre, car sa mort injuste et prématurée n'avait pas été suivie des obsèques religieuses qui l'auraient libérée de son chagrin. Son fantôme, sentant la présence de la fillette, était peut-être en train de donner un semblant de vie à son hideux squelette, de traîner le cadavre décomposé et desséché par le temps vers elle, laissant derrière lui des morceaux tannés arrachés par les aspérités du béton. Chrissie avait douze ans, elle était très équilibrée pour son âge et elle ne cessait de se répéter que les fantômes, ça n'existait pas – mais alors elle pensait à ses parents et à Tucker qui, eux, avaient littéralement l'air de *loups-garous,* pour l'amour du ciel, des loups-garous ! Si bien que lorsque les gros camions passaient sur l'autoroute, elle hésitait à se couvrir les oreilles, de peur que l'enfant mort ne profitât du bruit pour s'approcher plus près, encore plus près.

Il lui fallait absolument sortir.

21

Lorsqu'il quitta le garage où il s'était réfugié pour échapper à la meute de délinquants drogués (il fallait bien qu'ils en fussent : sinon, comment expliquer leur comportement ?), Sam Booker se rendit tout droit à la Knight's Bridge Tavern, ne s'y arrêtant que pour acheter un paquet de six bouteilles de Guinness Stout.

Plus tard, dans sa chambre du Cove Lodge, il resta longuement assis à la petite table, réfléchissant aux éléments de l'affaire. Le 5 septembre dernier, trois syndicalistes de la National Union Farmworkers, un syndicat paysan, Julio Bustamente, sa sœur Maria et le fiancé de cette dernière, Ramon Sanchez, rentraient en voiture du Sud, où ils avaient eu des entretiens avec des viticulteurs, dans la perspective des prochaines vendanges. Ils roulaient dans une camionnette Chevrolet marron, vieille de quatre ans, et s'étaient arrêtés à Moonlight Cove pour y dîner au restaurant Perez. Après avoir abusé des margaritas (d'après les serveurs et les clients qui se trouvaient chez Perez ce soir-là), en voulant regagner l'autoroute, ils avaient négocié trop vite un virage dangereux ; la camionnette était partie en tonneaux avant de prendre feu. Il n'y avait pas eu de survivants.

Cette version aurait pu tenir sans jamais attirer l'attention du FBI si elle n'avait comporté quelques contradictions. D'après le rapport officiel de la police de Moonlight Cove, tout d'abord, Julio Bustamente aurait été au volant. Or Julio n'avait jamais conduit un véhicule de sa vie. Qui plus est, il se serait d'autant moins mis au volant à la nuit tombée, qu'il souffrait du handicap d'une cécité nocturne. Mais ce n'était pas tout : d'après les témoins cités par la police, les trois syndicalistes étaient ivres alors que tous ceux qui connaissaient Julio ou Ramon ne les avaient jamais vus dans un tel état ; quant à Maria, elle était depuis touiours une abstinente convaincue.

Le comportement des autorités de Moonlight Cove contribua à éveiller les soupçons des familles Sanchez et Bustamente, à San Francisco. Aucune des deux ne fut avertie du triple décès avant le 10 septembre, soit cinq jours après l'accident. Les explications de Loman Watkins, le chef de la police, étaient un peu courtes : les papiers d'identité auraient été détruits dans le violent incendie du véhicule, et les corps tellement calcinés que l'identification par les empreintes digitales devenait sujette à caution. *Quid* des plaques minéralogiques ? Bizarrement, on n'en avait trouvé ni sur le véhicule ni dans les environs immédiats de l'accident, au cours duquel elles auraient pu être arrachées. C'est pourquoi, se trouvant en présence de trois cadavres brûlés et en très mauvais état, Watkins avait autorisé le coroner, le docteur Ian Fitzgerald, à signer les certificats de décès et à se débarrasser des corps par crémation.

– Nous ne disposons pas des mêmes installations que dans la morgue d'une grande ville, vous comprenez, avait expliqué le policier. Nous ne pouvons garder les cadavres longtemps, et nous n'avions aucun moyen de savoir le temps qu'il nous faudrait pour identifier ces personnes. Il aurait pu tout aussi bien s'agir d'itinérants ou d'immigrants illégaux, auquel cas nous n'aurions jamais su qui ils étaient.

Net et sans bavure, songea Sam, morose, tandis qu'enfoncé dans son siège il prenait une longue gorgée de Guinness.

Trois personnes étaient mortes de mort violente, avaient été officiellement déclarées victimes d'un accident et presque aussitôt incinérées. Avant qu'on avisât les parents, avant qu'une autorité plus compétente, à l'aide des méthodes modernes d'investigation de la médecine légale, eût le temps de vérifier si le rapport de police contenait toute la vérité.

Si les familles étaient soupçonneuses, la National Farmworkers Union, elle, était convaincue qu'il y avait eu guet-apens. Le 12 septembre, le président du syndicat demanda l'intervention du FBI ; motif : des groupes antisyndicalistes, d'après lui, étaient responsables de la mort des Bustamente et de Sanchez. En cas de meurtre, l'enquête ne revenait en général au FBI que si l'assassin présumé avait franchi les frontières d'un État, soit pour commettre le meurtre, soit pour échapper aux poursuites ; ou, comme dans ce cas, lorsque les autorités fédérales avaient des raisons de croire qu'il avait été commis en violation directe des droits civiques de la victime.

Le 26 septembre, après l'absurde mais inévitable délai dû à la bureaucratie du système judiciaire fédéral, une équipe de six agents du FBI – comprenant trois hommes du service des investigations scientifiques – vint s'installer pendant dix jours dans la pittoresque cité de Moonlight Cove. On interrogea les policiers, on examina les rapports et les documents officiels, on reprit les dépositions des témoins qui se trouvaient au restaurant Perez la nuit du 5, on passa au tamis les débris du véhicule, à la casse, et on chercha le moindre indice qui aurait pu rester sur les lieux de l'accident lui-même. Comme l'activité agricole était quasi inexistante dans les environs de Moonlight Cove, personne n'avait de raisons de s'intéresser à l'activité des syndicats paysans et encore moins d'éprouver contre elle une colère meurtrière. Cela réduisait singulièrement la liste des suspects.

Tout au long de leurs investigations, les agents du FBI eurent droit à une entière et cordiale coopération de la part de la police locale et du coroner. Loman Watkins et ses hommes furent même volontaires pour se soumettre au détecteur de mensonges, ce qui fut fait sans qu'il y eût un seul cas douteux. Le coroner lui-même demanda à subir l'examen, lequel prouva qu'il était d'une parfaite honnêteté.

Malgré tout cela, dans cette affaire, quelque chose puait.

La police locale coopérait avec un enthousiasme anormal. Et les six agents du FBI finirent tous par avoir l'impression qu'on se payait leur tête avec mépris dès qu'ils avaient le dos tourné – sans pour autant jamais surprendre la moindre mimique douteuse ou le moindre clin d'œil complice parmi les policiers locaux. Appelez ça l'instinct maison. Sam savait qu'il valait bien celui de n'importe quelle créature à l'état sauvage.

Mais il y avait également *les autres* décès à prendre en considération.

Pendant leurs investigations dans le cadre de l'affaire Bustamente-Sanchez, le FBI avait examiné les rapports de la police et du coroner au cours des deux années précédentes, afin de vérifier si les procédures légales étaient bien respectées en cas de morts subites, accidentelles ou autres, et si on n'avait pas agi différemment dans cette affaire-ci, ce qui aurait été une preuve de manipulation. Ce qu'ils découvrirent les intrigua et les perturba – bien qu'ils fussent tombés sur des choses toutes différentes de celles auxquelles ils pouvaient s'attendre. Si l'on exceptait le spectaculaire accident de voiture d'un adolescent, dans une Dodge au moteur gonflé, Moonlight Cove était un véritable havre de paix – enfin, avait été un havre de paix jusqu'au 28 août, soit huit jours avant l'accident des Sanchez-Bustamente, date à laquelle commença une série inhabituelle d'accidents mortels.

Aux petites heures du matin, ce 28 août, les quatre membres de la famille Mayser, le père, la mère et les deux enfants, périrent dans l'incendie de leur maison. Billy, le fils, aurait joué avec des allumettes. À cinq heures du matin. On avait retrouvé des corps calcinés au point qu'il avait fallu les identifier par leurs empreintes dentaires.

Après avoir terminé sa première bouteille de Guinness, Sam hésita à en prendre une deuxième. Il avait encore quelque chose à faire cette nuit. Parfois, lorsqu'il était d'humeur particulièrement sombre et commençait à boire de la stout, il avait du mal à s'arrêter avant d'être plongé dans une complète hébétude.

Tripotant la bouteille vide pour s'occuper les mains, Sam se demanda comment un garçon de huit ans, après avoir fichu le feu (à cinq heures du matin) avait pu ne pas penser à appeler à l'aide, ou à réveiller ses parents, en voyant l'incendie se propager. Ou ne pas penser, au moins, à sauver sa peau. Avait-il été intoxiqué par la fumée avant d'avoir pu fuir ? Et quel genre d'incendie, à moins d'être alimenté par du carburant ou un produit volatile (dont il n'était fait aucune mention dans le rapport officiel) pouvait se propager à une vitesse telle que personne n'en réchappait et que la maison se trouvait réduite à un tas de cendres – cadavres compris – avant l'arrivée des pompiers ?

Encore net et sans bavure. L'état des corps était tel que l'autopsie n'aurait certainement pas pu déterminer si l'incendie avait ou non été provoqué par le jeune Billy ou par quelqu'un voulant dissimuler la cause véritable de ce quadruple décès. À la suggestion de l'entrepreneur des pompes funèbres – propriétaire du salon funéraire Callan mais également assistant du coroner, ce qui faisait d'autant plus peser sur lui le soupçon de maquillage –, le parent le plus proche des défunts, à savoir la mère de Mme Mayser, avait autorisé la crémation des restes. Les preuves que n'aurait pas détruites l'incendie étaient définitivement effacées.

– Impeccable, fit Sam à haute voix, posant les pieds sur l'autre chaise. Absolument impeccable et sans bavure.

Premier décompte : quatre morts.

Puis l'affaire des Bustamente-Sanchez, le 5 septembre. Encore un incendie. Encore des incinérations un peu rapides.

Deuxième décompte : sept morts.

Le 7 septembre, alors que des restes des Bustamente et de Sanchez, sous forme de vapeurs, devaient encore subsister dans l'atmosphère de Moonlight Cove, Jim Armes, habitant de la ville depuis vingt ans, mit à l'eau son bateau de dix mètres, le *Mary Leandra*, pour une sortie matinale – et on ne le revit jamais. C'était un marin expérimenté, la journée était belle, la mer calme. Sans doute avait-il dû couler corps et biens, car on ne retrouva aucune épave identifiable sur le littoral des environs.

Troisième décompte : huit.

Le 9 septembre, tandis que les poissons devaient commencer à détailler le cadavre d'Armes, Paula Parkins fut massacrée par ses dobermans. Âgée de vingt-neuf ans, elle vivait seule et élevait et entraînait des chiens de garde sur une propriété d'un hectare, aux limites de la ville. Selon toute probabilité, l'un des chiens s'était retourné contre elle, imité par les autres, rendus frénétiques à l'odeur du sang. Les restes déchiquetés de Paula, que rien n'aurait pu rendre présentables, furent envoyés dans un cercueil plombé à sa famille, à Denver. On abattit les chiens, on fit des analyses (la rage ?) et on incinéra leurs cadavres.

Quatrième décompte : neuf.

Six jours après le début de l'enquête sur l'affaire Bustamente-Sanchez, le 2 octobre, le FBI procéda à l'exhumation du corps de Paula Parkins, à Denver. L'autopsie révéla que la jeune femme avait été effectivement mordue et lacérée à mort par de multiples assaillants.

Sam se souvenait mot à mot de la partie la plus intéressante du rapport d'autopsie : ... *néanmoins, les traces de morsures, les lacérations, les déchirures des parties molles de l'organisme et les agressions spécifiques sur les seins et les parties sexuelles ne correspondent pas parfaitement avec ce que l'on sait des attaques canines. La disposition des dents et la taille des morsures ne sont pas conformes à la dentition normale d'un doberman ou d'autres animaux connus pour leur agressivité et capables d'attaquer avec succès un adulte.* Un peu plus loin, dans le même rapport, il y avait ces mots : *espèces inconnues.*

Comment Paula Parkins était-elle réellement morte ?

Quelle terrifiante agonie avait-elle connue ?

Qui avait essayé de l'imputer aux doberrmans ?

Et enfin, quelle preuve les cadavres des dobermans auraient-ils pu apporter sur la nature de leur propre mort et, donc, sur l'authenticité du rapport de police ?

Sam songea au cri, étrange et lointain, qu'il avait entendu ce soir-là – comme celui d'un coyote, mais ce n'était pas un coyote, ou celui d'un chat, mais ce n'était pas un chat. Il se rappela également les voix spectrales et frénétiques des voyous qui l'avaient poursuivi. Tout cela devait concorder, d'une manière ou d'une autre. L'instinct maison.

Espèces inconnues.

Tendu, Sam voulut se calmer à la Guinness. La bouteille était vide ; il la fit cliqueter, songeur, contre ses dents.

Six jours après la mort de Parkins et bien avant son exhumation, deux autres personnes connurent une fin précoce à Moonlight Cove. On avait retrouvé, dans leur maison de Iceberry Way, les corps de Steve Heinz et Laura Dalcoe. Ils n'étaient pas mariés mais vivaient ensemble. Heinz avait laissé, sur sa machine à écrire, une note incohérente et non signée, dans laquelle il était question de suicide. Après l'avoir rédigée, il aurait tué Laura d'un coup de fusil de chasse pendant son sommeil avant de retourner l'arme contre lui. Le rapport du docteur Ian Fitzgerald concluait au meurtre-suicide, affaire classée. Sur la suggestion du coroner, les familles Dalcoe et Heinz autorisèrent l'incinération des dépouilles mortelles.

Cinquième décompte : onze.

– Vraiment pas très catholique, toutes ces crémations, dans ce patelin, fit Sam à haute voix, sans cesser de tripoter la bouteille vide.

La plupart des gens préfèrent en général que les restes de leurs proches soient embaumés et inhumés dans un cercueil, quel que soit l'état du corps. Dans toutes les villes, le pourcentage des incinérations, par rapport aux inhumations, tourne autour d'une contre quatre ou cinq.

Finalement, tandis qu'ils enquêtaient sur l'affaire des syndicalistes, les flics du FBI découvrirent que la mort de Janice Capshaw entrait dans la rubrique « suicide au Valium ». Son corps ravagé avait été rejeté sur la grève deux jours après sa disparition, et trois jours avant l'arrivée de leur équipe.

Julio Bustamente, Maria Bustamente, Ramon Sanchez, les quatre Mayser, Jim Armes, Paula Parkins, Steven Heinz, Laura Dalcoe, Janice Capshaw : douze morts violentes en l'espace d'un peu moins d'un mois – soit douze fois plus, à Moonlight Cove, que dans les *vingt-trois mois* précédents. Sur une population de trois mille habitants, douze morts violentes en quatre semaines, c'était un taux invraisemblable.

Sondé sur ses réactions, face à cette stupéfiante série d'événements tragiques, le chef de la police, Loman Watkins, avait simplement répondu :

– Oui, c'est horrible. Ça fait vraiment peur, aussi. Je me dis que les choses ont été sans doute trop calmes pendant trop longtemps, ici, et qu'on se rattrape.

Mais dans une agglomération de cette taille, même réparties sur une durée de deux ans, douze morts violentes crevaient le plafond de toutes les statistiques.

L'équipe du FBI ne trouva pas le moindre indice d'une implication des autorités locales dans ces affaires. Et si on ne pouvait se fier à cent pour cent au détecteur de mensonges, cette technique était suffisamment fiable pour que Loman Watkins, ses hommes, le coroner et son assistant ne pussent tous le déjouer, s'ils étaient coupables de quelque chose.

Et cependant...

Douze morts. Quatre brûlés dans l'incendie d'une maison. Trois carbonisés dans l'accident d'une camionnette Chevrolet. Trois suicides, deux à coups de fusil, un au Valium. Tous les corps, ensuite, incinérés au crématorium de Callan. Un disparu en mer – pas de cadavre. Et la seule victime ayant pu faire l'objet d'une autopsie paraissait ne pas avoir été mordue par ses chiens, comme le prétendait le rapport du coroner – et pourtant, bon sang, elle avait bien été mordue et lacérée par quelque chose.

Il n'en fallait pas davantage pour que le dossier ne fût pas refermé. Le 9 octobre, quatre jours après le départ de Moonlight Cove de l'équipe du FBI, le Bureau prenait la décision d'envoyer un agent, sous une fausse identité, mener une enquête indépendante, avec l'espoir que son incognito lui permettrait de glaner des informations intéressantes.

Le lendemain, arriva à l'antenne de San Francisco une lettre qui renforça la détermination du FBI à mener cette enquête secrète. Sam connaissait aussi ce texte par cœur :

> Messieurs,
>
> Je dispose d'informations relatives à une récente série de morts suspectes s'étant produites à Moonlight Cove. J'ai des raisons de croire que les autorités locales sont compromises dans un complot pour dissimuler des meurtres.
>
> Je préférerais que vous me contactiez personnellement, car je ne suis pas sûr que le téléphone ne soit pas sur écoute. J'insiste sur une absolue discrétion de votre part, car je suis un vétéran handicapé du Viêt-nam, mon autonomie est sévèrement limitée, et je m'inquiète légitimement sur mes capacités à me protéger moi-même.

La lettre était signée d'un certain Harold G. Talbot.

Les registres de l'armée confirmèrent bien l'identité et les états de service de Talbot. Sa bravoure au combat lui avait valu plusieurs citations. Sam envisageait de lui rendre discrètement visite le lendemain.

En attendant, vu l'opération qu'il voulait entreprendre ce soir, il se demandait si prendre une nouvelle Guinness était bien raisonnable. Les bouteilles étaient devant lui, sur la table. Il les regarda longtemps. De la Guinness, de bons plats mexicains, Goldie Hawn et la peur de la mort. Il avait bien mangé mexicain, mais le goût des plats s'était envolé. Goldie Hawn vivait quelque part dans un ranch avec Kurt Russel, qu'elle avait le mauvais goût de préférer à un agent fédéral d'allure ordinaire, terrifié et dépourvu de tout espoir. Il pensa à ces douze morts, à ces corps qui avaient rôti dans l'incinérateur du crématorium jusqu'à ce qu'ils fussent réduits en cendres, il pensa aux suicides, il pensa à la femme mordue à mort, et toutes ces pensées le conduisirent à philosopher sur le thème de « la chair est périssable ». Il pensa à sa femme, emportée par un cancer, il pensa aussi à Scott et au coup de téléphone de tout à l'heure – et il ouvrit finalement une deuxième bière.

22

Poursuivie par des araignées, rats, serpents, cancrelats, chauves-souris imaginaires, par un encore plus imaginaire cadavre réanimé d'enfant, et par le rugissement bien réel des dragons – poids lourds de la lointaine autoroute –, Chrissie sortit en rampant du boyau secondaire où elle s'était réfugiée, s'engagea de sa démarche de troll dans l'égout principal, marcha une fois de plus sur les restes visqueux du raton laveur en décomposition, puis plongea dans le canal de drainage au fond vaseux. Elle trouva l'air doux et pur. En dépit des parois hautes d'un mètre quatre-vingts, de la lumière de la lune tamisée par un brouillard qui dissimulait complètement les étoiles, Chrissie sentit s'évanouir sa claustrophobie. Elle s'emplit les poumons de cet air humide et frais, essayant de respirer avec le moins de bruit possible.

Elle tendit l'oreille et ne tarda pas à être récompensée par ces cris étranges, comme venus d'ailleurs, dont l'écho, en provenance des bois, au sud, se répercutait faiblement dans la prairie. Elle crut une fois de plus distinguer trois voix différentes. Si Tucker, son père et sa mère la recherchaient dans les bois qui s'étendaient au sud jusqu'aux limites de New Wave Microtechnology, il valait mieux repartir dans la direction d'où elle était venue, par le bois du nord et la prairie où Godiva l'avait jetée à terre, puis rejoindre à l'est la route secondaire qui conduisait à Moonlight Cove, en les laissant vainement fouiller au mauvais endroit.

Une chose était sûre : pas question de rester là où elle se trouvait.

Et encore moins de se diriger vers le sud, directement sur *eux*.

Elle escalada le grand fossé et traversa la prairie en courant, vers le nord, et dressa, en revenant sur ses pas, le catalogue de ses malheurs. Elle avait faim, n'ayant pas dîné, elle était fatiguée, les muscles de ses épaules et de son dos lui faisaient mal à force d'être longtemps restée recroquevillée dans le boyau secondaire étroit, elle avait les jambes douloureuses d'avoir couru.

Et alors, c'est quoi, ton problème ? se demanda-t-elle lorsqu'elle atteignit la lisière du bois. Préfères-tu tomber entre les mains de Tucker et être « convertie » pour devenir l'une des leurs ?

23

Loman Watkins quitta la maison des Valdovski, où le docteur Worthy surveillait la conversion d'Ella et Georges. Un peu plus loin, sur la route, le constat terminé, ses hommes et le coroner chargèrent le petit cadavre dans le véhicule des pompes funèbres. La maigre foule des badauds paraissait fascinée par la scène.

Loman monta dans sa grosse berline et lança le moteur. L'écran vidéo s'alluma aussitôt, brillant d'un vert atténué. Un voyant, sur la console placée entre les deux sièges avant, se mit à lancer des petits éclairs : le QG avait un message pour lui. Un message qu'on préférait ne pas diffuser sur la bande-radio de la police, plus facile à intercepter.

Bien que travaillant depuis deux ou trois ans avec des ordinateurs portatifs et mobiles comme celui-ci, c'était encore parfois une surprise pour lui de voir l'écran s'allumer. Dans les grandes villes comme Los Angeles, on avait équipé la plupart des véhicules de patrouilles d'ordinateurs reliés aux centrales de données de la police, mais ces merveilles de l'électronique étaient encore rares dans les villes moyennes, et carrément inconnues dans les agglomérations de la taille de Moonlight Cove. Si Watkins pouvait s'enorgueillir de posséder cette technologie de pointe, ce n'était pas parce que la ville croulait sous les richesses, mais parce New Wave Microtechnology – leader dans le domaine des systèmes de données mobiles reliés par micro-ondes, entre autres choses – avait équipé les bureaux et les véhicules de la police de son matériel, en le modernisant constamment : la force publique de Moonlight Cove servait en quelque sorte de terrain d'essai pour toutes les améliorations, avant de les intégrer à leur ligne de produits.

C'était l'une des nombreuses manières que Thomas Shaddack avait eues de s'insinuer dans la hiérarchie de la communauté, avant même d'en avoir confisqué tous les pouvoirs, grâce au projet Faucon-Lune. À l'époque, Loman avait eu la bêtise de croire que les largesses de New Wave Microtechnology étaient une bénédiction. Depuis, il avait compris.

Grâce à son VDT mobile, Watkins avait accès à l'ordinateur central du quartier général de la police, sur Jacobi Street, à un coin de rue au sud d'Ocean Avenue ; il pouvait obtenir n'importe quelle information de la banque de données ou « parler » avec l'officier de garde, presque aussi facilement que par radio. Qui plus est, confortablement assis dans le véhicule, il pouvait joindre, par l'intermédiaire de l'ordinateur central, celui du département des véhicules à Sacramento – la capitale de l'État – pour vérifier une plaque de voiture, ou bien le département des maisons d'arrêt pour obtenir des renseignements sur un détenu quelconque, ou encore se brancher sur n'importe quel ordinateur du réseau national de la police.

À l'aide du clavier, il introduisait son numéro d'identification, qui lui donnait accès au système.

C'est au cours des années quatre-vingt qu'avait été mis en place ce système d'accès à toutes les données pertinentes pour la police. Il n'y avait plus que les flics des feuilletons-télé pour se précipiter ici et là afin de vérifier le moindre détail, parce que c'était plus spectaculaire à l'image. Un jour viendra, pensa Watkins, où les chaussures à clous se transformeront en derrières cloués – cloués des heures sur leur chaise en face d'un écran, soit dans un véhicule, soit dans un bureau.

L'ordinateur accepta le numéro.

Le VDT arrêta de scintiller.

Bien entendu, si tous les gens du monde accédaient à la Nouvelle Race et si on arrivait à régler le problème des régressifs, il n'y aurait finalement plus de crime et donc plus besoin de police. Certains criminels étaient le produit des injustices sociales, mais dans le monde nouveau qui allait venir, tous les hommes seraient égaux, aussi égaux qu'une machine avec une autre machine, avec les mêmes buts, les mêmes désirs, sans besoins compétitifs ou conflictuels. La plupart des criminels sont le fruit de déficiences génétiques et leur comportement asocial est virtuellement programmé dans leurs chromosomes ; néanmoins, mis à part les éléments régressifs, la Nouvelle Race jouirait d'un patrimoine génétique intact. Telle était du moins la vision qu'en avait Thomas Shaddack.

Loman Watkins se demandait parfois ce qu'il restait du libre arbitre dans tout ça. Rien, peut-être. Parfois, il s'en moquait. À d'autres moments, cette indifférence... cette indifférence le terrifiait.

Des phrases commencèrent à se former sur l'écran, ligne après ligne, en lettres vert pâle sur le fond plus sombre :

POUR : LOMAN WATKINS
ORIGINE : SHADDACK
SANS NOUVELLES DE TUCKER DEPUIS QU'IL EST ARRIVÉ CHEZ LES FOSTER. PERSONNE NE RÉPOND AU TÉLÉPHONE. URGENT DE CLARIFIER LA SITUATION. ATTENDS VOTRE RAPPORT.

Shaddack disposait d'un accès direct à l'ordinateur de la police depuis sa maison, à la pointe nord de la baie. Il pouvait laisser un message à Watkins ou à un de ses hommes, message que le destinataire était seul en mesure de décrypter.

Aussitôt Watkins desserra le frein, passa une vitesse et prit la direction des écuries Foster – bien que l'endroit, hors des limites de la ville, ne fût pas dans sa juridiction. Il ne se souciait plus de ce genre de détail de procédure, depuis quelque temps. Il était encore flic uniquement parce que c'était le rôle qu'il devait jouer jusqu'à ce que toute la ville eût subi le Changement. À lui, qui était un Homme Nouveau, aucune des anciennes règles ne s'appliquait. Un tel mépris pour la loi l'aurait laissé pantois quelques mois auparavant ; mais à l'heure actuelle, son indifférence pour les règles de l'ancienne race le laissait plutôt de marbre.

De plus en plus de choses, d'ailleurs, le laissaient de marbre. Jour après jour, heure après heure, il devenait de moins en moins sensible aux émotions.

Si ce n'est à la peur, sentiment qu'autorisait son nouvel état de conscience : car la peur est un mécanisme de survie utile, là où amour, joie, affection et espoir ne le sont pas. En fait, il avait peur juste en ce moment. Peur des régressifs. Peur que le monde extérieur n'apprît accidentellement l'existence du projet Faucon-Lune et ne le détruisît – lui avec. Peur de son unique maître, Shaddack. Parfois, en de brefs et sinistres instants, il avait également peur de lui-même et du nouveau monde qui se profilait.

24

Moose somnolait dans un coin de la salle plongée dans la pénombre. Il jappa faiblement dans son sommeil, rêvant peut-être qu'il chassait quelque lapin de garenne – mais en bon chien dressé qu'il était, il devait se voir, même dans ses rêves, en train de faire les commissions de son maître.

Attaché sur son tabouret, Harry s'inclina sur l'objectif du télescope et étudia l'arrière-cour du salon funéraire Callan. Le fourgon mortuaire venait juste de pénétrer dans l'allée de service. Il vit Victor Callan et son assistant transférer une civière, avec un corps dessus, de la Cadillac noire à la salle de thanatopraxie. En dépit du fourreau de plastique noir aux plis affaissés dans lequel il était enfermé, le cadavre lui parut si petit qu'il ne pouvait s'agir que de celui d'un enfant. Ils refermèrent la porte derrière eux, et Harry ne put rien voir d'autre.

Ils oubliaient parfois de baisser les stores des deux hautes et étroites fenêtres de la salle, et de sa position élevée, Harry avait alors vue sur la table inclinable où l'on embaumait les morts et où on les préparait pour être exposés. En ces occasions, il en voyait d'ailleurs beaucoup plus qu'il n'aurait voulu. Mais cette nuit, les stores étaient baissés jusqu'en bas.

Il déplaça lentement son champ de vision le long de l'allée embrumée qui courait entre Conquistador et Juniper. Il ne cherchait rien de particulier, lorsque soudain, il aperçut deux silhouettes grotesques. Noires, elles se déplaçaient avec promptitude et agilité, et coururent jusqu'au terrain vide contigu à celui du salon funéraire. Ni debout ni à quatre pattes – mais plus proches de cette dernière position.

Des croquemitaines.

Le cœur de Harry se mit à battre.

Il avait déjà vu leurs semblables, trois fois au cours des quatre semaines précédentes – bien que n'en ayant pas cru ses yeux, la première fois. Ces ombres étranges lui étaient apparu si fugitivement qu'il avait soupçonné son imagination de lui jouer des tours, et c'est pourquoi il les avait appelées des croquemitaines.

Ils étaient plus rapides que des félins. Ils traversèrent son champ de vision et disparurent dans l'obscurité du terrain vague avant qu'il eût le temps de se remettre de sa surprise et de les suivre.

Il se mit à les chercher d'un bout à l'autre du terrain, envahi d'herbes d'un mètre de haut, où quelques buissons offraient aussi un abri. Du houx sauvage et des massifs de chaparral retenaient des lambeaux de brouillard comme si c'était du coton.

Il les retrouva. Deux formes voûtées, de la taille d'un homme. À peine moins noires que la nuit. Traits impossibles à distinguer. Elles étaient accroupies côte à côte dans l'herbe, au milieu du terrain, juste au nord de l'immense sapin qui étendait ses hautes branches comme un dais au-dessus de la moitié de ce périmètre.

Avec un tremblement, Harry resserra le champ sur cette portion du terrain et régla la netteté. La forme des croquemitaines se précisa. Leur corps devint plus pâle sur le fond de la nuit, sans qu'il pût en voir véritablement les détails, autant à cause du brouillard que de l'obscurité.

Il aurait aimé s'être procuré (ce qui n'aurait rien eu de facile), grâce à ses relations dans l'armée, cet appareil de vision nocturne appelé Télé-Tron – version améliorée du Star-Tron – en service depuis plusieurs années dans de nombreuses unités. Le Star-Tron amplifiait déjà quatre-vingts fois la moindre lueur disponible – clair de lune, étoiles, rayonnement naturel de certains minéraux – si bien que le paysage nocturne le plus impénétrable se transformait en une grisaille crépusculaire, voire en une fin d'après-midi, un jour d'orage. Le Télé-Tron employait la même technologie, mais on pouvait l'adapter à un télescope. La plupart du temps, l'éclairage ambiant suffisait à Harry, quand il observait des pièces bien éclairées à travers des fenêtres. Mais pour étudier les mouvements furtifs des croquemitaines, cette technologie de pointe aurait été bien utile.

Les silhouettes sombres regardèrent en direction de Juniper Lane, puis au nord (vers le salon funéraire) et au sud (vers la maison qui flanquait le terrain, de l'autre côté). Leur tête avait des mouvements à la fois vifs et fluides, comme chez les félins – et pourtant, Harry avait la certitude qu'ils n'en étaient pas.

L'un d'eux se retourna et jeta un coup d'œil en direction de l'est. Avec le télescope, Harry se trouvait au milieu du champ, avec les créatures : il vit les yeux de la chose, couleur d'or sourd, luisant faiblement. C'était la première fois qu'il croisait leur regard. Il frissonna, mais pas seulement à cause de ce que ces yeux avaient de surnaturel ; il y sentait aussi quelque chose de familier, quelque chose qui s'enfonçait bien au-delà de son moi conscient et réveillait des souvenirs enfouis depuis des millénaires dans les gènes humains.

Il se sentit soudain glacé jusqu'à la moelle et balayé par une peur bien plus intense que tout ce qu'il avait connu depuis le Viêt-nam.

Moose avait beau somnoler, les changements d'humeur de son maître ne lui échappaient pas. Le labrador se leva, se secoua comme pour chasser le sommeil, et vint jusqu'au tabouret. Il poussa un gémissement long et interrogatif.

À travers le télescope, Harry aperçut la face de cauchemar de l'un des croquemitaines. La vision ne dura que le plus bref des instants, deux secondes tout au plus, et le visage déformé n'était baigné que de la lueur vague et indécise de la lune, si bien qu'il ne distingua rien de précis ; en fait, l'insuffisant clair de lune fit plus pour épaissir le mystère que pour l'élucider.

Il en resta saisi, pétrifié, suffoqué.

Moose poussa un « Ouof ? » interrogatif.

Pendant cet instant, Harry n'aurait pu détacher son œil de l'oculaire, même si sa vie en avait dépendu. Il contempla une tête simiesque, bien que plus mince, plus laide, plus sauvage et infiniment plus étrange que celle d'un singe. Elle lui rappela aussi celle d'un loup avec même quelque chose de reptilien, dans la pénombre. Il crut deviner l'éclat d'émail de dents vicieusement pointues dans une mâchoire béante. Mais la lumière était trop faible, et il n'aurait su dire la part qui revenait aux distorsions créées par les ombres et le brouillard – voire à son imagination enfiévrée. Un homme qui se retrouve avec deux jambes et un bras hors d'usage doit absolument bénéficier d'une vive imagination, s'il ne veut pas s'ennuyer à mourir.

Le croquemitaine détourna la tête aussi rapidement qu'il avait regardé vers lui. Au même moment, les deux créatures bondirent avec une souplesse et une vitesse animales qui époustouflèrent Harry. Elles avaient presque la taille d'un jaguar ou d'une panthère, dont elles possédaient la rapidité. Il fit pivoter le télescope pour les suivre, et il les vit littéralement survoler les hautes herbes avant de disparaître d'un bond au-dessus d'une barrière métallique qui, au sud, donnait sur l'arrière de la maison des Claymore. Leur vivacité était telle qu'il les perdit de vue à cet instant-là.

Il tenta de les retrouver et pour cela poussa jusqu'à l'école secondaire de Rushmore, mais il ne vit que la nuit, le brouillard et les bâtiments familiers du voisinage. Les croquemitaines s'étaient évanouis aussi brusquement que dans la chambre d'un petit garçon, dès qu'on ouvre la lumière.

Son œil quitta enfin l'oculaire, et il se laissa retomber contre le dossier du tabouret.

Moose se redressa aussitôt et vint poser les pattes sur le bras du siège, quêtant une caresse, comme s'il avait vu la même chose que son maître et avait besoin de se laisser persuader que des esprits malfaisants ne se déchaînaient pas sur le monde.

De sa bonne main – la droite – qui tremblait encore violemment, Harry caressa la tête du labrador. Au bout d'un moment, ce geste rassurant le calma presque autant que le chien.

Si la lettre qu'il avait expédiée plus d'une semaine auparavant au FBI faisait réagir la police fédérale, il en arrivait à se demander s'il leur parlerait ou non des croquemitaines. Certes, à part cela, il leur dirait tout ce qu'il avait vu, il leur donnerait toutes sortes de renseignements utiles ; mais ça ? Par ailleurs, il avait la conviction que les créatures qu'il avait brièvement vues par trois fois, et un peu mieux une quatrième, étaient d'une manière ou d'une autre en rapport avec les événements étranges de ces dernières semaines. Mais leur étrangeté était qualitativement différente ; en en parlant, il pourrait donner l'impression d'être un peu cinglé, si bien que le FBI ne prendrait pas non plus le reste au sérieux.

Ne suis-je pas un peu fêlé ? se demandait-il en caressant Moose. Vaguement cinglé ?

Au bout de vingt années passées dans un fauteuil roulant, coincé chez lui, vivant par procuration grâce à son télescope, peut-être son désir de participer à la vie du monde, d'en partager l'excitation, venait-il d'atteindre un tel degré qu'il en avait conçu une histoire imaginaire très élaborée, mêlant le surnaturel à de sombres machinations au milieu desquelles il serait l'Homme-Qui-Savait-Tout. Peut-être croyait-il à ses fantasmes. Mais c'était une hypothèse hautement improbable. La guerre ne lui avait laissé qu'un corps pathétiquement faible, mais son esprit était toujours aussi vif et puissant, voire plus aiguisé et plus efficace, d'avoir subi tant d'adversité. Telle était sa malédiction, et non pas la folie.

– Des croquemitaines, le mot est faible, dit-il à Moose.

Le chien poussa un « ouof ».

– Et quoi ensuite ? Est-ce qu'un soir où je regarderai la pleine lune, je verrai une sorcière à cheval sur son balai ?

25

Chrissie sortit du bois à côté de la Pyramide – la roche qui lui avait autrefois inspiré ses songes sur des Égyptiens hauts comme trois pommes. Elle regarda en direction de l'ouest, vers la maison et les écuries, où des halos arc-en-ciel entouraient maintenant les lumières. Pendant quelques instants, elle caressa l'idée de s'emparer de Godiva ou d'un autre cheval ; peut-être même pourrait-elle se glisser dans la maison et y prendre un blouson. Mais elle estima qu'elle serait moins repérable à pied. En outre, elle n'avait pas la bêtise des héroïnes de cinéma qui retournent régulièrement dans la maison où elles savent pourtant que le monstre risque de les attendre. Elle prit finalement est-nord-est, vers la route secondaire.

Faisant preuve de son habituelle subtilité (pensa-t-elle, comme si elle lisait un roman d'aventures), *Chrissie, intelligemment, se détourna de la maison maudite et s'enfonça dans la nuit, se demandant si elle reverrait jamais le séjour de son enfance et retrouverait la consolation dans les bras de sa famille actuellement aliénée.*

Les hautes herbes sèches de l'automne lui fouettaient les jambes, tandis qu'elle se dirigeait vers le milieu du champ. Au lieu de rester en lisière, elle préférait se tenir là, de peur que quelque chose ne lui bondît dessus depuis le bois. Elle ne croyait pas pouvoir leur échapper, si jamais ils la repéraient, même avec une minute d'avance ; au moins voulait-elle se donner une chance d'essayer.

La nuit était devenue plus froide pendant son séjour dans l'égout. Sa chemise de flanelle lui donnait l'impression d'être aussi légère qu'une blouse d'été. Si elle avait été l'une des héroïnes d'Andrée Norton, elle aurait su comment se tresser en un tournemain un manteau bien chaud avec les herbes et les autres plantes. Ou encore comment piéger des animaux à fourrure, les tuer sans les faire souffrir, tanner leurs peaux, les coudre et s'en faire un vêtement aussi élégant que pratique.

Il fallait vraiment qu'elle arrêtât de penser aux héroïnes de livres ; elle se trouvait d'une nullité déprimante, comparativement à elles.

Elle avait par ailleurs suffisamment de quoi se sentir déprimée. Elle était toute seule, elle avait faim et froid, elle ne savait plus où elle en était, elle était morte de peur – sans parler des redoutables créatures fantasmagoriques lancées à ses trousses. Mais il y avait pis. Bien que son père comme sa mère eussent été toujours un peu distants, peu enclins aux manifestations de tendresse, Chrissie les aimait : et maintenant ils avaient disparu, non, plus affreux encore, ils étaient transformés pour toujours en quelque chose d'incompréhensible, ils étaient vivants mais sans âme. Tout comme morts.

Lorsqu'elle fut à moins de trente mètres de la route à deux voies, elle entendit un moteur de voiture, puis vit des phares arriver du sud. Elle aperçut enfin la voiture elle-même, car dans cette direction, où le brouillard était moins épais que vers la mer, il y avait une visibilité correcte. Même à cette distance, elle n'eut pas de mal à reconnaître une grosse berline de la police, car des lumières bleues et rouges clignotaient sur son toit. La sirène n'était pas branchée. Le véhicule ralentit et s'engagea dans le chemin qui desservait les écuries Foster.

Chrissie fut sur le point de crier et de courir vers la voiture, car on lui avait toujours expliqué que les policiers étaient ses amis. De fait, elle leva même une main qu'elle agita, avant de se dire que dans un monde où elle ne pouvait même pas faire confiance à ses propres parents, il n'était pas sûr que les policiers eussent tous en vue de la protéger.

Terrifiée à l'idée que les flics avaient peut-être été « convertis » comme Tucker avait voulu la convertir, et comme ses parents l'avaient été, elle s'accroupit vivement dans les hautes herbes. Le pinceau des phares ne l'avait approchée à aucun moment lorsque le véhicule s'était engagé dans le chemin de desserte. Les ténèbres et le brouillard la rendaient sans aucun doute invisible pour les occupants, et elle n'était pas encore grande au point de ressortir beaucoup sur ce terrain plat. Mais elle ne voulait prendre aucun risque.

Elle regarda la voiture s'éloigner le long du chemin, s'arrêter quelques instants à côté de la Honda abandonnée de Tucker, puis reprendre sa progression. Le brouillard, plus épais à l'ouest, finit par l'engloutir.

Elle se leva et pressa de nouveau le pas vers l'est et la route secondaire. Elle avait l'intention de la suivre en direction du sud, jusqu'à Moonlight Cove. À condition de bien rester sur le qui-vive, elle aurait le temps de se jeter dans le fossé ou derrière un buisson chaque fois qu'elle entendrait un véhicule s'approcher.

Elle ne révélerait sa présence à aucune personne qu'elle ne connaîtrait pas. Une fois en ville, elle pourrait aller à Notre-Dame-de-Grâce, demander l'aide du père Castelli. (Il se voulait moderne et demandait qu'on l'appelât père Jim, mais jamais Chrissie n'aurait pu s'adresser à lui sur un ton aussi familier.) Chrissie s'était montrée infatigable pour la préparation de la fête de l'église, l'été dernier, et avait exprimé le désir de devenir enfant de chœur, à la grande joie du père Castelli. Elle était sûre qu'il l'aimait et qu'il croirait son histoire, si invraisemblable qu'elle fût. Et s'il ne la croyait pas, eh bien... elle aurait alors recours à Mme Tokawa, son professeur de sixième.

Elle atteignit enfin la route, s'arrêta un instant, et regarda derrière elle. Au loin, la maison se réduisait à quelques points lumineux et flous. Avec un frisson, elle se tourna vers le sud, vers Moonlight Cove.

26

En pleine nuit, la porte d'entrée, chez les Foster, était grande ouverte.

Loman Watkins parcourut la maison de haut en bas, par deux fois. Les seules choses intéressantes qu'il trouva furent une chaise renversée et la sacoche noire de Tucker, abandonnée avec des seringues et des doses de la drogue qui induisait le Changement, ainsi qu'une bombe aérosol de WD-40 sur le sol, dans l'entrée.

Refermant la porte derrière lui, il sortit sous le porche et, debout en haut des marches qui conduisaient à la cour de devant, tendit l'oreille dans le silence éthéré de la nuit. Une brise paresseuse avait soufflé en courtes rafales sans conviction pendant la soirée, mais elle était complètement tombée. Un calme surnaturel régnait. Le brouillard paraissait étouffer tous les sons, et le monde était aussi silencieux qu'un immense cimetière.

Regardant en direction des écuries, Loman cria :

– Tucker ! Foster ! Y a quelqu'un ?

L'écho de sa voix, son froid et solitaire, lui revint.

Personne ne lui répondit.

– Tucker ? Foster ?

L'une des longues écuries était éclairée, et la porte de son extrémité la plus proche ouverte. Il estima qu'il devait aller y jeter un coup d'œil.

Il était à mi-chemin lorsqu'un hululement, comme l'appel lointain d'une corne de chasse, lui parvint du sud ; un son faible, mais on ne pouvait s'y tromper. Aigu et guttural à la fois, il était rempli de colère, de désir, d'excitation, d'avidité. Le cri d'un régressif en pleine chasse.

Il s'arrêta et écouta, espérant avoir fait erreur.

Le cri se reproduisit. Cette fois-ci, il crut discerner au moins deux voix, peut-être trois. Elles étaient très loin, à deux kilomètres, peut-être, si bien que ces cris fantastiques ne pouvaient être une réponse à ses propres appels.

La peur le glaça.

Mais il se sentit pris d'un étrange désir, aussi.

Non.

Il serra tellement les poings que ses ongles s'enfoncèrent dans les paumes de ses mains, et il dut lutter pour repousser les ténèbres qui menaçaient de l'envahir. Il s'efforça de se concentrer sur son travail de flic, sur la tâche du moment.

Si ces cris provenaient d'Alex Foster, Sharon Foster et Jack Tucker, comme c'était vraisemblablement le cas, où donc se trouvait la petite, Chrissie ?

Peut-être s'était-elle enfuie tandis qu'ils préparaient sa conversion. La chaise retournée, la trousse médicale abandonnée et la porte principale ouverte, sans compter la voiture au milieu du chemin, tout semblait renforcer cette hypothèse inquiétante. À la poursuite de la gamine, pris par l'excitation de la chasse, les Foster et Tucker avaient pu se laisser aller à un désir latent de régression. Ou peut-être pas si latent. Qui sait s'ils n'avaient pas déjà régressé à d'autres occasions et si, cette fois, ils ne s'étaient pas laissés glisser dans cet état altéré avec joie et impatience ? Et maintenant ils la pourchassaient dans les étendues désertes du sud – sans doute l'avaient-ils depuis longtemps rattrapée et mise en morceaux, et restaient-ils à l'état régressif à cause de l'ignoble excitation qu'ils éprouvaient ainsi.

La nuit était froide, mais Loman se sentit transpirer.

Il voulait... il avait envie...

Non !

Un peu plus tôt, ce jour-là, Shaddack avait expliqué au policier que la petite Foster avait manqué le bus scolaire et que, lorsqu'elle était retournée à la maison, elle était tombée sur ses parents en train d'éprouver leurs nouvelles aptitudes. Si bien qu'il avait fallu décider de lui faire subir le Changement plus tôt que prévu ; elle serait la première enfant à être ainsi élevée. Mais peut-être que « éprouver leurs nouvelles aptitudes » était une expression mensongère que les Foster avaient employée pour se couvrir ; peut-être s'étaient-ils trouvés dans un profond état régressif au moment où la fillette leur était tombée dessus, ce qu'ils ne pouvaient révéler à Shaddack sans se désigner comme des dégénérés parmi ceux de la Nouvelle Race.

Le Changement avait pour but d'élever l'humanité ; c'était une évolution forcée.

La régression volontaire était en revanche un effet pervers du pouvoir que donnait le Changement. Ceux qui régressaient devenaient des parias. Et ceux, parmi les régressifs, qui tuaient pour ressentir l'excitation primitive du sang étaient les pires de tous : des psychotiques ayant choisi d'évoluer à l'envers.

Les cris distants se renouvelèrent.

Un frisson courut le long du dos de Loman. Un frisson agréable. Il fut saisi de l'envie presque irrépressible d'arracher ses vêtements, de se rapprocher du sol et de courir nu et sans contrainte dans la nuit, en longues foulées gracieuses ; il traverserait la vaste prairie, gagnerait la forêt, là où tout était sauvage et beau, où les proies attendaient d'être poursuivies, rattrapées, broyées et déchiquetées...

Non.

On se contrôle.

On ne perd pas les pédales.

Les cris lointains lui perçaient les tympans.

Il devait garder son sang-froid.

Son cœur cognait fort.

Les cris. Ces cris doux, tendus, sauvages...

Le policier se mit à trembler de plus en plus violemment et se vit, libéré de la position de l'*Homo erectus*, libéré des contraintes et des comportements de la civilisation. Si l'on pouvait enfin mettre la bride sur le cou à l'homme primitif en lui, lui permettre de vivre dans un état naturel...

Non. Impensable.

Une faiblesse gagna ses jambes et il tomba sur le sol, mais non pas à quatre pattes, car cette posture n'aurait fait que l'encourager à s'abandonner à ces ignobles désirs. Au lieu de cela il s'enroula sur lui-même, dans la position du fœtus, sur le côté, genoux au menton, et lutta contre le besoin grandissant de régresser. Sa peau devint aussi chaude que s'il avait pris un bain de soleil en plein été, mais il comprit que cette chaleur irradiait du fond de lui-même et n'avait aucune cause extérieure ; ce feu ne provenait pas seulement des organes vitaux ou de la moelle de ses os, mais des éléments protégés par les parois de chacune de ses cellules, des milliards de noyaux abritant les matériaux génétiques qui faisaient de lui ce qu'il était. Seul dans le noir et le brouillard, à côté de la maison des Foster, fasciné par l'écho des cris des régressifs, il était pris d'un désir terrible d'exercer le contrôle de son être physique que le Changement lui permettait. Il savait cependant qu'après avoir une seule fois succombé à la tentation, il ne serait plus jamais

Loman Watkins, mais un dégénéré portant le masque de Loman Watkins. Un Mister Hyde dans un corps ayant pour toujours banni le Docteur Jekyll.

La tête baissée, il regarda ses mains, qu'il avait recroquevillées contre la poitrine ; dans la faible lumière qui tombait des fenêtres de la maison Foster, il crut voir ses doigts commencer à se transformer. Un éclair de douleur lui traversa la main droite. Il *sentit* ses os éclater et se reconstituer, ses articulations gonfler, ses doigts s'allonger, leur bout devenir plus large, ses tendons et ses nerfs s'épaissir, ses ongles durcir et s'effiler en pointes comme des serres.

Il poussa un hurlement de terreur pure et de refus et, de toute sa volonté, s'accrocha à son identité d'origine, à ce qui restait de son humanité. Il résista aux mouvements, semblables à un surgissement de lave, de son organisme. Les mâchoires serrées, il se mit à répéter son nom – « Loman Watkins, Loman Watkins, Loman Watkins » – comme s'il s'agissait d'un charme qui l'empêcherait de subir cette diabolique transformation.

Du temps passa. Une minute, peut-être. Ou dix. Une heure. Il ne savait pas. La lutte pour conserver son identité se déroulait dans un état de conscience hors du temps.

Lentement, il reprit ses esprits. Avec soulagement, il se retrouva sur le sol, devant la maison, inchangé. Il était couvert de sueur. Mais le feu infernal, dans sa chair, avait disparu. Ses mains présentaient leur forme habituelle, sans aucune élongation monstrueuse des doigts.

Pendant quelques instants, il tendit l'oreille à la nuit. Il n'entendit plus les hurlements lointains et accueillit ce silence avec gratitude.

La peur, la seule émotion qui n'avait pas quotidiennement perdu un peu de sa force depuis qu'il faisait partie de la Nouvelle Race, l'étreignait, aussi acérée que des poignards, et le faisait pleurer. Depuis quelque temps, il redoutait de faire partie de ceux qui avaient le pouvoir de régresser : il venait d'avoir la preuve que cette crainte était fondée. Mais s'il s'était laissé emporter par son désir, il aurait perdu à la fois l'ancien monde, celui d'avant sa conversion, *et* ce meilleur des mondes que Shaddack créait : il n'aurait appartenu ni à l'un ni à l'autre.

Pis encore : il commençait à soupçonner que son cas était loin d'être unique et qu'en fait *tous* ceux de la Nouvelle Race avaient en eux le germe de cette évolution à l'envers. Nuit après nuit, les régressifs, lui semblait-il, devenaient plus nombreux.

Secoué de tremblements, il se remit debout.

La transpiration, maintenant que ne brûlaient plus ces feux internes, était comme une pellicule de glace sur sa peau.

Se dirigeant, hébété, vers son véhicule de patrouille, Loman Watkins se demanda si les recherches de Shaddack – et leurs applications technologiques – ne comportaient pas un vice fondamental. Quels bénéfices réels offrait le Changement ? Peut-être s'agissait-il purement et simplement d'une malédiction. Si les régressifs ne se réduisaient pas à un pourcentage insignifiant de la Nouvelle Race, si au contraire tous étaient condamnés à être tôt ou tard emportés par la régression...

Il pensa à Thomas Shaddack, là-haut dans sa grande maison à la pointe nord de la baie, dominant la ville dans laquelle rôdaient des bêtes de sa création, et il se sentit pris d'un terrible désespoir. La lecture avait été l'un de ses grands plaisirs depuis l'enfance, et il pensa soudain au Dr Moreau de H. G. Wells : Shaddack n'en était-il pas devenu un ? Un Dr Moreau réincarné ? Un Moreau de l'époque de la microtechnologie, obsédé par une vision insensée de transcendance surhumaine, par celle de la fusion homme-machine ? Il souffrait sans aucun doute de la folie des grandeurs et il avait la présomption de croire pouvoir élever l'humanité à un stade supérieur, tout comme le Dr Moreau avait pu s'imaginer pouvoir faire des hommes à partir de bêtes sauvages et battre Dieu à son propre jeu. Si Shaddack n'était pas le génie du siècle, s'il n'était qu'un mégalomane comme Moreau, alors ils étaient tous fichus.

Loman s'assit derrière le volant, referma la portière, lança le moteur et mit le chauffage pour réchauffer son corps glacé de sueur.

L'écran de l'ordinateur s'alluma, attendant les ordres.

Dans le but de protéger le projet Faucon-Lune – lequel, vicié ou non, restait sa seule issue d'avenir –, il devait faire comme si la petite Chrissie avait réussi à s'échapper, comme si les Foster et Tucker n'avaient pu la rattraper. Il fallait disposer discrètement des hommes le long de la route secondaire et des rues du nord de Moonlight Cove. Si jamais la fillette venait en ville chercher de l'aide, ils pourraient l'intercepter. Elle aborderait probablement quelqu'un de la Nouvelle Race sans le savoir, raconterait son histoire de parents possédés, et ce serait réglé pour elle. Si elle tombait par hasard sur des gens n'ayant pas encore été convertis, ils trouveraient sans doute son récit invraisemblable. Mais il ne voulait pas prendre de risques.

Il devait parler d'un certain nombre de choses à Shaddack, il avait des ordres à donner.

Il fallait aussi trouver quelque chose à manger.

Il se sentait pris d'une fringale inhumaine.

27

Quelque chose allait de travers, quelque chose allait complètement de travers, complètement de travers.

Mike Peyser regagnait sa maison en bordure des bois sombres, aux limites sud-est de la ville, après avoir parcouru les collines sauvages, zigzagué entre les arbres, furtif et sur le qui-vive, agile et vif, nu et rapide, de retour d'une chasse, du sang dans la bouche, encore excité mais fatigué après deux heures passées à jouer avec sa proie, à contourner prudemment les maisons de ses voisins, dont certains étaient de sa race, mais d'autres non. Dans ce secteur, de grandes distances séparaient les habitations et il lui était donc relativement facile de se faufiler d'une ombre à une autre, agile et vif, discret et rapide, nu et silencieux, puissant et leste, jusqu'au porche de la maison sans étage où il vivait seul. La porte n'était pas fermée et il se glissa dans la cuisine avec encore le goût du sang dans la bouche, le sang, le sang délicieux, encore sous l'effet émoustillant de la chasse bien que content d'être chez lui, et c'est alors...

Quelque chose allait de travers.

Complètement de travers, Seigneur Dieu, il brûlait, un feu le dévorait, il brûlait, il avait besoin de nourriture, de carburant, de carburant, et c'était normal, il fallait s'y attendre – les exigences de son métabolisme étaient fabuleuses quand il se trouvait en état altéré – mais ce n'était pas ce feu qui était anormal, pas ce feu intérieur, pas ce besoin frénétique et insupportable de nourriture. Ce qui allait de travers était qu'il ne pouvait pas, qu'il ne pouvait pas...

Qu'il ne pouvait pas revenir à l'état normal.

Surexcité par l'exquise fluidité des mouvements de son corps, par la manière dont ses muscles se contractaient et s'étiraient, se contractaient et s'étiraient, il pénétra dans la maison plongée dans l'obscurité, voyant bien sans lumière, pas autant qu'un chat mais mieux qu'un homme, car il était davantage qu'un homme, maintenant. Il rôda ainsi pendant quelques minutes d'une pièce à l'autre, silencieux et vif, espérant presque trouver un intrus, quelqu'un à massacrer, à massacrer, massacrer, mordre et déchirer, mais la maison était déserte. Une fois dans sa chambre il s'allongea sur le plancher, puis se roula en boule sur le côté et voulut rappeler la forme de son corps qui était la sienne depuis la naissance, la silhouette familière de Mike Peyser, l'attitude d'un homme qui marchait debout et avait l'air d'un être humain ; il ressentit en lui-même un élan vers la normalité, un déplacement de ses tissus, mais un déplacement insuffisant, puis qu'il repartait en arrière, en arrière, comme une vague se retire de la plage, s'éloignant de la normalité – et il fit une deuxième tentative, mais cette fois il n'y eut même pas ce déplacement, pas même un retour partiel à ce qu'il avait été. Il était pris, coincé, enfermé, bouclé dans une forme qui un peu plus tôt lui paraissait comme l'essence même de la liberté et extrêmement désirable, mais une forme qui maintenant n'était plus désirable du tout parce qu'il ne pouvait s'en défaire à volonté, qu'il était prisonnier dedans, prisonnier comme un rat, et la panique le prit.

Il bondit sur ses pieds et se précipita hors de la chambre. En dépit de sa vision nocturne, il fit tomber un lampadaire qui s'effondra dans une bruyante explosion de verre, mais il poursuivit vers le petit hall d'entrée, puis vers le séjour. Il avait l'impression qu'on lui avait tiré le tapis sous les pieds. Son corps, son propre corps transformé était devenu une prison et ses os métamorphosés étaient comme les barreaux d'une cellule, derrière lesquels il se trouvait incarcéré ; ce corps remodelé s'était transformé en une véritable camisole de force. Il se mit à tourner en rond dans la pièce, en rond, en rond, de plus en plus frénétique. Le vent de ses passages soulevait les rideaux, il zigzaguait entre les meubles, une table se retourna dans son sillage. Il pouvait courir, non s'échapper ; il portait sa prison en lui. Toute évasion était impossible, impossible. Jamais. Quand il en prit conscience, son cœur se mit à battre encore plus sauvagement. Terrifié, au comble de la frustration, il renversa un porte-magazines dont le contenu se répandit sur le sol, balaya d'un geste un lourd cendrier de verre et deux vases décoratifs sur une table basse, déchira les coussins du sofa jusqu'à ce que le rembourrage en sortît, sur quoi une terrible pression lui comprima le crâne, douloureuse, affreusement douloureuse, et il aurait voulu crier mais avait peur de le faire, peur de ne pas être capable de s'arrêter.

Manger.

Carburant.

Alimenter le feu, alimenter le feu.

Il comprit brusquement que son incapacité à retrouver sa forme normale tenait peut-être à une sévère pénurie des ressources énergétiques, indispensables pour alimenter la fabuleuse accélération de métabolisme associée à la transformation. Pour faire ce qu'il en exigeait, son corps devait subir une dégénération forcée puis une reconstitution des tissus égale, en quantité d'énergie, à des années de croissance ordinaire ; pour cela il lui fallait du carburant, un matériau à convertir, des protéines, des minéraux et des hydrates de carbone en quantités gigantesques.

Affamé, affamé au-delà de tout, Peyser se précipita dans la cuisine obscure, saisit la poignée du réfrigérateur, se redressa, ouvrit violemment la porte, poussa un sifflement offusqué quand la lumière lui brûla la rétine, vit un jambon de trois livres dont il restait les deux tiers, un bon jambon, un jambon solide, posé sur une assiette et bien enveloppé dans son film transparent de plastique. Il s'en empara, déchira le plastique, jeta l'assiette qui alla s'écraser contre une porte de placard, puis il se laissa tomber au sol et mordit à même la masse de viande, mordit, mordit, déchira, mâcha fébrilement, engloutit.

Il aimait follement se débarrasser de ses vêtements et prendre une nouvelle forme dès la nuit tombée, afin de courir dans les bois derrière sa maison, d'escalader les collines pour y chasser les lapins, les ratons laveurs, les renards et les tamias qu'il déchirait à mains nues et avec les dents pour alimenter le feu, le feu qui brûlait au plus profond de lui, et il aimait ça, il aimait ça, non pas simplement pour le sentiment de liberté qu'il ressentait dans cette incarnation, mais aussi pour celui d'un pouvoir fabuleux, un pouvoir divin, plus intensément érotique que le sexe, plus satisfaisant que tout ce qu'il avait connu jusqu'ici, un pouvoir sauvage, un pouvoir brut, le pouvoir d'un homme qui avait maîtrisé sa nature, transcendé ses limites génétiques, la puissance du vent et de la tempête, libéré de toutes les limitations humaines, la bride sur le cou, libéré. Il avait mangé cette nuit, parcourant les bois avec la confiance d'un prédateur à qui rien ne peut échapper, aussi irrésistible que les ténèbres elles-mêmes ; mais en dépit de ce qu'il avait consommé, cela ne suffisait sans doute pas à lui donner la force de redevenir Mike Peyser, concepteur de logiciels, célibataire, propriétaire d'une Porsche, collectionneur invétéré de films sur vidéo-disques, coureur de marathon et buveur de Perrier.

Il dévora donc les deux livres de jambon, puis tout ce qui restait dans le réfrigérateur, qu'il se fourrait dans la bouche à deux mains : un plein bol de rigatoni froids, une boulette de viande, une demi-tarte aux pommes achetée la veille à la boulangerie de la ville, un pain de beurre – un morceau entier d'une livre, graisseux et écœurant, mais un bon aliment, un bon carburant, exactement ce qui convenait pour alimenter le feu –, quatre œufs crus, et encore d'autres restes. C'était un feu qui, lorsqu'on l'alimentait ainsi, ne brûlait pas plus vivement mais au contraire diminuait d'intensité, s'éteignait, car ce n'était pas un feu réel mais le symptôme physique d'un besoin désespéré de carburant pour que les mécanismes métaboliques continuent de fonctionner correctement. Le feu commença à perdre un peu de sa chaleur, et d'une fournaise ardente se réduisit à un brasillement de flammes sur un reste de braises.

Repu, Mike Peyser s'effondra sur le sol en face du réfrigérateur ouvert au milieu des débris – assiettes brisées, lambeaux de Scell'ofrais, coquilles d'œufs, récipients de plastique. Il se recroquevilla de nouveau sur lui-même et, de toute sa volonté, commanda le retour de la forme sous laquelle le monde le reconnaîtrait ; une fois de plus il sentit le déplacement qui se produisait dans sa moelle et ses os, dans son sang et ses organes, dans ses tendons, ses cartilages, ses muscles, sa peau, tandis que des flots d'hormones, d'enzymes et d'autres éléments chimiques biologiques, produits par son organisme, envahissaient tout son corps. Mais comme la première fois, la transformation s'arrêta avant de s'être achevée, désespérément incomplète, et son corps retourna à son état sauvage, régressant sans qu'il pût s'y opposer en dépit de tous ses efforts, de tous ses efforts pour retrouver une forme plus élaborée et humaine.

La porte du réfrigérateur s'était refermée. La cuisine se trouvait de nouveau plongée dans l'obscurité, et Mike Peyser avait l'impression que cette obscurité non seulement l'entourait, mais était également en lui.

Finalement il cria. Et comme il l'avait craint, il fut incapable de s'arrêter.

28

Peu avant minuit, Sam Booker quitta le Cove Lodge. Il portait une veste en daim brun, un chandail bleu, des jeans et des chaussures de course à pied bleues – une tenue qui lui permettait de se fondre efficacement dans la nuit sans se faire trop remarquer, même si elle avait peut-être un côté un peu trop juvénile pour un quadragénaire aux traits empreints d'une profonde mélancolie. Sous son aspect ordinaire, la veste cachait plusieurs poches aux dimensions inhabituelles, dans lesquelles était placé l'outillage de base des cambrioleurs et des pilleurs de voiture. Il descendit par l'escalier sud, sortit par la porte donnant vers la mer, et resta quelques instants immobile sur l'allée qui longeait l'arrière du bâtiment.

Les volutes d'un brouillard épais montèrent de la falaise et se glissèrent entre les barreaux du garde-fou, poussées par une brise de mer soudaine qui perturba le calme de la nuit. Dans quelques heures elle rejetterait le brouillard vers l'intérieur et laisserait le bord de mer relativement dégagé. Sam, à ce moment-là, aurait fini la tâche qui l'attendait et, n'ayant plus besoin du camouflage que lui procurait la brume, pourrait enfin dormir – ou plus probablement lutter contre l'insomnie – dans sa chambre.

Il se sentait mal à l'aise. Il n'avait pas oublié la meute d'adolescents qui l'avait poursuivi sur Iceberry Way, un peu plus tôt dans la soirée. Leur véritable nature demeurant un mystère, il continuait de se les représenter comme des punks, sans ignorer pour autant qu'il avait eu affaire à autre chose qu'à de simples délinquants juvéniles. Bizarrement, il avait l'impression qu'il savait en réalité ce qu'ils étaient, mais à un niveau profondément enterré dans les plaines de son inconscient, dans les royaumes les plus primitifs de son esprit.

Il contourna l'extrémité sud du bâtiment et passa derrière la cafétéria fermée. Dix minutes plus tard, après avoir emprunté des chemins détournés, il arrivait près de l'immeuble de la police municipale de Moonlight Cove, sur Jacobi Street. C'était bien celui que les agents du Bureau, à San Francisco, lui avaient décrit : un bâtiment de deux étages, en briques noircies par les intempéries au rez-de-chaussée, plus clair au premier – avec un toit d'ardoise, des volets vert foncé de part et d'autre des fenêtres, et une grosse lampe de fiacre au-dessus de l'entrée principale. Le terrain municipal occupait la moitié d'un pâté de maisons sur le côté nord de la rue, et l'architecture du bâtiment, si elle n'était pas conventionnelle pour un édifice administratif, était en harmonie avec ce quartier par ailleurs résidentiel. L'extérieur comme l'intérieur étaient éclairés, puisqu'en dehors des autorités municipales et de ses services, le bâtiment abritait les bureaux de la police, lesquels, par définition, ne fermaient jamais.

Depuis l'autre côté de la rue, jouant les promeneurs nocturnes, Sam étudia la façade sans s'arrêter. Il ne remarqua aucune activité inhabituelle. Le trottoir, devant l'entrée principale, était désert. À travers les portes vitrées, il aperçut un hall éclairé *a giorno*.

Au carrefour suivant, il tourna en direction du nord, puis dans l'allée au milieu du bloc. Sans éclairage, encadrée d'arbres, de buissons et de clôtures, elle desservait par l'arrière les propriétés de Jacobi Street et Pacific Drive, donnait sur des garages ou des abris de jardin et s'ornait de groupes de poubelles. Aucune barrière n'interdisait l'entrée dans le parking, derrière l'immeuble municipal.

Sam se glissa dans une sorte de niche ménagée dans une haie de persistants, haute de plus de deux mètres, à l'angle de ce parking. Deux lampadaires à vapeur de sodium projetaient une lumière jaunâtre, éclairant les douze véhicules qui s'y trouvaient garés : quatre Ford de modèle récent, du type vert dégueulis et sommairement accessoirisé destinées aux autorités fédérales, régionales et communales ; une camionnette « pick-up » découverte et une autre fermée portant toutes deux le sceau de la ville et le sigle SERVICE DES EAUX; une massive balayeuse-arroseuse ; un gros camion au plateau fermé de planches, et quatre véhicules de police, tous des berlines Chevrolet.

Ce quatuor noir et blanc était ce qui intéressait Sam, car toutes ces voitures comportaient un VDT les reliant à l'ordinateur central de la police. On comptait huit véhicules de patrouille à Moonlight Cove, un nombre considérable pour une petite ville côtière endormie : cinq de plus que ce que pouvaient s'offrir des agglomérations de taille similaire. Beaucoup trop.

Mais tout, dans ce commissariat, était plus grand et de meilleure qualité que nécessaire – l'une des choses qui avaient déclenché des alarmes silencieuses dans l'esprit des agents fédéraux, venus faire leurs investigations sur la mort des Bustamente et de Sanchez. Moonlight Cove disposait de douze officiers de police à plein temps, à quoi s'ajoutaient trois autres à temps partiel et une équipe administrative de quatre personnes à plein temps. Une force considérable. Qui plus est, tous ces fonctionnaires recevaient des salaires équivalents à ceux des services de police des grandes villes de la région, c'est-à-dire excessifs pour une aussi petite municipalité. Ils avaient les meilleurs uniformes, le meilleur matériel de bureau ainsi qu'un véritable petit arsenal d'armes de poing et de fusils de calibres divers, sans parler de grenades lacrymogènes ; en outre – et c'était là le plus étonnant –, l'informatisation de ce service était poussé à un point qui aurait pu faire envie aux types chargés de surveiller les armes de l'apocalypse dans leur bunker, au Strategic Air Command.

De son recoin épineux au milieu de la haie (qui embaumait), Sam étudia le parking pendant une ou deux minutes afin de s'assurer que personne n'était assis dans l'un des véhicules, ou debout dans l'ombre profonde qui régnait à l'arrière du bâtiment. Les stores des pièces éclairées du rez-de-chaussée étaient tous baissés, si bien que personne n'avait vue sur les véhicules.

Il enfila alors une paire de gants souples et légers en chevreau.

Il était prêt à faire mouvement lorsqu'il entendit un bruit en provenance de l'allée, derrière lui. Un frottement. Là où il était passé, quelques instants auparavant.

Il se rencogna un peu plus dans le buisson et tourna la tête, pour chercher l'origine du bruit. Une boîte en carton, toute froissée, glissait sur le macadam de l'allée, poussée par la brise qui agitait de plus en plus le feuillage des buissons et des arbres. Le carton heurta une poubelle et y resta coincé.

Coulant dans l'allée d'ouest en est sous l'effet du vent, le brouillard avait l'épaisseur de la fumée, comme si la ville était en feu ; Sam plissa les yeux pour s'assurer qu'il était bien seul, puis se tourna et courut silencieusement jusqu'à la première des quatre voitures de patrouille.

Elle était verrouillée.

D'une poche intérieure de sa veste, il retira un barillet de déverrouillage, du modèle autorisé pour les policiers et qui n'endommage pas la serrure. Il la força facilement, se glissa derrière le volant et referma la portière aussi rapidement et silencieusement que possible.

Suffisamment de lumière lui parvenait des lampes à vapeur de sodium pour qu'il pût voir ce qu'il faisait ; mais il aurait presque aussi bien travaillé dans l'obscurité. Il rangea le barillet, et prit, dans une autre poche, une clé de socle de démarreur. Il ne lui fallut que quelques secondes pour faire sauter le cylindre d'allumage de la colonne de direction et exposer les fils.

Arriva l'instant qu'il redoutait le plus. Pour brancher l'écran vidéo du véhicule, il fallait lancer le moteur ; l'ordinateur était plus puissant qu'un modèle portatif et le système de transmission par micro-ondes qui le reliait au centre de données, gourmand en énergie, risquait de vider rapidement la batterie. Le brouillard rendrait à peu près invisible la fumée du pot d'échappement, mais n'occulterait pas le bruit du moteur. La voiture noir et blanc était garée à une bonne vingtaine de mètres du bâtiment ; de l'intérieur, vraisemblablement, personne ne l'entendrait. Mais il suffisait que quelqu'un sortît prendre l'air ou vînt prendre l'une des voitures de patrouille, à la suite d'un appel, pour qu'on remarquât le moteur tournant au ralenti. Sam pouvait alors se trouver pris dans un affrontement auquel, étant donné le taux de morts violentes, dans cette ville, il ne survivrait peut-être pas.

Avec un soupir retenu, appuyant du pied droit sur l'accélérateur, il sépara les fils d'allumage et, de sa main gantée, tordit ensemble les contacteurs dénudés. Le moteur partit immédiatement, sans la moindre protestation bruyante.

L'écran de l'ordinateur s'alluma.

Si l'on pouvait à la rigueur comprendre les largesses de New Wave Microtechnology en matière d'ordinateurs, dans la mesure où la police municipale lui servait de banc d'essai, il était moins aisé de remonter à la source des fonds, d'une importance disproportionnée, dont Moonlight Cove semblait bénéficier pour se doter dans d'autres domaines. On soupçonnait qu'ils provenaient de New Wave Microtechnology, ou encore de son actionnaire principal, en même temps président-directeur général, Thomas Shaddack. Tout citoyen est certes libre de subventionner sa police locale, ou d'autres branches du gouvernement, en sus des impôts réguliers, mais si c'était bien ce que faisait Shaddack, pour quelle raison dissimulait-il ses largesses ? Aucun homme innocent ne donne de grosses sommes d'argent à une cause civique sans se faire un minimum de publicité. Si Shaddack soutenait secrètement les autorités locales à l'aide de fonds privés, il fallait envisager la possibilité de concussion – autrement dit, que les autorités (et notamment les flics) fussent vendues. Et si la police de Moonlight Cove était en réalité la garde musclée de l'armée privée à la solde de Shaddack, il fallait également envisager que toutes les morts suspectes de ces dernières semaines eussent un rapport avec cette alliance redoutable.

Le logo de New Wave Microtechnology apparut au coin droit du bas de l'écran, tout comme serait apparu le sigle d'IBM, si cette entreprise avait fourni le matériel.

Lors du passage du FBI, dans le cadre de l'enquête sur l'affaire Bustamente-Sanchez, l'un des meilleurs agents du Bureau, Morrie Stein, s'était retrouvé dans une voiture de patrouille avec l'un des officiers de Watkins, Reese Dorn, au moment où ce dernier avait pris contact avec l'ordinateur central, pour demander des renseignements. Stein avait rapidement soupçonné que le système était encore plus perfectionné que ce que Watkins et ses hommes avaient laissé entendre, qu'ils s'en servaient d'une manière qui outrepassait les limites légales et qu'ils n'avaient aucune envie d'en parler. Il avait donc mémorisé le numéro d'accès de Reese. Lorsqu'il s'était ensuite rendu à Los Angeles pour mettre Sam au courant, Stein avait déclaré :

– Je pense que chacun des flics de cette ville de tordus possède son numéro personnel d'accès, mais celui de Dorn devrait aller aussi bien qu'un autre. Il faut, Sam, vous introduire dans leur bécane et vous faire présenter quelques menus, voir ce qu'il y a, tripoter tout ça pendant que Watkins et ses hommes ne regarderont pas par-dessus votre épaule. Je sais, j'ai l'air parano, comme ça, mais il y a vraiment trop de technologie de pointe par rapport à la taille du patelin et à ses besoins – à moins qu'ils ne soient en train de manigancer un sale coup. Au premier coup d'œil, on dirait n'importe quelle ville, elle a même quelque chose de plus agréable que beaucoup, elle est assez jolie... et pourtant, bon Dieu, au bout d'un moment, on a l'impression que tous les citoyens sont câblés, qu'on est surveillé partout où l'on se rend, que Big Brother vous regarde constamment par-dessus l'épaule. Et je vous jure qu'au bout de quelques jours, vous êtes convaincu de vous trouver dans une sorte de mini-État policier, où le contrôle est tellement subtil qu'on s'en rend à peine compte, mais n'en est pas moins complet et musclé. Ces flics sont véreux, Sam ; ils sont jusqu'au cou dans une affaire pas nette – trafic de drogue, peut-être, que sais-je ? – et l'ordinateur y joue un rôle.

Sam tapa 262699, le numéro de Dorn, sur le clavier de l'ordinateur. Le sigle de New Wave disparut. Au bout d'une seconde, un menu s'afficha.

CHOISISSEZ
A. OFFICIER DE SERVICE
B. FICHIERS CENTRAUX
C. BULLETINS DE SERVICE
D. MODEM EXTÉRIEUR

Sam comprit que A le mettrait en contact avec l'officier de garde au QG, non seulement au moyen de la radio, qui équipait le véhicule, mais aussi par l'intermédiaire de l'ordinateur. Mais pourquoi diable se donner le mal de taper des questions et de lire les réponses sur l'écran, alors qu'il suffisait de décrocher le micro ? À moins que... à moins qu'il n'y eût des choses dont les flics ne préféraient pas parler sur la fréquence de la police, et que n'importe qui, avec le récepteur adéquat, pourrait intercepter.

Il se garda bien de cliquer sur A, car tenir le rôle de Dorn auprès de l'officier de service serait revenu à crier : *Hé, ho ! Je suis là, dans une de vos bagnoles, à fourrer mon nez juste là où vous ne voulez pas qu'on le mette, alors pourquoi ne pas sortir me le raccourcir ?*

Au lieu de cela, il cliqua sur B, ce qui eut pour effet de faire apparaître un nouveau menu.

CHOISISSEZ
A. SITUATION – ARRESTATIONS EN COURS
B. SITUATION – AFFAIRES EN COURS AU TRIBUNAL
C. SITUATION – AFFAIRES EN ATTENTE AU TRIBUNAL
D. DOSSIERS DES ARRESTATIONS PASSÉES (COMTÉ)
E. DOSSIERS DES ARRESTATIONS PASSÉES (VILLE)
F. DÉLINQUANTS CONDAMNÉS HABITANT LE COMTÉ
G. DÉLINQUANTS CONDAMNÉS HABITANT LA VILLE

Simplement pour vérifier que les entrées proposées étaient bien ce qu'elles paraissaient être et non des noms de code pour d'autres informations, il cliqua sur F. Un sous-menu s'afficha, qui lui offrit dix choix : MEURTRES, VIOLS, ATTENTATS À LA PUDEUR, AGRESSIONS, COUPS ET BLESSURES, VOLS À MAIN ARMÉE, CAMBRIOLAGES, EFFRACTIONS, AUTRES VOLS, DÉLITS MINEURS DIVERS.

Il fit venir le dossier « meurtres » à l'écran et découvrit trois assassins condamnés – tous coupables de meurtre au premier ou au second degré – qui vivaient librement dans le comté après avoir purgé des peines allant de douze à quarante ans. Noms, adresses et numéros de téléphone s'incrivirent sur l'écran, ainsi que les noms de leurs victimes, le résumé succinct de l'affaire, et les dates d'emprisonnement. Aucun ne vivait dans les limites de la ville de Moonlight Cove.

Sam leva les yeux de l'écran pour parcourir le parking du regard. Il restait désert. L'omniprésente brume était veinée de couches plus épaisses de brouillard qui ondulaient en passant le long de la voiture, et il se sentait presque comme dans un bathyscaphe, au fond de la mer, en train d'étudier de longs rubans d'algues agités par les courants marins.

Il retourna au premier menu et cliqua sur C. bulletins de service. Il s'agissait de messages que Watkins et ses policiers s'étaient adressés les uns aux autres, à propos de problèmes qui paraissaient relever parfois du service, parfois d'affaires privées. La plupart étaient tellement allusifs que Sam estima qu'il perdrait son temps en essayant de les déchiffrer, et que sans doute ils n'en valaient pas la peine.

Il essaya alors l'objet D du menu principal, modem extérieur. Il eut droit à une liste d'ordinateurs, sur tout le territoire américain, qu'il pouvait joindre par l'intermédiaire du modem, situé dans le bâtiment voisin. Cette liste de liaison était d'une richesse surprenante : DP (pour département de police) de Los Angeles, DP de San Francisco, DP de San Diego, de Denver, de Houston, de Dallas, de Phoenix, de Chicago, de Miami, de New York, plus une bonne dizaine d'autres villes importantes ; le département des véhicules à moteur de Californie, celui des prisons du même État, celui des patrouilles d'autoroutes, ainsi que de nombreuses autres agences gouvernementales dont les liens avec le travail de la police semblaient moins évidents ; il avait aussi accès aux dossiers du personnel de l'armée de terre, de la marine et de l'armée de l'air, aux dossiers criminels du FBI, au système d'assistance local du même FBI (un service relativement récent) et même au bureau d'Interpol, à New York – au travers duquel il était possible de joindre les dossiers centraux de ce service, en Europe.

Qu'est-ce que la police municipale d'un trou comme Moonlight Cove pouvait avoir à faire d'une liaison avec de telles sources d'information ?

Mais il y avait pis : la possibilité de recevoir des informations auxquelles même les services de police complètement informatisés d'une ville comme Los Angeles n'avaient qu'un accès restreint, ou pas d'accès du tout, à moins d'avoir un ordre de la Cour, comme la banque de données de TRW, première société américaine sur les découverts bancaires. Que la police de Moonlight Cove puisse y faire des incursions devait être un secret même pour la TRW elle-même, car jamais la société n'aurait révélé ses secrets sans un ordre d'un tribunal. Le système offrait également un accès aux banques de données de la CIA, en Virginie, alors qu'en principe aucun ordinateur, en dehors de ceux de l'agence, ne pouvait se brancher dessus, et à celles du FBI, couvertes par le même dispositif de sécurité, et en principe inviolables.

Suffoqué, Sam revint sur le menu principal.

Songeur, il contemplait le parking désert.

Morrie Stein, quelques jours auparavant, avait vaguement suggéré que la police de Moonlight Cove pourrait être impliquée dans un trafic de drogue, et que la générosité de New Wave Microtechnology trahissait peut-être une complicité de la part de certains cadres de cette société. Mais le Bureau avait également émis l'hypothèse d'un autre trafic, et se demandait si New Wave Microtechnology ne vendait pas des informations sur les technologies de pointe aux Soviétiques ; l'entreprise aurait acheté la complicité de la police locale afin d'être alertée immédiatement, au cas où une enquête fédérale serait lancée pour mettre le nez dans ses activités. Évidemment, on ne voyait pas le rapport, ni dans la première ni dans la deuxième hypothèse, avec l'un ou l'autre des crimes récemment commis, mais il fallait bien partir de quelque chose.

Au vu de ce qu'il venait de découvrir, cependant, Sam était prêt à laisser tomber aussi bien l'idée d'un trafic de drogue que celle de la vente d'informations « sensibles » aux Soviétiques. Le réseau que s'était constitué la police de ce patelin présentait une telle importance et allait si loin – cent douze banques de données, d'après le menu ! – qu'il dépassait très largement les besoins d'un groupe de trafiquants, ou ceux de quelqu'un voulant être averti des éventuelles suspicions de la CIA.

Non, ce réseau d'informations convenait bien mieux aux nécessités opérationnelles d'un gouvernement – ou, plus exactement, d'une nation. Une petite nation *hostile*. Il était conçu pour procurer un pouvoir énorme à celui qui le maîtrisait. À croire que cette pittoresque petite ville était tombée aux mains d'un mégalomane dont l'obsession fondamentale aurait été de se tailler un minuscule royaume à partir duquel il pourrait finalement conquérir un vaste territoire.

Aujourd'hui, Moonlight Cove, demain, le monde.

– Mais bordel, qu'est-ce qu'ils mijotent ? fit Sam à haute voix.

29

Après s'être soigneusement barricadée dans sa chambre du Cove Lodge, et prête à se coucher, en culotte jaune pâle et T-shirt à l'effigie souriante de Kermit la Grenouille, Tessa buvait son Coke « Light » en essayant de s'intéresser à une reprise de *Tonight*. Mais elle n'arrivait pas à suivre plus d'une réplique des conversations que Johnnie Carson s'efforçait d'avoir avec une actrice sans esprit, un chanteur sans esprit, un comédien sans esprit. Programme aseptisé pour accompagner une boisson qui l'était tout autant.

Plus le temps passait depuis les inquiétants événements qu'elle avait vécus dans le couloir du motel, plus elle se demandait si, en réalité, elle n'avait pas imaginé avoir été poursuivie. Après tout, elle était encore sous le coup de la mort de Janice, soupçonnant qu'il s'agissait peut-être d'un meurtre et non d'un suicide. Et elle avait toujours sur l'estomac le hamburger de son dîner, tellement graisseux qu'il avait l'air d'avoir cuit, avec son petit pain et tout, dans du saindoux de yak bien rance. Comme Scrooge, le personnage de Dickens, et le spectre de Marley, Tessa commençait à se dire que les fantômes qui l'avaient tellement effrayée n'étaient que le fruit de la conjonction d'un indigeste morceau de bœuf et d'un état dépressif.

Tandis que le dernier invité de Carson parlait du week-end qu'il avait passé à La Havane, lors d'un festival (« Fidel Castro ? Un type épatant, un grand bonhomme, vraiment marrant ! »), Tessa se leva et alla se laver les dents dans la salle de bains. Alors que le dentifrice giclait mollement sur la brosse, elle entendit quelqu'un essayer d'ouvrir sa porte.

Lorsqu'elle vint sur le seuil de la salle de bains, la disposition de la pièce faisait qu'elle n'était même pas à un mètre de la porte d'entrée. Assez près, autrement dit, pour voir le bouton tourner dans un sens et dans l'autre. Ils ne s'y prenaient même pas avec subtilité ; la poignée cliqueta et frotta, la porte claqua contre son encadrement.

Elle laissa tomber sa brosse à dents et se précipita sur le téléphone, posé sur la table de nuit.

Pas de tonalité.

Elle martyrisa le bouton d'appel, fit le zéro, mais rien ne marchait. Le standard du motel était fermé. Pas de téléphone.

30

À plusieurs reprises, Chrissie dut déguerpir de la route et se cacher dans les buissons de l'accotement, le temps que passât un camion ou une voiture. Parmi les véhicules, elle vit une voiture de police de Moonlight Cove qui retournait vers la ville – très certainement celle qui était venue à la ferme. Elle se tapit au milieu des hautes herbes et des tiges de fenouil sauvage et y resta jusqu'à ce que ses feux arrière aient disparu à un virage.

Quelques rares maisons se dressaient le long des deux premiers kilomètres de route. La fillette connaissait plus ou moins les personnages qui y demeuraient, les Thomas, les Stone, les Elswick, notamment. Elle fut tentée d'aller frapper à l'une de ces portes pour demander de l'aide, mais comment savoir si les gens charmants qu'elle avait connus étaient restés les mêmes ? Comme ses parents, ils pouvaient avoir changé. Ou alors, quelque chose de surnaturel venu de l'espace prenait possession des gens à Moonlight Cove et dans les environs, et elle avait vu (ou lu) suffisamment de films (ou de livres) d'épouvante pour savoir que lorsque ce genre de forces étaient à l'œuvre, on ne pouvait plus faire confiance à personne.

Elle plaçait pratiquement tous ses espoirs sur le père Castelli de Notre-Dame-de-Grâce parce que c'était un saint homme et que pas un démon de l'enfer n'aurait pu avoir prise sur lui. Évidemment, s'il s'agissait d'extra-terrestres, le fait d'être un homme de Dieu ne suffirait pas à protéger le père Castelli.

Si jamais le prêtre avait aussi été transformé – et si Chrissie arrivait à lui échapper après avoir découvert qu'il était passé à l'ennemi –, elle irait, ultime recours, chez Irène Tokawa, son professeur. C'était la personne la plus brillante que Chrissie connaissait. Si des extra-terrestres s'étaient emparés de Moonlight Cove, Mme Tokawa s'en serait certainement rendu compte avant qu'il ne fût trop tard. Elle aurait pris des mesures pour se protéger, et serait certainement parmi les dernières à tomber dans les griffes des monstres. Les griffes, les serres, les pinces, les trompes ou n'importe quoi.

Chrissie, donc, se dissimula au passage des véhicules, se fit toute petite pour contourner les maisons, et progressa en étapes hésitantes vers la ville. La lune cornue, que l'on apercevait par moments au-dessus du brouillard, avait presque fini par traverser le ciel et ne tarderait pas à se coucher. Une brise plus soutenue soufflait maintenant de l'ouest, avec des rafales assez fortes pour soulever ses cheveux, dont les mèches dansaient alors comme des flammes blondes autour de sa tête. Étant donné que la température était descendue autour de dix degrés, l'air lui paraissait glacial dans ces moments-là. Le seul avantage était que plus elle se sentait frigorifiée et malheureuse à cause du vent froid, moins elle se souvenait d'une autre sensation pénible – la faim.

Une enfant abandonnée retrouvée errante, hagarde et affamée, après sa rencontre avec des extra-terrestres, murmura-t-elle, comme si elle imaginait le titre d'un numéro imaginaire du *National Inquirer.*

Elle approchait d'un carrefour, un peu réconfortée par le chemin qu'elle avait parcouru, lorsqu'elle faillit tomber dans les bras de ceux qu'elle cherchait à éviter.

À l'est de la route secondaire, la route de Holliwell était un chemin de terre qui montait vers les collines, passait sous l'autoroute et conduisait jusqu'à la Colonie Icarus : une maison de douze pièces avec sa grange et d'autres bâtiments extérieurs, abandonnés depuis longtemps et en ruine. Là, un groupe d'artistes, dans les années cinquante, avait tenté de fonder une communauté idéale. Depuis, on avait voulu y élever des chevaux (sans succès) et y établir un marché aux puces (sans succès). Les enfants savaient tout sur cet endroit parce qu'il était inquiétant et parfait pour y faire passer des épreuves de courage. À l'ouest, la route de Holliwell était goudronnée, longeait les limites de la ville, passait devant quelques-unes des maisons les plus récentes du secteur et devant New Wave Microtechnology, pour atteindre finalement la pointe nord de la baie où Thomas Shaddack, grand sorcier des ordinateurs, vivait dans une énorme baraque d'allure bizarre. Chrissie n'envisageait d'aller ni à l'est ni à l'ouest ; ce carrefour n'était qu'un point de repère sur son chemin, indiquant qu'elle se trouvait aux limites nord-est de la ville de Moonlight Cove.

Elle n'était qu'à une trentaine de mètres de ce croisement lorsqu'elle entendit enfler rapidement un bruit de moteur. Elle quitta la route, franchit un petit fossé, marcha dans des herbes et alla se cacher derrière le tronc épais d'un vieux pin. D'où elle était, elle put tout de même se rendre compte que le véhicule arrivait de l'ouest, le pinceau de ses phares venant balayer le carrefour tout proche. Un camion arriva sur Holliwell Road, ignora le panneau « stop » et vint s'arrêter au milieu du croisement, dans une grande agitation de volutes de brouillard.

Chrissie distinguait d'autant mieux le gros véhicule noir à plateau surallongé que, à la suite d'accidents répétés en cet endroit, on avait placé un unique lampadaire au coin nord-est pour améliorer la visibilité et prévenir les chauffeurs. Le camion avait le sigle de New Wave Microtechnology sur sa portière : pour l'avoir vu des milliers de fois, elle était capable de le reconnaître, même à cette distance. Dans un cercle blanc et bleu de la taille d'une assiette, une vague bleue couronnée d'écume se soulevait. Pour le moment, le chargement de ce camion de chantier était des hommes – six ou huit assis à l'arrière.

Deux d'entre eux sautèrent par-dessus l'abattant arrière dès que le camion fit halte. Le premier se dirigea vers la pointe boisée, à l'angle nord-est de l'intersection, et se glissa entre les arbres ; il n'était pas à plus de trente ou quarante mètres du pin d'où Chrissie l'observait. Le second alla prendre position parmi les herbes et le chaparral, à l'angle sud-ouest.

Le camion redémarra en direction du sud, sur la route secondaire, et accéléra.

Chrissie se doutait que les hommes restants seraient déposés à d'autres points stratégiques, le long des limites est de Moonlight Cove, pour y monter la garde. Par ailleurs, ce camion aurait pu emporter sans difficulté une vingtaine d'hommes et il devait avoir laissé des sentinelles tout le long de Holliwell Road depuis les bâtiments de New Wave Microtechnology. Ils entouraient Moonlight Cove d'un cordon de sentinelles. Elle avait la certitude que c'était elle qu'ils recherchaient. Elle avait vu quelque chose qu'elle n'aurait pas dû voir – ses parents, hideux, en cours de transformation, abandonnant leur masque d'humains – et maintenant il fallait qu'elle fût retrouvée et « convertie », pour employer l'expression de Tucker, avant d'avoir la possibilité d'avertir le monde.

Le ronflement du camion noir s'éloigna.

Une chape humide de silence tomba sur le carrefour.

Des volutes innombrables de brouillard ondulaient et tournoyaient, mais le vent ne cessait de les disperser et de les repousser vers les collines noires massées à l'est.

Puis la brise hésita, se calma quelques instants, pour se mettre à souffler comme un vent véritable qui murmurait entre les hautes herbes et soupirait dans les buissons de persistants. Un panneau de signalisation, non loin, sous son effet, se mit à produire un battement régulier, doux et étrangement mélancolique.

Chrissie savait où les deux hommes se terraient, mais ne pouvait pas les voir. Ils étaient bien cachés.

31

Le brouillard défilait le long de la voiture de patrouille, poussé dans la nuit par une brise qui forcissait rapidement ; les idées glissaient dans l'esprit de Sam avec la même fluidité. Mais elles étaient tellement inquiétantes qu'il aurait préféré être plongé dans l'hébétude la plus complète.

Ayant une longue expérience de l'informatique, il savait très bien que toute une partie des possibilités d'un système peut être dissimulée, à l'aide de simples altérations dans les menus apparaissant sur l'écran. Il contemplait le premier de ceux-ci, qui n'allait que jusqu'à D – et pressa la touche E, qui n'offrait rien.

Une phrase s'inscrivit sur l'écran. *Hello, officier Dorn.*

Il y avait donc un E. Il venait de pénétrer soit dans une banque secrète de données, exigeant des réponses codées si l'on voulait y avoir accès, soit dans un système interactif d'information qui réagirait aux questions tapées sur le clavier. Dans le premier cas, il aurait des ennuis s'il n'introduisait pas le bon mot de passe ; l'ordinateur couperait la liaison et déclencherait une alarme, au quartier général, pour avertir que quelqu'un utilisait le numéro de Dorn.

Prudemment, il tapa HELLO.

PUIS-JE VOUS ÊTRE UTILE ?

Sam décida de procéder comme si de rien n'était – comme avec un programme normal de questions-réponses. Il tapa : MENU.

L'écran resta quelques instants vide, puis les mêmes mots réapparurent : PUIS-JE VOUS ÊTRE UTILE ?

Il essaya une variante : MENU PRIMAIRE.

PUIS-JE VOUS ÊTRE UTILE ?

MENU PRINCIPAL.

PUIS-JE VOUS ÊTRE UTILE ?

Dans l'ignorance des procédures de ce système de questions-réponses, on avait tout de même quelque chance par la méthode des essais et erreurs. Sam fit une nouvelle tentative : PREMIER MENU.

Ses efforts, enfin, furent récompensés.

CHOISISSEZ

A. PERSONNEL DE NEW WAVE

B. PROJET FAUCON-LUNE

C. SHADDACK

Il venait de tomber sur un lien secret entre New Wave Microtechnology, son fondateur Thomas Shaddack et la police de Moonlight Cove, sans savoir, pour l'instant, ce qu'il signifiait.

Il soupçonna que le choix C devait le mettre en liaison avec le terminal personnel de Shaddack, permettant d'avoir avec lui une conversation plus privée que par radio. Si c'était le cas, Shaddack et les flics du coin se trouvaient impliqués dans une conspiration si criminelle qu'elle exigeait un haut degré de sécurité. Il n'appuya donc pas sur C, car si jamais il tombait sur Monsieur-la-Grosse-Tête lui-même, il n'aurait aucune chance de passer bien longtemps pour Reese Dorn.

Le A le mettrait sans doute en relation avec une brochette de responsables de New Wave, et lui donnerait peut-être même les codes donnant accès à leurs terminaux personnels. Il n'avait pas plus envie de leur parler qu'à leur patron.

En outre, il ne pouvait rester indéfiniment ici, à pianoter sur son clavier. Il parcourut une nouvelle fois le parking des yeux, scrutant particulièrement les zones d'ombre hors de portée des lampes à vapeur de sodium. Cela faisait quinze minutes qu'il se trouvait dans la voiture de police, et personne n'était entré ou sorti par l'arrière du bâtiment municipal pendant ce temps. Il savait que tant de chance ne pouvait durer et voulait en apprendre autant que possible dans les quelques minutes qui lui restaient avant d'être interrompu.

Des trois choix, projet Faucon-Lune était le plus mystérieux et le plus intéressant ; il tapa donc B. Un autre menu apparut.

CHOISISSEZ
A. CONVERTIS
B. CONVERSIONS EN ATTENTE
C. CALENDRIER DES CONVERSIONS (LOCALES)
D. CALENDRIER DES CONVERSIONS (DEUXIÈME STADE)

Il tapa sur A et une colonne de noms et d'adresses vint à l'écran. C'étaient des habitants de Moonlight

Cove, et en haut de la colonne on lisait : ACTUELLEMENT CONVERTIS, 1967.

Convertis ? Convertis à quoi ? La conspiration aurait-elle un aspect religieux ? S'agissait-il de quelque culte étrange ? Ou bien « converti » était-il un terme utilisé par euphémisme ou comme code ?

Ce mot lui fichait la trouille.

Sam découvrit qu'il pouvait aussi étudier la liste par ordre alphabétique. Il chercha le nom des habitants qu'il connaissait ou avait rencontré. Loman Watkins faisait partie de la liste des convertis, comme Reese Dorn. Pas Burt Packham, le propriétaire de la Knight's Bridge Tavern. Mais toute une famille Perez s'y trouvait ; c'était certainement celle qui gérait le restaurant mexicain.

Il chercha le nom de Harold Talbot, l'infirme qu'il devait rencontrer le lendemain ; il ne figurait pas sur la liste.

Perplexe sur la signification de tout ceci, Sam ferma ce dossier et revint à B, les conversions en attente. Une nouvelle liste de noms et d'adresses apparut à l'écran, sous la phrase : CONVERSIONS EN ATTENTE 1 104. Dans celle-ci, il trouva Burt Packham et Harold Talbot.

Il essaya ensuite C, calendrier des conversions (locales), et un sous-menu apparut, comportant trois entrées :

A. DU LUNDI 13 OCTOBRE 18 HEURES AU MARDI 14 OCTOBRE 6 HEURES
B. DU MARDI 14 OCTOBRE 6 HEURES AU MARDI 14 OCTOBRE 18 HEURES
C. DU MARDI 14 OCTOBRE 18 HEURES À MINUIT

On était actuellement le mardi 14, et il était 0 heures 39, soit au milieu de la période du choix A, qu'il fit donc venir à l'écran. Nouvelle liste de noms, précédée de la mention CONVERSIONS PRÉVUES 380.

Sam sentait les cheveux sur sa nuque se hérisser, sans savoir pourquoi – sinon que le terme « conversion » le mettait mal à l'aise. Ça le faisait penser à ce vieux film avec Kevin McCarthy, *L'Invasion des profanateurs de sépultures*.

Il songea également à la meute qui l'avait poursuivi en début de soirée. S'agissait-il de... de convertis ?

Lorsqu'il chercha le nom de Burt Peckham, il découvrit que sa conversion était prévue pour avant six heures du matin. Harry Talbot ne figurait pas sur cette liste.

La voiture oscilla.

Sam releva brusquement la tête et porta la main à son revolver, sous sa veste.

Le vent. Ce n'était que le vent. Une série de rafales qui ouvrirent de longues déchirures dans le brouillard et secouèrent le véhicule. Au bout de quelques instants, il retomba à l'état d'une simple brise, et le tissu en lambeaux du brouillard se reconstitua ; mais le cœur de Sam battait douloureusement.

32

Tandis que Tessa reposait le téléphone, inutilisable, le bouton de porte arrêta de grincer. Elle resta un instant debout auprès du lit, tous ses sens en alerte, puis s'aventura dans la petite entrée, sur ses gardes, pour appuyer l'oreille à la porte.

Elle entendit des voix, un peu plus loin dans le couloir ; des voix qui s'exprimaient en un étrange murmure rauque et précipité. Elle ne put rien distinguer de ce qu'elles disaient.

Elle était sûre qu'il s'agissait de ceux qui l'avaient poursuivie, invisibles, lorsqu'elle avait été chercher son Coke. Ils étaient de retour. Et ils avaient réussi à couper le téléphone, si bien qu'elle ne pouvait pas appeler à l'aide. C'était insensé, mais c'était pourtant ce qui se passait.

Leur opiniâtreté était pour Tessa la preuve qu'elle n'avait pas affaire à des détrousseurs ou des violeurs ordinaires ; ils s'acharnaient sur elle parce qu'elle était la sœur de Janice et qu'elle enquêtait sur la mort de cette dernière. Elle se demanda cependant comment ils avaient appris son arrivée, et pour quelles raisons ils avaient décidé d'agir avec autant de précipitation, sans même attendre de voir si elle n'allait pas se contenter de régler les affaires de Janice et de repartir. Elle était la seule, avec sa mère, au courant de son intention de vérifier s'il n'y avait pas eu meurtre.

La chair de poule se mit à hérisser ses jambes nues, et elle se sentit vulnérable, en culotte et T-shirt. Elle alla rapidement enfiler des jeans et un sweater.

Elle n'était pas seule dans le motel ; il s'y trouvait d'autres clients. C'était ce qu'avait dit M. Quinn. Pas beaucoup, peut-être seulement deux ou trois. Si le pire se produisait, elle pourrait toujours crier, les gens l'entendraient et ses agresseurs seraient obligés de s'enfuir.

Elle ramassa ses chaussures de sport, dans lesquelles elle avait bourré ses chaussettes, et retourna à la porte.

Des voix au timbre bas et rauque sifflaient et marmonnaient à l'autre bout du long couloir – puis il y eut un craquement puissant comme une détonation, qui la fit pousser un hurlement de peur et sursauter. Un deuxième craquement suivit aussitôt. Elle entendit s'effondrer la porte d'une autre chambre.

Une femme hurla, puis un homme, mais ce sont les autres voix qui la firent frissonner d'horreur. Il y en avait plusieurs, trois, peut-être quatre, des voix ayant quelque chose de surnaturel et d'étonnamment sauvage à la fois. Le couloir, derrière la porte, s'emplit de grognements rudes de prédateurs (elle pensa à des loups), de grondements meurtriers, de glapissements excités et suraigus, et de vociférations qui étaient l'essence même de l'ivresse sanguinaire – sans parler d'autres sons encore moins facilement descriptibles, car elle entendait en même temps l'homme et la femme qui hurlaient. Des hurlements horribles, presque insupportables, débordant de terreur et d'angoisse, comme s'ils étaient poussés par des personnes battues à mort ou pis, encore pis, déchiquetées, mises en pièces et éventrées.

Environ deux ans auparavant, Tessa avait été tourner un documentaire en Irlande du Nord, dont le thème était l'absurdité et l'inutilité de la violence dont le pays était le théâtre ; elle avait eu le malheur d'être présente lors des funérailles de l'un de l'interminable série des « martyrs » – catholique ou protestant, peu importait maintenant, chaque camp avait les siens – lorsque l'assistance s'était transformée en une meute de sauvages. Ils s'étaient répandus dans les rues avoisinant le cimetière, à la recherche de ceux de l'autre confession, et étaient bientôt tombés sur deux officiers de l'armée britannique en civil qui patrouillaient, dans le secteur, en voiture banalisée. Par sa seule densité, la foule immobilisa le véhicule ; elle l'encercla, cassa les vitres, et les deux hommes furent traînés sur la chaussée. Les deux assistants de Tessa avaient pris la fuite, mais elle-même était restée mêlée aux manifestants, la caméra-vidéo sur l'épaule, et elle avait cru voir un instant, au travers de son objectif, quelque chose qui allait au-delà de la réalité et filmer l'enfer. Des yeux hagards, des visages tordus par la haine et la rage, le chagrin oublié, une soif de sang soudain irrésistible : ceux qui étaient venus pleurer leur mort donnant, infatigables, des coups de pied aux deux Britanniques tombés à terre, ne les remettant debout que pour mieux les boxer et les frapper contre la carrosserie de leur voiture, jusqu'à ce que se brise leur colonne vertébrale, jusqu'à ce qu'éclate leur crâne, puis les laissant retomber pour les piétiner de nouveau et frapper encore et encore ce qui n'était plus que deux cadavres. Avec des hurlements, des cris sauvages, des imprécations et des slogans qui se confondaient en une insupportable bouillie sonore, transformée en bande de charognards, la foule se mit à déchiqueter les restes des malheureux. Ce n'étaient ni des hyènes ni des vautours, mais une légion démoniaque surgie des enfers, cherchant non pas à détruire les morts pour en consommer les chairs, mais pleine du désir brûlant de leur voler leur âme. Deux de ces frénétiques remarquèrent Tessa, lui arrachèrent sa caméra qu'ils brisèrent sur le sol avant de la jeter elle-même à terre. Pendant un instant épouvantable, elle fut convaincue qu'elle allait subir le même sort que les Anglais. Les deux hommes se penchèrent sur elle et commencèrent à la saisir par ses vêtements. La haine contorsionnait tellement leurs traits qu'ils ressemblaient davantage à des gargouilles, descendues du faîtage de leur cathédrale, qu'à des êtres humains. Ils avaient renoncé à tout ce qu'il y avait d'humanité en eux et donnaient libre cours aux pulsions encore inscrites génétiquement en eux, léguées par les plus primitifs de leurs ancêtres.

– Pour l'amour de Dieu, non ! avait-elle crié. Pour l'amour de Dieu, je vous en prie !

Peut-être était-ce la mention de Dieu, peut-être le son de sa voix, une voix qui ne se réduisait pas à un glapissement bestial : toujours est-il qu'ils arrêtèrent leur geste, hésitèrent. Elle profita de ce moment de flottement pour s'esquiver au milieu des tourbillons frénétiques de la populace avide de sang.

Ce qu'elle venait d'entendre, à l'autre bout du couloir du motel, était exactement comme ça. Ou pire.

33

Commençant à transpirer alors que le chauffage n'était pas branché, sursautant à chaque nouvelle rafale de vent, Sam appela l'objet B du sous-menu, qui détaillait le programme des conversions de six heures à dix-huit heures le jour même. La liste de noms était précédée de la mention : CONVERSIONS PRÉVUES 450. Harry Talbot n'était pas non plus sur celle-ci.

Sous la rubrique C, de dix-huit heures à minuit, toujours ce même mardi, 274 conversions nouvelles étaient programmées. Le nom de Harry Talbot figurait sur cette troisième et dernière liste.

Sam additionna mentalement les chiffres des trois périodes de conversion et obtint un total de 1 104, soit le même que celui des conversions en attente. Si l'on ajoutait à cela 1 967, le nombre des conversions déjà effectuées, on obtenait un total de 3 071, ce qui correspondait probablement à la population de tout Moonlight Cove. La prochaine fois que sonnerait minuit, dans un petit peu moins de vingt-trois heures, toute la ville aurait été convertie. Quelle que fût la signification à donner à ce terme.

Il chassa le sous-menu de l'écran et était sur le point de couper le moteur avant de s'esquiver, lorsque le mot ALERTE se mit à clignoter sur le VDT. Une bouffée de peur monta en lui, à l'idée qu'on venait de découvrir qu'un intrus se promenait dans le système ; sans doute avait-il déclenché un système d'alarme subtil du programme.

Cependant, au lieu d'ouvrir la porte et de s'enfuir, il regarda l'écran quelques secondes de plus, tenaillé par la curiosité.

CONTRÔLE TÉLÉPHONIQUE INDIQUE AGENT DU FBI
PRÉSENT À MOONLIGHT COVE. POINT D'APPEL :
CABINE PAYANTE, STATION SHELL, OCEAN AVENUE.

L'alerte avait bien un rapport avec lui, mais pas parce qu'on savait qu'il était actuellement assis dans une voiture de patrouille, en train de tenter d'élucider la conspiration New Wave Microtechnology / Faucon-Lune. Évidemment, ces salopards étaient branchés sur le réseau téléphonique et compulsaient régulièrement les mémoires pour vérifier qui avait appelé qui et à quel numéro – même à partir des cabines téléphoniques de la ville, lesquelles, en temps normal, présentent suffisamment de sécurité pour un agent de terrain cherchant à communiquer. Il avait affaire à une organisation parano, à des maniaques de la sécurité et l'étendue de leur réseau électronique le stupéfiait un peu plus à chaque révélation.

HEURE D'APPEL :
19 H 31, LUNDI
13 OCTOBRE.

Au moins n'étaient-ils pas en liaison minute par minute ou heure par heure avec la compagnie du téléphone. De toute évidence, leur ordinateur parcourait les appels mis en mémoire toutes les six ou même huit heures, selon un programme automatique. Sinon il les aurait eus aux trousses tout de suite après le coup de fil qu'il avait donné à Scott, en début de soirée.

Après la légende DESTINATAIRE, apparut son numéro personnel, puis son nom et son adresse à Sherman Oaks. Suivi de :

APPEL FAIT PAR :
SAMUEL H. BOOKER.
MOYEN DE RÈGLEMENT :
CARTE DE CRÉDIT TÉLÉPHONIQUE.
TYPE DE CARTE :
À RÈGLEMENT PAR L'EMPLOYEUR.
ADRESSE OÙ S'EFFECTUE LE RÈGLEMENT :
FEDERAL BUREAU OF INVESTIGATION,
WASHINGTON, D.C.

Ils allaient aussitôt vérifier tous les motels du comté – mais comme il était descendu dans le seul qui fût ouvert en ville, ils ne perdraient pas beaucoup de temps pour le trouver. Il se demanda s'il aurait le temps de courir jusqu'au Cove Lodge, d'y prendre sa voiture et de foncer jusqu'à la prochaine ville, Aberdeen Wells, d'où il pourrait appeler le bureau de San Francisco d'un téléphone qui ne fût pas sur écoute. Il en avait suffisamment appris pour comprendre que quelque chose de fichtrement bizarre se passait dans cette ville, assez pour faire imposer l'autorité fédérale sur la ville et une enquête poussée.

Mais les phrases suivantes qui s'inscrivirent sur l'écran du VDT le convainquirent que cette tentative se solderait à coup sûr par un échec. Et si jamais ils mettaient la main sur lui, il pourrait très bien se transformer en l'une de ces morts accidentelles horribles qui défiaient les statistiques.

Ils connaissaient son adresse personnelle, et Scott courrait aussi peut-être des risques, à Los Angeles, pas forcément dès aujourd'hui, mais sans doute à partir de demain.

MODE DIALOGUE
WATKINS : ES-TU BRANCHÉ, SHOLNICK ?
SHOLNICK : OUI.
WATKINS : VA VOIR AU COVE LODGE.
SHOLNICK : C'EST PARTI.

Un officier de police était déjà en route pour vérifier si Sam n'avait pas pris une chambre au motel. Et la couverture de Sam – celle d'un agent de change ayant assez ramassé d'argent pour chercher un coin tranquille où se retirer sur la côte – cette couverture était fichue.

WATKINS : PETERSON ?
PETERSON : OUI.

Ils ne devaient probablement pas taper leurs noms, qui s'inscrivaient sans doute automatiquement dès qu'ils étaient en mode dialogue et qu'ils appuyaient sur une touche. Rapide, efficace, facile d'emploi.

WATKINS : VA REJOINDRE SHOLNICK.
PETERSON : COMPRIS.
WATKINS : NE LE TUEZ PAS. IL FAUT L'INTERROGER.

Dans tout le secteur de Moonlight Cove, des flics en patrouille dialoguaient par ordinateur, sans passer par les ondes publiques, où on aurait pu facilement capter leurs échanges. Sam avait beau les espionner sans qu'ils s'en doutent, il avait l'impression de s'attaquer à un ennemi presque aussi omniscient que Dieu lui-même.

WATKINS : DANBERRY ?
DANBERRY : OUI. QG.
WATKINS : BLOQUEZ OCEAN AVENUE, DIRECTION L'AUTOROUTE.
DANBERRY : COMPRIS.
SHADDACK : ET LA PETITE FOSTER ?

Sam sursauta en voyant apparaître le nom de Shaddack sur l'écran. L'alerte était apparemment apparue aussi sur son ordinateur personnel ; peut-être se doublait-elle d'un signal sonore qui l'avait réveillé.

WATKINS : TOUJOURS EN VADROUILLE.
SHADDACK : FAUDRAIT PAS QUE BOOKER TOMBE DESSUS PAR HASARD.
WATKINS : ON A ENTOURÉ LA VILLE DE SENTINELLES. ILS L'ATTRAPERONT QUAND ELLE VIENDRA.
SHADDACK : ELLE EN A TROP VU.

Sam avait lu des choses sur Thomas Shaddack, dans les magazines et les journaux. À sa façon, ce type était une célébrité : le grand sorcier des ordinateurs, avec un côté pas mal givré.

Fasciné par ce dialogue révélateur, qui incriminait le personnage et la force de police à sa solde, Sam ne saisit pas immédiatement la signification de cet échange entre le chef Watkins et Danberry : *Danberry... j'écoute. QG... bloquez la bretelle d'Ocean Avenue vers l'autoroute... bien reçu.* Puis il comprit soudain que Danberry se trouvait au quartier général – le QG –, à savoir dans le bâtiment municipal, et qu'à tout moment l'homme pouvait sortir par la porte de derrière et se précipiter vers l'un des quatre véhicules parqués sur le terrain.

– Oh, merde.

Sam s'empara des fils d'allumage et les sépara.

Le moteur eut un hoquet avant de s'arrêter, et l'écran-vidéo devint noir.

Une fraction de seconde plus tard, Danberry faisait exactement ce que Sam avait prévu, et arrivait au pas de course dans le parking.

34

Lorsque les hurlements s'arrêtèrent, Tessa réussit à s'arracher à l'état de transe dans lequel elle était et courut droit au téléphone. Toujours pas de tonalité.

Que fabriquait donc Quinn ? Le bureau du motel était sans doute fermé à cette heure, mais le gérant n'avait-il pas un appartement sur place ? Le vacarme aurait dû l'attirer. Ou bien faisait-il partie de la meute infernale du couloir ?

Ils avaient démoli une porte. Ils pouvaient en faire autant avec la sienne.

Elle saisit l'une des chaises à dossier droit de la chambre, se précipita vers la porte, et l'inclina pour la coincer sous la serrure.

Elle ne pensait plus que la meute fût à sa poursuite parce qu'elle était la sœur de Janice et qu'elle essayait de découvrir la vérité. L'explication ne tenait pas, après l'agression perpétrée contre les autres clients, qui n'avaient rien à voir avec Janice. Il s'agissait de cinglés. Si elle ne comprenait pas ce qui se passait, les implications de ce qui venait de se produire étaient on ne peut plus claires : un tueur psychotique – non, plusieurs psychotiques, à en juger par le boucan qu'ils avaient fait, prosélytes d'un culte bizarre dans le genre de celui de la famille Manson, ou pire, peut-être – étaient lâchés dans le motel. Ils avaient déjà tués deux personnes, et pouvaient tout aussi bien lui en faire autant pour le simple plaisir de la chose. Elle avait l'impression de vivre un mauvais rêve.

Elle s'attendait à voir les murs se mettre à enfler et couler, amorphes, comme dans ces lieux de cauchemar, mais ils restaient solides et immobiles, et couleurs et formes étaient trop précises et nettes pour qu'elle fût dans un rêve.

Elle enfila frénétiquement ses chaussettes et ses chaussures, aussi énervée à l'idée d'être pieds nus qu'un peu plus tôt d'avoir été en petite tenue. Comme si l'on pouvait berner la Camarde avec une garde-robe adéquate.

De nouveau, elle entendit les voix bizarres. Non plus à l'autre bout du couloir. Près de sa porte. Qui s'approchaient. Si seulement il y avait eu un de ces œilletons à grand angle qui permettent de voir sans être vu...

La porte, cependant, n'allait pas tout à fait jusqu'au sol, et en était séparée par un vide d'environ un centimètre. Tessa se laissa tomber sur la moquette, écrasant une joue contre le poil râpé, et scruta le corridor. Sous cette perspective limitée, elle vit quelque chose passer si rapidement devant sa chambre que son œil put à peine suivre le mouvement : mais elle aperçut brièvement des pieds, et cela suffit à changer de manière spectaculaire la notion qu'elle avait des événements. Il ne s'agissait pas d'une manifestation de sauvagerie humaine semblable au bain de sang dont elle avait été témoin en Irlande du Nord – et qui avait failli lui coûter la vie. Au lieu de cela, c'était une rencontre avec l'inconnu, une rupture de la réalité, un dérapage soudain du monde normal vers le surnaturel. Ces pieds ? Extraordinairement longs, larges et plats ; la peau comme du cuir, poilue et sombre, et des orteils si érectiles et dotés de tant d'articulations qu'ils auraient presque pu servir de doigts.

Quelque chose heurta la porte. Violemment.

Tessa bondit sur ses pieds et s'enfuit de l'entrée.

Des voix en délire remplirent le couloir: ce même mélange hallucinant de cris animaux rauques et durs, ponctués d'explosions de mots lâchés à toute vitesse et pour la plupart sans suite.

Elle contourna le lit, gagna la fenêtre, dégagea la crémone et fit glisser le panneau de côté.

La porte fut de nouveau secouée, d'un coup si assourdissant que Tessa eut l'impression d'être à l'intérieur d'un tambour. Elle ne céderait pas aussi facilement que celle des autres clients, grâce à la chaise, mais elle ne supporterait guère que trois ou quatre poussées comme celle-ci avant de s'abattre.

Elle s'assit sur l'appui de la fenêtre, passa les jambes à l'extérieur, regarda en bas. Le trottoir humide de brouillard luisait sous la faible lumière jaune des veilleuses, à environ quatre mètres en dessous. Un saut facile.

Ils frappèrent de nouveau la porte, plus violemment. Il y eut un craquement de bois.

Tessa sauta. Elle atterrit sur le trottoir mouillé, glissa à cause de ses semelles en caoutchouc, mais ne tomba pas.

Au-dessus d'elle, dans la chambre, les craquements du bois se firent encore plus bruyants, tandis que des grincements métalliques signalaient que la serrure était sur le point de se désintégrer.

Elle se trouvait près de l'extrémité nord du bâtiment. Elle crut voir, dans la pénombre, quelque chose bouger dans cette direction. Peut-être ne s'agissait-il que d'un tourbillon de brouillard poussé par le vent, mais elle ne voulait pas prendre le moindre risque, et elle se précipita donc dans l'autre sens, la vaste étendue noire de la mer sur sa droite, de l'autre côté du garde-fou. Le temps qu'elle atteignît l'angle sud du motel, un énorme bruit d'effondrement se répercuta dans la nuit – la porte qui cédait –, suivi des hurlements de la meute qui pénétrait dans la chambre, à sa recherche.

35

Sam n'aurait pu quitter le véhicule de police sans attirer l'attention de Danberry. Quatre berlines identiques attendaient, il avait donc trois chances sur quatre de ne pas être surpris s'il ne bougeait pas. Il se laissa couler aussi bas que possible derrière le volant et s'inclina à droite, par-dessus le clavier de l'ordinateur placé sur la console.

Danberry se rendit à la voiture voisine.

La tête sur la console, le cou tordu pour regarder à travers la fenêtre de droite, Sam vit Danberry déverrouiller la porte de l'autre véhicule. Il pria pour que le flic restât le dos tourné, car les lumières sulfureuses du parking révélaient l'intérieur de la voiture dans laquelle il se faisait tout petit. Un simple coup d'œil dans cette direction, et Danberry l'apercevrait.

Le flic monta dans l'autre berline, claqua la porte – et Sam poussa un soupir de soulagement. Il entendit le moteur démarrer. Danberry sortit de son emplacement de parking et écrasa le champignon lorsqu'il arriva sur le revêtement goudronné de l'allée. Les roues patinèrent et hurlèrent un instant avant de mordre, puis la voiture disparut.

Sam aurait bien voulu relancer son moteur et rallumer l'écran pour savoir où Shaddack et Watkins en étaient de leur édifiante conversation, mais il n'osa pas rester plus longtemps. Avec cette chasse à l'homme qui ne faisait que commencer, les bureaux de la police n'allaient pas tarder à déborder d'activité.

Il ne voulait surtout pas, cependant, leur laisser savoir qu'il avait farfouillé dans leur système informatique et surpris l'une de leur conversation par ordinateurs interposés – plus ils le croiraient ignorant de ce qui se passait, moins ils seraient efficaces dans leur poursuite. Sam remit donc le cylindre du démarreur en place avant de sortir et de verrouiller la porte.

Il préférait ne pas quitter le secteur par l'allée de service, car une voiture de patrouille pouvait s'y présenter à tout moment, d'un côté comme de l'autre, et il se trouverait pris dans le faisceau des phares. Au lieu de cela, il bondit de l'autre côté de l'étroite ruelle et ouvrit un portail, dans une barrière en fer forgé sans prétention ; il entra ainsi dans l'arrière-cour d'une maison de style victorien légèrement décrépite. Les propriétaires avaient laissé la végétation à l'abandon, et elle était devenue tellement touffue et emmêlée qu'on aurait pu croire qu'une famille macabre, due à l'humour noir de Gahan Wilson, vivait là. Il fit tranquillement le tour de la construction, traversa la pelouse de la façade et atteignit Pacific Drive, un coin de rue au sud d'Ocean Avenue.

Aucun hurlement de sirène ne déchirait le calme de la nuit. Il n'entendit ni cris d'alarme, ni pas précipités, ni appels. Mais il n'ignorait pas qu'il venait de réveiller un monstre à cent têtes, et que cette hydre singulièrement dangereuse le cherchait partout dans la ville.

36

Mike Peyser ne savait que faire, il ne le savait pas, il était affolé, en proie à la confusion et affolé, et il n'arrivait pas à penser avec clarté, alors qu'il aurait eu tant besoin de réfléchir avec logique et précision comme un homme, mais la bête sauvage en lui ne cessait de l'emporter ; son esprit travaillait vite et avec acuité, mais était incapable de se fixer sur l'analyse d'une idée pendant plus d'une ou deux minutes. Ces idées vives, ce feu d'artifice mental n'étaient pas ce qu'il fallait pour résoudre son problème ; il devait aussi réfléchir en profondeur. Mais la portée de son attention n'était pas ce qu'elle aurait dû être.

Lorsque finalement il réussit à faire cesser ses cris et à se redresser du sol où il gisait prostré, il se précipita dans la maison obscure et traversa toutes les pièces jusqu'à la salle de bains. À quatre pattes. Il réussit à se redresser à moitié sur ses membres inférieurs en passant le seuil de sa chambre, mais pas davantage. Une fois dans la pièce, que n'éclairait que le vague scintillement du clair de lune à travers la petite fenêtre, au-dessus de la douche, il s'agrippa au bord du lavabo pour se regarder dans la glace de l'armoire à pharmacie ; il ne vit qu'un reflet obscur, sans aucun détail.

Il voulait se persuader qu'il avait retrouvé sa forme naturelle, que son impression d'être prisonnier d'un état altéré n'était que pure hallucination, oui, oui, c'était ce qu'il voulait croire, ce qu'il avait affreusement besoin de croire, de croire, alors même qu'il n'arrivait pas à se redresser complètement, alors même qu'il sentait la différence dans ses mains aux doigts prodigieusement allongés, dans la façon étrange dont sa tête s'emboîtait dans ses épaules, ou ses reins dans ses hanches. Il avait besoin de croire.

Allume, se dit-il.
Impossible.
Allume donc !
Il avait peur.
Il fallait allumer et se regarder.
Mais il restait agrippé au lavabo, incapable de bouger.
Allume.
Au lieu de cela, il se rapprocha du miroir ténébreux, scruta attentivement son reflet indistinct, ne vit rien de plus que les reflets d'ambre pâle de ses yeux bizarres.
Allume.
Il laissa échapper un miaulement d'angoisse et de terreur.
Shaddack, pensa-t-il brusquement. Shaddack, il fallait en parler à Shaddack, Tom Shaddack saurait ce qu'il fallait faire, Shaddack sa meilleure chance, peut-être son unique chance, Shaddack !
Il lâcha le lavabo, se laissa tomber sur le sol, et bondit à quatre pattes dans la chambre. Le téléphone était sur la table de nuit. À chaque foulée, d'une voix alternativement suraiguë et gutturale, perçante et retenue, il répétait ce nom comme s'il était chargé d'un pouvoir magique : *Shaddack, Shaddack, Shaddack, Shaddack...*

37

Tessa Lockland trouva refuge dans une laverie automatique ouverte vingt-quatre heures sur vingt-quatre, à quatre coins de rue à l'est du Cove Lodge, tout près d'Ocean Avenue. Elle voulait un endroit brillamment éclairé, et les tubes de néon, au-dessus de sa tête, ne laissaient pas une ombre. Toute seule dans la laverie, elle s'assit sur une chaise en plastique jaune couturée de cicatrices, et se mit à contempler la rangée d'écoutilles des sèche-linge, comme si une illumination pouvait lui parvenir de quelque source cosmique à travers ces cercles de verre.

En tant qu'auteur de documentaires, elle avait le coup d'œil pour ce qui était de découvrir les structures sous-jacentes, dans les choses, qui donneraient à son travail sa cohérence, tant visuelle que narrative. C'est pourquoi elle n'avait aucune difficulté à mettre au jour les structures de ténèbres, de mort et de forces inconnues qui hantaient cette ville profondément altérée. Les créatures fantastiques qu'elle avait aperçues dans le motel étaient certainement celles dont elle avait entendu les cris sur la plage, un peu plus tôt, et sa sœur avait sans aucun doute été tuée par ces mêmes créatures, quelles qu'elles fussent. Ce qui était peut-être la raison de l'insistance dont les autorités avaient fait preuve, auprès de Marion, pour qu'elle autorisât la crémation du corps de Janice. Non pas parce qu'il avait été à moitié dévoré par les poissons, mais parce que le feu, seul, effacerait tout ce qui pourrait donner lieu aux questions qu'une autopsie impartiale n'aurait pas manqué de soulever. Elle avait aussi observé une conséquence de la corruption qui régnait dans le seul aspect physique d'Ocean Avenue : trop de boutiques étaient fermées ou vides, chose inexplicable dans une ville où le chômage était à peu près inexistant. En outre, elle avait été frappée par l'attitude solennelle des gens qu'elle avait aperçus dans les rues, ainsi que par leur air pressé et affairé – tout à fait anachronique dans une petite agglomération assoupie où le tohu-bohu trépidant de la vie moderne ne se manifestait guère par ailleurs.

Cependant, avoir conscience de ces éléments sous-jacents n'expliquait absolument pas *pour quelles raisons* la police aurait tenu à cacher les causes réelles de la mort de Janice. Ni comment il se faisait que la ville, en dépit de sa prospérité, donnait des signes de marasme économique. Ni, enfin, ce que pouvaient être ces créatures infernales du motel. La vérité se trouvait enfouie quelque part au-delà de ces indices, mais elle était pour l'instant incapable de faire autre chose que d'en dresser le catalogue : cette vérité lui échappait complètement.

Elle restait là, tremblante sous la lumière aveuglante, à respirer des odeurs résiduelles de détergents, d'eau de javel, d'assouplisseurs, auxquelles se joignaient les effluves âcres des mégots dans les cendriers sur pied, et elle s'efforçait d'imaginer ce qu'elle allait maintenant faire. Elle était toujours déterminée à enquêter sur la mort de Janice. Mais elle n'avait plus l'audace de penser qu'elle pourrait jouer les justiciers solitaires. Elle allait avoir besoin d'aide, une aide qu'elle obtiendrait sans doute auprès des autorités du comté ou de l'État.

Première chose à faire : ficher le camp de Moonlight Cove en un seul morceau.

Sa voiture était au Cove Lodge, mais elle n'avait aucune envie d'y retourner. Ces... ces créatures pouvaient très bien s'y trouver encore, ou se dissimuler parmi les arbres, les buissons épais ou ces ombres omniprésentes qui paraissaient faire partie intégrante de la ville. Comme Carmel, un peu plus loin sur la côte californienne, Moonlight Cove était virtuellement bâtie au milieu de la forêt. Tessa adorait Carmel pour sa merveilleuse intégration à la nature, comme si l'architecture et la morphologie du paysage avaient été l'œuvre d'un seul et même artiste. Moonlight Cove, cependant, ne tirait ni style ni grâce de la luxuriance de sa verdure et de la disposition artistique de ses ombres nocturnes, contrairement à Carmel ; bien plutôt, elle paraissait dissimuler, sous un mince vernis de civilisation, quelque chose de primitif et de sauvage qui restait là, tapi, aux aguets. Les bosquets et les rues sombres, loin de fournir des perspectives esthétiques, étaient autant de pièges mortels, de gouffres ouverts sur le surnaturel. Elle aurait trouvé Moonlight Cove beaucoup plus sympathique si tout – rues, allées, parcs, pelouses – avait été éclairé aussi impitoyablement que la laverie dans laquelle elle avait trouvé refuge.

La police se trouvait peut-être maintenant au Cove Lodge, après tout ce tapage. Mais elle ne s'y sentirait pas davantage en sécurité du fait de la présence des flics. Les flics étaient un élément du problème. Ils voudraient l'interroger sur l'assassinat des autres clients. Ils découvriraient qu'elle était la sœur de Janice, et même si elle ne disait pas qu'elle était venue pour tenter d'éclaircir le mystère de sa mort, ils ne manqueraient pas de le soupçonner. S'ils étaient partie prenante dans une conspiration visant à cacher les causes réelles de la mort de Janice, ils n'hésiteraient probablement pas à employer des méthodes définitives pour se débarrasser de Tessa.

Elle devait abandonner son véhicule.

Mais du diable si elle allait quitter la ville à pied et de nuit. Elle aurait pu faire de l'auto-stop sur l'autoroute – avec un peu de chance elle tomberait peut-être sur un brave chauffeur de poids lourd et non sur un obsédé sexuel –, mais entre Moonlight Cove et la nationale, il lui faudrait traverser une zone semi-rurale plongée dans l'obscurité, où le risque serait encore plus grand de tomber sur d'autres de ces monstres mystérieux.

Certes, ils s'étaient attaqués à elle dans un endroit public et éclairé, même s'il n'y avait pas grand monde. Elle n'avait aucune raison sérieuse d'estimer qu'elle se trouvait davantage en sécurité dans cette laverie automatique qu'au fond des bois. Lorsque se rompt la pellicule de civilisation et que les terreurs primitives jaillissent, on n'est en sécurité nulle part, même pas sur les marches d'une église, comme elle l'avait appris en Irlande du Nord et ailleurs.

Elle allait malgré tout rester à la lumière et éviter l'obscurité. Elle venait de franchir une frontière invisible entre la réalité qu'elle avait toujours connue et un monde différent et plus hostile. Tant qu'elle resterait dans cette aire crépusculaire, elle trouvait plus prudent de partir du principe que les ombres offraient moins de sécurité et de confort que les endroits éclairés.

Ce qui ne lui donnait aucun plan d'action, sinon de rester assise dans la laverie et d'attendre le lever du jour. Elle pourrait alors risquer de partir à pied pour l'autoroute, qui n'était pas à côté.

Les vitres des sèche-linge lui retournaient un regard vide.

Un papillon de nuit tardif heurtait doucement les panneaux de plastique translucides suspendus sous les néons.

38

Incapable de faire dans Moonlight Cove l'entrée téméraire qu'elle avait prévue, Chrissie battit en retraite pour s'éloigner du carrefour. Elle resta dans les bois, se déplaçant avec lenteur et prudence d'un arbre à l'autre, s'efforçant de ne pas faire le moindre bruit qui pût attirer l'attention de la sentinelle la plus proche.

Au bout de deux cents mètres, lorsqu'elle fut hors de portée de l'ouïe et de la vue des deux hommes, elle avança d'un pas plus vif. Elle rejoignit finalement l'une des maisons qui bordaient la route secondaire. Cette petite ferme sans étage, avec une vaste pelouse devant, s'abritait au milieu d'un bosquet de pins et de sapins et était à peine visible, maintenant que la lune se couchait. Il n'y avait aucune lumière et pas un bruit.

Elle avait besoin de prendre le temps de réfléchir, et elle voulait échapper au froid humide de la nuit. Avec l'espoir qu'aucun chien ne gardait la maison, elle se faufila jusqu'au garage, évitant de marcher sur l'allée de graviers pour ne pas faire de bruit. Comme elle s'y était attendue, outre son portail, il possédait une petite porte latérale. Elle n'était pas verrouillée. Chrissie pénétra dans le garage et la referma derrière elle.

Chrissie Foster, agent secret, pénètre dans les installations de l'ennemi en passant astucieusement par une porte latérale, murmura-t-elle.

De vagues reflets du vague clair de lune pénétraient bien dans le garage par les panneaux vitrés de la porte et par deux hautes fenêtres étroites, mais ne révélaient à peu près rien. À peine devina-t-elle des chromes aux formes incurvées et des vitres de pare-brise indiquant la présence de deux véhicules.

Elle s'approcha du premier avec autant de précautions que si elle avait été aveugle, mains tendues devant elle, redoutant de heurter quelque chose. La voiture n'était pas fermée. Elle se glissa derrière le volant et laissa la porte ouverte pour bénéficier de la lumière du plafonnier. Elle se dit qu'on pouvait peut-être en voir un reflet depuis la maison, à travers les vitres, si jamais quelqu'un se réveillait, mais c'était un risque à courir.

Elle fouilla les différents vide-poches, sous le tableau de bord et dans les portes, et regarda jusque sous les sièges, avec l'espoir de trouver quelque chose à manger, car la plupart des gens ont toujours des confiseries, des biscuits ou des noix salés, bref *quelque chose* à se mettre sous la dent, dans leur voiture. Elle avait mangé, dans son placard, au milieu de l'après-midi, mais cela faisait maintenant dix heures qu'elle n'avait rien avalé, et son estomac protestait. Elle ne s'attendait pas à trouver un gâteau au chocolat ou de quoi se préparer un sandwich jambon-cornichons, mais elle avait espéré mieux, tout de même, qu'une plaque de chewing-gum et un unique bonbon à la menthe – et encore, un petit, de ceux avec un trou au milieu, couvert de poussière, de débris et de bourre de la moquette sur laquelle il était collé.

Comme si elle lisait les titres d'un journal à sensation, elle dit : *Affamée au pays de cocagne, une tragédie moderne, une jeune fille trouvée morte dans un garage. « Je voulais juste quelques cacahuètes », a-t-elle écrit avec son sang.*

Dans l'autre voiture, elle trouva cependant deux barres de Hershey aux amandes.

– Mon Dieu, merci. Votre amie, Chrissie.

Elle dévora la première barre, mais fit durer la seconde, n'en prenant que de petits morceaux qu'elle laissait fondre dans sa bouche.

Tout en mangeant, elle réfléchissait au moyen de pénétrer dans Moonlight Cove. Le temps de finir le chocolat...

Une jeune intoxiquée au chocolat retrouvée morte dans un garage, victime d'une crise terminale d'acné.

... elle tenait un plan.

L'heure à laquelle elle se couchait d'ordinaire était passée depuis longtemps, l'activité physique qu'elle avait dû déployer toute la nuit l'avait épuisée et elle n'avait qu'une envie, rester là dans le véhicule, le ventre plein de chocolat au lait et d'amandes, et y dormir deux heures avant de mettre son plan en action. Elle bâilla et s'enfonça dans le siège. Elle avait mal partout et les paupières si lourdes qu'elles lui semblaient avoir été lestées de plomb par un thanatopracteur trop zélé.

Mais cette image d'elle-même en cadavre fut tellement désagréable qu'elle bondit immédiatement hors de la voiture dont elle referma la porte. Si elle s'endormait ici, jamais elle ne se réveillerait, selon toute probabilité, avant que quelqu'un ne vînt dans le garage, au matin. Les propriétaires faisaient peut-être partie des convertis, comme ses parents, et dans ce cas-là elle était fichue.

À l'extérieur, frissonnant sous les morsures du vent, elle revint à la route secondaire et prit au nord. Elle passa devant deux autres maisons noires et silencieuses, longea un bois et arriva à une quatrième maison, une construction dans le style ranch, au toit de bardeaux, aux murs de panneaux de bois.

Elle connaissait les gens qui y vivaient, M. et Mme Eulane. Cette dernière s'occupait de la cantine de l'école, tandis que son mari, jardinier, comptait de nombreux clients dans la population de Moonlight Cove. Tôt chaque matin, M. Eulane se rendait en ville dans son petit camion blanc, dont le plateau était chargé de tondeuses à gazon, de tronçonneuses, de taille-haies, de rateaux, de pelles, de sacs de fertilisants et de terreau – bref de tout ce qu'exigeait son métier ; les premiers élèves arrivaient à peine lorsqu'il laissait Mme Eulane à l'école avant d'aller chez ses clients. Chrissie songea qu'elle pourrait trouver un coin où se cacher à l'arrière du camion, fermé de ridelles en bois, parmi tout ce matériel de jardinage.

Le camion des Eulane se trouvait dans le garage qui, là non plus, n'était pas fermé. Mais on était à la campagne, après tout, les gens se faisaient encore mutuellement confiance – ce qui était une bonne chose, sauf qu'elle facilitait la tâche aux extra-terrestres.

La seule fenêtre, minuscule, ne donnait pas vers la maison, et Chrissie prit le risque d'allumer la lumière en entrant. Elle escalada tranquillement le côté du camion et se faufila au milieu du matériel de jardinage, qui occupait les deux tiers de la plate-forme, vers l'arrière. Juste derrière la cabine, flanqué de sachets de fertilisants, de paquets d'anti-limaces et de sacs de terreau, se trouvait une pile de bâches en grosse toile qui, pliées, faisaient presque un mètre de haut ; M. Eulane s'en servait pour recueillir les débris végétaux qu'il devait aller jeter à la décharge. Elle pouvait se servir des unes comme matelas, des autres comme couvertures et dormir là jusqu'au matin, cachée au milieu des bâches, entre les sacs de terreau, et y rester encore ensuite jusqu'à Moonlight Cove.

Elle redescendit du camion, éteignit la lumière, puis, dans l'obscurité, revint avec précaution sur la plate-forme, où elle se fit un nid dans les bâches. La toile la grattait un peu. Après des années d'usage, elle s'était imprégnée de l'odeur du gazon fraîchement coupé, agréable au début mais écœurante à la longue. Au moins, quelques épaisseurs suffisaient-elles à conserver sa chaleur, et au bout de quelques minutes, elle eut chaud pour la première fois de la nuit.

Et tandis que la nuit avançait (se raconta-t-elle), *la jeune Chrissie, masquant ses odeurs corporelles dans le parfum de l'herbe qui imprégnait la toile, se dissimula astucieusement, échappant ainsi aux recherches des extra-terrestres (ou peut-être des loups-garous) dont l'odorat était aussi développé que celui des chiens de chasse.*

39

Sam trouva provisoirement refuge dans le terrain de jeux sans éclairage de l'école élémentaire Thomas Jefferson, côté sud de la ville, sur Palomino Street. Il s'assit sur l'une des balançoires, se tenant aux chaînes de suspension, et se fit même légèrement osciller pendant qu'il réfléchissait à la conduite à suivre.

Il était exclu de quitter Moonlight Cove en voiture. Son véhicule de location était au motel, où il serait appréhendé dès qu'il montrerait le bout de son nez. Il aurait pu voler une voiture, mais il se souvenait de l'échange par ordinateur, lorsque Watkins avait donné l'ordre à Danberry de bloquer la bretelle qui donnait sur la nationale. Toutes les issues étaient gardées.

D'autant mieux gardées que Watkins avait également parlé des sentinelles postées tout autour de l'agglomération, pour intercepter une certaine « petite Foster ». Ce qui excluait donc aussi l'idée de passer à travers champs, après avoir gagné les limites de la ville en se glissant d'une rue à l'autre. Sam avait confiance en son instinct de conservation et en sa débrouillardise, mais il n'avait pas pratiqué ce genre de manœuvre de retraite en terrain inconnu depuis la guerre, c'est-à-dire depuis vingt ans. Si des hommes étaient en embuscade autour du périmètre de la ville, il avait toutes les chances de tomber sur l'un d'eux. Ou sur plusieurs.

Il était prêt à prendre des risques, mais il devait absolument éviter de tomber dans leurs mains avant d'avoir pu donner un coup de téléphone au Bureau, pour faire son rapport et demander des renforts d'urgence. S'il se transformait en un accroc supplémentaire dans les statistiques de cette capitale mondiale des morts accidentelles, le Bureau enverrait d'autres hommes à sa place, et la vérité finirait par éclater – mais peut-être trop tard.

Tandis qu'il se balançait doucement, surtout poussé par le vent, dans le brouillard qui se dissipait rapidement, il revint par la pensée sur ces programmes qu'il avait vus sur la VDT. Tout le monde, dans la ville, serait converti au cours des prochaines vingt-quatre heures. Bien que n'ayant pas la moindre idée de *ce à quoi* ils seraient convertis, le terme lui plaisait de moins en moins. Et il avait le sentiment qu'une fois que ces programmes auraient été mis à exécution, une fois que tout le monde aurait été converti, accéder à la vérité à Moonlight Cove deviendrait aussi difficile que d'ouvrir une série sans fin de poupées gigognes au titanium, scellées les unes dans les autres au rayon laser.

Bon. La première chose à faire était de donner un coup de fil au Bureau. Le réseau téléphonique de la ville était sous surveillance, d'accord, mais il se fichait que son appel fût relevé par un ordinateur, ou même que sa conversation fût enregistrée mot pour mot. Il avait juste besoin d'être entre trente secondes et une minute en ligne avec le Bureau, et des renforts massifs partiraient immédiatement. Il n'aurait plus alors qu'à se tenir à carreau et à éviter les flics pendant deux ou trois heures, jusqu'à l'arrivée de ses collègues.

Impossible d'aller frapper chez quelqu'un pour demander à se servir du téléphone : il ignorait en qui il pouvait avoir confiance. Morrie Stein lui avait expliqué comment, au bout d'un jour ou deux, on était submergé par l'impression paranoïaque que Big Brother surveillait tous vos mouvements. Il n'avait fallu que quelques heures à Sam pour atteindre ce stade – et le dépasser de quelques degrés. Il était dans un état de tension constante, d'inquiétude permanente, comme il n'en avait jamais connu depuis qu'il avait quitté les champs de bataille de la jungle, deux décennies auparavant.

Une cabine publique. Oui, mais sûrement pas celle de la station Shell. Il fallait être fou pour retourner dans un endroit où l'on avait été déjà repéré une fois quand on avait toute la police d'une ville à ses trousses.

Il se rappela l'existence d'au moins une autre cabine, qu'il avait remarquée au cours de ses allées et venues dans Moonlight Cove. Il quitta la balançoire, mit les mains dans ses poches, fit le gros dos contre le vent glacial et se dirigea vers la rue.

Il se demandait, tout en marchant, qui pouvait bien être cette « petite Foster », dont Watkins et Shaddack avaient parlé. Qu'avait-elle donc vu ? Il soupçonna qu'elle pouvait être une clef pour comprendre la conspiration. Quelle que fût la chose dont elle avait été le témoin, peut-être expliquait-elle le sens du mot « conversion ».

40

On aurait dit que les murs avaient saigné. Un suintement pourpre dessinait un réseau irrégulier qui ruisselait sur la peinture jaune pâle.

Dans la chambre du premier, au Cove Lodge, Loman Watkins se sentit écœuré par le carnage... mais aussi étrangement excité.

Le corps de l'homme gisait au sol, à côté du lit en désordre, affreusement mordu et déchiqueté. Dans un état pire encore, la femme était étendue dans le couloir, un tas sanguinolent écarlate sur l'orange de la moquette.

L'air empestait le sang, la bile, les matières fécales et l'urine – un mélange qui, pour Loman, était de plus en plus familier, au fur et à mesure que les victimes des régressifs devenaient plus fréquentes, chaque semaine, chaque jour. Cette fois, cependant, comme jamais auparavant, il trouvait une douceur aguichante sous la première impression de puanteur. Il prit plusieurs profondes inspirations, peu convaincu qu'il pût y avoir le moindre attrait dans cet épouvantable remugle. Mais il n'était pourtant pas plus capable de le nier – ou d'y résister – qu'un chien courant ne peut résister à l'odeur du renard.

Il avait beau avoir du mal à supporter ces effluves tentateurs, il était terrifié par la réaction qu'ils suscitaient en lui, et son sang lui paraissait devenir plus froid dans ses veines tandis qu'augmentait l'intensité du plaisir que lui procurait cette puanteur biologique.

Barry Sholnick, le policier que Watkins avait dépêché au Cove Lodge, *via* l'ordinateur, pour arrêter Sam Booker, et qui était tombé à la place sur ce massacre, se tenait près de la fenêtre et semblait ne pouvoir détacher les yeux du cadavre de l'homme. Il était au motel depuis plus longtemps que tout le monde, presque une demi-heure, déjà, assez longtemps pour avoir pu commencer à voir les victimes avec ce détachement que les policiers doivent cultiver, comme si des morts et des cadavres ravagés n'étaient pas plus remarquables que d'autres éléments du mobilier. Et cependant Sholnick ne pouvait détourner les yeux de l'homme éviscéré, de cette scène de carnage dégoulinante de sang. Il était manifestement tétanisé par cet abominable détritus et la violence dont il était le témoignage.

Nous avons en horreur ce que deviennent les régressifs et ce qu'ils font, songea Loman, mais d'une manière morbide, nous les envions, ainsi que leur ultime liberté.

Quelque chose en lui – et, soupçonnait-il, chez tous ceux de la Nouvelle Race – mourait d'envie de se joindre aux régressifs. Comme en début de soirée, chez les Foster, Loman éprouvait le désir de se servir du récent contrôle qu'il avait pris sur son corps non pour s'élever, comme l'avait voulu Shaddack, mais pour s'abaisser jusqu'à la sauvagerie la plus bestiale. Il avait envie de descendre à un niveau de conscience où les réflexions sur le sens de la vie ne le troubleraient plus, où les défis intellectuels seraient absents, où il serait une créature dont l'existence se définirait essentiellement par des *sensations*, où chaque décision serait prise uniquement sur la base de ce qui lui ferait plaisir : un état qu'aucune pensée complexe ne viendrait assombrir. Ô Seigneur, être débarrassé du double fardeau de la civilisation et de l'intelligence supérieure !

Sholnick émit un grondement sourd, presque un raclement de gorge.

Loman leva la tête.

Une lueur sauvage brillait dans les yeux bruns du jeune policier.

Est-ce que je suis aussi pâle que lui ? se demanda Loman. Ai-je une expression aussi bizarre ?

Pendant un moment, le regard des deux hommes se croisa, puis Sholnick détourna les yeux, comme s'il avait été surpris dans une posture honteuse.

Le cœur de Loman cognait.

Sholnick se mit à regarder par la fenêtre, vers les ténèbres de l'océan. Il tenait les poings serrés contre lui.

Loman tremblait.

L'odeur, diaboliquement douce. L'odeur de la chasse, l'odeur de la mise à mort.

Il se détourna du cadavre et sortit de la pièce, mais une fois dans le couloir, la vue du cadavre de la femme, à demi nu, lacéré, entaillé, ne lui procura aucun soulagement. Bob Trott, l'une des nouvelles recrues engagées lorsque la brigade était passée à douze hommes, la semaine précédente, se tenait au-dessus des pitoyables restes. C'était un solide gaillard, qui rendait dix centimètres et douze kilos à Loman, avec un visage aux plans durs et comme ciselés. Il regardait le cadavre avec un sourire léger. Et malsain.

Empourpré, la vue commençant à se brouiller, un picotement dans les yeux à cause de la lumière dure des tubes fluo, Loman commanda d'un ton sec :

– Suivez-moi, Trott, avant de partir, le long du couloir, vers l'autre chambre dont la porte avait été enfoncée.

Avec une répugnance évidente, le policier finit par lui emboîter le pas.

Le temps que Loman arrivât à destination, Paul Amberlay, un autre de ses hommes, fit son apparition à l'extrémité nord du couloir. Il arrivait du bureau de réception, où Loman l'avait envoyé vérifier le registre des entrées.

– Le couple du vingt-quatre s'appelait Jenks. Sarah et Charles, dit Amberlay.

Âgé de vingt-cinq ans, mince et musclé, intelligent, le jeune policier avait un visage en pointe aux yeux enfoncés qui lui faisait toujours penser à un renard.

– Ils sont de Portland.

– Et au trente-six ?

– Tessa Lockland, de San Diego.

– Lockland ?

Loman cilla.

Le jeune policier épela le nom.

– Quand est-elle arrivée ?

– Juste ce soir.

– La veuve du pasteur, Janice Capshaw... Lockland était son nom de jeune fille. J'ai eu affaire à la mère, au téléphone, et elle était de San Diego. Une sacrée vieille entêtée, celle-là. Mille questions. Pas facile de lui faire accepter la crémation. Elle a dit que son autre fille était hors du pays, dans un coin au diable, on ne pouvait pas la joindre rapidement, mais qu'elle viendrait dans environ un mois pour vider la maison et régler les affaires de Mme Capshaw. C'est certainement la sœur en question.

Loman précéda ses hommes dans la chambre de Tessa, à deux portes du numéro quarante, celle de Booker. Le vent soufflait par la fenêtre ouverte. Du mobilier en miettes, des draps déchirés et les débris d'un poste de télévision jonchaient le sol de la pièce ; mais il n'y avait pas de traces de sang. La chambre avait déjà été fouillée, et on n'avait découvert aucun corps ; la fenêtre ouverte indiquait que son occupante s'était enfuie avant que les régressifs n'eussent réussi à démolir la porte.

– Ainsi donc, Booker traîne quelque part par là, dit Loman. On peut supposer qu'il a vu les régressifs ou entendu ce qui s'est passé. Il sait que quelque chose cloche par ici. Il ne comprend pas quoi, mais il en sait assez... trop, même.

– On peut parier qu'il est en train de se démener pour téléphoner à son foutu Bureau, remarqua Trott.

Loman acquiesça.

– Et en plus, on a maintenant cette salope de Lockland sur les bras, qui doit commencer à se dire que sa sœur ne s'est jamais suicidée et qu'elle a dû être massacrée comme le couple de Portland.

– La chose la plus logique qui lui reste à faire, observa Amberlay, c'est de venir directement chez nous – à la police. Elle va nous tomber dans les bras, pas sur les bras.

– C'est possible, admit Loman, qui ne paraissait pas tout à fait convaincu.

Il commença à fouiller parmi les affaires.

– Aidez-moi à trouver son sac. Avec les autres en train d'enfoncer la porte, elle a dû sauter par la fenêtre sans prendre le temps de l'emporter.

Trott le retrouva coincé entre le lit et l'une des tables de nuit.

Loman en vida le contenu sur le matelas. Il commença par le portefeuille, dédaigna les cartes de crédit et les photos et s'empara du permis de conduire. D'après la description de ce document, elle mesurait un mètre soixante-deux, pesait cinquante-deux kilos, et était blonde aux yeux bleus. Loman tendit le permis aux deux autres pour qu'ils pussent voir la photo.

– Beau brin de fille, remarqua Amberlay.

– Elle est à croquer, ajouta Trott.

Le choix quelque peu gastronomique de l'expression du jeune policier donna un frisson à Loman. Il ne put s'empêcher de se demander si, pour Trott, « à croquer » était un euphémisme pour « baisable » ou bien s'il n'exprimait pas son désir inconscient de mordre à belles dents dans la jeune femme, comme les régressifs l'avaient fait avec le couple de Portland.

– Maintenant, on sait de quoi elle a l'air. Ça aide.

Les traits aigus et durs de Trott ne convenaient guère à l'expression d'émotions douces comme l'affection et le plaisir ; en revanche, ils traduisaient à la perfection l'appétit animal et le besoin de violence qui mijotaient au plus profond de lui-même.

– Vous voulez qu'on vous la ramène ?

– Oui. Elle ne sait rien, en fait, mais d'un autre côté, elle en sait tout de même trop. En particulier qu'un couple a été tué dans la chambre à côté. Peut-être même a-t-elle vu un régressif.

– Il est possible que les régressifs l'aient suivie par la fenêtre et attrapée, suggéra Amberlay. On risque de trouver son corps quelque part dans les environs, autour du motel.

– Ce n'est pas exclu, répondit Loman. Mais sinon, il faut mettre la main dessus et me la ramener. Vous avez appelé Callan ?

– Oui.

– Et puis il faut faire nettoyer tout ça, reprit le chef de la police. Absolument rien de cette affaire ne doit filtrer jusqu'à minuit, jusqu'à ce que tout le monde, à Moonlight Cove, ait subi le Changement. Alors, quand cela sera terminé, nous pourrons nous concentrer sur la question des régressifs, les retrouver et les éliminer.

Trott et Amberlay croisèrent le regard de Loman, puis se regardèrent entre eux. Cet échange suffit à faire comprendre à Loman qu'ils avaient pris conscience, comme lui, que tous les convertis étaient des régressifs en puissance ; que eux aussi ressentaient l'appel de cet état primitif de liberté totale. Personne n'osait en parler, car le faire revenait à admettre que le projet Faucon-Lune était entaché d'un vice profond et que la damnation les attendait tous.

41

Mike Peyser entendit la tonalité et ses doigts anormalement longs et durs s'énervèrent sur les boutons, trop petits et trop rapprochés pour eux. Tout d'un coup, il prit conscience qu'il ne pouvait pas appeler Shaddack, qu'il *n'oserait pas* l'appeler, alors qu'ils se connaissaient depuis plus de vingt ans, depuis qu'ils avaient été étudiants ensemble à Stanford. Il n'était pas question de prévenir Shaddack, même si ce dernier avait fait de lui ce qu'il était. Il le considérerait comme un hors-la loi, un régressif, maintenant, le ferait enfermer dans un laboratoire, et soit il le traiterait avec toute la tendresse d'un expérimentateur faisant de la vivisection sur un rat blanc, soit il le détruirait purement et simplement pour ne pas remettre en cause la conversion en cours à Moonlight Cove. Peyser hurla de frustration. Il arracha le téléphone du mur et le jeta à travers la chambre. L'appareil alla fracasser la glace de la penderie.

Cette soudaine vision de Shaddack sous la forme d'un ennemi puissant plutôt que sous celle d'un ami et d'un mentor fut la dernière pensée entièrement claire et rationnelle de Peyser pendant un certain temps. Sa peur avait joué le rôle d'une trappe qui se serait ouverte sous ses pieds, et il s'était effondré dans les ténèbres du cerveau primitif auquel il avait lâché les rênes pendant sa nuit de chasse. Il se mit à aller et venir dans la maison, d'une allure parfois frénétique, parfois accablée, sans très bien savoir ce qui alternativement l'excitait et le déprimait ni comprendre les instincts sauvages qui bouillonnaient en lui, davantage poussé par des sensations que par des raisons.

Il alla se soulager dans un coin du séjour, renifla sa propre urine, puis retourna à la cuisine pour manger de nouveau. De temps en temps, son esprit s'éclaircissait et il tentait de rendre à son corps une forme plus civilisée ; mais comme son organisme ne répondait pas, il retombait dans l'obscurité de la pensée animale. Il eut plusieurs fois des éclairs de lucidité suffisants pour apprécier toute l'ironie qu'il y avait à se trouver rabaissé à un tel degré de sauvagerie par un procédé – le Changement – conçu pour élever au statut de surhomme ; mais cette réflexion était insupportablement sinistre, et il accueillait presque avec joie une nouvelle plongée dans la bestialité.

À plusieurs reprises, aussi bien lorsqu'il barbotait dans la conscience primitive que lorsque les nuages se dissipaient dans son esprit, il pensa au garçon, Eddie Valdovski, le petit garçon si tendre, et un frisson d'excitation le parcourut alors au souvenir du sang, du sang délicieux, du sang frais qui fumait dans l'air froid de la nuit.

42

Physiquement et mentalement épuisée, Chrissie, malgré tout, n'arrivait pas à dormir. Au milieu des toiles de bâche, dans le camion de M. Eulane, elle oscillait sur l'imprécise frontière entre la veille et le sommeil, avec pour seul désir de plonger dans l'inconscience.

Elle se sentait insatisfaite et frustrée, comme si elle avait laissé quelque chose d'inachevé – et soudain elle se mit à pleurer. Enfouissant son visage dans la toile rude au parfum d'herbe, elle chiala comme elle ne l'avait pas fait depuis des années, avec l'abandon d'un bébé. Elle pleurait son père et sa mère, peut-être à jamais perdus, non pas proprement enlevés à son affection par la mort, mais par quelque chose d'ignoble, de sale, d'inhumain, de diabolique. Elle pleura sur l'adolescence qui aurait pu être la sienne – les chevaux, les pâturages en bord de mer, les livres qu'on lit sur la plage –, mais cette perspective venait d'être réduite à néant. Elle pleura enfin une perte qu'elle ressentait sans pouvoir l'identifier, bien qu'avec le vague soupçon que c'était son innocence, ou peut-être la foi qu'elle avait toujours eue dans le triomphe du bien sur le mal.

Aucune des héroïnes de roman qu'elle connaissait ne se serait autorisé un tel débordement incontrôlé, et Chrissie se sentait gênée par ses torrents de larmes. Mais pleurer était aussi humain que se tromper, et peut-être avait-elle besoin de pleurer, en partie, pour se prouver qu'il n'y avait de planté en elle aucune de ces graines monstrueuses qui avaient pris racine et déployé leurs rameaux chez ses parents. En pleurant, elle était toujours Chrissie. Pleurer était la preuve que personne ne lui avait volé son âme.

Elle s'endormit.

43

Sam avait vu une autre cabine téléphonique dans une deuxième station-service, à un coin de rue au nord d'Ocean Avenue, qui avait cessé ses activités. Une poussière grisâtre couvrait les vitres et on avait scotché sur l'une d'elles un panonceau hâtivement griffonné À VENDRE, comme si en fait le propriétaire se moquait de l'affaire, et voulait simplement paraître plus crédible. Le vent avait soufflé des feuilles mortes craquantes et des aiguilles de pin sèches contre les pompes, où elles s'amassaient comme des bancs de neige.

La cabine était visible de la rue. Sam ne referma pas la porte par crainte de déclencher l'éclairage et de risquer d'attirer éventuellement l'attention de la police.

Pas de tonalité. Il glissa une pièce dans le monnayeur avec l'espoir de la provoquer. Toujours rien.

Il secoua le support ; la pièce lui fut restituée.

Il essaya une deuxième fois, inutilement.

Il songea que les cabines étaient parfois installées à l'initiative des commerçants, qui partageaient alors les bénéfices de l'opération avec la compagnie du téléphone. La ligne avait peut-être été coupée au moment de la fermeture de la station-service.

Il soupçonna néanmoins la police de s'être arrangée pour mettre hors service les cabines téléphoniques de Moonlight Cove. Sans doute avait-elle pris cette mesure dès qu'elle avait su qu'un agent fédéral se trouvait secrètement en ville, pour l'empêcher de prendre contact avec le monde extérieur.

Au cours de sa promenade, après le dîner, il était passé devant une laverie automatique et croyait bien se souvenir avoir aperçu un téléphone public, installé sur le mur du fond, au bout d'une rangée d'appareils industriels carrossés en acier.

Il quitta la station-service désaffectée. Évitant le plus possible les lampadaires – qui n'illuminaient les rues latérales d'Ocean Avenue que sur la longueur d'un pâté de maisons –, il utilisa le plus possible les allées de service, et se glissa dans la ville silencieuse vers la rue où il se souvenait avoir vu la laverie. Il regrettait que le vent ne permît pas au brouillard de s'épaissir.

Au dernier carrefour avant la rue de la laverie, il faillit tomber directement sous les yeux d'un flic qui roulait vers le sud de la ville. Il avançait lentement, regardant des deux côtés de la rue. Heureusement, il avait la tête tournée de l'autre côté au moment précis où Sam arrivait dans l'inévitable rond de lumière, à l'angle des deux rues.

Il bondit en arrière et s'écrasa dans l'entrée d'un bâtiment de deux étages, qui abritait divers professionnels : un dentiste, deux avocats, un médecin et un chiropracteur. Si le véhicule de police tournait à gauche, il allait probablement être repéré ; pas si le flic continuait tout droit sur Ocean Avenue, ou tournait à droite.

S'incrustant le dos dans la porte fermée pour se tenir aussi loin que possible de la lumière, dans l'attente de voir ce qu'allait faire le véhicule à l'approche insupportablement lente, Sam eut le temps de se dire que même pour une heure et demie du matin, Moonlight Cove était particulièrement calme et les rues étonnamment désertes. Même les petites villes ont leurs noctambules ; il aurait dû apercevoir un ou deux piétons, une voiture ici et là, un signe d'activité quelconque, outre celle de la police.

Le véhicule blanc et noir tourna à droite, s'éloignant de lui.

Bien que le danger se fût éloigné, Sam resta dans la pénombre de l'entrée et refit en esprit son itinéraire depuis le Cove Lodge jusqu'ici, en passant par l'immeuble municipal et la station-service fermée. Il ne se souvint pas être passé devant une maison où l'on entendait le son de la musique ou les vociférations d'une télévision, ou bien encore des rires indiquant une soirée animée. Il n'avait vu aucun couple échangeant un baiser passionné dans une voiture en stationnement. Les rares restaurants et tavernes étaient apparemment fermés, tout comme les salles de cinéma. On se serait cru dans une ville fantôme s'il n'y avait eu ses mouvements et ceux de la police.

Comme si les salles à manger, les chambres et les cuisines des maisons n'avaient été habitées, le jour, que par des cadavres en train de refroidir, ou par des robots singeant des êtres humains que l'on coupait la nuit pour faire des économies d'énergie, quand il n'était plus indispensable de donner l'illusion de la vie.

De plus en plus inquiet par le terme « conversion » et sa mystérieuse signification dans le cadre du projet Faucon-Lune, il quitta l'entrée, tourna au carrefour et courut, dans la rue brillamment éclairée, jusqu'à la laverie. Il vit le téléphone en poussant la porte.

Il pressa le pas dans la longue salle – sèche-linge à droite, une double rangée de lave-linge à gauche, dos à dos, quelques chaises au bout et le long du mur de gauche, à côté de distributeurs de confiseries et de détergent, et du comptoir de pliage – sans se rendre compte tout de suite qu'il n'était pas seul. Une petite blonde en jeans décolorés et chandail bleu était assise sur l'une des chaises de plastique. Aucun des appareils ne fonctionnait et la femme ne paraissait même pas avoir un panier de linge avec elle.

Il fut tellement stupéfait – une personne vivante, un *civil* vivant, dans cette nuit sépulcrale ! – qu'il s'immobilisa sur place, clignant des yeux.

Elle était perchée sur l'extrémité du siège, visiblement tendue, l'œil agrandi, les poings serrés sur les genoux, et paraissait retenir sa respiration.

Sam se rendit compte qu'il lui avait fait peur.

– Désolé, dit-il.

Elle le regardait comme un lapin doit regarder un renard.

Prenant conscience qu'il devait avoir l'air affolé, sinon surexcité, il ajouta :

– Je ne suis pas dangereux.

– Ils disent tous ça.

– Qui ça, tous ?

– Mais moi, je le suis.

– Vous êtes quoi ?

Il ne comprenait pas.

– Dangereuse.

– Vraiment ?

Elle se leva.

– Je suis ceinture noire.

Pour la première fois depuis des jours, un véritable sourire illumina le visage de Sam.

– Vous êtes capable de tuer avec vos deux mains nues ?

Elle le regarda quelques instants, pâle et tremblante. Quand elle parla, ce fut avec une agressivité chargée d'une colère exagérée.

– Hé, arrête de te payer ma tête, trouduc, ou alors commence à numéroter tes abattis.

Finalement, étonné par tant de véhémence, Sam commença à mettre en perspective ce qu'il avait observé dès son entrée. Aucun appareil ne fonctionnait. Pas de linge. Pas de boîte de poudre à laver ou d'adoucisseur.

– Qu'est-ce qui ne va pas ? demanda-t-il, soudain soupçonneux.

– Rien, si vous gardez vos distances.

Il se demanda si par hasard elle ne savait pas que les flics du coin cherchaient à lui mettre la main dessus. Non, c'était une hypothèse idiote. Comment aurait-elle pu être au courant ?

– Mais qu'est-ce que vous fabriquez ici, si vous n'avez pas de linge à laver ?

– Ça vous regarde ? C'est à vous, cette poubelle ? rétorqua-t-elle avec un geste vers l'établissement miteux.

– Non. Et ne me dites pas qu'elle vous appartient non plus.

Elle le foudroya du regard.

Il l'étudia un instant, se rendant compte, peu à peu, à quel point elle était ravissante. Elle avait les yeux d'un bleu aussi intense qu'un ciel de juin, la peau aussi claire qu'une journée d'été et paraissait complètement déplacée en cette sombre nuit d'octobre, surtout dans cette laverie minable à une heure et demie du matin. Lorsqu'il eut définitivement et pleinement enregistré sa beauté, d'autres choses aussi le frappèrent, y compris l'intensité de sa peur que trahissaient non seulement ses yeux écarquillés, mais les plis autour de sa bouche. Une peur sans commune mesure avec la menace qu'il pouvait constituer. S'il avait été un Hell's Angel d'un mètre quatre-vingt-dix et cent vingt kilos, couvert de tatouages, un revolver dans une main, un poignard de trente centimètres dans l'autre, et avait fait irruption dans le magasin en hurlant des couplets sataniques, on aurait pu comprendre la mortelle pâleur de son visage et son regard où se lisait une épouvante absolue. Mais il n'était que Sam Booker, dont la meilleure couverture, en tant qu'agent, était son côté type ordinaire et inoffensif.

Mis mal à l'aise par l'inquiétude qu'elle trahissait, il dit :

– Le téléphone.

– Quoi ?

Il indiqua l'appareil à pièces, accroché au mur.

– Oui, répondit-elle comme si elle lui confirmait qu'en effet, il s'agissait bien d'un téléphone.

– Je suis juste entré pour appeler.

– Oh !

La surveillant du coin de l'œil, il se dirigea vers l'appareil, introduisit sa pièce, sans obtenir de tonalité. Il recommença, sans plus de succès.

– Nom de Dieu ! s'exclama-t-il.

La blonde avait esquissé un pas en direction de la porte. Elle fit halte, comme si elle avait redouté de le voir se précipiter sur sa mince personne si jamais elle tentait de quitter la laverie.

Le syndrome de Moonlight Cove – paranoïa – atteignait chez Sam son paroxysme. De plus en plus, au cours des dernières heures, il en était venu à considérer tout le monde, dans ce bled, comme un ennemi potentiel. C'est alors qu'il comprit soudain que le comportement particulier de cette femme résultait d'un état d'esprit précisément identique au sien.

– Oui, évidemment ! Vous n'êtes pas *d'ici*, n'est-ce pas, vous n'êtes pas de Moonlight Cove ?

– Et alors ?

– Moi non plus.

– Et alors ?

– Et vous avez vu quelque chose.

Elle ouvrit encore un peu plus les yeux.

Il reprit :

– Quelque chose s'est passé, vous avez vu quelque chose, et vous êtes morte de frousse, et je suis prêt à parier que vous avez de bonnes raisons pour cela.

Elle eut l'air prête à bondir jusqu'à la porte.

– Attendez ! dit-il hâtivement. Je suis du FBI. (Sa voix s'étranglait légèrement.) Vraiment.

44

Oiseau de nuit qui avait toujours préféré dormir le jour, Thomas Shaddack se trouvait dans son bureau aux boiseries de teck, habillé d'un jogging gris, et travaillait à son terminal d'ordinateur sur un aspect du projet Faucon-Lune, lorsque Evan, son domestique, l'avertit par téléphone que Loman Watkins venait de se présenter à l'entrée.

– Qu'il m'attende dans la tour, répondit-il. J'arrive dans un moment.

Il ne portait guère autre chose que ce genre de tenue de sport, ces temps derniers. Il en possédait plus d'une vingtaine – dix noires, dix grises, et deux bleu marine, pour être exact. Il les trouvait plus confortables que les autres vêtements et le choix limité des couleurs lui épargnait le temps qu'il aurait perdu à les accorder au reste de ses vêtements, un art dans lequel il était loin d'être maître. La mode ne l'intéressait pas. En outre, il avait un côté dégingandé – de gros pieds, de longues jambes maigres, des genoux noueux, des bras immenses et des épaules osseuses ; et même dans les costumes les mieux coupés, il gardait une allure efflanquée. Soit les vêtements pendaient sur lui comme sur un cintre, soit ils accentuaient sa maigreur au point qu'il paraissait personnifier la Faucheuse elle-même, image que ne faisait que renforcer sa peau d'une blancheur farineuse, ses cheveux presque noirs, ses traits aigus et ses yeux jaunâtres.

Il portait même des tenues de jogging lors des réunions du conseil d'administration de New Wave Microtechnology. Quand on est un génie dans son domaine, les gens s'attendent que vous soyez un peu excentrique. Et si en plus votre fortune personnelle se compte en centaines de millions de dollars, ils acceptent sans broncher toutes vos fantaisies.

Sa maison ultramoderne en béton armé, juchée sur le bord de la falaise près de la pointe nord de la baie, était un autre aspect de son non-conformisme calculé. Les trois niveaux se superposaient comme les trois couches d'un gâteau, bien que chacun fût différent des deux autres par la taille : le plus grand était au sommet, le plus petit au milieu et ils n'étaient en outre pas alignés, mais décentrés. Leur silhouette, à la lumière du jour, donnait à l'édifice l'aspect d'une gigantesque sculpture d'avant-garde. La nuit, avec ses myriades de fenêtres allumées, on aurait moins dit une œuvre d'art que le vaisseau spatial amiral d'envahisseurs extra-terrestres.

La tour n'était qu'une excentricité de plus et s'élevait, décalée, à plus de douze mètres au-dessus du troisième niveau. Elle était de section ovale et non ronde, et rappelait bien plus la tourelle d'un sous-marin que le donjon d'où une princesse attendrait le retour d'un chevalier croisé. On accédait à la grande salle du haut, tout entourée de baies vitrées, soit par un ascenseur, soit par la cage d'escalier qui entourait ce dernier.

Shaddack laissa Watkins attendre dix minutes, uniquement pour la forme, puis décida de prendre l'ascenseur pour le rejoindre. L'intérieur de la cabine était recouvert de cuivre jaune, si bien qu'il donnait l'impression de monter dans le corps d'une cartouche, en dépit de la lenteur du mécanisme.

Il avait fait ajouter la tour à l'architecte presque par caprice, au dernier moment, mais la pièce du haut était devenue son refuge favori dans l'énorme maison. Cet endroit élevé offrait une vue infinie sur les eaux calmes ou tourmentées, sous l'éclat du soleil, ou dans les brumes de la nuit. À l'est et au sud, il *dominait* toute l'agglomération de Moonlight Cove. Cette altière perspective sur les seules autres œuvres humaines visibles ne faisait que renforcer son sentiment de supériorité. C'est depuis cette salle, seulement quatre mois auparavant, qu'il avait vu le faucon de lune pour la troisième fois, une vision que bien peu d'hommes ont le privilège d'avoir une fois dans la vie, ce qu'il avait interprété comme le signe qu'il était destiné à devenir l'homme qui aurait le plus d'influence dans toute l'histoire de l'humanité.

L'ascenseur s'arrêta, les portes s'ouvrirent.

Lorsque Shaddack pénétra dans la pièce, plongée dans une demi-pénombre, Loman Watkins se leva vivement d'un fauteuil et dit respectueusement :

– Bonsoir, monsieur.

– Je vous en prie, chef, asseyez-vous, répondit-il gracieusement, presque affable, mais avec quelque chose dans la voix qui renforçait leur compréhension mutuelle que c'était Shaddack, et non Watkins, qui décidait du degré de familiarité de leur rencontre.

Shaddack était le fils unique de James Randolph Shaddack, ancien juge à la cour itinérante de Phoenix, aujourd'hui décédé. Bien qu'appartenant incontestablement à la classe moyenne supérieure, sa famille ne possédait guère de biens, et cette position sur l'échelle économique, combinée au prestige de la magistrature, avait donné une influence considérable à James. Et aussi du pouvoir. Tout au long de son enfance et de son adolescence, Tom était resté fasciné par la manière dont son père, politicien autant que juge, s'était servi de son pouvoir, non seulement pour en tirer des avantages matériels, mais aussi pour contrôler les autres. Le contrôle – c'est-à-dire l'exercice du pouvoir pour le pouvoir – était ce qui avait le plus séduit James dans sa vie et ce qui avait aussi le plus profondément excité son fils, dès le plus jeune âge.

Thomas Shaddack détenait maintenant un pouvoir sur Loman Watkins et Moonlight Cove du fait de sa prospérité, parce qu'il était le premier employeur de la ville, parce qu'il avait mis la main sur le système politique local, et grâce au projet Faucon-Lune, auquel sa triple vision avait donné son nom. Mais sa possibilité de manipuler la communauté était bien plus grande que tout ce qu'avait pu connaître le vieux James comme juge et habile politicien de canton. Il détenait un pouvoir de vie et de mort, au sens littéral, sur ses concitoyens. S'il décidait de leur mort, ils seraient tous trépassés avant minuit. Qui plus est, il pouvait les condamner à la peine capitale sans plus de risque d'être châtié qu'un dieu qui lance une pluie de feu sur sa création.

Les seules lumières, dans la pièce, se trouvaient cachées dans des renfoncements sous les immenses baies, qui allaient du plafond jusqu'à vingt centimètres au-dessus du plancher. Cet éclairage circulaire mettait en valeur la superbe moquette sans illuminer violemment les énormes panneaux. Si néanmoins la nuit avait été claire, Shaddack aurait plongé toute la pièce dans l'obscurité afin que son reflet et celui de son mobilier agressivement moderne ne se réfléchissent pas dans le vitrage, pour ne pas être coupé de la vue de son domaine. Il laissa cependant les lumières, car un brouillard laiteux tourbillonnait derrière les fenêtres, et on ne pouvait presque rien voir maintenant que la lune cornue touchait l'horizon.

Pieds nus sur la moquette anthracite, Shaddack alla s'asseoir dans un deuxième fauteuil, face à Loman, lui-même installé de l'autre côté d'une table basse en marbre blanc.

À quarante-quatre ans, le policier n'avait même pas trois ans de plus que l'informaticien, mais en était, physiquement, l'exact opposé : un mètre soixante-quinze pour quatre-vingt-cinq kilos, une ossature puissante, des épaules de débardeur, un cou épais. Il avait en outre un visage large, aussi ouvert et innocent que celui de Shaddack pouvait être fermé et matois. Ses yeux bleus croisèrent un instant ceux brun-jaune de son patron, mais il ne tarda pas à les reporter sur ses mains trapues qu'ils tenaient si serrées sur ses genoux qu'on s'attendait presque à voir les articulations faire éclater la peau tendue. On devinait le cuir chevelu tanné de son crâne au travers de sa coupe en brosse.

L'évidente servilité de Watkins plaisait à Shaddack – mais pas autant que sa peur, manifeste aux tremblements que l'homme tentait de maîtriser (avec un certain succès) et à l'expression terrorisée qui rendait plus sombre le bleu de ses yeux. À cause du projet Faucon-Lune, à cause de ce qu'on lui avait fait, Loman Watkins était à de nombreux titres supérieur à la plupart des hommes ; mais il se trouvait également et pour toujours prisonnier de Shaddack, aussi sûrement qu'une souris de laboratoire est à la merci du savant qui conduit sur elle ses expériences. En un certain sens, Shaddack était l'artisan qui avait créé Watkins, et aux yeux de ce dernier, il détenait la situation et la puissance d'un dieu.

Se renversant dans son fauteuil, ses mains aux longs doigts repliées contre la poitrine, Shaddack sentit sa virilité se gonfler et durcir. Il n'était nullement excité par

Loman Watkins, personne physique, car il n'avait pas la moindre tendance à l'homosexualité, mais par la conscience de la fabuleuse autorité qu'il avait sur lui. La sensation de puissance l'excitait sexuellement d'une manière plus complète et aisée que des stimulations sexuelles classiques. Même adolescent, lorsqu'il voyait des images de femmes nues dans les magazines érotiques, ce n'était pas la vue de seins rebondis, d'une croupe arrondie ou de jambes longues et élégantes qui provoquait son érection, mais *l'idée* de dominer de telles femmes, de les contrôler totalement, de tenir leur vie même dans ses mains. Il trouvait infiniment plus excitant qu'une femme le regardât avec une peur non dissimulée dans les yeux qu'avec désir. Et étant donné qu'il réagissait bien plus fortement à la terreur qu'il inspirait qu'à la concupiscence, ses érections ne dépendaient ni de l'âge, ni du sexe, ni de l'attrait physique de la personne qui tremblait en sa présence.

Tout à la jouissance que lui procurait la soumission du policier, Shaddack demanda :

– Vous tenez Booker ?

– Non, monsieur.

– Pourquoi ?

– Il n'était pas au Cove Lodge lorsque Sholnick est arrivé.

– Il faut le trouver.

– Nous le trouverons.

– Et le convertir. Pas seulement pour l'empêcher de raconter ce qu'il a vu... mais cela nous permettra d'avoir quelqu'un à l'intérieur même du Bureau. Ce sera un joli coup. Sa présence ici peut finir par se transformer en un incroyable avantage pour le projet.

– Peut-être, mais il y a plus grave que ça, pour le moment. Des régressifs ont attaqué des gens au Cove Lodge. Soit Quinn lui-même a été entraîné et massacré quelque part où nous ne l'avons pas encore trouvé, soit il faisait partie des régressifs... et dans ce cas il est avec eux en ce moment, en train de faire ce qu'ils font après chaque assassinat, hurler à la lune ou je ne sais quoi.

Shaddack devenait de plus en plus sombre et nerveux au fur et à mesure que Watkins parlait.

Assis sur le bord de son fauteuil, le policier cligna des yeux et finit par ajouter :

– Ces régressifs me fichent une trouille du diable.

– Ils sont inquiétants, admit Shaddack.

La nuit du 4 septembre, ils en avaient coincé un, Jordan Coombs, dans un cinéma. Coombs faisait partie du personnel d'entretien de New Wave. Cette nuit-là, cependant, il ressemblait davantage à un singe qu'à un homme, bien que n'étant en fait ni l'un ni l'autre, mais quelque chose de tellement étrange et sauvage qu'un seul mot ne pouvait le décrire. Le terme de « régressif » ne convenait, comme Shaddack l'avait découvert, que si l'on n'était jamais confronté avec l'une de ces créatures. Car, sinon, « régressif » ne disait rien de l'horreur qu'elles inspiraient, et les mots manquaient pour le décrire. Leur tentative pour s'emparer de Coombs vivant avait échoué, également, car il s'était avéré trop agressif et puissant pour pouvoir être maîtrisé ; craignant pour leur vie, les policiers avaient dû l'abattre.

– Ils sont plus qu'inquiétants, répondit Watkins. Beaucoup plus que ça. Ils sont... psychotiques.

– Je le sais, fit impatiemment Shaddack, puisque j'ai moi-même identifié leur état : psychose métamorphico-induite.

– Ils ont *plaisir* à tuer.

Thomas Shaddack fronça les sourcils. Il n'avait pas prévu le problème des régressifs, et il refusait d'admettre qu'ils constituaient autre chose qu'une anomalie mineure de ce qui était par ailleurs une conversion avantageuse pour la population de Moonlight Cove.

– Bon, très bien, ils aiment tuer, et dans leur état régressif, ils sont faits pour ça, mais il n'y en a que quelques-uns à identifier et à éliminer. Statistiquement, ils ne constituent qu'un pourcentage insignifiant de tous ceux qui ont subi le Changement.

– Peut-être pas aussi insignifiant que ça, répondit Watkins d'un ton hésitant, incapable de soutenir le regard de Shaddack, se sentant comme le porteur de mauvaises nouvelles. À en juger par tout le sang qui a coulé récemment, je dirai que parmi les mille neuf cents et quelques convertis à cette heure, il doit bien y avoir entre cinquante et soixante régressifs dans la nature.

– Ridicule !

Admettre que les régressifs étaient aussi nombreux revenait à reconnaître, pour l'informaticien, que ses travaux étaient incomplets ou erronés, qu'il était passé beaucoup trop précipitamment du stade du laboratoire à celui de l'expérimentation en grandeur nature, sans prendre en considération ce qui risquait de conduire au désastre, et que l'application enthousiaste des découvertes révolutionnaires du projet Faucon-Lune aux habitants de Moonlight Cove était une faute tragique. Pas question, pour lui, d'admettre de telles conclusions.

Il avait aspiré toute sa vie à ce degré de pouvoir à la puissance *n* qu'il voyait maintenant à sa portée, et il était psychologiquement incapable de faire machine arrière. Depuis sa puberté, il avait renoncé à bien des plaisirs car, s'y serait-il livré, il serait tombé sous le coup de la loi et se serait exposé à de lourdes peines. Toutes ces années de renoncement avaient accumulé en lui une formidable pression interne qu'il lui fallait libérer. Il avait sublimé ses tendances antisociales dans son travail, centré toute son énergie sur des entreprises socialement acceptables – lesquelles, non sans ironie, s'étaient soldées par des découvertes qui lui permettraient de s'affranchir de l'autorité et le laisseraient donc libre de s'adonner à ses passions longtemps réprimées, sans craindre ni censure ni punition.

En outre, il avait été trop loin, non seulement sur le plan psychologique, mais aussi dans les faits. Il avait introduit quelque chose de révolutionnaire dans le monde. À cause de lui, mille neuf cents représentants de la Nouvelle Race arpentaient la planète, aussi différents des autres hommes et femmes que les Cro-Magnon de leurs ancêtres néandertaliens plus primitifs. Il n'était pas plus en mesure de défaire ce qu'il avait fait que les savants n'auraient pu *désinventer* la bombe atomique ou la roue.

Watkins secoua la tête.

– Je suis désolé... mais je ne crois pas du tout que ce soit ridicule. Cinquante ou soixante régressifs, sinon plus. Voire bien davantage.

– Vous allez avoir besoin de preuves pour m'en convaincre. Des noms, pour commencer. En avez-vous réellement identifié un, en dehors de Quinn ?

– Alex et Sharon Foster, je crois. Et peut-être même votre propre employé, Tucker.

– Tucker ? Impossible.

Watkins lui décrivit ce qu'il avait trouvé chez les Foster, et les hurlements qu'il avait entendus, venant des bois.

À contrecœur, Shaddack envisagea la possibilité que Tucker fût l'un de ces dégénérés. Que son contrôle sur le cercle étroit de ses plus proches collaborateurs ne fût pas absolu était ce qui l'inquiétait le plus. S'il ne pouvait être sûr de ces hommes-là, comment serait-il certain de contrôler les masses ?

– Les Foster sont peut-être des régressifs, mais j'en doute pour Tucker. Mais même en le comptant, on arrive à quatre, et non pas à cinquante ou soixante. Où sont donc tous les autres ? Dans votre imagination ?

Loman Watkins contemplait sans les voir les motifs changeants du brouillard qui se pressait aux fenêtres.

– J'ai bien peur, monsieur, que ce ne soit... un peu difficile. Je veux dire, de réfléchir à tout ça. Si l'État ou les autorités fédérales apprenaient ce que vous avez fait, si jamais ils arrivaient à le comprendre et à le croire, et si jamais ils voulaient nous empêcher d'exporter le Changement au-delà de Moonlight Cove, on leur donnerait sacrément du fil à retordre, pas vrai ? Après tout, ceux d'entre nous qui ont été convertis... eh bien, ils circulent parmi les autres sans se faire remarquer. On a l'air d'être comme eux, inchangés.

– Et alors ?

– Eh bien... c'est exactement le même problème que nous avons avec les régressifs. Ils font comme nous partie de la Nouvelle Race, mais la chose qui les rend différents de nous, leur perversion, est impossible à voir ; on ne peut pas plus les distinguer de nous que nous ne pouvons nous distinguer de l'ancienne race.

L'érection de Shaddack avait perdu de sa tension. Impatienté par l'attitude négative de Watkins, il quitta son fauteuil et se dirigea vers la plus proche des grandes fenêtres. Les poings serrés dans les poches de sa veste de jogging, il contempla le reflet de son long visage, rendu fantomatique par la transparence. Il croisa aussi son propre regard, mais accommoda rapidement au-delà, dans les ténèbres extérieures, où les brises errantes, navettes du métier à tisser de la nuit, faisaient et défaisaient de fragiles tissus de brouillard. Il resta le dos tourné à Watkins, car il ne voulait pas que le policier vît à quel point il était inquiet, et évita de revenir à son propre reflet car il refusait d'admettre que des vrilles de peur montaient de cette inquiétude.

45

Il insista pour aller s'asseoir au fond, afin de ne pas être facilement vus depuis la rue. Il répugnait à Tessa de s'installer à côté de lui. Il expliqua qu'il était en mission secrète, raison pour laquelle il n'avait pas sa carte du FBI sur lui, mais il lui montra tout le contenu de son portefeuille : permis de conduire, cartes de crédit, carte d'abonnement à une bibliothèque, photos de son fils et de sa femme décédée et jusqu'à une photo de Goldie Hawn découpée dans un magazine. Est-ce qu'un maniaque homicide aurait sur lui des bons gratuits pour des barres de chocolat Tartampion ? Il en avait... Au bout d'un moment, tandis qu'il lui faisait raconter l'histoire du massacre du Cove Lodge, l'obligeant à entrer dans les plus petits détails, s'assurant qu'elle n'omettait rien et que lui-même avait bien tout compris, elle commença à prendre confiance en lui. S'il avait fait semblant d'être un agent, il n'aurait pas joué ce rôle de manière aussi élaborée et soutenue.

– Vous n'avez donc pas réellement assisté aux meurtres, c'est bien ça ?

– Ils ont été tués, insista-t-elle. Vous n'auriez pas le moindre doute si vous les aviez entendus hurler. Je me suis retrouvée un jour au milieu d'une manifestation qui a mal tourné, en Irlande du Nord, et j'ai vu une foule battre deux hommes à mort. Une fois, pendant un tournage dans une aciérie, une coulée a débordé et a atteint des hommes sur le corps et le visage. Je me suis aussi trouvée avec les Indiens Miskitos dans les jungles d'Amérique centrale, et l'un d'eux a sauté sur une mine antipersonnel – des millions de petits morceaux d'acier tranchants, le corps percé comme par des milliers d'aiguilles – et j'ai entendu *leurs* cris. Je sais ce que sont les cris de gens qui se voient mourir. Et ce soir, ce sont les pires que j'ai jamais entendus.

Il resta longtemps à la regarder. Puis il dit :

– À vous voir, on s'y tromperait. Vous avez l'air tellement...

– Mignonne ?

– Oui.

– Et donc innocente ? Et donc naïve ?

– Oui.

– Ma malédiction.

– Ce n'est pas un avantage, parfois ?

– Parfois, admit-elle. Écoutez, vous paraissez en savoir plus, alors dites-moi, qu'est-ce qui se passe ici ?

– Eh bien, il arrive quelque chose aux gens.

– Mais quoi ?

– Je l'ignore. Ils ne s'intéressent pas au cinéma, les salles sont fermées, et d'un. Ils ne s'intéressent pas aux produits de luxe, aux beaux objets, tous les magasins qui vendent ce genre de choses sont fermés, et de deux. Même le champagne ne les attire plus... (Il esquissa un sourire.) Les bars sont tous en faillite, et de trois. Deux choses seulement semblent les intéresser : manger, et tuer.

46

Toujours tourné vers la baie vitrée, Shaddack reprit :

– Très bien, Loman. Voici ce que nous allons faire. Tout le monde, à New Wave, a été converti ; je vous assigne cent hommes pour augmenter les forces de police. Vous avez dès maintenant toute liberté dans l'attribution de leur mission. Avec autant de personnel à votre disposition, vous finirez bien par attraper l'un de ces régressifs en pleine crise... et il vous sera aussi plus facile de trouver ce Booker.

Les gens de la Nouvelle Race n'avaient pas besoin de sommeil. On pouvait mettre les auxiliaires immédiatement en action sur le terrain

Shaddack poursuivit :

– Ils patrouilleront les rues à pied ou en voiture, tranquillement, sans attirer l'attention. Avec leur assistance, vous récupérerez peut-être même tous les régressifs. Si nous en prenons un en état régressé, si j'ai une chance de l'examiner, j'aurai la possibilité de mettre un test au point – physique ou psychologique – à l'aide duquel nous pourrons détecter les dégénérés parmi la Nouvelle Race.

– Je ne me sens pas en mesure d'y arriver.

– Ce n'est qu'un simple problème de police, pourtant.

– Non, justement.

– Mais enfin, cela revient à poursuivre et à attraper un tueur ordinaire, rétorqua Shaddack, irrité. Vous n'avez qu'à appliquer les mêmes techniques.

– Cependant...

– Quoi encore ?

– Des régressifs pourraient se trouver parmi les hommes que vous me donnez.

– Il n'y en aura pas.

– Mais... comment pouvez-vous en être sûr ?

– Je vous dis qu'il n'y en aura pas, répliqua sèchement l'informaticien, toujours tourné vers la fenêtre, le brouillard, la nuit.

Les deux hommes gardèrent un moment le silence.

Puis Shaddack reprit :

– Il faut tout mettre en œuvre pour me retrouver ces foutus déviants. Tout, vous m'entendez ? J'en veux au moins un pour l'examiner dès que tout Moonlight Cove aura subi le Changement.

– Je m'étais dit...

– Oui ?

– Eh bien, c'est-à-dire...

– Mais allez, allez, vous vous êtes dit quoi ?

– Euh... juste qu'il vaudrait peut-être mieux suspendre les conversions jusqu'à ce que nous comprenions ce qui se passe.

– Bonté divine, non !

Shaddack se retourna et foudroya du regard le policier, qui eut un geste de recul tout à fait satisfaisant.

– Ces régressifs ne sont qu'un problème mineur, extrêmement mineur. Sur eux, que savez-vous ? Que dale. Ce n'est pas vous qui avez conçu la Nouvelle Race, un nouveau monde, mais *moi*. C'est mon rêve, ma vision. J'ai eu l'intelligence et le culot de réaliser ce rêve. Et je *sais* qu'il n'y a là qu'une anomalie qui ne prouve rien. C'est pourquoi le Changement aura lieu selon l'horaire prévu.

Watkins abaissa les yeux sur ses mains aux articulations blanchies.

Tout en parlant, Shaddack s'était mis à faire les cent pas devant les baies incurvées.

– Nous disposons maintenant de bien plus de doses qu'il n'en faut pour le reste des habitants. La nouvelle série de conversions a commencé dès ce soir ; des centaines auront été faites à l'aube, et le travail devrait être achevé à minuit. Tant qu'il restera une personne en ville qui ne sera pas avec nous, nous courrons le risque d'être découverts, le risque que quelqu'un avertisse le monde extérieur. Maintenant que nous avons réglé le problème de la production des biopuces, nous devons rapidement nous emparer de Moonlight Cove, afin de pouvoir procéder à partir d'une base arrière sans faille. Vous comprenez ?

Watkins acquiesça.

– *Vous comprenez ?* répéta Shaddack.

– Oui. Oui, monsieur.

L'informaticien revint s'asseoir dans son fauteuil.

– Au fait, il y avait autre chose dont vous vouliez me parler, à propos des Valdovski, Je crois ?

– Eddie Valdovski, huit ans, répondit Watkins, sans quitter des yeux ses mains, qu'il étreignait maintenant. (On aurait dit qu'il voulait en chasser quelque chose, comme on essore l'eau d'un chiffon). On l'a retrouvé, mort, quelques minutes après huit heures. Dans un fossé, le long de la route secondaire. On l'avait... torturé... mordu... éventré.

– À votre avis, c'est le travail d'un régressif ?

– Sans le moindre doute.

– Qui a trouvé le corps ?

– Les parents d'Eddie. Son père. Le gamin jouait dans la cour, et... il a disparu, au moment du coucher du soleil. Ils ont commencé à le chercher. Impossible de le trouver. Ils ont été pris de peur, ont continué de chercher pendant que nous arrivions... et ils ont trouvé le corps juste avant que mes hommes débarquent.

– Évidemment, les Valdovski ne sont pas convertis ?

– Ils ne l'étaient pas, mais c'est fait, maintenant.

Shaddack poussa un soupir.

– Cette affaire ne posera plus de problème, du moment qu'ils nous ont rejoints.

Le chef de la police releva la tête et trouva le courage de regarder Shaddack droit dans les yeux.

– Mais le gamin est mort, lui.

Sa voix s'étrangla.

– Bien sûr, c'est une tragédie, admit Shaddack. On ne pouvait pas prévoir ces éléments régressifs parmi ceux de la Nouvelle Race. Mais aucun grand progrès ne s'est accompli, pour l'humanité, sans être accompagné de son lot de victimes.

– C'était un merveilleux petit garçon, dit le policier.

– Vous le connaissiez ?

Watkins cligna des yeux.

– J'ai fait mes études avec son père, Georges Valdovski. J'étais le parrain du petit.

Choisissant ses mots avec soin, Shaddack répondit :

– C'est une histoire terrible. Et nous trouverons le régressif qui l'a fait. Nous les trouverons tous et nous les éliminerons. C'est tout de même un certain réconfort de savoir que le petit Eddie est mort pour une grande cause.

Watkins ouvrit de grands yeux, incapable de dissimuler sa stupéfaction.

– Une grande cause ? Qu'est-ce qu'il en savait, Eddie, de votre grande cause ? Il avait huit ans !

– Il n'empêche, fit Shaddack, durcissant le ton, que Eddie s'est trouvé pris dans un effet secondaire imprévu de la conversion de Moonlight Cove, et qu'il fait donc partie de ce merveilleux événement historique.

Il savait que Watkins avait été un patriote, absurdement fier de son drapeau et de son pays, et il supposait qu'il restait quelque chose de ces sentiments chez lui, même après la conversion.

– Écoutez-moi, Loman. Pendant la Révolution américaine, lorsque les colonies combattaient pour leur indépendance, il y eut aussi des victimes innocentes, des femmes, des enfants, pas seulement des soldats ; mais ces gens ne sont pas morts en vain. Ce sont des martyrs, au même titre que ceux qui sont morts les armes à la main, sur le champ de bataille. Il en va de même dans toute révolution. L'important est que la justice triomphe et que l'on puisse dire que ceux qui ont donné leur vie l'ont fait pour une juste cause.

Watkins détourna les yeux.

Se levant de nouveau, Shaddack fit le tour de la table de marbre et vint se tenir auprès du policier. Avec un regard vers la tête inclinée de l'homme, il lui mit la main sur l'épaule.

Watkins eut un mouvement de recul à ce contact.

L'informaticien ne bougea pas la main et parla avec la ferveur d'un évangéliste. Un évangéliste froid, cependant, dont le message ne s'appuyait pas sur une brûlante passion mystique mais sur la puissance glaciale de la logique et de la raison.

– Vous faites maintenant partie de la Nouvelle Race, et cela ne signifie pas seulement que vous êtes plus fort et plus rapide que les hommes ordinaires ; cela ne signifie pas seulement que les maladies n'ont pratiquement aucune prise sur vous, et que vous êtes capable de guérir vos blessures avec une rapidité dont aucun guérisseur n'oserait rêver. Cela signifie *aussi* que vous disposez d'un esprit plus clair et plus rationnel que ceux de l'ancienne race. C'est pourquoi, si vous envisagez attentivement le problème de la mort d'Eddie dans le contexte du miracle auquel nous travaillons ici, vous comprendrez que le prix qu'il a payé n'était pas trop grand. N'abordez pas cette affaire d'un point de vue sentimental, Loman ; rien n'est plus étranger à l'esprit de la Nouvelle Race. Nous élaborons un monde qui sera plus efficace, plus ordonné et infiniment plus stable précisément parce que les hommes et les femmes auront le pouvoir de contrôler leurs émotions, d'envisager chaque problème et chaque événement avec l'analytique froideur d'un ordinateur. Ne voyez dans la mort d'Eddie Valdovski qu'une information de plus dans le grand flot d'informations qui accompagne la naissance de la Nouvelle Race. Vous avez maintenant en vous le pouvoir de transcender les limitations émotionnelles humaines, et lorsque vous l'aurez vraiment fait, vous connaîtrez la paix et le bonheur véritables pour la première fois de votre vie.

Au bout d'un moment, Loman leva la tête et la tourna pour regarder Shaddack.

– Est-ce que cela nous conduira réellement à la paix ?

– Oui.

– Quand tout le monde sera converti, la fraternité régnera-t-elle enfin ?

– Oui.

– La tranquillité ?

– Pour l'éternité.

47

La maison de Harold Talbot, sur Conquistador, était une bâtisse en bois à deux étages, tout en baies vitrées, qui s'élevait sur un terrain en pente ; des marches de pierre très raides conduisaient du trottoir à un porche bas. Aucun lampadaire n'éclairait ce secteur, et Sam se sentit reconnaissant à l'invalide de ne pas avoir installé de lampes de jardin devant chez lui.

Tessa Lockland se tenait près de lui, tandis qu'il appuyait sur la sonnette, avec autant de constance qu'elle en avait mis à garder ses distances dans la laverie. En dépit du fort bruissement du vent dans les arbres, ils entendirent retentir le carillon, à l'intérieur.

Se retournant vers Conquistador Street, Tessa murmura :

– Parfois, on a davantage l'impression d'être dans une morgue que dans une ville, que l'endroit est habité par des morts ; et puis alors...

– Alors ?

– ... en dépit du silence et du calme, on ressent toute l'énergie qui couve ici, une énergie colossale mais retenue, comme s'il y avait une gigantesque machinerie juste en dessous des rues, du sol... et comme si les maisons aussi étaient pleines de machines, toutes branchées et connectées, attendant simplement que quelqu'un pousse un embrayage et les mette en branle.

Telle était *exactement* Moonlight Cove, mais Sam n'aurait su trouver les mots pour exprimer ce qu'il avait aussi ressenti. Il sonna de nouveau à la porte et répondit :

– Je croyais qu'on exigeait des metteurs en scène de cinéma qu'ils soient quasiment illettrés.

– C'est le cas de la plupart, à Hollywood, mais je suis auteur de documentaires et complètement hors du circuit ; c'est pourquoi il m'est permis de penser – tant que je n'en rajoute pas, évidemment.

– Qui est là ? fit une petite voix.

Sam sursauta. Elle provenait d'un intercom qu'il n'avait pas remarqué.

– Qui est là, s'il vous plaît ?

Sam approcha la bouche de l'appareil.

– Monsieur Talbot ? Monsieur Harold Talbot ?

– Oui. Qui êtes-vous ?

– Sam Booker, fit-il le plus doucement possible, pour que sa voix ne portât pas au-delà du porche. Je suis désolé de vous réveiller, mais je suis venu à la suite de votre lettre du 8 octobre.

Talbot garda quelques instants le silence. Puis il y eut un clic dans l'intercom, et il reprit :

– Je suis au deuxième étage. J'aurai besoin de temps pour descendre. En attendant, je vais vous envoyer Moose. Veuillez lui remettre votre carte d'identité afin qu'il me la rapporte.

– Je n'ai aucune carte d'identité du Bureau, murmura Sam. Je suis ici en mission secrète.

– Votre permis de conduire ? demanda Talbot.

– Oui.

– Ça suffira.

Nouveau déclic, pour couper la transmission.

– Moose ? demanda Tessa.

– Du diable si je comprends.

Sam était aussi perplexe qu'elle.

Ils attendirent presque une minute, se sentant exposés et vulnérables sous le petit porche ; tous deux sursautèrent lorsqu'un chien fit irruption près d'eux par une ouverture spéciale, basée sur le principe de la chatière, que ni l'un ni l'autre n'avaient vue ; l'animal les bouscula légèrement en passant. Sam ne comprit pas tout de suite ce que c'était, fit un bond en arrière et faillit tomber.

S'inclinant sur le chien pour le caresser, Tessa fit :

– Moose ?

Un reflet de lumière était passé par le portillon, en même temps que le chien, mais il avait disparu maintenant que l'accès s'était refermé. L'animal, tout noir, était presque invisible dans la nuit.

Accroupi à côté de lui et se laissant lécher la main, Sam dit :

– C'est donc à toi que je dois donner mon permis de conduire ?

Le chien poussa un « ouaf ! » retenu, comme s'il répondait par l'affirmative.

– Tu vas me le bouffer.

– Mais non, dit Tessa.

– Qu'en savez-vous ?

– C'est un bon chien.

– Je n'ai pas confiance en lui.

– Je suppose que c'est votre boulot.

– Quoi ?
– De ne faire confiance à personne.
– C'est aussi dans ma nature.
– Pour une fois, contrariez-la, insista-t-elle.

Le policier tendit son portefeuille ; le chien le prit délicatement entre ses dents et retourna dans la maison par son portillon.

Ils durent rester sous le porche pendant deux bonnes minutes supplémentaires, tandis que Sam s'efforçait de contenir ses bâillements. Il était plus de deux heures du matin, et il envisageait d'inscrire un cinquième article à ses raisons de vivre : un bon repas mexicain, de la Guinness Stout, Goldie Hawn, la peur de la mort, et *dormir.* Le bienheureux sommeil. Puis il entendit les claquements et grincements de verrous qui cédaient avec difficulté, et finalement la porte s'ouvrit vers l'intérieur, sur une entrée faiblement éclairée.

Harry Talbot les attendait dans son fauteuil roulant motorisé, habillé d'un pyjama bleu et d'une robe de chambre verte. Il avait la tête légèrement inclinée sur un côté, souvenir d'un événement dramatique au Viêt-nam, ce qui lui donnait une expression perplexe permanente. Il était bel homme, en dépit d'un visage prématurément vieilli, avec des rides trop profondes pour quelqu'un de quarante ans ; sa chevelure épaisse avait partiellement blanchi et on découvrait quelque chose de très ancien dans son regard. Sam se rendit compte que le vétéran avait dû être un solide gaillard, en dépit des années de paralysie qui l'avaient ramolli. Une main gisait sur ses genoux, paume retournée, les doigts à demi pliés, morte et inutile. Un monument vivant à ce qui aurait pu être, à des espérances détruites, à des rêves réduits à néant, sinistre rappel de la guerre, pétrifié et serré entre les pages du temps.

Tandis que Tessa et Sam entraient et refermaient la porte derrière eux, Harry tendit sa bonne main et s'exclama :

– Vous ne pouvez pas savoir à quel point je suis content de vous voir !

Son sourire le transformait de manière étonnante. C'était un grand, beau et authentique sourire, celui d'un homme qui se sent dans le giron des dieux, et l'objet de trop de bénédictions pour pouvoir les compter.

Moose rendit son portefeuille à Sam, intact.

48

Après avoir quitté la maison de Shaddack, mais avant de retourner au QG coordonner les missions des cent hommes que devait lui faire parvenir New Wave, Loman Watkins s'arrêta chez lui, sur Iceberry Way, du côté nord de la ville. C'était une maison modeste à un étage, comportant trois chambres, de style Monterey, blanche avec des bordures bleues, nichée parmi des conifères.

Il resta un moment dans l'allée, debout à côté de sa voiture de patrouille, examinant la construction. Il l'avait aimée comme un château, mais n'arrivait plus à trouver cet amour en lui. Il se souvenait de beaucoup de moments de bonheur passés dans cette demeure, avec sa famille, mais ces souvenirs ne lui procuraient aucune émotion. On avait beaucoup ri, sous ce toit, mais les rires s'étaient évanouis au point que leur évocation n'arrivait même pas à provoquer l'esquisse d'un sourire attendri. De plus, par les temps qui couraient, ses sourires n'étaient que des contrefaçons qu'aucun humour ne vivifiait.

Bizarre, tout de même : rires et joies avaient fait partie de son existence jusqu'au dernier mois d'août. Il avait suffi de deux mois, juste après le Changement, pour que tout s'évaporât. C'étaient déjà des souvenirs qui paraissaient anciens.

Marrant.

En fait, pas si marrant que ça.

Le rez-de-chaussée était plongé dans l'obscurité et silencieux. Une vague odeur de renfermé montait des pièces désertes.

Il monta l'escalier sans allumer. Sur le palier du premier, il aperçut une faible lueur provenant d'en dessous d'une porte fermée, celle de la chambre de Denny. Il entra et trouva le garçon assis à son bureau, en face de son ordinateur. Le PC avait un écran surdimensionné, et c'était l'unique éclairage de la pièce.

Denny ne leva pas les yeux.

Il avait dix-huit ans et n'était plus un enfant ; on l'avait donc converti en même temps que sa mère, peu après que Loman eut lui-même subi le Changement. Il mesurait cinq centimètres de plus que son père et ne manquait pas de charme. Il avait toujours bien travaillé à l'école, et obtenu de tels résultats aux tests d'intelligence que Watkins avait ressenti un inquiétant vertige à l'idée d'avoir un fils aussi brillant. Il avait toujours été très fier de son fils. Debout à côté de lui, il s'efforçait de retrouver ce sentiment de fierté, sans y parvenir. Denny, pourtant, n'avait rien fait pour mériter la défaveur de son père. Mais la fierté, comme tant d'autres émotions, n'était qu'un embarras de plus pour la conscience plus élevée de la Nouvelle Race, interférant avec ses efficaces mécanismes de pensée.

Avant le Changement, Denny était déjà un fanatique d'informatique, l'un de ces gosses qui s'appellent eux-mêmes des « hackers », des « taxbars », puisque, comme les chauffeurs de taxi, ils sont toujours « vissés à leur bécane ». Pour eux, les ordinateurs ne sont pas seulement un outil, un moyen de s'amuser, mais un mode de vie. Après la conversion, il mit son intelligence et son savoir-faire au service de New Wave. L'entreprise lui confia un ordinateur plus puissant ainsi qu'un modem qui le reliait avec la super-bécane maison – laquelle était un mastodonte qui, d'après Denny, comprenait six mille kilomètres de câblage et trente-trois mille unités de traitement à grande vitesse. Pour des raisons que Loman ne comprenait pas, cet engin avait été baptisé Sun, « Soleil » – peut-être parce que toutes les recherches, à la New Wave Microtechnology, faisaient constamment appel à lui, et donc en quelque sorte tournaient autour.

D'énormes quantités d'informations défilaient en scintillant sur l'écran, sous les yeux de Denny et de son père. Des mots, des chiffres, des graphiques, des tableaux apparaissaient et disparaissaient à une telle allure que seul quelqu'un de la Nouvelle Race, doté de sens plus aiguisés et d'un pouvoir de concentration renforcé, pouvait en extraire une signification.

Loman, en fait, n'aurait pu les déchiffrer, car il n'avait pas subi le même entraînement que Denny à New Wave. Il n'avait par ailleurs jamais éprouvé le besoin (ni trouvé le temps) d'explorer plus à fond ses nouveaux pouvoirs de concentration.

Denny, cependant, absorbait le flot précipité d'informations, son visage dépourvu d'expression fixé sur l'écran, sans la moindre ride au front, les traits complètement détendus. Depuis qu'il avait été converti, le garçon était autant fait de composants électroniques qu'il l'était de chair et de sang, et la relation qu'il entretenait avec la machine atteignait un degré d'intimité qui excédait tout ce que l'ancienne race avait pu connaître dans le genre.

Loman savait que son fils s'initiait au projet Faucon-Lune. Il finirait par intégrer le noyau d'informaticiens qui, à New Wave, affinaient constamment le matériel et les logiciels en rapport avec le programme et travaillaient à rendre chaque génération de la Nouvelle Race supérieure à la précédente et, surtout, plus efficace.

Comme un fleuve, le flot d'informations ne cessait de s'écouler sur l'écran, et envoyait des reflets dansants sur les murs, jeu d'ombres qui se seraient poursuivies sans fin.

Denny restait si longtemps sans cligner des yeux qu'il aurait pleuré s'il n'avait pas appartenu à la Nouvelle Race.

Loman posa une main sur l'épaule du garçon.

Denny ne leva pas les yeux, n'eut aucune réaction. Ses lèvres se mirent à bouger, comme s'il parlait, mais sans émettre aucun son. Il s'adressait à lui-même, sans avoir conscience de la présence de son père.

Dans son style de prêchi-prêcha verbeux, Thomas Shaddack avait une fois parlé de mettre au point un lien qui raccorderait directement un ordinateur à un cerveau, par le moyen d'un implant greffé chirurgicalement à la base de la colonne vertébrale : ainsi, intelligences artificielle et naturelle fusionneraient. Loman n'avait pas compris si un tel procédé était sage ou désirable, et Shaddack avait ajouté :

– La Nouvelle Race constitue un pont entre l'homme et la machine, Loman. Mais un jour, c'est toute notre espèce qui franchira ce pont, qui ne fera plus qu'un avec les machines, car ce n'est qu'une fois cette étape franchie que l'humanité sera complètement efficace, qu'elle contrôlera absolument tout.

À voix basse, Loman prononça le nom de son fils.

Le garçon resta sans réaction.

Finalement, le policier quitta la pièce.

La chambre des parents donnait sur le fond du palier. Grace était étendue sur le lit, dans le noir.

Bien entendu, depuis le Changement, une simple insuffisance de lumière ne pouvait la rendre entièrement aveugle, car sa vue s'était améliorée. Dans cette pièce sans éclairage, elle apercevait, tout comme Loman, la forme des meubles et même quelque chose de la texture des objets, quoique sans détails. Pour eux, le monde nocturne n'était plus noir, mais gris foncé. Il s'assit sur le bord du matelas.

– Hello.

Elle ne répondit rien.

Il posa une main sur sa tête et caressa ses longs cheveux châtain clair. Puis il toucha son visage et découvrit que ses joues étaient mouillées de larmes, détail qu'il n'avait pu discerner en dépit de sa vision ameliorée.

Elle pleurait. Ce fut un choc pour lui, parce qu'il n'avait jamais vu quelqu'un de la Nouvelle Race pleurer.

Ses battements de cœur s'accélérèrent et une brève mais merveilleuse bouffée d'espoir le souleva. Peut-être la mort des émotions n'était-elle qu'une étape transitoire ?

– Qu'est-ce qu'il y a ? demanda-t-il. Pourquoi pleures-tu ?

– J'ai peur.

La bouffée d'espoir se dissipa rapidement. C'était la peur qui lui avait tiré des larmes des yeux, la peur et son acolyte, la désolation ; il sut tout de suite que ces nouveaux sentiments faisaient partie de ce meilleur des mondes – ceux-là et aucun autre.

– Peur de quoi ?

– Je ne peux pas dormir, répondit Grace.

– Mais tu n'en as pas besoin.

– Tu crois ?

– Aucun de nous n'a besoin de dormir, dorénavant.

Avant le Changement, hommes et femmes avaient besoin de dormir car le corps, en tant que mécanisme biologique, était d'une terrible inefficacité. Il exigeait une mise en panne régulière pour reprendre des forces et réparer les dommages du jour, pour éliminer les substances toxiques venues de l'extérieur ou celles sécrétées de l'intérieur. Mais dans la Nouvelle Race, tous les processus et les mécanismes de l'organisme bénéficiaient d'une superbe régulation. Le travail de la nature avait été poussé jusqu'à son dernier degré de perfection. Chaque organe, chaque système, chaque cellule opérait avec une efficacité multipliée, produisant moins de déchets ou s'en débarrassant beaucoup plus vite, s'autonettoyant et se rajeunissant en permanence. Grace savait tout cela aussi bien que lui.

– J'ai envie de dormir, dit-elle.

– C'est tout simplement le poids de l'habitude que tu sens encore.

– Les journées ont trop d'heures, maintenant.

– On trouvera de quoi s'occuper. Le nouveau monde sera plein d'activités.

– Et qu'allons-nous faire dans ce nouveau monde, lorsqu'il viendra ?

– Shaddack nous le dira.

– En attendant...

– Patience.

– J'ai peur.

– Patience, répéta-t-il.

– Le sommeil me manque, c'est comme une faim.

– Nous n'avons pas besoin de dormir.

Il faisait preuve de cette patience qu'il l'encourageait à avoir.

– Nous n'avons pas besoin de dormir et pourtant nous avons besoin de dormir, dit-elle, énigmatique.

Ils gardèrent tous deux le silence quelques instants.

Puis elle lui prit les mains et les posa sur ses seins. Elle était nue.

Il voulut s'écarter d'elle, car il avait peur de ce qui risquait de se produire, de ce qui s'était déjà produit depuis le Changement, quand ils faisaient l'amour. Non, pas l'amour. Ce n'était plus l'amour qu'ils faisaient. Ils avaient un rapport sexuel. Il n'y avait aucun sentiment au-delà des sensations physiques, pas de tendresse, pas d'affection. Ils se jetaient brutalement l'un sur l'autre, tiraient et poussaient, se cambraient et se tordaient l'un contre l'autre, s'efforçant d'exciter au maximum leurs terminaisons nerveuses. Aucun des deux ne se souciait de ce que l'autre ressentait ; c'était chacun pour soi, pour son propre plaisir. Maintenant que leur vie affective s'était complètement appauvrie, ils tentaient de compenser cette perte par les plaisirs des sens, essentiellement la nourriture et le sexe. Cependant, dépourvue de facteurs émotionnels, chacune de ces expériences était... creuse, et ils se démenaient pour remplir ce vide, par de l'excès : le moindre repas devenait un festin, un festin se transformait en un banquet orgiaque digne de la décadence romaine. Et les rapports sexuels se réduisaient à des accouplements bestiaux et frénétiques.

Grace le tira sur le lit.

Il ne voulait pas, mais il ne pouvait pas refuser. Il ne pouvait littéralement pas refuser.

Respirant fort, parcourue de frissons d'excitation, elle lui arracha ses vêtements et le chevaucha. Elle émettait des sons étranges qui n'étaient pas des mots.

L'excitation de Loman atteignit bientôt le même degré que la sienne, et il s'enfonça en elle, dedans, violemment dedans, ayant perdu la notion du temps comme du lieu, n'existant plus que pour alimenter la fournaise de ses reins, l'alimenter sans faiblir jusqu'à ce qu'elle parvînt à une chaleur insupportable, chaleur, friction, chaleur et friction, humide et brûlant, chaleur, alimenter la fournaise jusqu'au point où tout son corps se consumerait dans les flammes. Il changea de position, la clouant sur le lit, son bassin comme un marteau-pilon infatigable, s'enfonçant en elle, de plus en plus profond, la tirant à lui si brutalement qu'il devait la meurtrir, mais il s'en moquait. Elle passa les mains dans son dos et le griffa, ses ongles s'enfonçaient dans sa chair d'homme, ouvrant des traînées de sang, et il la déchira aussi, car le sang était excitant, l'odeur du sang, la délicieuse et douce odeur, si excitante, du sang ; et peu importaient les blessures qu'ils s'infligeaient mutuellement, car elles étaient superficielles et guériraient en quelques secondes : ils faisaient partie de la Nouvelle Race. Leur organisme était efficace ; du sang coulait un instant, puis les blessures se refermaient et ils se griffaient de nouveau. Ce qu'ils voulaient réellement, l'un comme l'autre, était s'abandonner, lâcher les rênes à l'esprit sauvage au fond d'eux-mêmes, se débarrasser de toutes les inhibitions de la civilisation, y compris celles des formes humaines les plus hautes, devenir sauvages, sauvages, régresser, s'abandonner, car le sexe serait alors plus excitant, d'une excitation plus pure ; s'abandonner, et le vide serait rempli ; ils connaîtraient la satiété, et quand ils auraient joui, ils pourraient chasser ensemble, chasser et tuer, vifs et silencieux, agiles et vifs, mordre et déchirer, mordre profondément, de toutes leurs forces, chasser et tuer – le sperme puis le sang, le sang à l'arôme si suave...

Un moment, Loman fut désorienté.

Lorsqu'il retrouva la notion du temps et du lieu, il jeta un coup d'œil en direction de la porte et se rendit compte qu'elle était restée entrouverte. Denny aurait pu les voir simplement en sortant sur le palier, et en tout cas les avait certainement entendus ; mais Loman n'arrivait pas à s'en soucier. Les sentiments de honte et de pudeur n'étaient que deux victimes de plus du Changement.

Tandis qu'il reprenait ses esprits, la peur s'immisça dans son cœur et il s'effleura rapidement – le visage, les bras, le buste, les jambes – pour s'assurer qu'il était exactement comme il devait être. Pendant l'accouplement, avec la montée de la sauvagerie en lui, il avait parfois l'impression qu'il changeait en approchant de l'orgasme, qu'il régressait, même si c'était de peu de chose. Mais il n'en avait jamais trouvé la preuve en remettant les pieds sur terre.

Il était cependant tout gluant de sang.

Il alluma la lampe de chevet

– Éteins, dit aussitôt Grace.

Mais il ne voulait pas se contenter de sa vision nocturne améliorée. Il tenait à l'examiner de plus près pour vérifier s'il n'y avait rien en elle... de différent.

Elle n'avait pas régressé. Ou bien alors, elle était déjà revenue à sa forme supérieure. Elle avait le corps barbouillé de sang, et on apercevait encore quelques écorchures, là où il l'avait entaillée, qui achevaient de cicatriser.

Il éteignit et s'assit sur le bord du lit.

Grâce aux pouvoirs de récupération multipliés par mille par le Changement, il ne fallait que quelques minutes aux écorchures superficielles pour guérir ; on pouvait littéralement voir la peau se cicatriser sous ses yeux. Ils étaient vaccinés contre toutes les maladies, grâce à un système immunitaire si agressif qu'aucun virus, qu'aucune bactérie, même parmi les plus dangereux, n'avait le temps de se reproduire. Shaddack estimait que l'espérance de vie allait s'accroître, pour atteindre peut-être plusieurs siècles.

On pouvait évidemment les tuer, mais il fallait leur infliger une blessure qui broie le cœur, réduise le cerveau en pièces ou fasse éclater les poumons, empêchant le sang de se réoxygéner. Qu'une veine ou une artère fût coupée, et l'afflux de sang était spectaculairement réduit vers ce vaisseau pendant les quelques minutes nécessaires à sa réparation. Si un autre organe vital que les trois premiers était endommagé, l'organisme arrivait à survivre à bas régime pendant des heures, pendant que sa restructuration se faisait à vitesse accélérée. Ils n'étaient pas encore aussi sûrs que des machines, car les machines ne peuvent mourir ; avec les bonnes pièces détachées, on peut toujours reconstruire une machine, même en morceaux, et la remettre au travail ; mais ils étaient bien plus près de ce stade d'endurance physique que quiconque, à l'extérieur de Moonlight Cove, aurait pu l'imaginer.

Vivre pendant des siècles...

Cette idée laissait parfois Loman songeur.

Vivre pendant des siècles, en ne connaissant que la peur et les sensations physiques...

Il se leva, alla dans la salle de bains et prit une douche rapide pour enlever tout ce sang.

Il n'arriva pas à croiser son regard dans le miroir.

De retour dans la chambre, il prit un uniforme propre dans la penderie et l'enfila.

Grace n'avait pas bougé du lit.

– J'aimerais tant pouvoir dormir, murmura-t-elle.

Quelque chose lui dit qu'elle pleurait en silence. En quittant la pièce, il referma la porte derrière lui.

49

Ils s'installèrent dans la cuisine, ce qui plut à Tessa, car quelques-uns des meilleurs souvenirs de son enfance et de son adolescence avaient trait à des réunions de famille improvisées ou à des discussions impromptues, avec pour cadre la cuisine de leur maison de San Diego. La cuisine est le cœur d'une maison, et d'une certaine manière, le cœur d'une famille. Mystérieusement, les pires problèmes deviennent insignifiants lorsqu'on en parle dans une cuisine bien chaude qui embaume le café ou le chocolat, en picorant un gâteau ou des biscuits faits maison. Dans une cuisine, elle se sentait en sécurité.

Celle de Harry Talbot était grande, car on l'avait remodelée pour l'adapter à un homme cloué sur un fauteuil roulant ; l'espace ne manquait pas autour des éléments de cuisson, placés au centre et relativement bas, de même que les plans de travail le long des murs, pour être accessibles en position assise. Sinon, c'était une cuisine comme une autre, aux placards peints d'une agréable couleur crème, avec un carrelage jaune pâle. Un réfrigérateur ronronnait dans un coin. On pouvait commander les stores électriquement depuis le comptoir, et Harry les fit descendre.

Après avoir constaté qu'ici aussi le téléphone était coupé, et que donc c'était en réalité tout le réseau de la ville, et pas seulement les cabines payantes, qui se trouvait déconnecté, Sam et Tessa s'assirent autour d'une table ronde – Harry avait insisté – pendant que l'infirme préparait un excellent café colombien dans une vraie machine à café.

– Vous avez l'air frigorifiés, dit-il, ça vous fera du bien.

Glacée, épuisée, en manque de caféine, Tessa n'aurait pu décliner cette offre. Elle était même fascinée par Harry qui, en dépit de la gravité de sa paralysie, arrivait à avoir suffisamment d'autonomie pour pouvoir jouer les hôtes courtois.

Avec une seule main et quelques mouvements habiles, il prit un paquet de petits pains à la cannelle dans la boîte à pain, la moitié d'un gâteau au chocolat dans le réfrigérateur, des assiettes, des couverts et des serviettes en papier. Il refusa gentiment, avec un sourire, de se laisser aider par Tessa ou Sam.

Tessa comprit qu'il n'essayait pas de leur (ou de se) prouver quoi que ce fût. Il avait simplement plaisir à avoir de la compagnie, même à cette heure et dans ces circonstances bizarres. Un plaisir peut-être très rare.

– Pas de crème, dit-il, juste du lait.

– Ce sera parfait, protesta Sam.

– Et pas de pichet élégant en porcelaine non plus, ajouta Harry en posant le carton de lait sur la table.

Tessa commença à envisager de tourner un documentaire sur l'infirme, sur le courage et la ténacité dont il fallait faire preuve pour rester indépendant dans de telles conditions : en dépit de ce qu'elle venait de vivre depuis son arrivée à Moonlight Cove, les sirènes de son art l'appelaient déjà. Il y avait longtemps, cependant, qu'elle avait appris que la créativité d'un artiste ne se « débranche » pas à volonté ; on ne recouvre pas l'œil d'un metteur en scène comme l'on met un capuchon sur un objectif. Alors même qu'elle pleurait la mort de sa sœur, qu'elle venait d'apprendre, des idées de plans, de conceptions narratives n'avaient cessé de lui venir à l'esprit. Même au plus chaud de la guerre, alors qu'elle courait avec des rebelles afghans sous la mitraille d'avions soviétiques, elle était surexcitée à l'idée du film qui sortirait de la salle de montage – et son équipe avait réagi tout à fait de la même manière. Si bien qu'elle ne se sentait plus ni ridicule ni coupable d'être en permanence une artiste ruminant ses fantasmes, même en pleine tragédie ; pour elle, c'était quelque chose de naturel, qui faisait partie intégrante de sa créativité et de son existence.

Adapté à ses besoins, le fauteuil de Harry comportait un système hydraulique qui soulevait le siège de quelques centimètres, l'amenant presque à une hauteur normale ; il pouvait ainsi s'asseoir à une table ordinaire ou à un bureau. Il prit place à côté de Tessa, en face de Sam.

Moose était couché dans un coin et les surveillait, levant de temps en temps la tête comme s'il était intéressé par la conversation – mais plus vraisemblablement attiré par l'odeur du gâteau au chocolat. Le labrador, cependant, ne vint pas mendier une seule fois, et cette discipline impressionna Tessa.

Tout en servant le café, Harry entama la discussion.

– Vous m'avez dit les raisons de votre venue, Sam, c'est-à-dire pas seulement ma lettre, mais tous ces soi-disant accidents.

Il se tourna vers Tessa, et comme elle se trouvait à sa droite, l'inclinaison permanente de sa tête à gauche, qui l'obligeait à se pencher en arrière pour lui faire face, lui donnait l'air de la regarder avec suspicion ou au moins scepticisme, ce que son sourire chaleureux démentait.

– Mais je ne vois pas ce que vous venez faire là-dedans, miss Lockland.

– Appelez-moi Tessa, je vous en prie. Eh bien... j'avais une sœur, Janice Capshaw...

– La femme de Richard Capshaw, la veuve du pasteur ?

– En effet.

– Figurez-vous qu'ils venaient me voir ! Je n'étais pas membre de leur congrégation, mais ça ne changeait rien pour eux. Nous sommes devenus amis. Après la mort de Richard, elle a continué à passer, de temps en temps. Votre sœur était une femme de cœur, une femme merveilleuse, Tessa. (Il posa sa tasse de café et lui tendit sa bonne main.) C'était une amie véritable.

Tessa lui prit la main. Elle avait la peau épaisse et des cals, et on y sentait une force peu commune, comme si toute l'énergie dont son corps paralysé était frustré ne trouvait à s'exprimer que par cet unique membre valide.

– Je les ai vus qui emmenaient le corps au crématorium du salon funéraire, chez Callan, reprit Harry. Grâce à mon télescope. Je suis un spectateur. Voilà à quoi je consacre l'essentiel de ma vie : je regarde. (Il rougit légèrement et serra un peu plus la main de Tessa.) Ce n'est pas simplement du voyeurisme. En fait, je ne me sens pas du tout un voyeur. Je... je participe. Oh, bien sûr, j'aime lire et j'ai plein de bouquins ; quant à ce qui est de réfléchir, j'ai tout le temps pour ça ! Mais c'est ma vie de spectateur, avant tout, qui me permet de tenir. Nous monterons, tout à l'heure. Je vous montrerai le télescope, tout le bazar. Vous arriverez peut-être à comprendre. Je l'espère, en tout cas. Bref, je les ai vus arriver chez Callan avec Janice, cette nuit-là – mais je n'ai appris que deux jours plus tard, par le journal du comté, de qui il s'agissait. Je n'arrivais pas à croire qu'elle était morte de cette manière, comme il le racontait. Je n'arrive toujours pas à y croire.

– Moi non plus, dit Tessa, et c'est pourquoi je suis ici.

À regret, avec une dernière pression, Harry lâcha la main de Tessa.

– Puis les cadavres ont commencé à affluer, la plupart amenés de nuit chez Callan, et plus d'une fois avec les flics qui surveillaient les opérations – bougrement bizarres dans un patelin aussi tranquille que celui-ci, non ?

– Douze morts accidentelles ou par suicide en moins de deux mois, précisa Sam.

– Douze ? s'exclama Harry.

– Vous ne vous étiez pas rendu compte qu'il y en avait autant ? demanda Sam.

– Mais il y en a eu davantage !

Sam cligna les yeux.

– Vingt, d'après mes calculs, continua Harry.

50

Après le départ de Watkins, Shaddack retourna dans son bureau et brancha de nouveau son terminal sur Sun, le super-ordinateur de New Wave, pour reprendre ses recherches sur un aspect problématique du projet en cours. Il était déjà deux heures trente du matin, mais il allait travailler encore quelques heures : il ne se couchait jamais avant l'aube.

Il n'était que depuis quelques minutes devant son écran, lorsque le plus privé de ses téléphones sonna.

Tant que Booker ne serait pas appréhendé, l'ordinateur de la compagnie du téléphone n'autoriserait les appels qu'entre les convertis, du numéro de l'un d'eux à celui d'un autre. Toutes les autres communications étaient coupées, et les appels vers l'extérieur interrompus avant qu'on eût réussi à composer le numéro. Quant à ceux en provenance de l'extérieur, un répondeur automatique s'excusait, invoquait un problème technique et promettait un retour à la normale dans les vingt-quatre heures.

Shaddack savait donc que l'appel venait forcément d'un converti et que, comme il était passé par sa ligne confidentielle, il devait s'agir de l'un de ses proches de New Wave Microtechnology. Un affichage numérique apparut à la base du combiné : il reconnut le numéro de son correspondant. C'était celui de Mike Peyser. Il décrocha.

– Shaddack.

Il entendit une respiration bruyante et irrégulière à l'autre bout du fil.

Avec un froncement de sourcil, Shaddack dit :

– Allô !

Seule la respiration lui répondit.

– C'est toi, Mike ?

Finalement, lui parvint une voix. Rauque, gutturale, avec des inflexions suraiguës, un murmure chargé de violence, la voix de Peyser, et pourtant différente, étrange :

– *... Quelque chose va de travers, de travers, quelque chose va de travers, peux pas changer, peux pas... de travers... de travers...*

Il répugnait à l'informaticien de reconnaître la voix de Peyser dans ce timbre curieux et ce débit au rythme aberrant.

– Qui est à l'appareil ? demanda-t-il.

– *... envie, envie... envie, je veux, j'ai envie...*

– Mais qui est à l'appareil ? fit Shaddack d'un ton de colère.

Cependant, son esprit posait une autre question : Qu'est-ce que c'est que *ça* ?

De l'autre bout du fil, lui parvint un grognement de douleur, un miaulement exprimant la plus profonde angoisse, quelque chose comme un sanglot de frustration et un ricanement sardonique – le tout dans une longue éructation prolongée. Puis le combiné retomba avec fracas sur quelque chose de dur.

Shaddack reposa le sien, se tourna vers l'écran, se brancha sur la banque de données de la police et envoya un message urgent à Loman Watkins.

51

Assis sur le tabouret, dans la chambre du deuxième étage plongée dans l'obscurité, Sam Booker étudiait l'arrière-cour de l'entreprise de pompes funèbres, l'œil vissé à l'oculaire. Il ne restait plus qu'une légère gaze de brume, par endroits, car le vent qui s'acharnait encore sur les fenêtres et secouaient les arbres, le long des pentes sur lesquelles s'étendait l'essentiel de l'agglomération, avait dissipé presque tout le brouillard. L'éclairage de l'allée était coupé, et l'arrière-cour, très sombre, ne bénéficiait que de la vague lueur qui traversait les fenêtres du crématorium, masquées par les stores. Aucun doute qu'on s'y employait activement à incinérer les corps du couple qui venait d'être assassiné au Cove Lodge.

Tessa était assise sur le bord du lit, derrière Sam, et caressait Moose qui avait posé la tête sur ses genoux.

À côté d'elle, dans son fauteuil, Harry compulsait, éclairé par son crayon lumineux, le carnet à spirale dans lequel il avait relevé les activités inhabituelles du salon funéraire.

– La première chose – en tout cas, la première chose inhabituelle que j'ai remarquée – date de la nuit du 28 août, dit Harry. À minuit moins vingt, on a apporté quatre corps d'un coup, deux dans le fourgon mortuaire, deux dans l'ambulance municipale. La police était là. Les cadavres étaient dans des sacs, et je n'ai donc rien pu en voir, mais les flics et les ambulanciers, comme le personnel de Callan... eh bien, tous étaient visiblement... bouleversés. Je le voyais sur leur visage. Ils avaient peur. Ils n'arrêtaient pas de jeter des coups d'œil dans l'allée et vers les maisons avoisinantes, comme s'ils craignaient d'être vus, ce qui m'a paru d'autant plus bizarre qu'ils ne faisaient apparemment que leur boulot. Non ? Bref, un peu plus tard, j'ai lu l'histoire de l'incendie chez les Mayser dans le journal ; j'ai compris que c'étaient les quatre membres de cette famille qu'on avait amenés chez Callan, cette nuit-là. Je suppose qu'ils ne sont pas plus morts dans un incendie que votre sœur ne s'est suicidée.

– Probablement pas, en effet.

Sans quitter des yeux l'arrière-cour, Sam dit :

– J'ai les Mayser sur ma liste. On les a trouvés lors de l'enquête sur l'affaire Bustamente-Sanchez.

Harry s'éclaircit la gorge et reprit :

– Six jours plus tard, le 3 septembre, ce sont deux corps qui sont arrivés chez Callan, peu après minuit. C'était encore plus bizarre, car ce n'est ni le fourgon ni l'ambulance qui les ont amenés. Deux voitures de police sont venues stationner derrière le salon, là où vous regardez, et les flics ont déchargé deux cadavres du siège arrière, un de chaque véhicule, enveloppés dans des draps couverts de sang.

– Le 3 septembre ? s'étonna Sam. Il n'y a personne sur ma liste à cette date. L'affaire des Bustamente et de Sanchez date du 5. Aucun certificat de décès n'a été rédigé le 3. Ils ont réussi à faire disparaître ces deux-là des registres.

– D'ailleurs, pas un mot là-dessus dans le journal du comté, non plus, confirma Harry.

– Mais alors, demanda Tessa, qui étaient ces deux personnes ?

– Peut-être des étrangers à la ville qui eurent la malchance de s'arrêter à Moonlight Cove et de tomber malencontreusement sur quelque chose de dangereux, suggéra Sam. Des gens dont on pouvait complètement dissimuler la mort, des gens dont personne ne saurait qu'ils sont morts. Des gens qui ont disparu, quelque part sur la route.

– La nuit du 5 est bien celle des Bustamente-Sanchez, confirma Harry, puis il y a eu Jim Armes, la nuit du 7.

– Armes a disparu en mer, dit Sam, quittant le télescope pour se tourner vers l'infirme, sourcils froncés.

– Ils ont apporté le corps au crématorium à onze heures du soir. (Harry consultait son carnet pour les détails.) Les stores n'avaient pas été baissés, et je pouvais voir presque aussi bien que si j'avais été dans la pièce. Si vous aviez vu dans quel état était le corps ! Et le visage... Deux jours plus tard, lorsqu'il y a eu l'article sur la disparition en mer d'Armes, j'ai tout de suite reconnu le type qu'ils avaient fait partir en fumée dans l'incinérateur.

La grande chambre était noyée de vastes pans de ténèbres, et la seule lumière émanait du rayon étroit du crayon-lampe, qu'abritait en partie la main de Harry pour le confiner au carnet. Les pages blanches donnaient l'impression de diffuser une lumière qui leur était propre, comme si elles appartenaient à quelque livre de magie – noire, peut-être.

Les traits fatigués de l'infirme étaient plus faiblement éclairés par le reflet de ces pages, mais cette lumière sourde ne faisait qu'accentuer les rides qui creusaient son visage et lui donnait un air plus âgé. Chacune de ces rides, songea Sam, est la trace d'une expérience douloureuse. Il se sentit pris d'une profonde sympathie pour le vétéran. Mais pas de pitié. Jamais il n'aurait pitié de quelqu'un d'aussi déterminé que Harry Talbot. Cela ne l'empêchait pas de deviner le chagrin et le sentiment de solitude qui étaient le lot de cet homme, confiné chez lui. À le regarder, cloué sur son fauteuil, Sam se sentit pris de colère pour ses voisins. Pourquoi n'avaient-ils rien fait pour que Harry participât à leur vie, de temps en temps ? Pourquoi ne pas l'avoir invité à dîner plus souvent, pourquoi ne pas lui avoir fait partager leurs fêtes ? Pourquoi l'avaient-ils laissé dans son coin au point que son principal moyen de participer à la vie de la communauté se résumait à l'observer par l'intermédiaire d'un télescope et de jumelles ? Sam ressentit une bouffée de désespoir en songeant combien les gens répugnaient à se tendre la main, combien ils s'isolaient les uns des autres. Avec un sursaut contenu, il songea combien lui-même était incapable de communiquer avec son propre fils, ce qui le fit se sentir encore plus morose.

À Harry, il demanda :

– Que voulez-vous dire, quand vous parlez de l'état dans lequel était le corps d'Armes ?

– Couvert de coupures et d'entailles.

– Il ne se serait pas noyé ?

– M'en avait pas l'air.

– Des entailles... c'est bien ce que vous voulez dire ? demanda Tessa.

Sam comprit qu'elle pensait aux gens qu'elle avait entendus hurler dans le motel, ainsi qu'à sa sœur.

Harry hésita, puis répondit :

– Eh bien, je l'ai vu sur la table du crématorium, avant qu'ils le glissent dans l'incinérateur. Il avait été... éviscéré. Presque décapité. Horriblement... *déchiqueté.* Il avait l'air d'être aussi mutilé que s'il avait sauté sur une mine antipersonnel.

Tous trois gardèrent le silence, réfléchissant à cette description.

Seul Moose gardait sa placidité. Il émettait de doux gémissements de satisfaction tandis que Tessa le grattait derrière les oreilles.

Sam songea que ce n'était peut-être pas si mal de vivre la vie d'un être inférieur, tout en sensations, sans être troublé par la complexité d'un intellect. Ou alors à l'autre extrême... vivre l'existence d'un ordinateur authentiquement intelligent, sans aucun sentiment venant le déranger. Le grand fardeau double – émotions et intelligence – propre à l'humanité est ce qui rend la vie si difficile ; on est toujours à penser à ce que l'on ressent au lieu de se laisser porter par l'instant, ou bien on s'efforce de ressentir ce que l'on s'imagine que l'on devrait ressentir dans une situation donnée. Pensées et jugements sont inévitablement colorés par les émotions, parfois à un niveau inconscient, si bien que l'on ne comprend même pas clairement ce qui nous a poussé à prendre telle ou telle décision, à agir de telle ou telle manière. Les émotions brouillent la réflexion ; mais en réfléchissant trop sur nos émotions, on ne fait que les dissiper. Essayer de ressentir profondément tout en pensant à la perfection, c'est, se disait Sam, comme jongler avec six massues tout en pédalant à l'envers sur un monocycle, sur un fil à dix mètres du sol.

– Après l'article sur la disparition d'Armes, dit Harry, j'ai attendu un rectificatif, et c'est là que j'ai commencé à me dire que ces bizarres allées et venues chez Callan n'étaient pas seulement bizarres mais probablement aussi criminelles – et que les flics étaient dans le coup.

– Paula Parkins a également été lacérée, dit Sam.

Harry acquiesça.

– Supposément par ses dobermans.

– Des dobermans ? demanda Tessa.

Dans la laverie, Sam lui avait dit que sa sœur n'était que l'une des morts curieuses d'une série de suicides ou d'accidents, sans lui donner plus de détails. Rapidement, il lui parla du cas Parkins.

– Ce ne sont pas ses chiens, approuva Tessa, mais bien la même chose que ce qui a massacré Armes. Et les clients du Cove Lodge, ce soir.

C'était la première fois que l'infirme entendait parler de ce qui s'était passé au motel. Sam le lui résuma, et lui expliqua comment il avait rencontré Tessa dans la laverie.

Le visage prématurément vieilli de Talbot prit une curieuse expression.

– Heu... dit-il à Tessa, vous n'avez pas vu ces choses, au motel ? Même pas aperçu ?

– Seulement le pied de l'un d'eux, par-dessous le bas de la porte.

Harry ouvrit la bouche, la referma, et resta dans un silence songeur.

Il sait quelque chose, se dit Sam. Il en sait plus que nous.

Harry ne se sentait pas prêt à partager ce savoir, car il retourna à son carnet et dit :

– Deux jours après la mort de Paula Parkins, on a amené un corps chez Callan, vers neuf heures trente du soir.

– C'est-à-dire le 11 septembre, n'est-ce pas ? demanda Sam.

– Oui.

– Aucune trace d'un certificat de décès pour ce jour-là.

– Et rien non plus dans le journal.

– Continuez.

– Le 15 septembre..., reprit Harry.

– Steve Heinz, Laura Dalcoe. Il l'aurait tuée, puis il se serait donné la mort, continua Sam à sa place. Querelle d'amoureux qui aurait mal tourné.

– Une crémation rapide de plus, ajouta Harry. Et trois nuits plus tard, c'est-à-dire le 18, livraison de deux nouveaux corps chez Callan peu après une heure du matin, au moment où j'allais me coucher.

– Là non plus, aucune trace officielle, dit Sam.

– Encore deux étrangers qui auraient quitté l'autoroute pour visiter le coin ou pour dîner ? demanda Tessa. Ou peut-être quelqu'un d'une autre partie du comté, qui passait sur la route secondaire ?

– On ne peut même pas exclure les gens du pays, remarqua Harry. Ce que je veux dire, c'est qu'il y a un certain nombre de personnes qui étaient installées ici depuis peu, des nouveaux venus, de simples locataires n'ayant pas beaucoup de liens avec la population locale ; pour couvrir l'assassinat, il n'est pas très difficile de concocter une histoire de départ précipité, à cause d'un nouveau travail, n'importe quoi, et les voisins ne s'étonnent pas.

Surtout si les voisins en question sont déjà « convertis » et participent à la mascarade, songea Sam.

– On arrive au 23 septembre, reprit Harry. C'est donc votre sœur, Tessa.

– Oui.

– Dès ce moment-là, j'ai su qu'il fallait absolument que je parle à quelqu'un de ce dont j'avais été témoin. À une autorité. Mais laquelle ? Je n'avais plus aucune confiance dans celle de Moonlight Cove, depuis que j'avais vu les flics amener eux-mêmes des corps sans que j'entende jamais parler de rien dans le journal. Le shérif du comté ? Il aurait plutôt cru Watkins que moi, n'est-ce pas ? Bon Dieu, tout le monde s'imagine qu'un infirme est un type un peu bizarre, de toute façon – bizarre dans sa tête, je veux dire – et plus ou moins consciemment, les gens confondent infirmité physique et mentale. Ils sont prédisposés à ne pas me croire. Et il faut bien aussi reconnaître que cette histoire est particulièrement délirante, tous ces cadavres, toutes ces crémations secrètes...

Il se tut un instant, et un nuage passa sur son visage.

– Le fait que je sois un vétéran couvert de décorations n'y aurait rien changé. C'est de l'histoire ancienne, la guerre... je me demande même, en réalité, si de l'avoir faite n'aurait pas joué contre moi. Syndrome de stress suite aux combats dans la jungle vietnamienne, voilà comment on aurait appelé ça. Ce pauvre vieux Harry a fini par perdre complètement les pédales – vous voyez bien – à cause de la guerre...

Jusqu'ici, Harry s'était exprimé posément, sans mettre beaucoup d'émotion dans ses propos, sauf lorsqu'il avait parlé de Janice. Mais ses dernières paroles étaient comme une vitre posée à la surface d'un bassin agité, révélant tout un monde en dessous ; dans son cas, un royaume de souffrances, de solitude, de déréliction.

L'émotion qui chargeait sa voix la faisait même légèrement s'étrangler, par moments, lorsqu'il reprit :

– Et il faut bien que je l'avoue, si je n'ai pas essayé d'en parler à quelqu'un, c'est que... que j'avais peur. Je n'avais aucune idée de ce qui se passait. Je n'avais aucune idée de l'enjeu. Comment savoir s'ils ne me feraient pas taire définitivement, s'ils ne m'expédieraient pas dans l'incinérateur de Callan, un soir ? Vous vous dites peut-être qu'ayant déjà tant perdu, je devrais m'en ficher, ne pas me soucier de perdre davantage, de mourir, mais ce n'est pas comme ça que ça se passe, alors là, pas du tout. La vie m'est probablement plus précieuse qu'à bien des personnes en bonne santé, et jouissant de l'intégrité de leur corps. Le mien, dans l'état où il se trouve, m'a tellement ralenti que j'ai passé ces dernières vingt années en dehors du tourbillon d'activités dans lequel la plupart d'entre vous vivez, et j'ai eu tout mon temps pour voir réellement le monde, pour en saisir la beauté et la complexité. En fin de compte, mon infirmité m'a conduit à mieux apprécier et aimer la vie. C'est pourquoi j'avais peur qu'ils ne viennent me tuer, c'est pourquoi j'hésitais à parler de ce que j'avais vu. Que Dieu me pardonne, mais si j'avais parlé plus tôt, si je m'étais mis plus tôt en contact avec le FBI, certaines personnes auraient été sauvées, qui sait ? Votre sœur, peut-être...

– N'allez pas vous imaginer ça ! s'exclama Tessa. Si vous aviez procédé différemment, vous seriez sans aucun doute réduit à un tas de cendres, maintenant, raclées au fond de l'incinérateur de Callan et jetées à la mer. Le sort de ma sœur était scellé. Vous ne pouviez rien y faire.

Harry acquiesça puis éteignit son crayon lumineux, plongeant la pièce dans une obscurité presque totale, bien qu'il n'eût pas fini de dépouiller les informations de son carnet. Sam soupçonna que la générosité d'esprit spontanée dont Tessa venait de faire preuve avait dû faire venir les larmes aux yeux du vétéran, et que celui-ci ne voulait pas qu'on les vît.

– Le 25, poursuivit-il sans avoir besoin de consulter ses notes, livraison d'un corps chez Callan à dix heures quinze le soir. Là aussi, un cas bizarre, car il n'est arrivé ni dans le fourgon, ni dans l'ambulance, ni même dans un véhicule de la police. Mais dans la voiture de Loman Watkins.

– Le chef de la police, précisa Sam à l'intention de Tessa.

– Je parle de sa voiture personnelle, et il n'était pas en uniforme. On a sorti le corps du coffre, enroulé dans une couverture. Les stores n'étaient pas tirés ce soir-là non plus, et j'ai pu le voir de près avec le télescope. Je ne l'ai pas reconnu, mais en revanche son état m'était familier : le même que Armes.

– Déchiqueté ? demanda Sam

– Oui. C'est alors que le FBI a débarqué, à cause de l'affaire Bustamente-Sanchez, et quand je l'ai lu dans le journal, j'ai poussé un soupir de soulagement, me disant que tout allait être découvert, qu'il y aurait des révélations et des explications. C'est alors que deux nouveaux corps ont été amenés chez Callan, la nuit du 4 octobre...

– Notre équipe était à Moonlight Cove ! En plein milieu de leur enquête ! Ils n'ont pas vu passer de certificats de décès pendant leur séjour ici. Et pourtant, d'après ce que vous dites, ça s'est passé sous leur nez ?

– Ouais. Pas besoin de regarder dans mon carnet. Je m'en souviens très bien. C'est le camping-car de Reese Dorn qui a assuré la livraison des corps. C'est un flic du coin, mais il n'était pas en uniforme ce soir-là. Ils ont trimbalé les macabs dans le crématorium ; l'un des stores n'était pas fermé et je les ai donc vus enfourner les deux corps ensemble, comme s'il y avait une grande urgence à s'en débarrasser. Il y a encore eu de l'activité chez Callan tard dans la nuit du 7, mais je ne pourrais jurer qu'on a amené des corps, tant le brouillard était épais. Et finalement... en début de soirée. Un cadavre d'enfant. Un petit enfant.

– Plus les deux personnes du Cove Lodge, dit Tessa. Nous en sommes à vingt-deux victimes, dix de plus que le chiffre avancé par Sam. Ce patelin est un véritable abattoir.

– Il pourrait y en avoir davantage, remarqua Harry.

– Comment ça ?

– Eh bien, après tout, je ne passe pas toutes mes nuits ni la totalité de mes soirées à surveiller cet endroit. Je me couche vers une heure et demie, deux heures tout au plus. J'ai fort bien pu manquer des visites plus tardives, non ?

Songeur, Sam porta de nouveau un œil à l'oculaire. L'arrière du salon funéraire était toujours aussi sombre et calme. Lentement, il pivota vers la droite, accommodant le champ de vision sur les environs.

– Mais *pour quelles raisons* tous ces gens ont-ils été tués ? demanda Tessa.

Personne n'avait de réponse à fournir.

– Et par quoi ? ajouta-t-elle.

Sam étudia quelques instants le cimetière, plus au nord sur Conquistador, puis il poussa un soupir, se redressa, et leur parla de son expérience en début de soirée, sur Iceberry Way.

– J'ai tout d'abord cru que c'était des ados, des délinquants, mais ce que je pense, maintenant, c'est que j'ai eu affaire aux mêmes... créatures que celles qui ont tué les clients du Cove Lodge, les mêmes que celles dont vous avez aperçu un pied par l'espace sous votre porte.

Il arriva presque à voir le front de Tessa se plisser de frustration, dans l'obscurité, lorsqu'elle dit :

– Mais enfin, qu'est-ce que ça peut bien être ?

Harry Talbot hésita un instant. Puis :

– Je les appelle des croquemitaines.

52

Sans oser se servir des sirènes et ne gardant que les veilleuses sur les derniers cinq cents mètres, Loman arriva chez Peyser à trois heures dix du matin, avec deux véhicules, cinq policiers et des fusils à pompe. Il espérait n'avoir à s'en servir que comme moyen d'intimidation. Lui et ses hommes n'avaient rencontré un régressif qu'une seule fois – Jordan Coombs, le 4 septembre – sans être préparés à affronter tant de férocité : ils avaient dû l'abattre pour se protéger. Shaddack n'avait eu qu'une carcasse à examiner et ne pas avoir la possibilité d'explorer la psychologie – et le fonctionnement physiologique – de l'un de ces psychopathes l'avait rendu furieux. Un fusil chargé d'un tranquillisant aurait malheureusement été sans effet, car les régressifs faisaient partie de la Nouvelle Race, et tous ceux de la Nouvelle Race, régressifs ou non, possédaient un métabolisme radicalement transformé qui permettait non seulement des guérisons prodigieusement rapides, mais également l'absorption de produits toxiques, poisons ou tranquillisants, qui étaient immédiatement dégradés et rejetés. La seule manière de calmer un régressif aurait été de le convaincre de se laisser brancher un goutte-à-goutte – ce qui ne laissait aucune chance.

La maison de Mike Peyser était un bungalow avec un porche à l'avant et à l'arrière – respectivement à l'ouest et à l'est – en excellent état, entouré d'un terrain d'un demi-hectare et bâti à l'abri de quelques énormes liquidambars qui n'avaient pas encore perdu leur superbe feuillage d'automne. Il n'y avait aucune lumière aux fenêtres.

Loman envoya un homme surveiller le côté nord et un autre le sud, au cas où Peyser tenterait de fuir par une fenêtre. Il en plaça un troisième au pied du porche de façade, et avec les deux derniers – Sholnick et Penniworth – il fit le tour de la maison pour grimper en silence les marches qui menaient au porche arrière.

Avec la dissipation du brouillard, la visibilité était redevenue bonne. Mais les rafales rageuses du vent créaient un bruit de fond qui neutralisait les autres bruits, empêchant d'entendre ceux qu'aurait pu produire Peyser.

Penniworth se colla au mur, à gauche de la porte, imité par Sholnick à droite. Tous deux tenaient à la main un fusil semi-automatique calibre 20.

Loman essaya la poignée. La porte n'était pas fermée ; il la poussa et recula.

Ses hommes pénétrèrent l'un après l'autre dans la cuisine, prêts à faire feu, bien que sachant que leur objectif était de prendre Peyser vivant, dans la mesure du possible. Mais ils n'allaient pas se sacrifier simplement pour ramener l'un de ces monstres en état de marche à Shaddack. Il suffit d'un instant à l'un d'eux pour trouver l'interrupteur.

Un calibre 12 à la main, Loman les suivit dans la maison. Des bols vides, des assiettes cassées et des boîtes alimentaires en plastique étaient éparpillés sur le sol, avec des restes de rigatoni rouges de sauce tomate, la moitié d'une boulette de viande, des coquilles d'œufs, un morceau de croûte de tarte et d'autres déchets de nourriture. L'une des quatre chaises de bois était renversée de côté ; une autre avait été réduite en morceaux contre le comptoir, non sans en craqueler quelques carreaux.

Droit devant eux, un passage en arche donnait sur la salle à manger, et la lumière en provenance de la cuisine y laissait deviner la table entourée de ses chaises.

Une porte s'ouvrait sur la gauche, à côté du réfrigérateur. Barry Sholnick l'ouvrit avec précaution. Des étagères couvertes de boîtes de conserve entouraient un palier où aboutissait l'escalier de la cave.

– On ira voir là en bas plus tard, dit Loman à voix basse. Quand on aura fait tout le tour de la maison.

Sans faire de bruit, Sholnick prit l'une des chaises de la cuisine et cala la porte de manière que personne ne pût monter en catimini du sous-sol et les surprendre par-derrière.

Ils restèrent un moment immobiles, tendant l'oreille.

Les rafales de vent secouaient la maison ; l'une des fenêtres vibra. Du grenier leur parvenait le craquement des poutres, et, de plus haut encore, les trépidations d'un bardeau en train de se détacher du toit.

Les deux jeunes policiers consultèrent Loman du regard. Penniworth n'avait que vingt-cinq ans et aurait pu passer pour en avoir dix-huit ; il avait un visage si frais et si candide qu'il ressemblait davantage à ces jeunes gens qui distribuent des brochures religieuses de porte en porte qu'à un flic. Sholnick avait dix ans de plus et était plus endurci.

Loman leur fit signe de pénétrer dans la salle à manger.

Ils allumèrent au passage. La pièce était déserte et ils se dirigèrent avec précaution vers le séjour.

Penniworth appuya sur un interrupteur mural qui commandait une lampe en laiton et chrome, l'un des rares objets à n'avoir pas été mis en morceaux. Entaillés et déchirés, les coussins du canapé et des fauteuils avaient perdu leur rembourrage, dispersé en mottes compactes, comme des champignons vénéneux. Des livres gisaient partout, en lambeaux. Une lampe en céramique, deux vases et le dessus de verre d'une table basse n'étaient plus que débris. Derrière les portes arrachées du faux cabinet qui le dissimulait, béait l'écran implosé de l'appareil de télévision. Tout trahissait une rage aveugle, une force sauvage déchaînée.

Une forte odeur d'urine emplissait la pièce, mêlée à d'autres effluves moins familiers et plus âcres. Peut-être l'odeur de la créature responsable de ce vandalisme. Un remugle de transpiration avec quelque chose de plus étrange, quelque chose qui à la fois retournait l'estomac de Loman et le nouait de peur.

Sur la gauche, un couloir conduisait vers les chambres et la salle de bains. Loman le garda dans sa ligne de tir, pendant que ses deux hommes allaient dans l'entrée, reliée au séjour par un passage en arche. Sholnick vint se poster en face de la porte du placard, le calibre 20 baissé, et, depuis le côté, Penniworth ouvrit brusquement la porte. Le placard ne contenait que des vêtements.

La partie facile était terminée. Les attendait maintenant le couloir étroit avec ses trois portes, dont une était ouverte de moitié, et les deux autres entrouvertes. Les pièces sur lesquelles elles donnaient étaient plongées dans l'obscurité. Moins d'espace pour manœuvrer, davantage d'endroits d'où un assaillant pouvait attaquer.

Le vent nocturne soupirait dans les cheneaux ; un son flûté, une note faible et plaintive, montait d'une gouttière.

Loman n'avait jamais été du genre à envoyer ses hommes au casse-pipe tout en attendant lui-même dans un endroit moins exposé. Même si les sentiments comme la fierté, le respect de soi-même et le sens du devoir s'étaient évaporés en lui comme la plupart de tout ce qui relevait du domaine affectif, depuis qu'il faisait partie de la Nouvelle Race, la notion du devoir était restée ancrée en lui – à peine une habitude, pratiquement un réflexe – et il manœuvrait comme il l'aurait fait avant le Changement. Il entra le premier dans le couloir : deux portes à gauche, une à droite. Il alla rapidement jusqu'à la deuxième porte de gauche, celle qui était à demi ouverte. Il donna un coup de pied dedans, et à la lumière qui venait du couloir vit une petite salle de bains déserte, avant que le battant ne se refermât après avoir rebondi sur le mur.

Penniworth se chargea de la première porte à gauche et tomba sur l'interrupteur avant que Loman n'en atteignît le seuil. Ils se retrouvèrent dans une pièce de travail avec bureau, table, chaises, classeurs, deux hautes bibliothèques bourrées de livres aux dos multicolores, et deux ordinateurs. Loman s'avança et couvrit le placard, dont Penniworth fit coulisser avec précaution la première puis la deuxième porte-miroir.

Rien.

Barry Sholnick était resté dans le couloir, canon braqué sur l'entrée de la pièce de droite. Lorsque les deux autres le rejoignirent, il donna un coup de crosse contre la porte et bondit en arrière, certain que quelque chose allait lui voler à la figure depuis l'obscurité, mais rien ne vint. Il hésita, franchit le seuil, et sa main tâtonna à la recherche de l'interrupteur, qu'elle finit par trouver.

– Ô mon Dieu ! s'exclama-t-il, battant précipitamment en retraite dans le couloir.

Regardant à son tour dans la grande chambre, Loman vit une créature infernale accroupie sur le sol, pelotonnée contre le mur opposé. Un régressif, sans aucun doute Peyser, mais loin de ressembler à Jordan Coombs dans le même état, comme le policier s'y était attendu. Il y avait bien quelques similitudes, mais c'était tout.

Passant devant Sholnick, Loman entra dans la pièce.

– Peyser ? demanda-t-il.

La chose, de l'autre côté de la pièce, cligna des yeux vers lui ; sa bouche tordue bougea. D'une voix qui était à la fois gutturale et réduite à un filet, sauvage et en même temps torturée comme seule peut l'être celle d'une créature à l'intelligence obscurcie, elle grommela :

– *... Peyser, Peyser, Peyser, moi, Peyser, moi, moi...*

On retrouvait ici aussi l'odeur de l'urine, mais ce qui dominait était cette autre senteur, forte, musquée.

Loman s'avança dans la chambre, suivi de Penniworth, tandis que Sholnick restait sur le seuil. Watkins s'arrêta à quelques mètres de Peyser, et Penniworth vint se placer à son côté, prêt à faire feu.

Lorsqu'ils avaient coincé Jordan Coombs en état altéré dans le cinéma, le 4 septembre précédent, il ressemblait plus ou moins à un gorille, avec son corps trapu et puissant. Mark Peyser présentait cependant un aspect beaucoup plus élancé et, tandis qu'il restait accroupi contre le mur, son corps faisait davantage penser à celui d'un loup qu'à celui d'un gorille. Ses hanches formaient avec sa colonne vertébrale un angle qui l'empêchait de se tenir debout ou assis complètement droit, et ses jambes paraissaient avoir les cuisses trop courtes et la partie inférieure trop longue. Son corps était couvert d'une toison épaisse, mais on n'aurait tout de même pas pu parler de fourrure.

– *... Peyser, moi, moi, moi...*

Il y avait eu encore quelque chose d'humain dans le visage de Coombs, même s'il avait davantage tenu de celui des grands primates avec son arcade sourcilière proéminente, son nez aplati et sa mâchoire prognathe, assez grande pour abriter d'énormes canines pointues comme celles d'un babouin. La tête hideusement transformée de Mike Peyser se rapprochait davantage de celle d'un loup ou d'un chien ; bouche et nez étaient allongés en un museau déformé. Son front massif rappelait bien celui d'un singe, quoique de façon exagérée, et au fond de ses yeux injectés de sang et profondément enfoncés dans leurs orbites osseuses, on lisait une angoisse et une terreur qui étaient entièrement humaines.

Levant une main en direction de Loman, Peyser dit :

– *... aidez-moi, moi, aidez, quelque chose de travers, tout de travers, aidez-moi...*

À la fois saisi de peur et émerveillé, Loman écarquillait les yeux devant cette main de mutant, se souvenant comment les siennes avaient commencé à se transformer lorsqu'il avait senti l'appel de la régression chez les Foster, un peu plus tôt dans la soirée. Doigts allongés, articulations démesurées, griffes puissantes à la place des ongles. Humaines par la forme générale et la dextérité, des mains comme jamais homme n'en avait eues.

Merde, pensa le policier, ces mains, ces *mains* ! j'ai vu ça au cinéma, ou au moins à la télé, lorsque nous avons loué la cassette de *The Howling*. Rob Bottin – le nom du responsable des effets spéciaux qui a créé le loup-garou. Il s'en souvenait, parce que Denny avait été un fou d'effets spéciaux avant le Changement. Plus qu'à toute autre chose, ces mains ressemblaient à celles du loup-garou de *The Howling* !

Trop délirant pour qu'on y croie. La vie imitant l'art. Le fantastique incarné. Au moment où le XXe siècle se précipitait vers sa dernière décennie, les progrès de la science et de la technologie atteignaient une ligne de partage, un point où les rêves de vie meilleure des hommes pouvaient souvent être satisfaits, mais où les cauchemars, aussi, pouvaient devenir réalité. Peyser était un mauvais, très mauvais rêve sorti en rampant de l'inconscient et devenu chair, et il n'y avait maintenant plus moyen de l'en faire échapper comme on réveille un somnambule ; il ne disparaîtrait pas comme les monstres qui hantent le sommeil.

– Comment puis-je vous aider ? demanda Loman, prudent.

– Descendez-le, dit Penniworth.

– Pas question, répondit sèchement le chef.

Peyser leva ses deux mains osseuses et les regarda quelques instants, comme si c'était la première fois qu'il les voyait. Il poussa un grognement, suivi de gémissements ténus et malheureux :

– ... *changer, peux pas changer, peux pas, essayé, besoin, envie, envie, besoin, peux pas, essayé...*

Depuis le seuil de la chambre, Sholnick s'exclama :

– Mon Dieu, il est pris comme ça ! Coincé ! Je croyais que les régressifs pouvaient se retransformer à volonté.

– Ils le peuvent, dit Loman.

– Lui, non, fit remarquer Sholnick.

– C'est bien d'ailleurs ce qu'il a dit, fit Penniworth d'une voix pressée et nerveuse. Qu'il ne pouvait pas changer.

– Peut-être, ou peut-être pas, conclut Loman. Les autres régressifs peuvent changer, eux ; s'ils n'y arrivaient pas, nous les aurions déjà tous trouvés. Mais ils quittent leur état altéré, et plus rien ne les distingue de nous.

Peyser paraissait avoir oublié leur présence. Il contemplait ses mains, avec un miaulement de fond de gorge, comme si ce qu'il voyait le terrifiait.

Puis ses mains commencèrent à changer.

– Vous voyez bien, dit Loman.

C'était la première fois que le chef de la police assistait à une telle transformation : il était paralysé par la curiosité, l'émerveillement, la terreur. Les griffes se rétractèrent. La chair parut soudain aussi malléable qu'une cire molle : elle se mit à gonfler et à se craqueler, agitée non pas par la pulsion rythmique du sang dans les artères, mais par d'étranges et obscènes mouvements ; elle prit une nouvelle forme, comme si un sculpteur invisible travaillait dessus. On entendait les os se broyer et éclater comme si on les fracturait pour les remodeler ; les chairs fondaient et se solidifiaient à nouveau avec d'écœurants clapotements humides. Les mains devinrent presque humaines, puis poignets et avant-bras commencèrent à perdre leur aspect osseux animal. Sur le visage de Peyser, on devinait la lutte de l'esprit humain pour chasser le sauvage qui s'était installé aux commandes ; les traits de prédateur laissaient la place, peu à peu, à une mine plus douce et humaine. On aurait dit que le monstrueux Peyser n'était que le reflet d'un monstre, sur une eau d'où s'élevait maintenant le véritable Peyser.

Bien qu'il ne fût ni un scientifique ni un génie de la microtechnologie, mais un simple policier ayant fait des études secondaires, Loman comprenait qu'on ne pouvait attribuer cette transformation rapide et profonde uniquement aux processus métaboliques spectaculairement améliorés de la Nouvelle Race, ni à l'aptitude parallèle à se guérir soi-même. Quels que fussent les flots d'hormones, d'enzymes et autres éléments biologiques jetés dans la bataille à volonté par l'organisme de Peyser, cela ne pouvait expliquer que des changements aussi radicaux n'eussent besoin que d'un aussi bref laps de temps pour se produire. En quelques semaines, voire en quelques jours, oui ; mais pas en quelques secondes ! Physiquement, c'était certainement impossible. Et cependant, voilà ce qui se passait sous leurs yeux. Ce qui signifiait qu'une autre force était à l'œuvre, quelque chose de plus qu'un simple processus biologique, quelque chose de mystérieux et d'effrayant.

Soudain, la transformation s'arrêta. Les policiers virent bien que Peyser luttait pour regagner son humanité, à la manière dont il serrait ses mâchoires encore à demi allongées et grinçait des dents, au regard de désespoir et de détermination de ses yeux étranges, mais en vain. Pendant quelques instants, il oscilla aux limites de la forme humaine. On avait l'impression que s'il avait pu pousser la transformation d'un cran de plus, juste un petit cran, il aurait traversé le point au-delà duquel la métamorphose se serait poursuivie presque automatiquement, sans l'exténuant exercice de la volonté, aussi facilement qu'un ruisseau suit sa pente naturelle. Mais il ne put atteindre ce stade.

Penniworth poussa un grognement bas et étranglé, comme s'il partageait l'angoisse de Peyser.

Loman jeta un coup d'œil à son subordonné. Une fine couche de transpiration faisait briller le visage du jeune homme.

Watkins se rendit compte que lui aussi était en sueur, et sentit une goutte lui couler le long de la tempe. Il faisait bon dans le bungalow – on entendait de temps en temps le cliquetis de l'allumeur électrique d'une chaudière – mais pas chaud au point de les faire transpirer. Il suait de peur, mais pas seulement de peur. Il sentait aussi une tension dans sa poitrine, tandis que sa gorge se serrait au point qu'il avait de la difficulté à déglutir, il respirait vite, comme s'il avait couru un cent mètres...

Exhalant un cri étouffé d'angoisse, Peyser se remit à régresser. Avec toujours ces bruits secs et cassants d'os se déformant, ces clapotis huileux de chairs triturées et remodelées, la créature sauvage reprit possession du corps. Au bout de quelques instants, Peyser était redevenu la bête infernale telle que les policiers l'avaient découverte.

Infernale, certes, et une vraie bête, mais dotée d'une enviable puissance et d'une terrible beauté propre. Le port de la grosse tête, rejetée vers l'avant, était disgracieux par rapport à celui d'une tête humaine et il manquait à la créature la courbe sinueuse concave d'une colonne vertébrale normale ; elle avait néanmoins beaucoup d'allure.

Pendant quelques instants, personne ne rompit le silence.

Peyser se pelotonna sur le plancher, tête baissée.

C'est finalement Sholnick qui, depuis la porte, s'écria :

– Mon Dieu, il est pris au piège !

Même si l'on pouvait attribuer le problème de Mike Peyser à un défaut dans la technologie sur laquelle était fondée la conversion à la Nouvelle Race, Loman soupçonnait Peyser d'avoir le pouvoir de se refaçonner, de redevenir un homme s'il le désirait avec assez de force, mais de manquer justement du désir de retrouver pleinement son humanité. Il était devenu un régressif parce qu'il trouvait cet état plein d'attraits ; peut-être le considérait-il même tellement plus satisfaisant et excitant que la condition d'homme qu'il ne tenait plus vraiment à regagner un état supérieur.

Peyser releva la tête et regarda Loman, puis Penniworth et Sholnick, pour revenir finalement sur le chef de la police. Son expression ne trahissait plus l'horreur que lui inspirait sa situation. On ne lisait plus ni terreur ni angoisse dans son regard. Avec son museau tordu, il avait l'air de leur sourire et une nouvelle sauvagerie – à la fois troublante et attirante – se mit à briller dans ses yeux. Il leva de nouveau les mains et fléchit ses longs doigts, faisant cliqueter les griffes, les étudiant avec quelque chose comme de l'émerveillement.

– ... *chasser, chasser, poursuivre, tuer, sang, sang, envie, envie...*

– Comment diable allons-nous pouvoir l'avoir vivant s'il refuse de se laisser prendre ?

Penniworth avait parlé d'un timbre de voix bizarre, épais et légèrement embrouillé.

Peyser porta une main à ses parties génitales et se gratta sans conviction, l'esprit ailleurs. Il regarda de nouveau Loman, puis se tourna vers la nuit qui se pressait à la fenêtre.

– Je sens... commença Sholnick sans achever sa phrase.

Penniworth ne se montra pas plus clair.

– Et si nous... eh bien, on pourrait...

Dans la poitrine de Loman, la pression n'avait fait que croître ; sa gorge était encore plus serrée, et il transpirait toujours.

Peyser émit un cri prolongé et hululant, un son qui avait quelque chose de surnaturel et exprimait un désir, mais qui était aussi un défi à la nuit et une affirmation de sa puissance et de la confiance qu'il éprouvait en sa force et sa ruse. Ce jappement aurait dû sonner rauque et désagréable, confiné dans la pièce ; mais au lieu de cela, il éveilla en Loman la même innommable pulsion que celle qui l'avait saisi à l'extérieur de la maison des Foster, lorsqu'il avait entendu le trio des régressifs échanger des appels, loin dans la nuit.

Serrant les dents au point d'en avoir mal aux mâchoires, le policier mobilisa toute son énergie pour résister à ce diabolique désir.

Peyser poussa un deuxième hululement semblable puis dit :

– ... *courir, chasser, libre, libre, envie, envie, libre, envie, venez avec moi, venez, venez, envie, envie...*

Derrière Loman, monta un cri de soulagement orgasmique, à se boucher les oreilles.

Loman se rendit compte qu'il relâchait sa prise sur le calibre 12. Le canon pointait vers le sol et non sur Peyser.

– ... *courir, libre, libre, envie...*

Il se retourna suffisamment vite vers l'entrée pour voir Sholnick lâcher son fusil à pompe. Des modifications subtiles apparaissaient sur les mains et le visage du policier, qui arracha sa veste matelassée d'uniforme et la jeta à terre avant d'en faire autant avec sa chemise. Ses joues et ses mâchoires semblèrent se dissoudre et couler en avant tandis que son front s'aplatissait et qu'il se précipitait vers un état altéré.

53

Lorsque Harry Talbot eut fini de leur parler des croquemitaines, Sam, toujours perché sur le tabouret, se pencha vers l'oculaire du télescope. Il fit pivoter l'appareil jusqu'à ce qu'il fût pointé sur le terrain vague, à côté du salon funéraire, là où les créatures avaient fait leur dernière apparition.

Il ne savait pas très bien ce qu'il cherchait. Il ne s'imaginait pas que les croquemitaines allaient retourner précisément à cet endroit, à cette heure, simplement pour qu'il pût les contempler à loisir. Et il n'y avait aucun indice, dans les ombres, les buissons et les herbes piétinées où ils s'étaient accroupis seulement quelques heures auparavant, pour lui dire ce qu'ils pouvaient être ou dans quelle entreprise ils étaient embarqués. Peut-être tentait-il uniquement d'ancrer l'image fantastique des créatures canino-simiesco-reptiliennes dans le monde réel, d'établir un lien entre elles et le terrain vague afin de les rendre plus concrètes et de pouvoir les affronter.

Mais Harry avait encore une autre histoire folle en plus de celle-là. Assis dans l'obscurité de la chambre, comme s'ils écoutaient des histoires de fantômes autour d'un feu de camp éteint, l'infirme leur raconta comment il avait vu Denver Simpson, le docteur Fitz, Reese Dorn et Paul Hawthorne immobiliser Ella Simpson, l'emmener dans la chambre du premier, et là se préparer à lui faire une injection démesurée d'un liquide de couleur dorée.

Tournant le télescope en suivant les instructions de Harry, Sam ne tarda pas à cadrer de près la maison des Simpson, de l'autre côté de Conquistador et juste au nord du cimetière catholique. Tout y était noir et calme.

Depuis le lit sur lequel elle était toujours assise, la tête du chien sur les genoux, Tessa dit :

– Tout ça doit forcément avoir un rapport, d'une manière ou d'une autre : ces morts « accidentelles », ce que ces hommes ont fait à Ella Simpson et ces... croquemitaines.

– Oui, approuva Sam. Il y a un lien entre ces affaires. Et au centre, on trouve New Wave Microtechnology.

Il leur parla alors de ce qu'il avait découvert lorsqu'il s'était glissé dans la voiture de patrouille équipée d'une VDT, derrière le bâtiment municipal.

– Faucon-Lune ? fit Tessa, songeuse. Des conversions ? Au nom du ciel, à quoi convertissent-ils donc les gens ?

– Je l'ignore.

– Tout de même pas... en croquemitaines ?

– Non, je ne vois vraiment pas quel en serait l'intérêt ; en outre, d'après ce que j'ai pu comprendre, déjà près de deux mille personnes, en ville, auraient... auraient subi ce traitement, ce changement, donnez-lui le nom que vous voulez. Dans ce cas-là, les croquemitaines devraient courir partout, la ville grouiller de ces créatures, comme un zoo au Pays du Crépuscule.

– Deux mille, fit Harry. Les deux tiers de la population de Moonlight Cove.

– Et le reste doit être converti avant minuit. Dans moins de vingt et une heures, poursuivit Sam.

– Moi aussi, je suppose ? demanda Harry.

– Ouais. Je vous ai cherché dans leurs listes. Vous êtes programmé pour la dernière partie de la conversion, entre dix-huit heures et minuit, ce soir. Si bien qu'il nous reste environ quatorze heures et demie avant qu'on ne les voie débarquer ici.

– C'est délirant, dit Tessa.

– Ouais, admit Sam, complètement délirant.

– Un truc pareil n'est pas possible, protesta Harry. Mais alors, comment se fait-il que j'aie les cheveux qui se dressent sur la nuque ?

54

– Sholnick !

Jetant sa chemise, se débarrassant de ses chaussures à grandes ruades, pris d'une frénésie de se déshabiller et en pleine régression, Barry Sholnick ignora son chef.

– Arrête, Barry, pour l'amour du ciel, arrête-moi ça ! s'écria Penniworth, suppliant.

Il était pâle, il tremblait, et son regard ne cessait d'aller de Sholnick à Peyser. Loman le soupçonna de ressentir la même pulsion dégénérative à laquelle s'abandonnait son collègue.

– ... *Courir, libre, chasser, tuer, sang, envie...*

Les incantations insidieuses de Peyser étaient comme des dards qui transperçaient la tête de Watkins, sans qu'il pût les arrêter. Non, pour être sincère, ce n'était pas comme une pointe enfoncée dans son crâne, car ce n'était nullement douloureux : plutôt excitant, étrangement mélodieux ; il se sentait pénétré comme par de la musique et non par une lame d'acier. C'est pour *cela* qu'il voulait l'arrêter, car il en ressentait l'attrait et l'envoûtement ; il avait envie de renoncer à ses responsabilités, à ses soucis, de fuir la vie trop complexe de l'intellect pour se réfugier dans une existence fondée strictement sur les sensations et les plaisirs physiques, un monde dont les frontières se définissaient par le sexe, la nourriture et l'excitation de la chasse, un monde où les disputes se réglaient par la force et où le muscle était là pour satisfaire tous les besoins, un monde dans lequel il n'aurait plus ni à penser, ni à s'inquiéter, ni à se soucier des autres.

– ... *envie, envie, envie, envie, tuer...*

Le corps de Sholnick ploya en avant tandis que sa colonne vertébrale se reformait ; son dos perdit la courbure concave caractéristique de la silhouette humaine. Sa peau parut laisser la place à des écailles...

– ... *viens, viens, vite, la chasse, sang, sang...*

... et, tandis que la face du policier se remodelait, sa bouche s'étirait et s'ouvrait de manière impossible, au sens littéral jusqu'à chaque oreille, comme la gueule figée en un sourire permanent d'un reptile.

La pression, dans la poitrine de Loman, augmentait de seconde en seconde. Il était brûlant, en nage, mais à cause d'un feu qui venait d'en dedans, comme si son métabolisme tournait mille fois plus vite qu'en temps normal et le préparait à une transformation.

– Non.

La sueur lui coulait sur le visage.

– Non !

Il avait l'impression que la pièce était un chaudron dans lequel il allait être réduit à son essence ; il pouvait presque sentir ses chairs qui commençaient à fondre.

Penniworth ne cessait de répéter :

– *Je veux, je veux, je veux, je veux.*

Il secouait en même temps vigoureusement la tête, niant vouloir quelque chose. Blanc comme un linge, il pleurait et tremblait.

Peyser quitta sa position accroupie et s'éloigna du mur. Il marchait avec des mouvements sinueux et vifs, et bien que ne pouvant se tenir complètement droit, il était plus grand que Loman, que son aspect terrifiait et séduisait à la fois.

Sholnick poussa un hurlement.

Peyser découvrit des dents redoutables et siffla vers Watkins comme pour dire : *Viens avec nous ou meurs.*

Avec un cri dans lequel se mêlaient le désespoir et la joie, Neil Penniworth lâcha son calibre 20 et porta les mains à sa figure. Comme si ce contact avait provoqué une réaction alchimique, doigts et visages se mirent à changer.

La chaleur explosa littéralement dans la poitrine de Loman qui poussa un cri inarticulé, mais dépourvu de la joie de celui de Penniworth ou de l'explosion orgasmique de celui de Sholnick. Tant qu'il avait encore le contrôle de lui-même, le chef de la police déchargea son fusil à bout portant sur Peyser.

Le coup atteignit le régressif dans la poitrine et le rejeta violemment contre le mur, au milieu d'une véritable cataracte de sang. Peyser s'effondra avec un couinement suraigu, cherchant sa respiration ; il se mit à se tortiller sur le sol, mais il n'était pas mort. Son cœur et ses poumons n'avaient peut-être pas été suffisamment endommagés. Si de l'oxygène parvenait encore à son sang et si ce sang circulait encore dans son organisme, les dégâts se réparaient déjà ; son invulnérabilité était d'une certaine manière encore plus grande que celle, surnaturelle, d'un loup-garou, car on ne pouvait même pas le tuer avec une balle d'argent ; en quelques instants, il serait debout, aussi fort qu'avant.

Des bouffées de chaleur, chaque fois plus intenses, montaient en vagues successives dans la poitrine de Loman. C'était maintenant dans tout son corps qu'il ressentait une pression de plus en plus grande. Il ne lui restait que quelques secondes pendant lesquelles il aurait l'esprit assez clair pour agir, et la volonté assez forte pour résister. Il se précipita vers Peyser, appuya le canon de son fusil sur la poitrine du régressif qui se contorsionnait toujours à terre, et tira une deuxième fois. Le cœur ne pouvait pas ne pas avoir été pulvérisé, ce coup-ci. Le corps de la créature fit un bond sur le sol ; son visage monstrueux grimaça puis se pétrifia, les yeux ouverts sur le néant, lèvres étirées sur des dents inhumainement grandes, pointues et crochues.

Quelqu'un cria derrière Loman.

Le policier se tourna et vit Sholnick qui se précipitait sur lui. Il tira une troisième fois, puis une quatrième, atteignant son subordonné à la poitrine et à l'estomac.

L'homme tomba lourdement et se mit à ramper en direction du couloir.

Neil Penniworth était recroquevillé en position fœtale, au pied du lit. Il psalmodiait, sans toutefois parler de sang, de chasse, d'envie d'être libre ; ce qu'il répétait inlassablement, c'était le nom de sa mère, comme s'il s'agissait d'un talisman, d'un mot magique pouvant le protéger de la force diabolique qui voulait s'emparer de lui.

Le cœur de Loman battait si fort que le bruit lui paraissait parvenir de l'extérieur, comme si quelqu'un avait frappé sur des timbales dans une autre pièce de la maison. Il en arrivait presque à avoir l'impression de sentir tout son corps palpiter rythmiquement, et qu'à chaque battement il se transformait d'une manière subtile mais néanmoins hideuse.

Loman suivit Sholnick ; debout derrière lui, il enfonça le canon de son fusil dans le dos du régressif, à la hauteur de ce qu'il pensait être le cœur, et appuya sur la détente. Sholnick poussa un cri suraigu quand il sentit le contact de l'arme, mais il était encore trop faible pour rouler sur le côté et s'en emparer. La détonation coupa net son hurlement.

La pièce ressemblait à un abattoir. L'odeur du sang y était si douce et si enivrante qu'elle remplaçait l'attirante psalmodie de Peyser et poussait Loman à régresser.

Il s'appuya contre la garde-robe et ferma les yeux, plissant les paupières sous l'effort, avec la volonté de se reprendre solidement. Il s'accrochait des deux mains au fusil, l'agrippait furieusement, non pour sa valeur défensive – le magasin était vide –, mais parce que c'était le produit d'une technologie élaborée, autrement dit un *outil,* un artefact de la civilisation, un rappel de son humanité, qu'il représentait le point le plus élevé de l'évolution et qu'il ne devait pas succomber à la tentation de rejeter outils et connaissances en échange des plaisirs grossiers et des satisfactions primitives d'une bête.

Mais l'odeur du sang était si forte, si enivrante...

Dans un effort désespéré pour se représenter de manière frappante tout ce qu'il perdrait dans cet abandon, il pensa à Grace, sa femme, et combien il l'avait naguère aimée. Mais il se trouvait maintenant au-delà de l'amour, comme tous ceux de la Nouvelle Race. L'évocation de Grace ne pouvait plus le sauver. En fait, des images de leur dernier et bestial accouplement d'animaux en rut lui traversèrent l'esprit, et pour lui, ce fut comme s'il n'y avait plus de Grace ; elle n'était plus qu'une *femelle,* et le souvenir de leur coït sauvage ne faisait que l'exciter et l'entraîner vers le tourbillon de la régression.

L'intense désir de dégénérer lui donnait l'impression de se trouver pris dans un maelström, d'être aspiré vers le bas, et il songea que c'était ce que le loup-garou ressentait, disait-on, au moment où il levait la tête dans le ciel nocturne et voyait la pleine lune qui s'élevait sur l'horizon. Un conflit faisait rage en lui :

... sang...

... liberté...

Non, l'esprit, la connaissance.
... chasser...
... tuer...
Non, explorer, apprendre.
... manger...
... courir...
... chasser...
... s'accoupler...
... tuer...
Non, non ! Musique, art, langage.
Son agitation ne fit que croître.
Il essayait de résister avec la raison à l'appel de sirène de la sauvagerie, mais ça ne paraissait pas marcher, alors il pensa à son fils, Denny. Il devait s'accrocher à son humanité, au moins pour lui. Il essaya de réveiller l'amour qu'il avait autrefois éprouvé pour l'adolescent, il s'efforça de recréer cet amour en lui-même jusqu'à ce qu'il pût le crier, mais ce ne fut qu'un murmure, l'ombre d'une émotion qu'il souleva dans les ténèbres de son esprit. Sa capacité d'aimer s'était éloignée de lui comme la matière s'était éloignée du centre de l'existence à la suite du Big Bang qui avait créé l'univers ; son amour pour Denny était maintenant si loin et si ancien qu'il se réduisait à quelque étoile à la périphérie de cet univers, une étoile dont on percevait à peine la lumière sans en recevoir la moindre chaleur. Cependant, même ce reflet d'un sentiment était quelque chose autour de quoi bâtir une image humaine de lui-même, fondamentalement et primordialement humaine, au lieu de se réduire à une créature courant à quatre pattes ou rampant sur le sol. Un homme, un homme.

Sa respiration de soufflet de forge ralentit un peu. Ses battements de cœur passèrent d'un rythme frénétique impossible à quelque chose comme cent ou cent vingt battements à la minute, aussi vite que s'il courait, mais moins fous. Sa tête s'éclaircit aussi, mais pas entièrement, car le sang dégageait des effluves auxquels il était impossible d'échapper.

Il se décolla de la garde-robe et chancela vers Penniworth.

Le jeune policier était toujours recroquevillé dans la position fœtale la plus serrée qu'un adulte pût adopter. Des traces d'animalité subsistaient sur ses mains et son visage, mais il était beaucoup plus humain qu'autre chose. La psalmodie du nom de sa mère semblait avoir marché presque aussi bien que l'évocation de ce qui restait d'amour envers son fils pour Loman.

Le chef de la police déplia les doigts courbatus d'une de ses mains – il étreignait toujours son arme – et se baissa pour prendre Penniworth par le bras.

– Venez, sortons d'ici, mon gars, il faut nous éloigner de cette odeur.

Penniworth comprit et se mit laborieusement debout. Il s'appuya sur son supérieur et se laissa entraîner à l'extérieur de la pièce, loin des deux régressifs morts, dans le couloir, puis dans le salon.

Là, l'odeur d'urine finit d'effacer les restes de parfum de sang que les courants d'air auraient pu apporter depuis la chambre. C'était mieux. Ce n'était plus le relent nauséabond qui les avait tout d'abord frappés, mais une odeur acide et hygiénique.

Loman installa Penniworth dans le seul fauteuil de la pièce qui n'eût pas été réduit en morceaux.

– Ça va aller, mon gars ?

Le jeune homme leva les yeux, hésita puis acquiesça. Toute trace de la bête avait disparu de ses mains et de son aspect, même si sa peau était encore étrangement bosselée, finissant sa transformation. Son visage paraissait avoir subi une attaque d'urticaire et était tout boursouflé de gros boutons circulaires, du front au menton et d'une oreille à l'autre, ainsi que de zébrures d'un rouge violent sur sa peau claire. Ces phénomènes s'évanouirent sous les yeux de Loman, et Neil Penniworth retrouva toute son humanité. Son humanité *physique* au moins.

– C'est bien sûr ?

– Oui.

– Bouge pas d'ici.

– Oui.

Loman alla dans l'entrée et ouvrit la porte de la maison. Le policier de garde en façade était tellement tendu, à cause des coups de feu et des cris qu'il venait d'entendre, qu'il faillit ouvrir le feu sur son chef avant de l'avoir reconnu.

– Bon Dieu, qu'est-ce qui se passe ? demanda l'homme.

– Appelez Shaddack par le terminal, dit Watkins. Il faut qu'il vienne ici tout de suite. Absolument tout de suite. Je dois le voir *maintenant*.

55

Sam tira les lourds rideaux bleus et Harry alluma une lampe de chevet. Faible au point de ne chasser qu'à moitié les ombres de la chambre, la lumière n'en fit pas moins cligner des yeux Tessa – des yeux que la fatigue avait injectés de sang.

Pour la première fois, elle vit réellement la pièce. Elle était chichement meublée : en dehors du télescope et de son tabouret, on y trouvait une grande penderie en laque noire de style moderne oriental, deux tables de nuit assorties, un petit réfrigérateur dans un coin, et un lit réglable type hôpital, sans couvre-lit, mais avec beaucoup d'oreillers et des draps multicolores couverts de taches rouges, bleues, orange, vertes, violettes et noires, œuvre abstraite démente d'un artiste daltonien.

Harry remarqua sa réaction aux draps (ainsi que celle de Sam) et dit :

– Leur histoire n'est pas ordinaire, mais avant de vous la raconter, il faut que je vous explique le contexte. Ma femme de ménage, Mme Hunsbok, vient une fois par semaine, et elle fait aussi l'essentiel de mes courses. J'envoie cependant Moose tous les matins en faire une ou deux, ne serait-ce que pour me ramener le journal. Pour ça, je lui passe ces... ces espèces de sacoches sur le dos, et il va chez l'épicier du coin. L'employé, Jimmy, me connaît très bien. Jimmy lit la liste, met les affaires dans les sacoches avec la monnaie, et Moose me rapporte le tout. C'est un bon chien, admirablement bien dressé, le meilleur. Ils font un travail phénoménal, à la Canine Companions for Independence. Jamais Moose ne poursuivra un chat avec mon journal ou un carton de lait sur le dos.

Le chien leva la tête des genoux de Tessa, haleta et parut sourire, comme si le compliment lui faisait plaisir.

– Il est revenu un jour à la maison avec les quelques bricoles de la liste, plus cette paire de draps avec leurs oreillers. J'ai appelé Jimmy pour lui demander le sens de cette plaisanterie, et il m'a répondu qu'il n'était pas au courant, qu'il n'avait jamais eu de draps de ce genre à vendre. Il faut dire que le père de Jimmy, qui possède l'épicerie, gère aussi un magasin de surplus, du côté de la route secondaire. On trouve chez lui toutes sortes de fins de série et de trucs dépareillés à des prix imbattables, et j'avais imaginé que même dans son magasin, il n'arrivait pas à se débarrasser de ces rossignols ; que Jimmy les avait vus, les avait trouvés vraiment grotesques, et avait eu envie de me faire une blague. « Écoute, Harry, si je savais quelque chose, je te le dirais », voilà ce que m'a répondu Jimmy. Et moi : « Tu veux me faire croire que Moose est allé les acheter de son propre chef, avec ses économies, peut-être ? » Sur quoi, savez-vous ce que Jimmy m'a lancé ? « Je suppose qu'il a dû les piquer quelque part dans une boutique. » « Ah oui ? Et comment a-t-il réussi à les glisser impeccablement dans les sacoches ? » « Je ne sais pas, Harry, mais c'est un chien très intelligent, même s'il n'a pas un goût parfait, apparemment. »

Tessa vit à quel point et pour quelles raisons Harry aimait à conter cette anecdote. Pour lui, le labrador était à la fois un enfant, un frère et un ami, et Harry était fier des compliments qu'on lui faisait de son chien. Plus important encore, cet incident contribuait à intégrer Harry à la vie de la communauté, et il en aurait fallu beaucoup d'autres pour rompre la monotonie de sa solitude.

– Mais *tu es* un chien très intelligent, dit Tessa à Moose.

– Bref, reprit Harry, j'ai demandé à Mme Hunsbok de les mettre la fois suivante, pour plaisanter, et j'ai fini par les aimer, d'une certaine manière.

Après avoir tiré les rideaux de la deuxième fenêtre, Sam revint s'asseoir sur le tabouret, le fit pivoter pour se tourner vers Harry et lui dit :

– Ce sont les draps les plus tapageurs que j'aie jamais vus ! Je parie qu'ils vous réveillent la nuit.

L'invalide sourit.

– Rien ne peut me réveiller. Je dors comme un bébé. Ce qui empêche les gens de dormir, ce sont leurs inquiétudes pour l'avenir, ce qui risque de leur arriver. Mais le pire m'est déjà arrivé, à moi. Ou bien ils restent allongés, à penser au passé, à ce qui aurait pu être, mais moi, jamais. Je n'ose pas.

Son sourire s'était peu à peu évanoui.

– Et maintenant ? Quel est le programme ?

Écartant doucement la tête de Moose, Tessa chassa quelques poils de son jeans et se leva.

– Les téléphones ne marchent pas, et Sam ne peut pas appeler le FBI. Si nous cherchons à quitter la ville à pied, nous risquons de tomber sur les patrouilles de Watkins ou sur les croquemitaines. À moins que vous ne connaissiez un radio-amateur qui nous laisserait nous servir de son matériel, il ne nous reste plus qu'à tenter une sortie de voiture.

– Vous oubliez les barrages routiers, remarqua Harry.

– Mon idée est de prendre un camion, du genre trente tonnes, et de foncer sur leur foutu barrage pour atteindre l'autoroute et sortir de leur juridiction. Et si nous sommes poursuivis par les flics du comté, c'est parfait : Sam pourra les persuader d'appeler le FBI, on vérifiera qu'il est bien en mission, et ils seront de notre côté.

– Dites, qui c'est, l'agent fédéral, ici ? demanda Sam.

Tessa se sentit rougir.

– Désolée. Voyez-vous, quand on est auteur de documentaires, on est aussi presque toujours son producteur, en plus d'être son propre scénariste, son directeur de l'image et ainsi de suite. Autrement dit, si on veut que le film se fasse, il faut que l'intendance suive, et j'ai l'habitude de ce genre d'organisation. Je n'avais pas l'intention de marcher sur vos plates-bandes.

– Venez y batifoler quand vous voudrez.

Tessa aima le sourire qui accompagna cette plaisanterie de Sam. Elle comprit même qu'elle commençait à se sentir attirée par lui. Il n'était ni beau ni laid, sans être non plus exactement ce que l'on appelle « quelconque ». Il était plutôt... sans caractéristiques remarquables, mais plaisant. Elle sentait une zone d'ombre en lui, quelque chose de plus profond que les soucis que lui donnait Moonlight Cove en ce moment – une tristesse due à une perte, un deuil peut-être, ou à une colère longtemps rentrée suite à une injustice jamais réparée ; ou encore trop de contacts avec les pires éléments de la société avaient-ils fait de lui un pessimiste. Mais son sourire le transformait.

– Vous allez vraiment leur rentrer dedans avec un camion ? demanda Harry.

– En dernier recours, peut-être, répondit Sam. Mais pour cela, il faut trouver un gros poids lourd et le voler, ce qui déjà n'est pas une mince affaire. En outre, ils auront peut-être des fusils à pompe chargés de balles magnum, ou même des armes automatiques. Aucune envie de me jeter sur un tel barrage d'artillerie, même avec un gros Mack. On peut descendre jusqu'en enfer avec un tank, mais le diable finit toujours par vous mettre la main dessus, et c'est pourquoi il faut tout faire pour éviter d'employer cette solution.

– Dans ce cas, où allons-nous ? demanda Tessa.

– Dormir, dit Sam. Il y a un moyen de s'en sortir, un moyen de toucher le Bureau. J'ai l'impression de le voir du coin de l'œil, mais quand j'essaie de regarder droit dedans, ça s'évanouit. C'est parce que je suis fatigué. J'ai besoin de passer deux heures entre les toiles pour reprendre du poil de la bête et avoir les idées plus claires.

Tessa se sentait également épuisée même si, après ce qui s'était passé au Cove Lodge, elle trouvait surprenant de seulement penser à vouloir dormir. Dans la chambre du motel, paralysée par les cris des mourants et les hurlements de leurs assassins, elle avait cru qu'elle ne pourrait jamais plus dormir.

56

Shaddack arriva un peu avant quatre heures du matin chez Peyser. Il avait pris non pas la Mercedes, mais une fourgonnette noire aux vitres teintées très sombres : un van, car un terminal d'ordinateur s'y trouvait monté sur la console, entre les deux sièges avant. Aussi peu agitée qu'eût été la nuit jusqu'à maintenant, il préférait rester à portée du réseau que, comme une araignée, il avait tissé tout autour de l'agglomération de Moonlight Cove. Il se gara sur l'accotement de la route de campagne, en face de la maison.

Tandis qu'il traversait la cour, il entendit un lointain grondement venir du Pacifique. Les bourrasques de vent qui avaient dispersé le brouillard annonçaient également une tempête venue de l'ouest. Pendant les deux dernières heures, des nuages turbulents avaient envahi le ciel et fait disparaître les étoiles qui n'avaient brillé qu'un moment, entre la dissipation du brouillard et l'arrivée des cumulus d'orage. Les ténèbres étaient maintenant presque absolues. Il frissonna dans son manteau de cachemire, sous lequel il portait toujours une tenue de jogging.

Deux policiers étaient assis au volant de leurs véhicules respectifs, garés dans l'allée. Ils le regardèrent, figures pâles derrière les pare-brise poussiéreux, et il pensa avec plaisir qu'ils le considéraient avec peur et respect, car en un sens, il était leur créateur.

Loman Watkins l'attendait dans le séjour. La pièce était dévastée. Neil Penniworth, assis sur l'unique siège intact, paraissait en état de choc et détourna les yeux de Shaddack. Watkins faisait les cent pas. Quelques gouttes de sang maculaient son uniforme, mais il ne paraissait pas blessé ; s'il l'avait été, les plaies, mineures, s'étaient déjà refermées. Plus vraisemblablement, le sang appartenait à quelqu'un d'autre.

– Qu'est-ce qui s'est passé ? demanda Shaddack.

Ignorant la question, Watkins s'adressa au jeune policier.

– Allez dans une des voitures, Neil. Restez à côté des autres.

– Oui, monsieur, répondit Penniworth.

Il était ramassé sur sa chaise, dos courbé, regardant ses chaussures.

– Ça va aller, Neil.

– Je crois.

– Ce n'était pas une question, mais une affirmation. Ça va aller très bien. Vous avez assez de force pour résister. Vous l'avez déjà prouvé.

Penniworth acquiesça, se leva et se dirigea vers la porte.

– Qu'est-ce que tout cela signifie ? demanda Shaddack.

Se tournant vers le couloir, à l'autre bout de la pièce, Watkins répondit :

– Suivez-moi, d'une voix dure, glaciale, une voix marquée par la peur et la colère, mais d'où avait clairement disparu le respect forcé avec lequel il s'adressait à l'informaticien depuis sa conversion, en août dernier.

Désagréablement surpris par ce changement, mal à l'aise, Shaddack fronça les sourcils et lui emboîta le pas.

Le flic s'arrêta devant une porte fermée et se tourna vers son patron.

– Vous m'avez dit que ce que vous nous avez fait consistait à améliorer notre efficacité biologique par l'injection de ces... de ces biopuces.

– En fait, le nom est inexact. Non pas des puces, mais des microsphères absolument minuscules.

En dépit des régressifs et d'autres problèmes qui se posaient à propos du projet Faucon-Lune, l'orgueil qu'en concevait Shaddack n'était pas ébranlé. On corrigerait les défauts. On éliminerait les points faibles. Il était toujours le *grand sorcier* de la micro-informatique ; ce n'était pas qu'une impression : il savait que c'était vrai.

Un génie...

Les micropuces ordinaires en silicone qui avaient rendu possible la révolution des ordinateurs avaient la taille d'un ongle et contenaient un million de circuits gravés par photo-lithographie. Le plus petit circuit, sur une puce, mesurait un centième d'un cheveu humain en largeur. Des progrès dans la lithographie aux rayons-X avaient permis, grâce à des accélérateurs géants de particules, les synchrotrons, d'imprimer jusqu'à un milliard de circuits sur une puce, avec des éléments faisant la largeur d'un millième de cheveu. La miniaturisation était le premier moyen de gagner de la vitesse sur un ordinateur et d'améliorer à la fois son rendement et ses possibilités.

Les microsphères mises au point à New Wave Microtechnology étaient quatre mille fois plus petites qu'une micropuce. Chacune portait deux cent cinquante mille circuits. Résultat rendu possible par une application radicalement différente de la lithographie à rayons-X, qui permettait de graver des circuits sur des surfaces extraordinairement réduites *et* sans avoir à les immobiliser parfaitement.

La conversion de l'ancienne à la Nouvelle Race commençait par une injection de centaines de milliers de ces microsphères en solution, dans la circulation sanguine. Elles avaient un fonctionnement biologiquement interactif, mais leur matériau était lui-même biologiquement inerte et ne déclenchait donc pas de rejet de la part du système immunitaire. Il existait différents types de microsphères ; certaines étaient cardiotropiques, ce qui signifiait qu'elles allaient se loger dans le muscle cardiaque ou se fixaient sur les parois des vaisseaux sanguins qui l'alimentent. D'autres étaient hépatotropiques, encéphalo-tropiques, pneumo-tropiques, néphro-tropiques, entéro-tropiques et ainsi de suite. Elles se regroupaient sur ces sites et étaient conçues de telle manière que leurs circuits se connectaient alors par simple contact.

Ces amas, répartis partout dans l'organisme, finissaient par constituer environ cinquante milliards de circuits utilisables, dotés d'un potentiel de traitement de l'information considérablement supérieur aux plus gros ordinateurs des années quatre-vingt. En un certain sens, l'injection revenait à introduire un super-ordinateur dans l'organisme.

Moonlight Cove et ses environs se trouvaient baignés en permanence par des flots de micro-ondes émises du toit du principal bâtiment de New Wave Microtechnology. Une fraction de ces émissions concernait le système de transmission de la police, une autre servait à activer les microsphères en chacun de ceux de la Nouvelle Race.

Un petit nombre de sphères servait de transducteurs et de distributeurs d'énergie. Lorsqu'on recevait la troisième injection de microsphères, les sphères à énergie puisaient instantanément dans cette émission de micro-ondes, et la convertissaient en un courant électrique qui se distribuait dans tout le réseau. Les quantités de courant nécessaires étaient insignifiantes.

Les unités de mémoire comptaient aussi parmi les sphères spécialisées : certaines contenaient le programme de fonctionnement du système, activé dès le moment où l'énergie parcourait le réseau.

À Watkins, Shaddack répondit :

– Il y a longtemps que je me suis convaincu d'une chose : le problème fondamental d'*Homo sapiens* est sa nature extrêmement émotive. Je vous ai libéré de ce fardeau. Ce faisant, je vous ai rendu non seulement mentalement mais aussi physiquement plus sains.

– Mais comment ? Je sais si peu de choses sur le Changement...

– Vous êtes un organisme cybernétique, maintenant, c'est-à-dire en partie machine, en partie homme. Mais vous n'avez pas besoin de le comprendre, Loman. Vous savez vous servir d'un téléphone, mais vous seriez bien incapable d'en fabriquer un à partir de zéro ; vous ne savez pas comment fonctionne un ordinateur, et pourtant vous en utilisez un. De même, vous n'avez pas besoin de savoir comment l'ordinateur qui est en vous marche pour vous en servir.

De la peur vint embrumer les yeux du policier.

– Est-ce que je m'en sers... ou est-ce qu'il se sert de moi ?

– Il ne se sert pas de vous, bien entendu.

– Bien entendu.

Shaddack commençait à se demander avec inquiétude ce qui avait bien pu arriver pour mettre Watkins dans un tel état d'anxiété. Il était plus curieux que jamais de voir ce qu'il y avait dans la chambre au seuil de laquelle ils se tenaient. Mais il avait une conscience très nette du dangereux état d'excitation du policier, et il était nécessaire, bien que frustrant, de prendre le temps de calmer ses peurs.

– Il faut bien comprendre, Loman, que les microsphères qui sont en vous ne constituent en aucun cas un esprit. Ce système ne mérite à aucun titre d'être appelé intelligent. C'est un serviteur, votre serviteur. Il vous libère des émotions toxiques.

Les émotions fortes – haine, amour, envie, jalousie, la longue liste des affects humains – déstabilisaient régulièrement les fonctions biologiques de l'organisme. La recherche médicale avait prouvé que des émotions différentes stimulaient la production de différentes substances chimiques dans le cerveau et que ces substances, à leur tour, agissaient sur les divers organes et tissus de l'organisme, dont elles accéléraient ou ralentissaient, ou encore altéraient le fonctionnement de façon contre-productive. Shaddack avait la conviction qu'un homme dont le corps était sous l'empire de ses émotions ne pouvait être totalement sain ni *jamais* penser de manière entièrement rationnelle.

L'ordinateur de microsphères, dans chacun des membres de la Nouvelle Race, contrôlait le fonctionnement de tous les organes. Lorsqu'il détectait une production de composés amino-acides ou d'autres substances chimiques en réaction à une émotion forte, il utilisait une stimulation électrique qui prenait le pas sur le cerveau et les autres organes, interrompait cette production et éliminait donc les conséquences physiologiques de l'émotion, sinon l'émotion elle-même. En même temps, était stimulée une abondante production d'un autre composé connu pour supprimer ces mêmes émotions, si bien qu'on ne traitait pas seulement l'effet, mais aussi la cause.

– Je vous ai libéré de toutes les émotions sauf de la peur, continua Shaddack, car la peur est indispensable à l'autopréservation. Maintenant que la chimie de votre organisme n'a plus à subir de violents à-coups, vous allez pouvoir penser plus clairement.

– Pour autant que je m'en rende compte, jusqu'ici je ne suis pas devenu un génie.

– Vous ne remarquez pas une plus grande acuité mentale pour le moment, mais cela viendra.

– Quand ?

– Lorsque votre corps sera entièrement purgé des résidus laissés par toute une vie polluée d'émotions. En attendant, votre ordinateur intérieur (il tapota la poitrine du policier) est aussi programmé pour provoquer la production de composés amino-acides entièrement nouveaux qui nettoient tous les dépôts graisseux indésirables de vos vaisseaux sanguins, tuent les cellules cancéreuses dès leur apparition, et assurent encore deux douzaines d'autres corvées diverses, ce qui vous maintient dans un état de santé infiniment supérieur à celui des hommes ordinaires, avec toutes les chances d'allonger considérablement votre espérance de vie.

Shaddack s'était attendu à une accélération des processus de guérison et de cicatrisation, mais il avait été stupéfait par la vitesse miraculeuse avec laquelle les blessures se refermaient. Il n'arrivait pas encore à comprendre comment les tissus parvenaient à se reconstituer à cette allure, et ses travaux actuels sur le projet Faucon-Lune étaient centrés sur ce problème. Ces spectaculaires guérisons avaient leur prix, une fabuleuse accélération du métabolisme. L'organisme brûlait d'énormes quantités de ses réserves de graisses pour pouvoir cicatriser une plaie en quelques secondes ou quelques minutes, et on se retrouvait avec trois ou quatre kilos en moins, trempé de sueur et complètement affamé.

Watkins fronça les sourcils et passa une main tremblante sur son visage pour en essuyer la transpiration.

– Je peux comprendre que les processus de cicatrisation soient plus rapides ; mais qu'est-ce qui nous donne la possibilité de nous remodeler complètement, de régresser vers une autre forme ? Même des pleins seaux de ces éléments chimiques ne pourraient nous démolir et nous reconstruire en une ou deux minutes. Comment est-ce possible ?

Pendant quelques instants, Shaddack soutint le regard du policier ; puis il détourna les yeux, toussa et répondit :

– Écoutez, je suis prêt à vous expliquer cela plus tard. Pour l'instant, je voudrais voir Peyser. J'espère que vous avez pu le mettre hors d'état de nuire sans trop me l'abîmer.

Watkins saisit Shaddack au poignet et l'arrêta au moment où celui-ci était sur le point d'ouvrir la porte. Ce fut un choc pour l'informaticien. Il ne supportait pas d'être touché.

– Lâchez-moi.

– Comment un corps peut-il se remodeler aussi rapidement ?

– Je vous l'ai dit, nous en parlerons plus tard.

– Non, tout de suite.

Une détermination farouche creusait des rides profondes dans le visage du policier.

– Non. J'ai tellement peur que je n'arrive pas à penser correctement. Je ne peux pas fonctionner à ce degré de peur, Shaddack. Regardez-moi. Je tremble. J'ai l'impression d'être sur le point d'exploser. En un million de morceaux. Vous ne savez pas ce qui s'est passé ici cette nuit, sans quoi vous ressentiriez la même chose. Il faut que je sache ; comment nos corps peuvent-ils se transformer aussi rapidement ?

Shaddack hésita.

– Je travaille précisément sur cette question.

Surpris, Watkins lâcha son poignet et dit :

– Comment... vous voulez dire que vous ne le savez pas ?

– C'est un effet inattendu. Je commence à en comprendre les grandes lignes (ce qui était un mensonge), mais j'ai encore des recherches à faire.

Il lui fallait tout d'abord comprendre le phénoménal pouvoir de guérison de la Nouvelle Race, probablement un aspect du processus qui leur permettait une métamorphose complète en formes inférieures.

– Vous nous avez soumis à ce traitement dans l'ignorance des effets qu'il pourrait avoir ?

– Je savais qu'il serait bénéfique, répondit Shaddack, gagné par l'impatience. Aucun chercheur ne peut prédire tous les effets secondaires d'une invention. Il doit procéder en considérant que les effets secondaires n'excéderont pas les bénéfices.

– C'est précisément ce qu'ils font, pourtant, rétorqua Watkins, aussi proche de la colère qu'un Homme Nouveau pouvait l'être. Mon Dieu, comment avez-vous pu nous faire cela ?

– Je l'ai fait *pour* vous.

Watkins le regarda, puis ouvrit la porte de la chambre et dit :

– Jetez donc un coup d'œil vous-même.

Shaddack fit un pas dans la pièce. La moquette était imbibée de sang et une partie des murs festonnée d'écarlate. La puanteur le fit grimacer. Il trouvait toutes les odeurs animales particulièrement répugnantes, peut-être parce qu'elles lui rappelaient que les organismes humains étaient infiniment moins efficaces et propres que les machines. Après avoir marqué un temps d'arrêt auprès du premier cadavre, qui gisait le nez dans la moquette près de la porte, et l'avoir étudié, il regarda à l'autre bout de la pièce, vers le deuxième.

– Deux ? Deux régressifs, et vous les avez tués tous les deux ? Deux possibilités d'étudier la psychologie de ces dégénérés, et vous les avez gâchées ?

La critique laissa Watkins de marbre.

– C'était une question de vie ou de mort. Je n'avais aucun moyen de faire autrement.

Il paraissait en colère à un point incompatible avec la personnalité d'un homme de la Nouvelle Race, mais peut-être l'émotion qui lui donnait cette attitude glaciale était-elle moins la rage que la peur. La peur était acceptable.

– Peyser était en état de régression lorsque nous sommes arrivés ici, reprit Watkins. Nous avons fouillé la maison et nous sommes tombés sur lui ici.

Shaddack, pendant que le policier lui détaillait les événements, se sentit pris d'une appréhension qu'il s'efforça de dissimuler et qu'il ne voulut même pas admettre. Lorsqu'il parla, il n'y avait que de la colère dans son ton, pas de peur.

– Vous me dites que vos hommes, Sholnick et Penniworth, sont des régressifs, que vous-même vous en êtes un ?

– Sholnick, oui. D'après mon manuel, Penniworth, non – en tout cas pas encore –, parce qu'il a résisté avec succès à la pulsion. Comme moi.

Watkins ne détourna pas les yeux un seul instant de ceux de Shaddack, ce qui ne fit que perturber un peu plus ce dernier.

– Ce que je vous explique, c'est exactement ce que j'ai essayé de vous dire chez vous, il y a quelques heures : chacun de nous, sans la moindre exception, est un régressif potentiel. Il ne s'agit pas d'une maladie rare parmi ceux de la Nouvelle Race. C'est nous tous. Vous n'avez pas davantage créé des surhommes que les méthodes d'eugénisme de Hitler auraient pu créer une race supérieure. Vous n'êtes pas Dieu. Vous êtes le docteur Moreau.

– Vous allez arrêter de me parler sur ce ton, Watkins, fit l'informaticien, qui se posait des questions sur l'identité de ce docteur Moreau. (Le nom lui disait bien quelque chose, mais il ne pouvait préciser son souvenir.) Quand vous vous adressez à moi, je vous conseille de vous rappeler qui je suis.

Watkins baissa la voix d'un cran, comme s'il se souvenait de nouveau que Shaddack avait les moyens de faire disparaître tous ceux de la Nouvelle Race aussi simplement qu'on souffle sur une chandelle. Mais son ton restait violent et par trop dépourvu de respect.

– Vous n'avez toujours pas réagi à ce que la nouvelle avait de pire.

– C'est-à-dire ?

– Vous ne m'avez pas écouté ? J'ai dit que Peyser était *pris*. Qu'il ne pouvait pas se métamorphoser dans l'autre sens.

– Je doute beaucoup de ça. Ceux de la Nouvelle Race exercent un contrôle complet sur leur corps, davantage, même, que ce que j'avais prévu. S'il n'a pas pu retourner à la forme humaine, c'est certainement à cause d'un blocage psychologique. Il n'en avait pas réellement envie.

Un instant, Watkins le regarda fixement. Puis il secoua la tête et répliqua :

– Ne me faites pas croire que vous êtes obtus à ce point. *C'est la même chose.* Bon sang, qu'est-ce que ça fait, que ce soit un truc qui a mal tourné dans le réseau des microsphères, à l'intérieur de son corps, ou que ce soit strictement psychologique ? L'effet était le même, le résultat le même. Il était pris, coincé, enfermé sous cette forme dégénérée.

– Je vous ai déjà dit de ne pas me parler sur ce ton, fit Shaddack avec fermeté, comme si la répétition de l'ordre allait avoir le même effet que lorsqu'on dresse un chien.

En dépit de leur supériorité physiologique et de leur potentiel sur le plan psychique, les gens de la Nouvelle Race gardaient des côtés de l'ancienne bien décevants ; et dans la mesure où ils gardaient ces aspects *ordinaires*, ils étaient d'autant moins efficaces par rapport à des machines. Avec un ordinateur, il suffisait de programmer une fois un ordre. Il l'exécutait toujours en temps voulu. Shaddack se demanda s'il serait jamais capable de perfectionner la Nouvelle Race au point que les futures générations fonctionnent aussi parfaitement et sûrement qu'un IBM.

Avec son visage blême, couvert de sueur, son regard étrange et hanté, Watkins avait quelque chose d'intimidant. Lorsque le flic avança de deux pas vers lui, le premier mouvement de Shaddack fut de battre en retraite, mais il se retint au dernier moment et fit face, sans quitter Watkins des yeux, avec le même regard de défi qu'il aurait eu pour un dangereux berger allemand qui l'aurait acculé.

– Regardez donc Sholnick, dit le policier avec un geste pour le cadavre qui gisait à leurs pieds.

De la pointe de sa chaussure, il le retourna.

Malgré ses plaies béantes et le sang dont il était inondé, la bizarre mutation de Sholnick était évidente. Le regard fixe de ses yeux sans vie était peut-être ce qu'il avait de plus effrayant : des yeux jaunes à l'iris noir, non pas rond, comme chez les humains, mais ovale comme chez le serpent.

À l'extérieur, le tonnerre roula dans la nuit, un peu plus fort qu'à l'arrivée de Shaddack.

– Si j'ai bien compris ce que vous m'avez expliqué, ces dégénérés ont évolué à l'envers de leur plein gré, dit Watkins.

– C'est exact.

– Vous m'avez dit aussi que toute l'histoire de l'évolution humaine est résumée dans nos gènes, que nous avons encore en nous des traces des espèces par lesquelles nous sommes passés et que les régressifs puisaient dans ce matériel génétique pour *dévoluer* – c'est le mot que vous avez employé – en créatures loin derrière nous sur l'échelle de l'évolution.

– Où voulez-vous en venir ?

– Cette explication tenait à peu près debout, si délirante qu'elle fût, quand nous avons coincé Coombs dans le cinéma et que nous avons pu l'examiner tranquillement, en septembre. Il était entre le singe et l'homme, mais plus près du singe.

– Cette explication tenait parfaitement debout et n'avait rien de délirant.

– Mais, nom de Dieu, regardez donc Sholnick ! *Regardez-le !* Lorsque j'ai dû l'abattre, il était déjà à moitié transformé en une saloperie de créature qui était en partie humaine, et en partie... enfer ! J'en sais rien, lézard ou serpent. Vous allez peut-être me dire que nous avons évolué à partir des reptiles, que nous portons en nous des gènes de lézard vieux de cent millions d'années ?

Shaddack enfonça les mains dans les poches de son manteau pour ne pas trahir son appréhension par des gestes nerveux ou des tremblements.

– La première vie, sur la planète, est apparue dans les mers, puis quelque chose a rampé sur la terre, une sorte de poisson avec des pattes rudimentaires ; de là ont évolué les premiers reptiles et en cours de route une autre branche s'est formée, celle des mammifères. Si nous ne possédons pas de véritables fragments du matériau génétique de ces tout premiers reptiles – pour ma part, je crois que si –, du moins possédons-nous le souvenir racial de ce stade de l'évolution, codé en nous d'une autre manière que nous ne comprenons pas réellement.

– Vous vous payez ma tête, Shaddack.

– Et vous commencez à m'agacer.

– Rien à foutre. Venez donc par là, venez, venez voir Peyser d'un peu plus près. C'était l'un de vos plus vieux amis, hein ? Regardez tout à votre aise à quoi il ressemblait quand il est mort.

Peyser était allongé sur le dos, nu, une jambe tendue, l'autre repliée sous lui, un bras écarté, le deuxième en travers de la poitrine qu'avaient défoncée et labourée les coups de feu. Le corps et le visage – une tête avec un museau et des dents inhumains, avec pourtant vaguement quelque chose de Mike Peyser – étaient ceux d'un monstre particulièrement horrible, d'un homme-chien, d'un loup-garou, quelque chose digne d'une baraque de foire à la Lovecraft ou d'un vieux film d'horreur. La peau était épaisse et grossière. La toison, inégalement répartie, était faite de poils comme des crins. Les mains paraissaient puissantes, les griffes acérées.

Comme sa fascination était plus grande que son dégoût et sa peur, Shaddack releva son manteau pour éviter que l'ourlet n'effleurât le cadavre sanglant, et s'accroupit à côté pour l'examiner de plus près.

Watkins l'imita.

Une autre avalanche de tonnerre se répercuta dans le ciel ; l'homme mort contemplait fixement le plafond avec des yeux trop humains par rapport à ses traits déformés.

– Vous n'allez tout de même pas me raconter qu'en cours de route nous avons aussi évolué à partir des chiens ou des loups, tout de même ? demanda Watkins.

Shaddack ne répondit pas.

Mais Watkins ne voulut pas en rester là.

– Vous allez m'expliquer que nous avons des gènes de chien en nous, dans lesquels nous pouvons puiser quand nous voulons nous transformer ? Dois-je croire que Dieu a pris la côte de quelque Médor préhistorique et en a fait l'homme, avant de recommencer sur l'homme pour en faire la femme ?

Avec curiosité, Shaddack toucha l'une des mains de Peyser, une main conçue pour tuer aussi sûrement qu'une baïonnette. Elle donnait une impression de chair, simplement plus froide que celle d'un homme vivant.

– Biologiquement, c'est inexplicable, reprit Watkins avec un regard accusateur pour Shaddack. Le loup, ce n'est pas une forme que Peyser a pu tirer d'une mémoire raciale fixée dans ses gènes. Comment a-t-il pu se transformer ainsi, dans ce cas ? Ce n'est pas juste le travail de vos biopuces qui est à l'œuvre, ici. Mais quelque chose d'autre... quelque chose de plus étrange.

L'informaticien acquiesça.

– En effet.

Une explication lui était venue à l'esprit, et l'excitation le gagnait.

– Quelque chose de bien plus étrange... mais je crois que je comprends.

– Alors expliquez-moi. J'aimerais comprendre aussi. Du diable si je n'y arrive pas. J'aimerais vraiment comprendre. Avant que ça ne m'arrive.

– Il existe une théorie qui veut que la forme soit une fonction de la conscience.

– Hein ?

– Elle dit que nous sommes ce que nous pensons que nous sommes. Je ne vous parle pas de psychologie à la mode soixante-huitarde, du genre « vous pouvez être ce que vous voulez être si vous vous aimez assez », ou des trucs de ce genre. Mais *physiquement*, nous aurions le potentiel de devenir ce que nous pensons que nous sommes, quoi que ce soit, de surmonter la stabilité de forme que nous impose notre patrimoine génétique.

– Bouillie pour les chats, rétorqua Watkins d'un ton impatient.

Shaddack se releva et mit de nouveau les mains dans ses poches.

– Présentons les choses autrement. Pour cette théorie, la conscience serait le plus grand pouvoir de l'univers, capable de plier le monde physique à sa fantaisie.

– L'esprit qui domine la matière, quoi.

– Exactement.

– Comme ces psycho-machins, à la télé, qui plient des petites cuillères ou arrêtent des montres.

– Je les soupçonne d'être des truqueurs, la plupart du temps. Ce pouvoir n'en est peut-être pas moins en nous pour autant. Nous ne savons pas comment y accéder, car depuis des millions d'années, nous avons laissé le monde physique nous dominer. Mais ce dont nous parlons ici (il eut un geste vers Peyser et Sholnick) est infiniment plus complexe et passionnant que de plier une cuillère avec l'esprit. Peyser a ressenti une pulsion régressive, pour des raisons que je ne comprends pas, peut-être simplement le côté excitant de la chose...

– Exact, pour l'excitation.

La voix de Watkins s'était faite plus basse, presque réduite à un murmure ; mais on y sentait une peur et une angoisse si intenses que Shaddack se sentit encore plus glacé.

– La puissance animale est excitante. L'envie animale. On ressent la faim et la concupiscence animale, la soif du sang... et on est attiré parce que ça semble... si simple et si fort, si naturel. C'est la liberté.

– La liberté ?

– Oui. On est débarrassé de ses responsabilités, de ses soucis, de la pression du monde civilisé, de la nécessité de trop *penser.* La tentation de régresser exerce un attrait colossal parce qu'on sent que la vie serait tellement plus facile et excitante, comme ça.

Watkins parlait évidemment de ce qu'il avait lui-même ressenti, un moment auparavant.

– Lorsque vous devenez une bête, la vie n'est plus faite que de sensations, peines et plaisirs, sans avoir besoin de rien intellectualiser. En tout cas, ça en fait partie.

Shaddack gardait le silence, désarçonné par la passion avec laquelle le policier – habituellement peu démonstratif – avait parlé de la pulsion de régression.

Une autre détonation, encore plus puissante, retentit dans le ciel. Ce premier craquement violent se répercuta dans la chambre et fit vibrer les fenêtres.

L'esprit fonctionnant à plein régime, Shaddack répondit enfin :

– Peu importe. L'important, c'est que lorsque Peyser a ressenti cette pulsion – devenir une bête, un chasseur –, il n'a pas régressé dans la lignée génétique humaine. De toute évidence, il considère que le loup est l'archétype même du chasseur, la forme de prédateur la plus désirable, et c'est pourquoi il a *voulu* en devenir un.

– Tout simplement, fit Watkins, sceptique.

– Oui, tout simplement. L'esprit plus fort que la matière. Cette métamorphose est fondamentalement un processus mental. Oh ! certes, il y a des changements physiques. Mais nous ne devrions pas parler d'une complète altération de la matière... seulement des structures biologiques. Les nucléotides de base demeurent les mêmes, mais l'ordre dans lequel ils sont lus subit de spectaculaires changements. Les gènes structuraux sont transformés en gènes opérationnels par une force de volonté...

La voix de Shaddack mourut ; son excitation devenait aussi vive que ses craintes et le laissait hors d'haleine. Il avait été beaucoup plus loin qu'il ne l'avait imaginé avec le projet Faucon-Lune. Cette stupéfiante réalisation était la source et de sa joie soudaine et de sa peur de plus en plus grande : sa joie, parce qu'il avait réussi à donner aux hommes la capacité de contrôler leur forme physique, ainsi que, finalement, toute matière, peut-être, par le seul exercice de la volonté ; sa peur, parce qu'il n'était pas sûr que la Nouvelle Race pût apprendre à contrôler et à utiliser ce pouvoir à bon escient... pas sûr non plus que *lui* pourrait continuer à les contrôler.

– Le don que je vous ai fait – une physiologie assistée par ordinateur et débarrassée des émotions – a libéré le pouvoir de l'esprit sur la matière. Il permet à la conscience d'imposer la forme.

Watkins secoua la tête, manifestement abasourdi par ce que l'informaticien laissait entendre.

– Peut-être que Peyser a voulu devenir ce qu'il est devenu. Peut-être que Sholnick l'a aussi voulu. Mais que je sois pendu si, moi, je l'ai voulu. Quand je me suis senti envahi par le désir de changer, je me suis battu comme un ancien drogué qui crève d'envie de se shooter. Je n'en voulais pas. C'est venu sur moi... à la façon dont la pleine lune transforme de force l'homme en loup-garou.

– Non, répondit Shaddack. À un niveau inconscient, vous désiriez changer, Loman. Et même, partiellement, à un niveau conscient. Vous devez forcément l'avoir désiré à un certain degré, ne serait-ce qu'à cause de la manière passionnée dont vous avez parlé de l'attrait exercé sur vous par la régression. Vous avez résisté en utilisant la force de votre esprit seulement parce que vous trouviez la métamorphose d'un degré plus effrayante qu'attirante. Si la peur que vous ressentez vous quitte... ou si un état altéré devient juste un peu plus séduisant... eh bien, votre équilibre psychologique changera et vous vous restructurerez. Aucune force extérieure n'interviendra. Tout viendra de votre cerveau.

– Dans ce cas, pourquoi Peyser n'a-t-il pas pu revenir ?

– Comme je vous l'ai dit et comme vous-même vous l'avez suggéré, parce qu'il ne voulait pas.

– Il était coincé, ligoté.

– Seulement par son propre désir.

Watkins abaissa les yeux sur le corps grotesque du régressif.

– Qu'est-ce que vous nous avez fait, Shaddack ?

– N'avez-vous pas compris ce que je vous ai dit ?

– Qu'est-ce que vous nous avez fait ?

– C'est un don fabuleux !

– De n'éprouver aucune émotion, sinon la peur ?

– C'est justement ce qui libère votre esprit et vous donne le pouvoir de contrôler jusqu'à votre forme, répondit Shaddack, excité. Ce que je ne comprends pas, c'est pourquoi tous les régressifs ont choisi d'adopter des formes inférieures. Vous avez certainement en vous le pouvoir d'évoluer de manière positive et pas seulement négative, de vous élever de la simple humanité à quelque chose de plus haut, de plus propre, de plus pur. Peut-être possédez-vous même le pouvoir de devenir de pures consciences, des intellects sans aucune forme physique. Pourquoi tous ces Nouveaux Hommes ont-ils choisi la régression ?

Watkins leva la tête et ses yeux avaient quelque chose de vitreux, d'à demi mort, comme s'il avait absorbé la mort à la seule vue du cadavre.

– Quel avantage y a-t-il à posséder les pouvoirs d'un dieu si on ne peut pas aussi jouir des plaisirs simples d'un homme ?

– Mais vous pouvez jouir de tous les plaisirs que vous voulez ! s'exclama Shaddack, exaspéré.

– Pas de l'amour.

– Quoi ?

– Pas de l'amour. Ni de la haine, de la joie ou de n'importe quelle autre émotion, mis à part la peur.

– Mais vous n'en avez pas besoin. C'est une malédiction dont vous avez été libéré !

– Vous n'êtes pas obtus, répliqua Watkins, et si vous ne comprenez pas, je suppose que c'est parce que vous êtes psychologiquement... tordu, perverti.

– Ne me parlez pas sur ce ton, je...

– J'essaie de vous expliquer pourquoi ils ont tous choisi une forme inférieure et non de devenir des surhommes. C'est parce que pour une créature pensante à l'intellect développé, il ne peut exister de plaisir sans émotion. Si vous enlevez les émotions aux hommes, vous leur enlevez aussi leurs plaisirs, et c'est pourquoi ils cherchent un état altéré dans lequel les émotions complexes et le plaisir *ne sont pas* liés – la vie d'une bête brute.

– Absurde. Vous êtes...

De nouveau Watkins l'interrompit abruptement.

– Écoutez-moi un peu, pour l'amour du Ciel ! Si je m'en souviens bien, même le docteur Moreau écoutait ses créatures.

Son visage avait perdu sa pâleur pour s'enflammer ; ses yeux n'étaient plus à demi morts, mais vivifiés par une certaine sauvagerie. Il ne se tenait qu'à deux pas de Shaddack, mais on aurait dit qu'il le dominait de toute une tête, alors qu'il était le plus petit des deux. Il avait l'air terrifié, profondément terrifié – et dangereux.

– Prenez l'activité sexuelle, reprit-il, le sexe, un des plaisirs humains de base. Pour que l'activité sexuelle soit *pleinement* satisfaisante, elle doit se dérouler dans un contexte d'amour, ou au moins d'un minimum d'affection. Un homme ayant des troubles psychologiques peut encore prendre plaisir au sexe, s'il est lié à des émotions comme la haine ou l'orgueil de la domination ; même des émotions négatives peuvent rendre l'acte agréable pour un esprit tordu. Mais accompli *sans la moindre émotion,* c'est un acte aberrant, stupide, la pulsion reproductrice d'un animal, le fonctionnement rythmique d'une machine.

Un éclair d'orage déchira la nuit et flamboya brièvement sur les fenêtres de la chambre, suivi d'un craquement de tonnerre qui parut faire trembler la maison. Cette céleste fulgurance fut un instant plus intense que la lueur adoucie de l'unique lampe de la chambre.

Dans cette étrange lumière, Shaddack eut l'impression que quelque chose se produisait sur le visage de Loman... un *glissement* dans les proportions de ses traits. Mais l'éclair finit, le policier reprit son aspect habituel et l'informaticien crut avoir rêvé.

Watkins poursuivit avec force, avec la passion de sa terreur nue :

– Ce n'est d'ailleurs pas que le sexe. Il en va de même pour tous les plaisirs physiques. Tenez, manger, par exemple. D'accord, je sens encore le goût du chocolat quand j'en mange un morceau. Mais je n'éprouve qu'une infime fraction de la satisfaction que j'en tirais avant d'être converti. Vous n'avez pas remarqué ?

Shaddack ne répliqua pas, et espéra que rien, dans son comportement, ne pouvait révéler qu'il n'avait pas lui-même subi la conversion. Il attendait évidemment que le processus eût fait ses preuves, au bout de plusieurs générations de la Nouvelle Race. Il soupçonnait que Watkins réagirait assez mal, s'il apprenait que leur créateur avait préféré ne pas se soumettre à la bénédiction qu'il leur avait par ailleurs si libéralement prodiguée.

– Et savez-vous pourquoi nous éprouvons moins de satisfaction ? poursuivit Watkins. Avant la conversion, quand nous mangions du chocolat, son goût était associé à mille choses pour nous. En le mangeant, nous nous souvenions inconsciemment de la première fois que nous en avions goûté et de toutes les autres fois, nous nous rappelions aussi que ce goût était associé aux vacances, aux fêtes – bref, à cause de tout cela, ce goût nous faisait nous sentir bien. Mais maintenant, quand je mange du chocolat, c'est simplement un goût, un bon goût, mais qui ne me fait plus me sentir bien. Je sais qu'il le devrait ; je n'ai pas oublié que « se sentir bien » en faisait partie, autrefois. Mais plus maintenant. Le goût du chocolat n'éveille plus aucun écho, aucune émotion. C'est une sensation vide, dont toute la richesse m'a été volée, la richesse de tout m'a été volée, sauf celle de la peur, et maintenant tout est gris – étrange, gris, morne –, comme si j'étais à moitié mort.

Le côté gauche de la tête de Watkins se mit à enfler ; sa pommette s'élargit, son oreille s'étira en pointe.

Frappé de stupeur, Shaddack recula.

Watkins le suivit, élevant le ton, la voix légèrement embrouillée mais tout aussi énergique : non pas dominée par la colère, mais plutôt par la peur et une inquiétante touche de sauvagerie.

– Pourquoi foutre voudrait-on évoluer vers des formes supérieures, avec encore moins de plaisirs pour le corps et le cœur ? Les plaisirs intellectuels ne suffisent pas, Shaddack. La vie, c'est plus que ça. Une vie seulement *intellectuelle* est intolérable.

Le front du policier s'aplatissait et paraissait lentement fondre, comme un tas de neige au soleil ; des éminences osseuses commencèrent à saillir autour de ses yeux.

Shaddack, en reculant, se retrouva dos à la garde-robe.

Watkins continua de se rapprocher et reprit :

– Mais bon Dieu, ne comprenez-vous pas ça ? Même un homme cloué sur son lit d'hôpital, paralysé des quatre membres, a autre chose dans son existence que des intérêts intellectuels ; personne ne lui a volé ses émotions ; personne ne l'a réduit à n'éprouver que de la peur. Nous avons besoin de plaisir, Shaddack, de plaisir, de plaisir. La vie, sans plaisir, est terrifiante. Si la vie vaut d'être vécue, c'est grâce au plaisir.

– Arrêtez !

– L'expression de nos émotions, et le plaisir qui allait avec nous sont maintenant impossibles, si bien que nous ne pouvons même pas pleinement jouir des plaisirs de la chair – car nous sommes des créatures supérieures et nous avons besoin de son aspect affectif si nous voulons vraiment connaître le plaisir physique. Chez l'être humain, c'est les deux à la fois ou rien.

Les mains de Watkins devenaient plus grosses, ses articulations plus noueuses, ses ongles bruns de tabac plus pointus.

– Vous vous transformez, dit Shaddack.

Sans tenir compte de l'avertissement, parlant d'une voix de plus en plus pâteuse au fur et à mesure que sa bouche se déformait subtilement, Watkins poursuivit :

– C'est pourquoi nous retournons à un état altéré de sauvagerie. Nous fuyons notre intellect. Dans la peau d'un animal, notre *unique* plaisir est celui de la chair, de la chair, de la chair... mais au moins, n'avons-nous plus conscience de ce que nous avons perdu, si bien que le plaisir reste intense, profond et doux, tellement doux... Vous avez rendu nos vies intolérables, grises, mortes, mortes, complètement mortes... c'est pourquoi nous devons évoluer à l'envers, d'esprit comme de corps... afin de trouver une existence qui vaille la peine. Nous... nous devons fuir... les horribles restrictions de cette vie étriquée... cette vie abominablement étriquée à laquelle vous nous avez condamnés. Les hommes ne sont pas des machines. Les hommes... les hommes... ne sont pas des *machines* !

– Pour l'amour du Ciel, Loman, vous régressez !

Watkins s'interrompit et parut désorienté. Puis il secoua la tête, comme si la confusion qu'il ressentait était un voile sur ses yeux. Il leva les mains, les regarda, et poussa un cri de terreur. Son regard passa derrière Shaddack, vers son reflet dans le miroir de la garde-robe, et son cri se fit plus puissant et aigu.

Shaddack prit soudain conscience de la puanteur du sang, à laquelle il s'était lui-même plus ou moins habitué. L'odeur devait avoir affecté le policier qui, loin de la trouver repoussante, devait au contraire en ressentir l'effet excitant.

Un nouvel éclair zébra la nuit, suivi d'un roulement de tonnerre assourdissant, et la pluie se mit à tomber, torrentielle, giflant les fenêtres, martelant le toit.

Watkins ramena son regard sur Shaddack, leva la main comme s'il allait le frapper, puis fit demi-tour et sortit de la chambre d'un pas chancelant, pour s'éloigner des effluves sanguins. Une fois dans le couloir il se laissa tomber à genoux, puis sur le côté. Il se recroquevilla en boule, pris de violents tremblements et d'étouffements, et se mit tour à tour à gémir et à grogner, chantonnant « Non, non, non, non » par intermittence.

57

Lorsqu'il se fut éloigné de la frontière dangereuse et eut repris contrôle de lui-même, Loman s'assit dos au mur. Il était de nouveau inondé de sueur et pris d'une faim dévorante. La transformation partielle et l'énergie qu'il avait dépensée pour l'empêcher de s'achever le laissaient vidé. Il se sentait soulagé mais aussi frustré, comme si quelque chose d'une grande valeur, un instant à portée de sa main, lui avait été enlevé au dernier moment.

Il était entouré d'un grondement creux, un bruit régulier qui susurrait aussi, qu'il crut tout d'abord venir de lui-même, de sa tête – le pétillement des cellules explosant et mourant après les efforts déployés pour combattre la pulsion régressive. Puis il se rendit compte que c'était la pluie sur le toit du bungalow.

Il rouvrit les yeux et sa vision, tout d'abord brouillée, s'éclaircit progressivement. Il vit Shaddack, debout de l'autre côté du couloir dans l'encadrement de la porte de la chambre. Émacié, le visage allongé, si pâle qu'on aurait pu le prendre pour un albinos, l'homme avait l'air d'une apparition, peut-être de la Mort elle-même.

Aurait-ce été la Mort, Loman se serait peut-être levé pour l'étreindre chaleureusement.

Au lieu de cela, alors qu'il attendait d'avoir retrouvé suffisamment de forces pour se relever, il dit :

– Plus de conversions. Il faut arrêter les conversions.

Shaddack ne répondit rien.

– Vous n'allez pas les arrêter, n'est-ce pas ?

L'informaticien se contenta de le regarder.

– Vous êtes cinglé, reprit Loman. Vous êtes complètement, définitivement cinglé, et pourtant je n'ai pas d'autre choix que de faire ce que vous ordonnez... ou de me tuer.

– Ne me parlez plus jamais sur ce ton. Jamais. N'oubliez pas qui je suis.

– Je m'en souviens, répondit le policier, qui se remit laborieusement debout, encore étourdi et faible. Vous m'avez fait ça sans mon consentement. Et si arrive le moment où je ne pourrai pas résister à la pulsion de régression, lorsque je m'enfoncerai dans la sauvagerie, lorsque je n'aurai plus cette trouille immonde de vous, je m'accrocherai suffisamment à ce qui me restera d'esprit pour me souvenir de vous, et venir m'occuper de vous.

– Des menaces ? répliqua Shaddack, manifestement stupéfait.

– Non, ce n'est pas le terme exact.

– Il vaut mieux. Parce que s'il m'arrive quelque chose, Sun est programmé pour diffuser un ordre qui sera reçu par les amas de microsphères en vous et qui...

– Et qui nous tuera tous instantanément, finit Loman, ouais, je sais. Vous me l'avez déjà dit. Si vous sautez, on saute avec vous, comme tous ces types à Jonestown, il y a quelques années, qui ont avalé leur limonade empoisonnée et passé l'arme à gauche avec leur révérend Jim. Vous êtes notre révérend Jim Jones, le Jim Jones de l'ère de la micro-informatique, Jim Jones avec un cœur en silicone et rien que des semi-conducteurs entre les oreilles. Non, je ne vous menace pas, révérend Jim, parce que « menacer » est un mot trop chargé d'émotions. Un homme qui menace est sous l'emprise de sentiments puissants, d'une colère brûlante, par exemple. Je suis un Homme Nouveau. J'ai simplement peur. C'est tout ce que je peux ressentir. La peur. Donc, ce n'est pas une menace. C'est une *promesse*.

Shaddack franchit le seuil de la porte et s'engagea dans le couloir. Un courant d'air glacé parut l'accompagner. Peut-être était-ce l'imagination du policier, mais l'air lui sembla soudain plus froid.

Les deux hommes se regardèrent longuement.

Finalement, Shaddack prit la parole.

– Vous continuerez de faire ce que je dis.

– Je n'ai pas le choix, admit Loman. C'est comme ça que vous m'avez programmé – pas le choix. Je suis dans le creux de ta main, Seigneur, mais ce n'est pas l'amour qui m'y retient – c'est la peur.

– Voilà qui est mieux.

Sur ces mots, l'informaticien fit demi-tour et passa du couloir au séjour, du séjour au porche et de là s'enfonça dans la nuit et la pluie.

DEUXIÈME PARTIE

Aube sur l'Hadès

Je ne pouvais arrêter quelque chose que je savais être une terrible erreur. J'éprouvais un horrible sentiment d'impuissance.

Andreï Sakharov

Le pouvoir rend encore plus fou qu'il corrompt, la prévoyance abaisse sa garde, la hâte d'agir s'accroît.

Will et Ariel Durant

1

Avant l'aube, après avoir dormi moins d'une heure, une sensation de froid à la main droite suivie d'un bref coup de langue tiède réveilla Tessa Lockland. Son bras retombait sur le côté du lit, et quelque chose le goûtait.

Elle se mit brusquement sur son séant, la respiration paralysée.

Elle venait de rêver du carnage du Cove Lodge, de bêtes qu'elle n'arrivait pas à distinguer, efflanquées et rapides, aux dents menaçantes, aux griffes recourbées et effilées comme des lames courbes. Elle crut que ce cauchemar devenait réalité, que la maison de Harry venait d'être envahie par ces créatures et que la langue inquisitrice n'était que le prélude à une sauvage morsure.

Mais ce n'était que Moose. Elle distingua vaguement sa forme grâce à la faible lueur de la veilleuse, sur le palier du premier étage, et elle put à nouveau respirer. Le labrador posa les pattes de devant sur le bord du lit, trop bien élevé pour sauter dessus. Il eut un petit gémissement, comme s'il était simplement en manque d'affection.

Elle était pourtant sûre d'avoir refermé la porte qui donnait sur le palier avant de se coucher. Mais elle avait eu assez d'exemples de l'intelligence du chien pour le croire capable d'ouvrir une porte s'il en avait envie. Elle se rendit soudain compte que toute la maison de Harry Talbot était conçue de manière à rendre la tâche plus facile pour Moose : pas de boutons aux portes, mais des poignées à bec-de-cane sur lesquelles il suffisait de peser.

– Tu te sens seul ? demanda-t-elle.

Elle commença à le gratter derrière les oreilles et le chien se laissa faire avec un gémissement de satisfaction.

À grosses gouttes, la pluie crépitait contre les fenêtres. Elle tombait avec une telle force que Tessa l'entendait fouetter les arbres, à l'extérieur, et le vent ne cessait de s'acharner sur la maison.

– Aussi seul que tu te sentes, mon vieux, je me sens mille fois plus endormie, alors va falloir déguerpir.

Quand elle s'arrêta de le caresser, il parut comprendre et se laissa retomber, à contrecœur, sur le sol avant de repartir pour le palier ; une fois à la porte, il regarda des deux côtés avant de prendre à gauche.

La lumière du palier, même faible, la gênait. Elle se leva pour aller refermer la porte et le temps qu'elle retrouve son lit dans l'obscurité, elle sut qu'elle ne pourrait se rendormir tout de suite.

Déjà, elle avait gardé tous ses vêtements – jeans, T-shirt et chandail – et n'avait enlevé que ses chaussures, ce qu'elle ne trouvait pas très confortable. Mais elle n'avait pas eu le courage de se déshabiller : elle se serait sentie trop vulnérable pour trouver le sommeil. Après ce qui s'était passé au Cove Lodge, elle tenait à être prête à tout.

Qui plus est, elle se trouvait dans la seule chambre d'ami meublée, et le matelas et la literie, restés des années inutilisés, sentaient le renfermé. Cette chambre avait été celle du père de Harry Talbot, mais M. Talbot était mort trois ans après le retour de son fils invalide du Viêt-nam, ce qui faisait donc dix-sept ans. Tessa avait fermement refusé les draps que lui avait proposés Harry, disant qu'elle dormirait sur les couvertures, ou bien entre elles et le matelas si elle avait froid. Après avoir viré Moose et refermé la porte, elle se sentit glacée et se glissa donc sous les couvertures, ce qui parut réveiller l'odeur de moisi, un relent faible, certes, mais désagréable.

Sur le bruit de fond crépitant et chuintant de la pluie, elle entendit le ronronnement de l'ascenseur. Appelé, sans doute, par Moose. Était-il coutumier de ces rondes nocturnes ?

En dépit de son état de total épuisement, elle était maintenant trop réveillée pour que les idées ne se mettent pas à tourner dans sa tête. Et ses pensées la perturbaient profondément.

Ce n'était ni le massacre du Cove Lodge, ni les sinistres histoires de cadavres enfournés dans l'incinérateur comme de vulgaires détritus, ni les monstres qui rôdaient dans la nuit qui lui travaillaient l'esprit. Sans doute ces images macabres avaient-elles contribué à orienter ses réflexions dans leur voie actuelle, mais elles servaient avant tout de toile de fond (une toile de fond lugubre) à une rumination plus personnelle sur sa vie et le tour qu'elle prenait.

D'avoir récemment frôlé la mort la rendait plus consciente que de coutume de son état de mortelle. La vie était limitée. Avec les occupations et l'agitation de la vie quotidienne, cette vérité se voyait souvent oubliée.

Elle était pour l'instant incapable de ne pas y penser et se demandait si elle prenait la vie suffisamment au sérieux, si elle n'était pas en train de gaspiller des années précieuses. Son travail la satisfaisait. Elle se sentait heureuse : difficile pour une Lockland de déprimer, avec tant de prédispositions à la bonne humeur. Mais en toute honnêteté, elle se devait d'admettre qu'elle n'avait pas ce qu'elle désirait le plus profondément. Et si elle continuait dans la même voie, elle ne l'obtiendrait jamais.

Ce qu'elle voulait ? Une famille, un foyer à elle. Cela tenait bien entendu à son enfance et à son adolescence, à San Diego, quand sa grande sœur était son idole, quand elle baignait dans l'amour de ses parents. Le fabuleux capital de bonheur et de sécurité qu'elle avait accumulé dans sa jeunesse était ce qui lui permettait de supporter le malheur, le désespoir et la terreur qu'elle rencontrait parfois au cours de ses tournages les plus ambitieux. Les deux premières décennies avaient tellement été remplies de joies que cela contrebalançait tout ce qui avait pu arriver depuis.

L'ascenseur était arrivé au deuxième étage : il y eut un bruit de cliquetis, un léger à-coup, et le ronronnement de la descente reprit. Le comportement de Moose l'intriguait ; alors qu'il aurait eu plus vite fait par l'escalier, il était tellement habitué à l'ascenseur qu'il l'empruntait seul.

Ils avaient eu des chiens, à San Diego, quand elle était gamine ; tout d'abord un grand retriever du nom de Barney, puis un setter irlandais, Mickey Finn...

Janice s'était mariée et avait quitté la maison seize ans auparavant, lorsque Tessa avait dix-huit ans, après quoi l'entropie, cette force aveugle de dissolution, avait fait éclater la vie confortable de son enfance. Leur père était mort trois années plus tard, et Tessa s'était lancée dans sa vie errante peu après les funérailles, pour faire ses films industriels ou ses reportages de voyage ; elle était restée en liaison régulière avec sa mère et sa sœur, mais l'âge d'or était bien fini.

Et maintenant, Janice n'était plus. Marion ne vivrait pas éternellement, même si elle renonçait vraiment au parachutisme.

Plus que tout, Tessa avait envie de recréer un foyer semblable, avec un mari, avec des enfants. Mariée à vingt-trois ans à un homme qui désirait une épouse plus pour les enfants qu'elle pourrait lui donner qu'autre chose, il l'avait quittée lorsqu'ils avaient appris qu'elle était stérile. L'adoption ne le satisfaisait pas. Le divorce avait eu lieu quatorze mois après le mariage, et l'expérience l'avait profondément blessée.

Après quoi elle s'était jetée dans son travail avec une passion dont elle n'avait jamais fait preuve auparavant. Elle était suffisamment lucide pour comprendre qu'elle essayait d'étreindre le monde comme si c'était une immense et inépuisable famille. En ramenant des histoires complexes à trente, soixante ou quatre-vingt-dix minutes de film, elle essayait d'y mettre tout l'univers, de le réduire à son essence, à la taille d'une famille.

Mais, dans cette chambre d'ami à l'odeur de renfermé, Tessa comprit aussi qu'elle ne serait jamais pleinement satisfaite si elle ne donnait pas un tour radicalement différent à sa vie, si elle ne cherchait pas plus systématiquement ce qu'elle désirait tant. Impossible d'être une personne d'une certaine profondeur sans amour de l'humanité ; mais cet amour général et diffus risquait rapidement de devenir inconsistant et sans signification si l'on n'avait pas une famille réelle et des proches ; car c'est dans sa famille que l'on voit, jour après jour, ces choses spécifiques chez des gens spécifiques qui justifient, par extension, un amour plus large pour le reste de l'humanité. C'était une maniaque de la spécificité dans son art, alors que sa vie affective en était dépourvue.

À respirer la poussière et l'odeur de moisi, elle avait l'impression que son potentiel, en tant qu'individu, était aussi longtemps resté inutilisé que cette chambre. Mais après avoir vécu des années sans amant, après avoir cherché refuge dans le travail pour oublier un chagrin d'amour, comment une femme de trente-quatre ans peut-elle faire s'épanouir de nouveau cet aspect de sa vie, alors qu'elle a pris tant de soins à s'en protéger? Elle se sentait en ce moment plus stérile encore qu'à aucun moment, depuis le jour où elle avait appris qu'elle ne pourrait porter d'enfant. Et du coup, trouver le moyen de refaire sa vie lui paraissait une question plus importante que de découvrir d'où sortaient les croquemitaines et ce qu'ils étaient.

Frôler la mort pouvait vous jeter dans des réflexions assez particulières.

Au bout d'un moment, sa fatigue finit par avoir raison de ses inquiétudes, et elle dériva de nouveau dans le sommeil. Au moment où elle allait plonger, elle se dit que Moose était peut-être venu parce qu'il avait senti que quelque chose n'allait pas dans la maison, et pour l'alerter. Mais il aurait sûrement été plus agité s'il y avait eu du danger.

Elle s'endormit.

2

En sortant de chez Peyser, Shaddack retourna dans sa maison ultramoderne à la pointe de la baie mais n'y resta pas longtemps. Il se fit trois sandwichs au jambon, les emballa et les disposa dans une glacière portative avec trois boîtes de Coke. Il prit deux couvertures et un oreiller qu'il alla mettre avec la glacière dans la fourgonnette. Puis il choisit, dans le placard spécial de son bureau, un Smith & Wesson 357 Magnum, un fusil semi-automatique à crosse courte Remington calibre 12 et des munitions en abondance pour les deux armes. Ainsi équipé, il partit dans la tempête pour patrouiller dans Moonlight Cove et les environs immédiats, avec l'intention de se déplacer constamment tout en surveillant la situation, à l'aide de l'ordinateur, jusqu'à ce que la première phase de Faucon-Lune fût terminée, à minuit, moins de dix-neuf heures plus tard.

Les menaces de Watkins l'avaient déstabilisé. En restant mobile, il ne serait pas aussi facile à trouver si jamais le policier régressait et si, fidèle à sa promesse, il se lançait à ses trousses. À minuit, lorsque toutes les conversions seraient terminées, Shaddack aurait consolidé son pouvoir ; il pourrait alors s'occuper de ce flic.

Il se débrouillerait pour qu'on le capture et l'immobilise avant sa transformation. Il le ficellerait alors dans son laboratoire, où il pourrait étudier sa psychologie et sa physiologie afin de trouver une explication à ce fléau des régressions.

Il n'acceptait pas l'analyse de Watkins. Ils ne régressaient pas pour échapper à leur existence d'Hommes Nouveaux. L'accepter aurait été admettre que le projet Faucon-Lune était un désastre complet, que le Changement, loin d'être bénéfique à l'humanité, était en réalité une malédiction et que non seulement ses travaux avaient pris un mauvais chemin, mais que leurs conséquences étaient catastrophiques. Jamais il ne le reconnaîtrait.

En tant que maître et créateur de la Nouvelle Race, il avait goûté à un pouvoir d'essence divine. Il refusait d'y renoncer.

Les rues balayées par la pluie, en ces petites heures de la nuit, étaient désertes, à l'exception des véhicules – ceux de la police, mais d'autres aussi – dans lesquels les hommes patrouillaient par deux, avec l'espoir de repérer Sam Booker, Tessa Lockland, la petite Foster ou des régressifs en vadrouille. Si les vitres teintées de la camionnette empêchaient qu'on l'identifiât, ils savaient certainement à qui le véhicule appartenait.

Shaddack en reconnut beaucoup, car ils travaillaient à New Wave et faisaient partie du contingent de cent hommes qu'il avait mis à la disposition de la police, quelques heures auparavant. Derrière les pare-brise dégoulinant d'eau, leurs figures pâles flottaient comme des sphères sans corps dans l'obscurité des cabines, tellement dépourvues d'expression qu'il aurait pu s'agir de mannequins ou de robots.

Ceux qui patrouillaient dans la ville à pied étaient plus circonspects, et se dissimulaient dans les ombres ou les allées sans éclairage ; il n'en vit aucun.

Shaddack croisa également deux équipes de conversion qui passaient rapidement et silencieusement d'une maison à une autre. Chaque fois qu'une conversion était achevée, l'équipe introduisait l'information sur le réseau ; si bien que le système central, à New Wave Microtechnology, suivait leur progression pas à pas.

Lorsqu'il s'arrêta à un carrefour et fit venir à l'écran le tableau des derniers chiffres, il constata qu'il ne restait plus que cinq personnes à convertir dans la fournée qui allait de minuit à six heures du matin. Ils étaient légèrement en avance sur l'horaire.

Violente, tombant en biais, la pluie dessinait des flèches d'argent dans le pinceau des phares. Les arbres s'agitaient, comme pris de frayeur. Et Shaddack continuait de circuler, décrivant des cercles nocturnes, semblable à quelque étrange oiseau de proie qui aurait préféré chasser sur les ailes de la tempête.

3

Tucker en tête, ils avaient chassé et tué, mordu et déchiré, griffé et croqué, chassé, tué et dévoré des proies, bu leur sang, tiède et doux, épais et tiède, le sang, alimentant le feu qui brûlait dans leur chair, rafraîchissant le feu avec la nourriture. Le sang.

Peu à peu, Tucker avait découvert que plus ils restaient longtemps en état altéré, moins intensément brûlait le feu et plus il était facile de *demeurer* sous cette forme inférieure. Quelque chose lui dit bien qu'il aurait dû s'inquiéter de cette facilité croissante à s'accrocher à ce corps bestial, mais il n'arriva pas à trouver cela important, en partie parce que son esprit n'arrivait plus à se concentrer sur des idées un peu complexes plus de quelques secondes.

Ils avaient couru par les champs et les collines au clair de lune, couru et maraudé, libres, tellement libres sous la lune cornue et dans le brouillard, le brouillard et le vent, et Tucker avait entraîné la meute, ne s'arrêtant que pour tuer et manger ou s'accoupler avec la femelle, qui prenait son propre plaisir avec une agressivité excitante, sauvage et excitante.

Puis arriva la pluie.

Froide.

Fouettante.

Le tonnerre, aussi, et des lumières aveuglantes dans le ciel.

Quelque chose en Tucker semblait savoir ce qu'étaient ces longues traînées irrégulières de lumière qui déchiraient le ciel nocturne. Mais il n'arrivait pas tout à fait à s'en souvenir, il avait peur et courait se réfugier sous le couvert des arbres lorsque la lumière les surprenait en terrain dégagé ; là il se pelotonnait contre l'autre mâle et la femelle, jusqu'à ce que le ciel fût de nouveau noir et le restât quelque temps.

Tucker commença à songer à un endroit pour s'abriter de la tempête. Il savait qu'ils auraient dû revenir à celui d'où ils étaient partis, un endroit éclairé, aux pièces bien au sec, mais il n'arrivait pas à se rappeler son emplacement. En outre, revenir aurait signifié renoncer à cette liberté et reprendre leur ancienne identité. Il ne le voulait pas. Pas plus que l'autre mâle ou la femelle. Ils voulaient courir, marauder, tuer, s'accoupler, et être libres, libres. En revenant, ils perdraient cette liberté, et c'est pourquoi ils s'enfoncèrent plus loin vers les collines, traversant une route à la surface dure, se tenant à l'écart des rares maisons.

L'aube n'allait pas tarder, bien qu'encore invisible à l'horizon, vers l'est, et Tucker savait qu'il leur fallait trouver un havre, une tanière avant le jour, un endroit où ils pussent se pelotonner les uns contre les autres, dans l'obscurité, partageant chaleur et obscurité, roulés en boule avec des souvenirs de sang, de rut – chaleur, obscurité, sang et rut. Ils y seraient à l'abri du danger, à l'abri d'un monde pour lequel ils étaient des monstres, à l'abri aussi de la nécessité de reprendre forme humaine. Lorsque la nuit tomberait de nouveau, ils pourraient alors s'aventurer au-dehors, chasser et marauder, et tuer, mordre et tuer ; et peut-être viendrait le jour où ils seraient tellement nombreux de leur espèce qu'ils pourraient courir aussi en pleine lumière du jour, mais pas maintenant, pas encore.

Ils atteignirent une route de terre et Tucker se souvint vaguement de l'endroit où ils se trouvaient ; il eut l'impression que cette route les mènerait rapidement à un endroit où ils trouveraient l'abri dont lui et sa meute avaient besoin. Il s'engagea vers les collines, encourageant ses compagnons avec des grognements bas pour les rassurer. Au bout de quelques minutes, ils arrivèrent à un bâtiment, une vieille maison, énorme, en ruine, aux vitres brisées, à la porte à demi arrachée de ses gonds. D'autres structures grises se profilaient dans la pluie : une grange, encore plus décrépie que la maison, et plusieurs autres édifices presque complètement écroulés.

Deux grands panneaux, peints à la main et superposés, étaient cloués à la maison entre deux des fenêtres du premier étage. Les lettres n'étaient pas de la même facture, comme si beaucoup de temps s'était écoulé entre la pose du premier et du deuxième. Tucker savait que ces signes avaient un sens, mais il était incapable de les déchiffrer, en dépit des efforts qu'il déploya pour se souvenir du langage de l'espèce à laquelle ils avaient naguère appartenu.

Les deux autres membres de la meute, de chaque côté de lui, avaient aussi les yeux levés sur les panneaux blancs aux lettres sombres. Symboles obscurs dans la pluie et la pénombre. Ruines fantasmagoriques et mystérieuses.

COLONIE ICARE

et en dessous :

RESTAURANT DE L'ANCIENNE COLONIE ICARE
ALIMENTS NATURELS

Sur la grange en ruine figurait un autre panneau – MARCHÉ AUX PUCES – mais il ne signifiait rien de plus pour Tucker que l'enseigne de la maison ; au bout de quelques instants il décida que les comprendre ou non était sans importance. L'important était qu'il n'y eût pas d'habitants à proximité, aucune odeur fraîche d'être humain ; le refuge qu'il cherchait pourrait fort bien se trouver ici – terrier, antre, lieu clos, chaud et ténébreux, chaud et ténébreux, sûr et ténébreux.

4

Une couverture et un oreiller avaient suffi à Sam pour faire son lit sur le canapé du séjour, au rez-de-chaussée. Il avait tenu à dormir là pour être aussitôt réveillé en cas d'intrusion. D'après le programme qu'il avait vu sur la VDT de la voiture de patrouille, la conversion de Harry Talbot n'était pas prévue avant le soir. Sam ne pensait pas que la présence à Moonlight Cove d'un agent du FBI suffît à leur faire accélérer le rythme des conversions, mais il ne voulait pas prendre de risques inutiles.

Le policier, qui souffrait souvent d'insomnie, n'eut pas ce problème cette nuit-là. Il enleva ses chaussures, s'étendit sur le canapé et écouta la pluie en essayant de ne penser à rien. Deux minutes plus tard il dormait.

Mais comme presque toujours, il rêva.

Il rêva de Karen, sa femme décédée ; dans son cauchemar, maigre à faire peur, elle crachait le sang, rendue au stade final de son cancer, après l'échec de la chimiothérapie. Il savait qu'il devait la sauver. Il n'y arrivait pas. Il se sentait petit, impuissant, et terriblement effrayé.

Mais le cauchemar ne le réveilla pas.

Finalement il se transforma, et la scène passa de l'hôpital à un bâtiment sombre et en ruine. Une sorte d'hôtel dessiné par Salvador Dali. Des couloirs s'ouvraient partout, au hasard, certains très courts, d'autres si longs que l'on n'en voyait pas la fin ; murs et sol se joignaient selon des angles surréalistes et les portes des chambres étaient de tailles différentes, certaines si petites que seule une souris aurait pu les emprunter, d'autres assez grandes pour un homme, quelques-unes gigantesques.

Certaines de ces pièces l'attiraient. Lorsqu'il y entrait, il découvrait dans chacune une personne de sa vie passée ou actuelle.

Il retrouva Scott dans plusieurs pièces et n'eut que des conversations décousues et décevantes avec lui, se terminant toutes par une attitude d'hostilité irraisonnée de la part de son fils. Le rêve était rendu pire par les variations de l'âge de Scott : il passait de seize à dix et même cinq ans. Mais dans chacune de ses incarnations, il se montrait étranger, froid, tout de suite en colère et bouillonnant de haine.

– Ce n'est pas juste, ce n'est pas vrai, tu n'étais pas comme ça quand tu étais petit, dit Sam à un Scott de dix-sept ans, lequel lui fit une réponse obscène.

Dans chacune des pièces et indépendamment de l'âge qu'il y avait, Scott était entouré d'énormes posters de joueurs de hard rock « black-metal », habillés de cuir clouté et de chaînes, des symboles sataniques au front et dans la paume des mains. Une lumière stroboscopique scintillait, étrange. Dans un coin sombre, Sam vit quelque chose de tapi, une créature que Scott ne semblait pas craindre mais qui fichait une peur bleue à Sam.

Ce cauchemar-là ne le réveilla pas davantage.

Dans d'autres chambres de cet hôtel surréaliste, il tomba sur des agonisants, toujours les mêmes chaque fois : Arnie Taft et Carl Sorbino. Deux agents avec lesquels il avait travaillé et qui avaient été descendus sous ses yeux.

L'entrée d'une chambre était en fait une portière de voiture, celle, d'un bleu resplendissant, d'une Buick 54, pour être exact. De l'autre côté, il trouva une salle énorme aux murs gris, avec le siège avant, le tableau de bord et le volant, rien d'autre ; on aurait dit les restes d'un squelette préhistorique abandonnés sur un vaste terrain sablonneux. Une femme en robe verte se tenait au volant, la tête tournée par rapport à lui. Il savait bien entendu qui elle était, il voulut aussitôt quitter la pièce, mais il ne pouvait pas. En fait la femme l'attirait. Il s'assit à côté d'elle, et soudain il eut sept ans, comme le jour de l'accident, mais il parlait cependant avec sa voix d'adulte.

– Hello, m'man.

Elle se tourna vers lui, et il vit alors que tout le côté droit de son visage avait été emporté ; l'œil n'était plus dans son orbite, les os dépassaient des chairs déchirées, et les dents, exposées dans le trou de sa joue, lui adressaient un demi-sourire hideux.

Brutalement ils se retrouvent dans la véritable voiture, loin dans le passé. Devant eux, sur la route, venant dans leur direction, l'ivrogne dans sa camionnette « pick-up » blanche ; il fait des embardées, coupe à plusieurs reprises la double bande jaune et fonce sur eux à toute vitesse. Sam hurle « M'man ! », mais elle ne peut pas davantage éviter la camionnette cette fois-ci que la première, trente-cinq ans auparavant. L'engin se précipite sur la Buick comme si c'était un aimant et la heurte de plein fouet. Il a l'impression d'être au centre d'une bombe qui explose : un grondement assourdissant, transpercé par les grincements des tôles déchirées. Tout devient noir. Puis lorsqu'il remonte de ces ténèbres, il se retrouve cloué dans l'épave, nez à nez avec sa mère morte, fixant son orbite vide. Il se met à hurler.

Ce cauchemar ne le réveille toujours pas.

Il est maintenant à l'hôpital, sur la table d'opération, comme après l'accident, car ce n'est que la première des dix fois où il a failli mourir. Il n'est plus un enfant, cependant, mais un adulte et il subit une intervention chirurgicale d'urgence car il a reçu une balle en pleine poitrine au cours de la fusillade qui a vu la mort de Carl Sorbino. Tandis que les chirurgiens se démènent sur lui, il s'élève de son corps et les regarde, à l'œuvre sur sa carcasse. Il n'a pas peur et ressent une stupéfaction émerveillée, exactement comme le jour où ce rêve n'en était pas un.

Puis il se retrouve dans un tunnel, précipité vers une lumière aveuglante, vers l'Autre Bord. Cette fois-ci il sait ce qu'il va y trouver, car ça lui est déjà arrivé et ce n'était pas un rêve, mais la réalité. Il est terrifié, il ne veut pas revoir ça, il ne veut pas regarder l'Autre Bord. Mais il se déplace de plus en plus vite, une vraie balle de fusil dans ce tunnel, et sa terreur s'accroît avec la vitesse. Devoir regarder ce qui l'attend sur l'Autre Bord est pire que ses confrontations avec Scott, pire que le visage à demi emporté de sa mère, infiniment pire (plus vite, plus vite), intolérable ; il commence à crier (plus vite), à crier...

Celui-là le réveille.

Il se redressa sur le canapé, tout droit, et étouffa le hurlement sur le point de sortir de sa gorge.

L'instant suivant, il se rendit compte qu'il n'était pas seul dans la pièce sans lumière. Quelque chose se déplaçait non loin de lui ; Sam bougea aussi, et prit le calibre 38 dans son étui, posé juste à côté de lui.

C'était Moose.

Le chien jappa doucement.

Sam tendit la main pour tapoter la tête noire, mais déjà le labrador s'éloignait. Comme l'obscurité était à l'extérieur un peu moins profonde que dans la maison, les fenêtres se découpaient faiblement en rectangles d'un gris flou. Moose se dirigea vers l'une d'elles et, les pattes sur le rebord, colla son nez à la vitre.

– Besoin de faire un tour ? demanda Sam, bien qu'ils l'eussent laissé sortir pendant dix minutes, avant d'aller se coucher.

Le chien ne réagit pas, pétrifié dans une rigidité particulière devant la fenêtre.

– Quelque chose, là-dehors ? demanda Sam, qui sut la réponse avant d'avoir fini de poser la question.

Le plus vite possible mais avec précaution, Sam traversa la pièce obscure. Il se cogna dans des meubles mais ne renversa rien, et rejoignit le chien à la fenêtre.

La nuit noyée de pluie paraissait plus noire que jamais, en cette dernière heure avant l'aube, mais les yeux de Sam étaient faits à l'obscurité. Il devinait le côté de la maison voisine, qui n'était qu'à une dizaine de mètres. Le terrain, en pente raide entre les deux édifices, était planté de divers arbustes et de plusieurs pins que les rafales de vent secouaient violemment.

Il repéra rapidement deux croquemitaines, car leurs mouvements allaient dans la direction opposée au vent et contrastaient donc avec la danse échevelée de la végétation. Ils se trouvaient à environ cinq mètres de la fenêtre et se dirigeaient vers Conquistador Street, le long de la pente. Sam ne pouvait les distinguer en détail, mais à leur dos voûté et à leur démarche dandinante, pourtant étrangement gracieuse, il comprit que ce n'étaient pas des hommes ordinaires. Lorsqu'ils s'arrêtèrent près du plus gros des pins, l'un d'eux regarda vers la maison et Sam vit ses yeux, ambrés, légèrement phosphorescents et extraordinairement non humains. Il resta quelques instants paralysé, pétrifié non tant par la peur que par la stupéfaction. Puis il se rendit compte que la créature avait l'air de regarder à travers la vitre, comme si elle pouvait le voir, et soudain elle bondit dans sa direction.

Sam se laissa tomber sous l'appui de la fenêtre, entraînant Moose avec lui, et se pelotonna contre le mur. Le chien avait sans doute dû sentir le danger, car il n'aboya pas, ne gémit pas, ne résista pas, et se contenta de rester maintenu aplati sur le sol, immobile et silencieux.

Une fraction de seconde plus tard, sur le bruit de fond de la pluie et du vent, Sam entendit un mouvement furtif de l'autre côté du mur. Un piétinement précipité, puis quelque chose qui grattait.

Il redressa le .38, prêt à tirer au cas où la créature aurait l'audace de fracasser la fenêtre.

Puis il y eut un silence de plusieurs secondes.

Sam gardait la main gauche sur le dos de Moose. Il sentait le chien qui tremblait.

Tic tic tic.

Après le silence qui lui avait paru s'éterniser, ce petit cliquetis fit sursauter Sam, car il était sur le point de croire que la créature s'était éloignée.

Tic tic tic tic.

Elle heurtait la vitre, comme si elle jaugeait la solidité du panneau ou appelait la silhouette qu'elle avait aperçue.

Tic tic. Un silence. *Tic tic tic.*

5

Tucker entraîna sa meute à l'abri de la pluie, sur le porche de guingois de la maison décrépie. Les planches craquaient sous leur poids. Un volet mal accroché battait dans le vent ; tous les autres, pourris, avaient disparu depuis longtemps.

Il fit de gros efforts pour expliquer ses intentions, mais il trouva très difficile de se souvenir des mots corrects et de les prononcer. Au milieu de grognements et de grommellements brutaux, il ne réussit à dire que :

– ... *ici... cacher... ici... sûr...*

L'autre mâle semblait avoir complètement perdu la parole, car il n'émit pas un seul son articulé.

Avec de considérables difficultés, la femelle arriva à répondre :

– ... *sûr... ici... maison...*

Tucker étudia ses deux compagnons pendant un instant et se rendit compte qu'ils avaient changé au cours de leurs aventures nocturnes. Au début de la nuit, la femelle avait encore quelque chose de félin en elle – mince, souple, des oreilles de chat et des dents pointues qu'elle découvrait quand elle sifflait de peur, de colère ou de désir sexuel. Bien qu'elle possédât toujours ce quelque chose de félin, elle ressemblait de plus en plus à Tucker, devenait plus louve, et sa tête, plus grosse, s'avançait en un museau plus canin que félin. Elle avait aussi des hanches de loup, et des pattes qui paraissaient être le résultat d'un croisement homme-loup, se terminant par des griffes plus longues et meurtrières que celles d'un loup véritable. L'autre mâle, dont l'aspect était encore unique deux ou trois heures auparavant, combinant des caractéristiques d'insecte à la forme générale d'une hyène, s'était également largement conformé à l'apparence de Tucker.

Par acceptation tacite, Tucker était devenu le chef de meute. En se soumettant à sa loi, les deux autres s'étaient manifestement modelés sur lui. Il comprit que c'était un événement important, qui ne laissait peut-être rien présager de bon.

Mais il ignorait pourquoi il devait le redouter, et il ne possédait plus assez d'acuité mentale pour se concentrer jusqu'à ce qu'il l'eût compris. Le besoin plus urgent d'un abri captait toute son attention.

– ... *ici... sûr...*

Il les conduisit par la porte entrouverte qui pendait sur ses gonds. Le plâtre, dans l'entrée, était cloqué et craquelé et par endroits manquait complètement ; on voyait dessous le lattis de bois, comme la cage thoracique d'un cadavre en décomposition. Dans la salle de séjour, vide, de longues bandes de papier se décollaient des murs ; on aurait dit une bête changeant de peau, au cours d'une métamorphose aussi spectaculaire que celle que subissaient Tucker et les Foster.

Il suivit les odeurs qui emplissaient la maison et les trouva intéressantes ; non pas excitantes, mais réellement intéressantes. Ses compagnons le suivirent tandis qu'il examinait des taches de moisissures et des amanites qui poussaient dans un coin sombre de la salle à manger, une colonie de champignons vaguement phosphorescents dans une autre pièce, divers dépôts de crottes de rat, les restes momifiés d'un oiseau, entré par une fenêtre brisée et qui s'était cassé une aile contre un mur, et la charogne encore en pleine putréfaction d'un coyote venu se réfugier dans la cuisine pour mourir.

Au cours de cette inspection, Tucker se rendit compte que la maison n'offrait pas un abri idéal. Les pièces étaient trop grandes et parcourues de courants d'air, avec toutes ces fenêtres brisées. Il ne sentit pas d'odeurs humaines, mais il devina que des hommes y venaient de temps en temps, pas souvent, mais assez régulièrement pour risquer de les déranger.

Il trouva cependant l'entrée de la cave, dans la cuisine, et l'idée de cette retraite souterraine l'excita. Il entraîna les autres dans l'escalier aux marches craquantes et ils s'enfoncèrent dans la profonde obscurité, là où les courants d'air froids ne pourraient les atteindre, là où le sol et les murs étaient secs et où régnait une odeur propre de chaux, émanant des parois de béton.

Il soupçonna que rares étaient les curieux qui devaient s'aventurer jusqu'au sous-sol. Et si jamais ils s'y risquaient... ils se retrouveraient dans un piège dont il était impossible de s'échapper.

Sans fenêtre, l'endroit constituait une tanière parfaite. Tucker inspecta les lieux. Ses griffes cliquetaient sur le sol. Il renifla dans les coins et examina la chaudière rouillée. Il s'estima satisfait. Ils pourraient se pelotonner en toute sécurité ici, sachant qu'ils avaient peu de chances d'y être trouvés et que, le cas échéant, rien ne serait plus facile que de couper sa retraite à l'intrus. Et d'en disposer.

Dans un endroit secret sombre et profond comme celui-ci, ils pourraient devenir ce qu'ils voudraient, personne ne les verrait.

Cette dernière pensée surprit Tucker. Devenir ce qu'ils voudraient ?

Il ne savait pas très bien d'où lui venait cette réflexion, ni ce qu'elle signifiait. Il sentit soudain qu'avec la régression, il s'était lancé dans un processus qui ne dépendait plus de son contrôle conscient, et qu'une partie plus primitive de son cerveau était en permanence aux commandes. Il fut saisi d'une bouffée de panique. Il s'était déjà souvent laissé glisser en état altéré et avait toujours été capable d'en revenir. Mais aujourd'hui... Sa peur ne fut aiguë que pendant quelques instants, car il était incapable de se concentrer sur le problème et ne se souvenait même plus de ce que « régresser » voulait dire ; bientôt, il fut distrait par la femelle, qui voulait s'accoupler avec lui.

Peu après les trois créatures se retrouvaient emmêlées, se piétinant, se poussant et s'agitant. Leurs cris perçants et excités s'élevèrent dans la maison abandonnée, voix de fantômes dans une maison hantée.

6

Tic tic tic.

Sam fut tenté de se lever, de regarder par la fenêtre et d'affronter directement la créature, car l'envie d'en voir une de près le démangeait.

Mais étant donné la violence dont ces êtres faisaient manifestement preuve, toute confrontation se traduirait inévitablement par une fusillade, ce qui attirerait l'attention des voisins et de la police. Il était exclu de trahir l'endroit où il se cachait, car pour le moment il ne disposait d'aucune solution de rechange.

Il étreignit son revolver, tandis que sa main se crispait sur le dos de Moose et qu'il restait sous l'appui de la fenêtre, l'oreille tendue. Il entendit des voix ; mais soit il s'agissait de sons inarticulés, soit les paroles étaient trop étouffées pour distinguer quelque chose. La deuxième créature avait donc rejoint la première près de la maison. Leurs grognements donnaient une impression de dispute faite sur un ton retenu.

Puis le silence retomba.

Sam resta encore accroupi un moment, attendant que les voix reprissent ou que la bête aux yeux d'ambre cognât une fois de plus à la vitre – *tic tic* –, mais rien ne se produisit. Finalement, alors que des crampes gagnaient les muscles de ses cuisses et de ses mollets, il lâcha Moose et se souleva vers la fenêtre. Il s'attendait à moitié à découvrir le croquemitaine, son visage déformé écrasé à la vitre, mais il avait disparu.

Accompagné par le labrador, il parcourut toutes les pièces du rez-de-chaussée et regarda par les fenêtres des quatre côtés de la maison. Il n'aurait pas été étonné de surprendre les créatures cherchant à se forcer un passage.

Mais, si l'on faisait abstraction de la pluie sur le toit et dans les gouttières, la maison était silencieuse.

Il en conclut qu'elles étaient parties, et que l'intérêt qu'elles avaient manifesté pour la maison n'était qu'une coïncidence. Elles ne cherchaient personne en particulier, seulement des proies. L'une d'elles l'avait très certainement aperçu à la fenêtre, et elles n'aimaient sans doute pas laisser vivre quelqu'un qui les avaient vues. Sans doute avaient-elles estimé finalement que le fracas d'une vitre était aussi dangereux pour elles que pour lui de risquer le tapage d'un affrontement. C'étaient des créatures furtives et secrètes. Il pouvait leur arriver de laisser échapper des hurlements surnaturels, dans les parages de Moonlight Cove, mais seulement lorsqu'elles étaient au comble de quelque étrange passion. Et jusqu'ici, pour l'essentiel, elles avaient limité leurs attaques à des personnes placées dans un relatif isolement.

Une fois de retour dans le séjour, il remit le revolver dans l'étui et s'allongea sur le canapé.

Moose resta un moment aux aguets, comme s'il n'arrivait pas à croire qu'il pût tranquillement se rendormir après avoir vu les êtres qui rôdaient sous la pluie.

– Je fais des rêves pires que ce qu'il y a là-dehors, dit Sam au chien. Si je craignais ce genre de choses, je ne pourrais jamais dormir.

Le chien bâilla, se leva et passa dans l'entrée plongée dans l'obscurité, où il monta dans l'ascenseur. Le moteur se mit à ronronner doucement, emportant le labrador.

Tandis qu'il attendait d'être de nouveau surpris par le sommeil, Sam tenta d'induire des rêves nettement plus attrayants en se concentrant sur un certain nombre de choses qui lui paraissaient d'excellents thèmes : de la bonne nourriture mexicaine, de la Guinness Stout tout juste rafraîchie, et Goldie Hawn. L'idéal aurait été de rêver qu'il était dans un grand restaurant mexicain en compagnie de Goldie Hawn, l'air plus rayonnant que jamais, et qu'ils mangeaient à satiété et buvaient de la Guinness en s'amusant beaucoup.

Au lieu de cela, lorsqu'il s'endormit, il rêva de son père, un alcoolique au caractère de chien, entre les mains duquel il était tombé à sept ans, après la mort de sa mère dans l'accident de voiture.

7

Nichée dans la pile de bâches, à l'arrière du camion du jardinier, Chrissie s'éveilla aux grincements et claquements de la porte automatique du garage qui s'ouvrait. Surprise, elle faillit s'asseoir et trahir sa présence. Puis la mémoire lui revint et elle rentra la tête sous la demi-douzaine de toiles qu'elle utilisait comme couvertures, essayant de se faire le plus petite possible.

Elle entendit la pluie qui tambourinait sur le toit du garage. Elle ruisselait sur les graviers de l'allée, juste de l'autre côté de la porte ouverte, et faisait le même bruit que mille tranches de poitrine fumée sur un gril géant. Chrissie mourait de faim, et ce bruit n'arrangea rien.

– Tu m'as préparé mon casse-croûte, Sarah ?

Chrissie ne connaissait pas assez bien M. Eulane pour reconnaître sa voix, mais elle supposa qu'il s'agissait de lui car Sarah Eulane, dont le timbre lui était en revanche familier, répondit aussitôt :

– Ed, je préférerais vraiment que tu rentres à la maison après m'avoir laissée à l'école. Prends ta journée. Tu ne devrais pas travailler par un temps pareil.

– Évidemment, je ne peux pas tondre sous cette pluie. Mais je peux faire d'autres tâches. Je mettrai mon anorak de vinyle. Je reste sec comme de l'amadou, là-dessous. Si Moïse avait eu cet anorak pour traverser la mer Rouge, il n'aurait pas eu besoin d'un coup de pouce du bon Dieu.

À respirer l'air à travers toutes ces couches de toile imprégnée d'herbe, Chrissie sentit un chatouillis lui monter dans le nez et les sinus. Elle redoutait de ne pouvoir retenir un éternuement.

Une stupide gamine éternue, révèle sa présence à des extra-terrestres affamés et est dévorée vive.

– Cette enfant était délicieuse, déclare la reine-pondeuse.

– Donnez-nous encore de ces petites femelles blondes de douze ans.

À quelques dizaines de centimètres de la cachette de Chrissie, Sarah ouvrit la porte du passager et dit :

– Ed, tu vas attraper la mort.

– Tu me prends pour une délicate violette ? répondit-il en ouvrant à son tour sa portière, avant de monter derrière le volant.

– Plutôt pour une fleur de pissenlit un peu fanée.

– C'est pas ce que tu avais l'air de penser, la nuit dernière, répliqua-t-il en riant.

– Si, exactement. Mais tu es *ma* fleur de pissenlit, et je ne veux pas te voir dispersé aux quatre vents.

Les deux portières claquèrent l'une après l'autre.

Certaine de ne pouvoir être vue, Chrissie sortit la tête d'entre les toiles, se pinça le nez et respira par la bouche jusqu'à ce que fût passé le chatouillis dans ses sinus.

Ed Eulane lança le moteur qu'il laissa tourner quelques instants avant de sortir en marche arrière ; pendant ce temps, Chrissie les entendit qui continuaient de bavarder dans la cabine. Elle ne distingua pas tout ce qu'ils se disaient, mais ils semblaient toujours se taquiner mutuellement.

Une pluie froide la toucha au visage et elle rentra immédiatement la tête sous la toile, ne laissant qu'une fente étroite pour que puisse passer au moins un peu d'air frais. Si elle éternuait pendant le trajet, ils ne l'entendraient certainement pas, entre le ronronnement du moteur et le bruit de la pluie.

La conversation qu'elle avait surprise dans le garage, les rires de M. Eulane pendant qu'il conduisait amenèrent Chrissie à penser qu'elle pouvait leur faire confiance. S'il s'était agi d'extra-terrestres, ils ne se seraient pas amusés à dire des bêtises ou à échanger des mots tendres. Peut-être étaient-ils capables de faire un numéro pour tromper des humains, pour faire croire qu'ils étaient bien toujours Ed et Sarah Eulane, mais pas quand ils étaient seuls. Quand il n'y a pas d'humains non convertis dans les parages, les extra-terrestres parlent probablement de... eh bien, des planètes qu'ils ont pillées, du temps qu'il fait sur Mars, du prix du carburant pour les soucoupes volantes ou se refilent des recettes browniennes du genre : « Comment Servir l'Homme. » Qui sait ? Mais ils ne parlent sûrement pas comme parlaient les Eulane.

Par ailleurs...

Peut-être que les extra-terrestres n'avaient pris le contrôle des époux Eulane que pendant la nuit et ne se sentaient-ils pas encore à l'aise dans leur rôle d'humains.

Peut-être s'entraînaient-ils en privé à paraître humains afin de ne pas commettre d'impairs en public. Sûr comme le diable, si jamais Chrissie se montrait, il allait sortir des tentacules ou des pinces de homard de leur poitrine, et soit ils la mangeraient vive, sans condiments, soit ils la congèleraient pour la monter sur un socle, comme un trophée, et l'exposer dans leur tanière dans leur monde d'origine, soit encore ils lui prélèveraient le cerveau pour le brancher dans leur vaisseau spatial, où il servirait de mécanisme de contrôle à bon marché pour leur machine à café.

En cas d'invasion d'extra-terrestres, ne faire confiance qu'avec la plus extrême précaution. Elle décida de s'en tenir à son plan originel.

Les sacs en plastique de cinquante livres pleins de fertilisants, de terreau ou d'antilimaces, entassés des deux côtés de la pile de bâches, la protégeaient assez bien de la pluie ; mais elle tombait tellement fort qu'elle commençait à pénétrer les couches supérieures. Relativement au sec et ayant agréablement chaud au moment du départ, elle ne tarda pas à être gagnée par des filets d'eau empestant l'herbe, et à être glacée jusqu'aux os.

Elle jetait de temps en temps un coup d'œil à l'extérieur pour vérifier où elle se trouvait. Lorsqu'elle vit que le camion quittait la route secondaire pour s'engager sur Ocean Avenue, elle repoussa la toile mouillée et rampa hors de sa cachette.

L'arrière de la cabine comportait une fenêtre, et les Eulane la verraient si jamais ils se retournaient. Mme Eulane risquait même de l'apercevoir dans le miroir de courtoisie, qui était baissé. Mais il fallait bien aller à l'arrière du camion si elle voulait être prête à sauter lorsqu'ils passeraient à la hauteur de Notre-Dame-de-Grâce.

À quatre pattes, elle se faufila au milieu du matériel de jardinage. Lorsqu'elle atteignit l'abattant arrière, elle se rencogna dans un angle, tête baissée, frissonnante et malheureuse sous la pluie.

Ils coupèrent Shasta Way, la première intersection à la périphérie de la ville, et continuèrent en direction du secteur commerçant d'Ocean Avenue. Ils n'étaient qu'à quatre coins de rues de l'église.

Chrissie fut surprise de ne voir aucun piéton sur les trottoirs, aucune voiture dans la rue. Il était tôt – sept heures trois d'après sa montre –, mais pas au point que tout le monde fût encore dans son lit. Elle attribua cet aspect désert au mauvais temps ; personne n'allait sortir sous ces rafales de pluie à moins d'y être réellement obligé.

Mais il existait une autre possibilité ; les extra-terrestres s'étaient peut-être emparés d'une fraction tellement importante de la population de Moonlight Cove qu'ils n'éprouvaient plus le besoin de jouer la comédie de la vie qui suit son cours ordinaire ; si la conquête complète n'était plus qu'une question d'heures, tous leurs efforts devaient tendre à trouver les derniers à ne pas être possédés. Voilà qui était tellement inquiétant qu'il valait mieux ne pas y penser.

Lorsqu'ils furent à un coin de rue de Notre-Dame-de-Grâce, Chrissie enjamba l'abattant de bois. Elle passa une jambe, puis une deuxième, et s'accrocha des deux mains, les pieds sur le pare-chocs arrière. Elle apercevait toujours la tête des Eulane par la fenêtre de la cabine, et elle risquait encore d'être vue par l'un ou l'autre.

Elle redoutait constamment de se faire remarquer par un piéton qui lui crierait :

– Eh, toi, tu n'es pas un peu folle, accrochée à ce camion ?

Mais il n'y avait toujours pas de passants, et ils atteignirent sans encombre le carrefour suivant.

Les freins grincèrent lorsque M. Eulane ralentit pour s'arrêter au stop.

Au moment précis où le véhicule s'immobilisa, Chrissie se laissa tomber au sol.

M. Eulane tourna à gauche au croisement. Il se dirigeait vers l'école élémentaire Thomas Jefferson, où travaillait Mme Eulane et où, si on avait été un mardi ordinaire, Chrissie aurait rapidement rejoint sa classe.

Elle traversa le carrefour en courant, s'éclaboussa avec l'eau boueuse qui courait dans le caniveau, et monta quatre à quatre les marches sur lesquelles s'ouvraient les portes de l'église. Une bouffée de triomphe vint la réchauffer : elle avait l'impression d'avoir atteint un sanctuaire capable de la protéger de tout.

Une main sur la poignée en cuivre travaillé, elle s'arrêta un instant pour regarder autour d'elle. Les fenêtres des boutiques, comme celles des bureaux et des appartements, étaient toutes recouvertes d'une taie laiteuse de cataracte. Les arbres les plus petits se courbaient sous le vent violent, les plus solides frissonnaient de toutes leurs branches ; avec les raies obliques de pluie, c'étaient les seuls mouvements en vue. Le vent, irrégulier, soufflait en rafales brusques ; mais il n'arrêtait de pousser la pluie que pour s'enrouler en entonnoir et remonter Ocean Avenue en tourbillonnant. Si bien que si elle plissait les yeux, elle pouvait presque se croire dans une ville fantôme du désert d'Arizona, regardant les tourbillons de poussière – les pirouettes du diable – danser dans les rues hantées.

À l'angle de l'église, une voiture de police vint s'arrêter au panneau stop. Il y avait deux hommes à l'intérieur. Aucun des deux ne regardait dans sa direction.

Chrissie soupçonnait déjà la police. Elle ouvrit la porte et se glissa vivement à l'intérieur avant qu'ils ne tournent la tête.

Dès l'instant où elle arriva dans le narthex aux panneaux de chêne et eut respiré l'odeur de myrrhe et de nard, elle se sentit en sécurité. La fillette s'avança dans l'arche de la nef, plongea deux doigts dans le bénitier de marbre, à sa droite, se signa et s'engagea dans l'allée centrale jusqu'à la hauteur de la quatrième rangée, depuis l'arrière. Elle fit une génuflexion, se signa une deuxième fois et s'assit.

Elle était gênée d'inonder d'eau le chêne poli du banc, mais elle ne pouvait rien y faire ; elle dégoulinait de partout.

La messe était en cours. En dehors d'elle, seuls deux autres fidèles étaient présents, ce qui lui parut scandaleusement peu. Certes, d'aussi loin que remontaient ses souvenirs, ses parents, qui assistaient régulièrement à la messe du dimanche, ne l'avaient amenée à l'église qu'une seule fois en semaine, bien des années auparavant, et elle n'aurait pu affirmer que les messes de semaine attiraient normalement davantage de personnes. Elle soupçonna cependant que la présence des extra-terrestres – ou des démons, peu importait – à Moonlight Cove était responsable de cette situation. Les extra-terrestres venus de l'espace n'avaient certainement aucun dieu, ou bien, pis encore, ils reconnaissaient quelque sombre divinité avec un nom comme Yahgag ou Scogblatt.

Elle remarqua avec surprise que l'officiant qui célébrait la messe, aidé d'un seul enfant de chœur, n'était pas le père Castelli, mais le jeune prêtre – celui qu'on appelait le curé – que l'archevêché avait assigné au père Castelli au mois d'août. Le père O'Brien, dont le prénom était Tom, suivant l'exemple de son recteur, demandait à ses paroissiens de l'appeler père Tom. Il était gentil – mais tout de même pas aussi gentil, ni aussi plein de jugeote et amusant que le père Castelli –, mais elle n'arrivait pas davantage à dire « père Tom », que « père Jim » au père Castelli. Autant appeler le pape Jeannot. Ses parents commentaient parfois les changements de l'Église, disant qu'il y avait moins de pompe et de décorum qu'autrefois, et avaient l'air d'approuver cette évolution. Avec son esprit conservateur, Chrissie regrettait de ne pas être née à l'époque où la messe était dite en latin, avait un côté élégant et mystérieux, et où la cérémonie ne comportait pas l'obligation carrément stupide de « donner la paix » aux fidèles autour de soi. Elle avait assisté une fois à une messe à San Francisco, pendant des vacances ; il s'agissait d'un service spécial, en latin, fait d'après l'ancienne liturgie, et elle avait adoré ça. Concevoir des avions de plus en plus rapides, passer du noir et blanc à la couleur à la télé, sauver des vies grâce à de meilleures techniques médicales, jeter à la poubelle les vieux disques noirs encombrants au profit des disques compacts, tout cela était fort bien. Mais il y a dans la vie des choses qui ne devraient jamais changer, car c'est justement leur pérennité que l'on aime en elles. Si l'on vivait dans un monde de changements rapides et constants dans tous les domaines, où trouverait-on la stabilité, un endroit de paix, de calme et de tranquillité au milieu de toute cette bruyante agitation ? Cette vérité paraissait tellement évidente à Chrissie qu'elle ne comprenait pas pour quelle raison les grandes personnes n'en avaient pas conscience. Parfois, les adultes ont la caboche épaisse.

Elle ne resta assise que deux ou trois minutes, le temps de dire une prière et d'implorer la Sainte Vierge d'intercéder en sa faveur, mais aussi de s'assurer que le père Castelli n'était pas quelque part dans l'église – assis sur un banc comme un fidèle ordinaire, ce qui lui arrivait parfois, ou dans le confessionnal. Elle se leva, refit une génuflexion et un signe de croix et retourna dans le narthex, où des ampoules électriques en forme de cierge scintillaient doucement derrière les panneaux de verre ambré de deux lampes murales. Elle entrouvrit à peine la porte et jeta un coup d'œil dans la rue que la pluie balayait toujours.

Juste à cet instant-là, une voiture de police se présenta sur Ocean Avenue, mais pas celle qu'elle avait vue avant d'entrer dans l'église. Le modèle était plus récent, et il n'y avait qu'un seul policier à bord. Il roulait lentement et parcourait la rue des yeux, comme s'il cherchait quelqu'un.

Au moment où le véhicule pie atteignait l'angle de Notre-Dame-de-Grâce, passa une voiture qui remontait l'avenue depuis la mer. Une Chevrolet bleue avec deux hommes à l'intérieur, scrutant tout, à droite et à gauche, à travers la pluie, comme le policier. Et même si les deux civils et le policier ne s'adressèrent pas le moindre signe, Chrissie comprit qu'ils avaient un objectif identique : les flics s'étaient adjoint une force de volontaires pour chercher quelque chose ou quelqu'un.

Moi, pensa-t-elle.

Ils la recherchaient parce qu'elle en savait trop. Parce que hier matin, en haut des escaliers, elle avait vu les extra-terrestres qui avaient pris possession de ses parents. Parce qu'elle constituait leur seul obstacle à la conquête de la race humaine. Et peut-être aussi parce qu'elle ferait un excellent rôti, accompagnée de pommes de terre martiennes.

Jusqu'ici, si elle avait bien appris que les extra-terrestres prenaient possession de certaines personnes, elle n'avait pas eu de preuves qu'ils mangeaient les autres ; mais elle restait persuadée que quelque part, en ce moment même, ils se régalaient de bons morceaux humains. Ça cadrait trop bien.

Une fois la voiture pie et la Chevy bleue passées, elle entrouvrit la lourde porte de quelques centimètres de plus et avança la tête sous la pluie. Elle regarda à droite et à gauche, deux fois, pour être bien sûre qu'il n'y avait personne en vue, à pied ou en voiture. Rassurée, elle sortit et bondit jusqu'à l'angle est de l'église. Après avoir une fois de plus regardé des deux côtés de la rue latérale, elle s'y engagea et courut le long de l'édifice pour gagner le presbytère, situé derrière.

La maison tout en brique, d'un étage, avec ses linteaux en granit sculpté, son porche peint en blanc et ses cheneaux festonnés, avait un air respectable qui en faisait une résidence parfaite pour un prêtre. Un vieux platane, au bord de l'allée, la protégeait de la pluie, mais Chrissie était déjà mouillée. Lorsqu'elle atteignit la porte d'entrée, sous le porche, ses tennis produisaient des bruits mouillés de succion.

Au moment d'appuyer sur le bouton de la sonnette, elle hésita. Elle redoutait de se jeter dans un repaire d'extra-terrestres – une éventualité peu probable, qu'elle ne pouvait cependant éliminer à la légère. Elle se dit aussi que si le père O'Brien disait la messe, c'était peut-être pour permettre au père Castelli, qui travaillait tant, d'habitude, de profiter d'un peu de repos supplémentaire, et elle répugnait à le déranger si c'était le cas.

La jeune Chrissie, pensa-t-elle, *indéniablement courageuse et intelligente, demeurait malgré tout trop bien élevée. Tandis qu'elle restait sous le porche, à débattre de l'étiquette d'une visite aussi matinale, elle fut brutalement enlevée par des extra-terrestres dégoulinant de bave et dévorée sur place. Fort heureusement, elle était déjà trop morte pour entendre comment ils rotèrent et pétèrent ensuite, car elle aurait été profondément choquée dans sa sensibilité raffinée.*

Elle appuya par deux fois sur le bouton.

Quelques instants plus tard, une silhouette sombre et bizarrement déformée apparut derrière les panneaux en verre cathédrale du haut de la porte. Elle faillit faire demi-tour et prendre ses jambes à son cou, puis elle se dit que c'était le verre qui déformait l'image et que la personne qui se tenait là-derrière n'était pas vraiment grotesque.

Le père Castelli ouvrit la porte et cligna les yeux de surprise en la voyant. Il portait un pantalon noir, une chemise noire, un col romain et un cardigan gris râpé ; grâce à Dieu, elle ne l'avait donc pas réveillé. C'était un homme de petite taille, replet sans être vraiment gros, dont les cheveux noirs grisonnaient aux tempes. Même son nez, fièrement recourbé en bec d'aigle, ne suffisait pas à dissiper l'effet produit par le reste de ses traits, qui lui donnaient un aspect doux et compatissant.

Il cilla de nouveau – c'était la première fois qu'elle le voyait sans ses lunettes – et dit :

– Chrissie ?

Il sourit, et la fillette comprit qu'elle avait fait ce qu'il fallait en venant ici, car son sourire était chaleureux, ouvert et cordial.

– Mais qu'est-ce qui t'amène à cette heure, par un temps pareil ?

Il regarda derrière elle, vers le porche et l'allée.

– Et où sont tes parents ?

– Père, dit-elle, nullement surprise d'entendre sa voix qui s'étranglait, il faut que je vous voie.

Son sourire s'éteignit.

– Quelque chose qui va mal ?

– Oui, père, très mal, terriblement mal.

– Entre donc, entre. Mais tu es trempée !

Il la fit passer dans l'entrée et referma la porte.

– Ma chère enfant, que t'arrive-t-il ?

– Des extra-terrestres, mon p-père, dit-elle, comme un frisson la faisait bégayer.

– Viens dans la cuisine. C'est la pièce la plus chaude de la maison. J'étais justement en train de préparer le petit déjeuner.

– Je vais l'abîmer, dit-elle avec un geste pour le tapis de type oriental qui courait au milieu du parquet de chêne, tout le long du couloir.

– Oh ! ne t'en fais pas pour ça. C'est une vieillerie qui fait encore vaguement illusion. Un peu comme moi ! Veux-tu un peu de chocolat chaud ? Je venais de faire à l'instant un grand pot de chocolat brûlant.

Reconnaissante, elle le suivit dans le couloir faiblement éclairé, où régnait une odeur qui mêlait l'essence de citron au désinfectant à la résine de pin et, plus faiblement, à l'encens.

La cuisine était accueillante. Un lino jaune et bien usé recouvrait le sol ; murs jaune pâle, placards en bois sombre aux poignées de porcelaine, plans de travail en formica gris et jaune, et le même équipement – réfrigérateur, four, four à micro-ondes, grille-pain, ouvre-boîte électrique – que dans n'importe quelle cuisine, ce qui la surprit, quoique, à la réflexion, elle ne sût pas pourquoi elle aurait dû être différente. Les prêtres avaient aussi besoin de manger. Ils ne pouvaient pas convoquer un ange de feu pour griller leurs tartines ou faire apparaître miraculeusement un pot de chocolat bien chaud.

Il régnait une odeur merveilleuse dans la pièce. Le chocolat frissonnait. Les tartines grillaient. Des saucisses grésillaient dans une poêle, au-dessus d'un feu bas.

Le père Castelli lui indiqua l'une des quatre chaises au rembourrage de vinyle, à la table en formica et chrome, et se mit à s'agiter et à s'occuper d'elle comme une vraie mère poule. Il commença par courir au premier étage, d'où il ramena deux serviettes de bain propres et duveteuses.

– Sèche-toi les cheveux et éponge tes vêtements avec l'une d'elles, dit-il, puis mets l'autre autour de toi comme un châle. Tu garderas mieux ta chaleur, comme ça.

Pendant qu'elle suivait ses instructions, il alla lui chercher deux cachets d'aspirine qu'il posa sur la table.

– Je vais te donner du jus d'orange pour les faire descendre. Il y a beaucoup de vitamine C dans le jus d'orange. Aspirine et vitamine C, c'est comme un droite-gauche à la boxe : ça met un coup de froid K.-O. avant qu'il ait pu s'installer.

Quand il lui apporta le jus d'orange, il la regarda un moment, secouant la tête, et elle se dit qu'elle devait avoir l'air pitoyable d'un chaton mouillé.

– Ma chère enfant, au nom du ciel, qu'est-ce qui s'est passé ?

Il semblait ne pas avoir remarqué ce qu'elle avait dit quelques instants auparavant à propos des extra-terrestres.

– Non, attends, tu m'expliqueras cela pendant que nous déjeunerons, d'accord ?

– Oui, je préfère, mon père. Je meurs de faim. Depuis hier après-midi, je n'ai mangé que deux barres de Hershey.

– Seulement deux barres de Hershey ? (Il poussa un soupir.) Le chocolat est l'une des grâces de Dieu, mais aussi un instrument dans les mains de Satan pour nous induire en tentation – la tentation de la gourmandise. (Il tapota son ventre rond.) J'ai moi-même souvent bénéficié de cette grâce particulière, mais *jamais* (il appuya sur « jamais » et lui adressa un clin d'œil), jamais je ne céderai à l'appel du démon de trop en manger ! Vois-tu, si tu n'as mangé que du chocolat, tu risques de perdre tes dents. Alors... j'ai plein de saucisses à partager. J'allais aussi me faire cuire deux œufs. Deux œufs te feraient-ils plaisir ?

– Oui, s'il vous plaît.

– Et des tartines grillées ?

– Oui.

– Il y a même quelques merveilleux petits pains à la cannelle sur la table, sans parler du chocolat chaud, bien entendu.

Chrissie avala les deux comprimés d'aspirine avec le jus d'orange.

Tandis qu'il cassait délicatement les œufs au-dessus de la poêle à frire, le père Castelli lui jeta un coup d'œil.

– Ça va mieux ?

– Oui, père.

– Tu en es bien sûre ?

– Oui. Maintenant, je me sens mieux.

– C'est très agréable d'avoir de la compagnie pour déjeuner, conclut-il.

Chrissie but le reste de son jus d'orange.

– Quand le père O'Brien a fini de dire la messe, il ne veut jamais manger, reprit le père Castelli. Il a l'estomac en boule. (Il pouffa.) Ils ont tous l'estomac en boule quand ils commencent. Pendant les premiers mois, ça leur fait une peur bleue de monter à l'autel. C'est un devoir tellement sacré, vois-tu, de dire la messe... et les jeunes prêtres redoutent constamment de se tromper d'une manière... oh, je ne sais pas... mais qui serait une insulte à Dieu, je suppose. Mais on n'insulte pas Dieu aussi facilement. Sinon, il y a longtemps qu'il se serait lavé les mains de la race humaine ! Tous les jeunes prêtres finissent par comprendre cela, et du coup, tout va bien. Alors, quand ils reviennent de dire la messe, ils sont prêts à dévorer le budget nourriture de la semaine d'un seul coup !

Elle comprenait qu'il ne bavardait que pour la calmer. Il avait remarqué à quel point elle était affolée. Il voulait qu'elle reprît ses esprits afin qu'ils pussent discuter raisonnablement. Elle s'en moquait. Elle avait besoin d'être apaisée.

Une fois les quatre œufs dans la poêle, il retourna les saucisses avec une fourchette, prit une spatule dans un tiroir, des couverts dans un autre. Tandis qu'il disposait les assiettes sur la table, il ajouta :

– Tu m'as l'air d'être sacrément terrorisée, Chrissie, comme si tu venais de voir un fantôme. Tu peux te calmer, maintenant. Après tant d'années de formation, si un jeune prêtre peut avoir peur de faire une erreur pendant la messe, alors n'importe qui peut avoir peur de n'importe quoi. Nous créons dans notre esprit la plupart de nos peurs, et nous pouvons les en chasser aussi facilement que nous les avons fait venir.

– Peut-être pas celle-là, répondit-elle.

– Nous verrons.

Il transféra œufs et saucisses dans les assiettes.

Pour la première fois depuis vingt-quatre heures, le monde parut *normal* à la fillette. Et elle poussa un soupir de soulagement et de faim lorsque le père Castelli l'invita à piocher dans les plats.

8

Shaddack allait d'habitude se coucher à l'aube, si bien qu'à sept heures, le mardi matin, il bâillait et se frottait les yeux tout en patrouillant dans Moonlight Cove, à la recherche d'un endroit où dissimuler sa fourgonnette pour y dormir quelques heures en sécurité, hors de portée de Loman Watkins. Le ciel était couvert, gris et morne, mais la lumière lui faisait tout de même mal aux yeux.

Il se souvint alors de Paula Parkins, la femme que les régressifs avaient mis en pièces en septembre. Sa propriété d'un demi-hectare se trouvait à l'écart, dans la partie la plus rurale de l'agglomération. Sa famille l'avait mise en vente, dans une agence immobilière locale, mais elle n'avait pas encore changé de mains. Il s'y rendit, entra dans le garage vide et referma la grande porte derrière lui.

Il mangea ensuite un sandwich au jambon accompagné d'un Coke, chassa les miettes, s'enroula dans une couverture à l'arrière de la fourgonnette et se laissa gagner par le sommeil.

Il ne souffrait jamais d'insomnie, peut-être parce qu'il était si sûr de son rôle dans la vie, de son destin, sûr aussi du lendemain. Il éprouvait l'absolue conviction qu'il conformerait l'avenir au programme qu'il avait conçu.

Toute sa vie, Shaddack avait eu des signes de son unicité, des présages qui lui avaient annoncé qu'il triompherait dans toutes ses entreprises.

Il n'avait tout d'abord remarqué ces signes que parce que Don Runningdeer avait attiré son attention sur eux. Runningdeer était indien – Shaddack n'avait jamais pu savoir de quelle tribu – et travaillait à plein temps comme jardinier et homme à tout faire pour James Shaddack, juge à Phoenix. Élancé et vif, le visage tanné, les muscles noueux, les mains calleuses, Runningdeer avait des yeux brillants et noirs comme du pétrole, des yeux au regard singulièrement pénétrant dont on devait parfois se détourner... mais dont on n'arrivait parfois pas à se détourner, aussi fort qu'on l'eût désiré.

L'Indien s'intéressa au jeune Thomas Shaddack et de temps en temps le laissait l'aider, soit dans le jardin, soit lorsqu'il bricolait dans la maison, pourvu que ni le père ni la mère de Tommy ne fussent là pour empêcher que leur fils n'accomplît des tâches inférieures ou recherchât la compagnie d'un « inférieur social ».

Ce qui signifie qu'il traîna presque constamment avec Runningdeer entre l'âge de cinq et douze ans, période pendant laquelle l'Indien avait travaillé pour le juge, car ses parents étaient rarement là pour s'y opposer.

L'un des souvenirs précis les plus anciens qu'il eût de son enfance associait Runningdeer et le serpent qui se mordait la queue...

Il avait cinq ans, il était installé par terre dans le patio, à l'arrière de la grande maison, au milieu d'une collection de petites voitures, mais l'Indien l'intéressait davantage que les jouets. Runningdeer portait un jeans et des bottes, et, sans chemise sous le soleil éclatant du désert, taillait une haie avec de grands ciseaux de jardinier à poignées de bois. Dans son dos, à ses épaules et à ses bras, les muscles de l'homme opéraient avec fluidité, se tendaient et se détendaient, et Tommy était fasciné par cette puissance physique. Le père de Tommy était un petit homme pâle, osseux et fluet. Tommy lui-même, à cinq ans, était déjà visiblement le fils de son père : blond et grand pour son âge, il était d'une désespérante minceur. Le jour où il montra le serpent qui se mordait la queue à Tommy, Runningdeer travaillait pour les Shaddack depuis deux semaines, et Tommy s'était senti de plus en plus attiré par lui sans savoir pour quelles raisons. Runningdeer lui souriait souvent, et lui racontait des histoires amusantes de coyotes, de serpents à sonnettes et d'autres animaux du désert. Il appelait parfois Tommy « Petit Chef », ce qui fut le premier surnom qu'il reçut. Sa mère l'appelait toujours Tommy ou Tom, le juge, Thomas. Il était donc vautré au milieu de ses petites voitures, jouant de moins en moins avec elles, jusqu'au moment où il n'y toucha même plus et se contenta de rester à contempler Runningdeer, comme s'il était hypnotisé.

Il ne savait pas très bien combien de temps il était ainsi resté en transe dans l'air chaud du désert, mais au bout d'un moment, la voix de Runningdeer qui l'appelait le surprit.

– Viens voir ça, Petit Chef.

Il était plongé dans une telle hébétude qu'il resta sans réaction. Il avait les bras et les jambes paralysés, comme s'il avait été transformé en pierre.

– Allez, viens Petit Chef, viens, il *faut* que tu voies ça.

Finalement, Tommy se leva d'un bond et courut sur le gazon, jusqu'aux haies que taillait Runningdeer autour de la piscine.

– C'est quelque chose de rare, dit l'Indien d'une voix sombre avec un geste en direction d'un serpent vert, immobile à ses pieds sur le bord en ciment, chauffé par le soleil, qui entourait la piscine.

Tom prit peur et eut un mouvement de recul.

Mais l'Indien le saisit par le bras, le retint près de lui et continua :

– Ne crains rien. Ce n'est qu'un serpent de jardin. Il n'est pas dangereux. Il ne te fera pas de mal. En fait, il t'a été envoyé comme signe.

Les yeux écarquillés, Tommy contemplait le reptile d'une soixantaine de centimètres de long, enroulé sur lui-même comme pour former un O, la queue dans la bouche comme s'il se dévorait. Le serpent restait immobile et ses yeux vitreux ne cillaient pas. Tommy le crut mort, mais l'Indien l'assura du contraire.

– C'est un signe puissant que tous les Indiens connaissent, reprit Runningdeer.

Il s'accroupit devant le serpent et obligea l'enfant à en faire autant.

– C'est un signe, murmura-t-il, un signe surnaturel envoyé par les grands esprits, un signe toujours destiné à un jeune garçon, alors ça ne peut être que pour toi. Un signe très puissant.

Contemplant le serpent d'un air stupéfait, Tommy demanda :

– Un signe ? Qu'est-ce que ça veut dire ? Ce n'est pas un signe, c'est un serpent !

– Un présage. Un pressentiment. Un signe sacré, répondit Runningdeer.

Accroupis l'un à côté de l'autre, sans cesser un instant de lâcher son bras, l'Indien expliqua toutes ces choses à Tommy à voix basse, sur un ton intense. Éblouissant, le soleil se réverbérait sur le bord en ciment de la piscine. Des vagues ondoyantes de chaleur s'en élevaient. Le serpent gisait, dans une telle immobilité qu'il aurait pu s'agir d'un collier rehaussé de pierres précieuses d'un travail incroyable, plutôt que d'un vrai serpent – chaque écaille un éclat d'émeraude, deux rubis pour les yeux. Au bout d'un moment, Tommy retomba dans son étrange état de transe, et la voix de Runningdeer se glissa au plus profond de son crâne, serpentine, parmi les circonvolutions de son cerveau.

Plus étrange encore, la voix ne lui parut plus du tout être celle de Runningdeer, mais celle du serpent. Il ne détachait pas les yeux de la vipère et oubliait presque la présence de l'Indien, car ce que lui disait le serpent était tellement irrésistible et passionnant que toute son attention, tous ses sens en étaient mobilisés, même s'il ne comprenait pas entièrement ce qu'il entendait. C'est un signe du destin, disait le serpent, un signe de pouvoir et de destin, et tu seras un homme de grand pouvoir, un pouvoir beaucoup plus grand que celui de ton père, tu seras un homme devant lequel les autres se courberont, un homme qui sera obéi, un homme qui n'aura jamais peur de l'avenir car c'est lui qui *fera* l'avenir, et tu auras tout ce que tu voudras, tout ce que le monde peut offrir. Mais pour le moment, ceci doit rester notre secret. Personne ne doit savoir que je t'ai apporté ce message, que le signe a été donné, car si les gens savaient que tu es destiné à les détenir en ton pouvoir, ils te tueraient sûrement ; ils te couperaient la gorge pendant la nuit, ils t'arracheraient le cœur et t'enterreraient dans une tombe profonde. Il ne faut pas qu'ils sachent que tu vas être roi, dieu sur terre, ou bien ils t'écraseront avant que tes forces aient eu le temps de s'épanouir complètement. Secret. Ceci est notre secret. Je suis le serpent qui se dévore lui-même et va se manger et disparaître, maintenant que le message a été transmis. Personne ne saura que je suis venu ici. Tu peux faire confiance à l'Indien, mais à personne d'autre.

À personne. Jamais.

Tommy s'évanouit et fut malade pendant deux jours. Le médecin en perdait son latin. L'enfant n'avait pas de fièvre, aucun gonflement suspect des ganglions, pas de nausées, pas de courbatures dans les articulations ou les muscles, aucune douleur. Il était simplement sous l'empire d'un profond malaise, tellement léthargique qu'il n'avait envie de regarder ni une bande dessinée ni même la télévision. Il n'avait aucun appétit. Il dormait quatorze heures par jour, et restait dans un état de profonde hébétude le reste du temps.

– Peut-être un léger coup de soleil, finit par dire le médecin. S'il ne sort pas de cet état dans deux jours, nous l'enverrons faire des examens à l'hôpital.

Pendant la journée, alors que le juge siégeait ou rencontrait ses associés en affaires et que la mère de Tommy déjeunait à son Country Club ou s'occupait d'œuvres charitables, Runningdeer se glissait de temps en temps dans la maison et venait s'asseoir une dizaine de minutes sur le bord du lit du garçon. Il racontait des histoires à Tommy, parlant de cette voix douce et étrangement cadencée.

Miss Karval, qui jouait à la fois le rôle de bonne et de nourrice sèche à temps partiel, savait bien que ni le juge ni Mme Shaddack n'aurait approuvé les visites de l'Indien, ni les rapports qu'il avait d'une manière plus générale avec l'enfant. Mais elle avait bon cœur, et elle jugeait sévèrement le manque d'attentions que les parents avaient pour le petit Tommy. En outre, elle aimait bien l'Indien. Elle fit celle qui ne voyait rien, parce qu'elle n'y trouvait rien à redire, du moment que Tommy lui promettait de ne pas dire à ses parents qu'il passait tout ce temps avec Runningdeer.

Au moment où on se décidait à mettre l'enfant à l'hôpital, il se rétablit, et on accepta le diagnostic du médecin. Après quoi, Tommy resta collé aux basques de l'Indien dès que sa mère et son père avaient quitté la maison, jusqu'au retour de l'un d'entre eux. Quand il commença à aller à l'école, il rentra tout de suite à la maison après la classe ; il n'accepta jamais les invitations des autres enfants à aller jouer chez eux, car il lui tardait de passer deux ou trois heures avec Runningdeer, avant que ne réapparussent sa mère ou son père, vers la fin de l'après-midi.

Ainsi, semaine après semaine, mois après mois, année après année, l'Indien rendit-il l'enfant conscient, de manière très aiguë, des signes qui annonçaient la grandeur de sa destinée, même si ce qui l'attendait n'était pas davantage précisé. Un carré de trèfles à quatre feuilles juste en dessous de la fenêtre de sa chambre. Un rat mort flottant dans la piscine. Une dizaine de grillons qui stridulaient dans l'un des tiroirs du bureau du garçon, un jour qu'il rentrait de l'école. De temps en temps, apparaissaient des pièces à des endroits où il n'en avait pas laissé – un penny dans chacune des chaussures de son placard ; un mois plus tard, une pièce de cinq cents dans les poches de tous ses pantalons ; plus tard encore, un dollar d'argent brillant *à l'intérieur* d'une pomme que Runningdeer pelait pour lui –, et chaque fois l'Indien contemplait les pièces avec un respect craintif, expliquant qu'il s'agissait de signes parmi les plus puissants.

– Un secret, murmura Runningdeer d'un ton plein de sous-entendus, le lendemain de l'anniversaire de Tommy, lorsque ce dernier lui dit avoir entendu des cloches tinter doucement sous ses fenêtres, au milieu de la nuit.

Se levant, il n'avait rien vu, sinon une bougie qui brûlait au milieu de la pelouse. Faisant bien attention à ne pas réveiller ses parents, il s'était faufilé à l'extérieur pour regarder la bougie de plus près, mais elle avait disparu.

– Garde toujours le secret sur ces signes, ou ils se rendront compte que tu es un enfant de haute destinée, qu'un jour tu disposeras d'un formidable pouvoir sur eux et ils te tueront tout de suite, pendant que tu es encore un enfant, et faible.

– Qui ça, « ils » ? demanda Tommy.

– Eux, les autres, tout le monde, répondit mystérieusement l'Indien.

– Oui, mais qui ?

– Ton père, pour commencer.

– Pas lui !

– Si, justement, murmura Runningdeer. C'est un homme de pouvoir. Il aime avoir du pouvoir sur les autres, intimider, contraindre les autres à faire selon sa volonté pour arriver à son but. Tu as bien vu comment les gens se faisaient tout petits devant lui.

Tommy avait en effet remarqué avec quel respect chacun s'adressait à son père – en particulier ses nombreux amis politiciens – et deux ou trois fois, il avait surpris les regards inquiets et probablement plus sincères qu'ils lançaient au juge dans son dos. Ils paraissaient l'admirer et même le révérer devant lui, mais quand ils ne regardaient pas, ils donnaient l'impression non seulement de le craindre, mais de le détester.

– Il n'est content que lorsqu'il a tout le pouvoir et il ne l'abandonnera pas facilement, pas plus à son fils qu'à un autre. S'il découvre que tu es destiné à être plus grand et plus puissant que lui... personne ne pourra te sauver. Même pas moi.

S'il avait existé plus de manifestations d'affection dans sa vie familiale, Tommy aurait peut-être trouvé les avertissements de l'Indien plus difficiles à accepter. Mais son père lui adressait presque toujours la parole de manière purement formelle et le touchait encore plus rarement – jamais il ne le prenait vraiment dans ses bras, jamais un baiser.

Parfois, Runningdeer faisait cadeau d'une sorte de confiserie artisanale au garçon. Il l'appelait « bonbon au cactus ». Il n'y en avait jamais qu'un seul morceau pour chacun d'eux et ils le mangeaient toujours ensemble, soit assis dans le patio, après le casse-croûte de l'Indien, soit pendant que Tommy suivait son mentor, sur l'hectare que couvrait presque la propriété, l'aidant dans ses corvées. Peu après avoir mangé le bonbon au cactus, l'enfant se sentait envahi d'une humeur étrange. Gagné par l'euphorie, il avait l'impression de flotter quand il marchait, et les couleurs étaient plus belles et plus brillantes. Mais de tout ce qui l'entourait, c'était l'Indien qui ressortait le plus vivement. Ses cheveux étaient d'un noir de jais, sa peau couleur de bronze, ses dents d'un blanc éclatant, ses yeux aussi sombres que la fin de l'univers. Chaque bruit – jusqu'aux *clic clic clic* du taille-haies, le grondement d'un avion en approche de l'aéroport de Phoenix, le bourdonnement d'insecte du moteur de la piscine – devenait musique ; le monde était plein de musique, bien que la chose la plus musicale fût la voix de Runningdeer. Les odeurs, aussi, devenaient plus entêtantes : fleurs, herbe coupée, l'huile avec laquelle l'Indien lubrifiait ses outils. Même les effluves de sa respiration devenaient agréables. Runningdeer sentait le pain frais, le foin et les piécettes de cuivre.

Tommy se souvenait rarement de quoi Runningdeer avait parlé lorsqu'ils avaient mangé le bonbon de cactus, mais se rappelait cependant que l'Indien s'exprimait avec une intensité particulière. Ses propos tournaient beaucoup autour d'un signe, celui du faucon de lune.

– Si le grand esprit envoie le signe du faucon de lune, tu sauras que ton pouvoir sera immense et que tu deviendras invincible, invincible ! Mais si jamais tu vois ce signe, cela voudra dire aussi que les grands esprits attendent quelque chose de toi en retour, un acte qui leur prouvera ta valeur.

En dehors de cela, Tommy oubliait à peu près tout le reste. D'habitude, au bout d'une heure, la fatigue le gagnait et il allait faire un somme dans sa chambre ; ses rêves étaient particulièrement vivants, plus réels que la vie elle-même, et l'Indien y figurait souvent. C'étaient des rêves à la fois rassurants et inquiétants.

Par un samedi pluvieux de novembre, Tommy, alors âgé de dix ans, était assis sur un tabouret, à côté de l'établi du garage, et regardait Runningdeer réparer un couteau électrique dont le juge se servait toujours pour découper la dinde, pour la Noël ou le Jour d'action de grâces. Il faisait agréablement frais, avec une humidité inhabituelle de l'air pour la région. Runningdeer et

Tommy parlaient de la pluie, des vacances qui approchaient, et de choses récemment arrivées à l'école. Ils ne parlaient pas toujours des signes ou du destin, sans quoi Tommy n'aurait peut-être pas autant aimé la compagnie de l'Indien ; mais celui-ci était un auditeur attentif.

Lorsque l'Indien eut fini la réparation, il brancha le couteau électrique et le fit fonctionner. La lame allait et venait si vite que le bord de coupe se brouillait.

Tommy applaudit.

– Tu vois ça ? demanda Runningdeer, soulevant le couteau et plissant les yeux, aveuglé par les ampoules fluorescentes qui pendaient au-dessus de l'établi.

La lame mobile lançait des éclats brillants, comme si elle découpait la lumière elle-même.

– Quoi ? demanda Tommy.

– Ce couteau, Petit Chef. C'est une machine. Une machine frivole, pas une machine réellement importante comme une voiture, un avion ou un fauteuil roulant électrique. Mon frère est... infirme... et il ne peut se déplacer qu'en fauteuil roulant. Savais-tu cela, Petit Chef ?

– Non.

– L'un de mes frères est mort, l'autre infirme.

– Je suis désolé.

– Il s'agit de mes demi-frères, en réalité, mais ce sont les seuls que j'aie.

– Comment ça s'est passé ? Pourquoi ?

Runningdeer ignora ses questions.

– Même si ce couteau ne sert qu'à découper une dinde que l'on pourrait aussi bien découper à la main, c'est tout de même un outil efficace et intelligent. La plupart des machines sont plus efficaces et intelligentes que les gens.

L'Indien abaissa légèrement l'instrument coupant et se tourna pour faire face à Tommy. Il tenait la lame vibrante entre eux et regardait Tommy dans les yeux, juste par-dessus.

Le garçon se sentit glisser dans un état semblable à celui dans lequel il était après avoir mangé un bonbon de cactus, alors qu'il n'en avait pas pris.

– L'homme blanc accorde beaucoup de confiance aux machines, reprit Runningdeer. Il pense que les machines sont encore plus sûres et intelligentes que les hommes. Si tu veux être véritablement grand dans le monde de l'homme blanc, Petit Chef, tu dois devenir toi-même autant que possible une machine. Tu dois être efficace. Tu dois être infatigable comme une machine. Tu dois te fixer des objectifs bien déterminés et ne te laisser distraire ni par les désirs ni par les émotions.

Il avança lentement la lame vibrante vers le visage de Tommy, jusqu'à ce que le garçon louchât en tentant d'accommoder son regard vers le bord de coupe.

– Avec ça, je pourrais t'émonder le nez, te découper les lèvres, t'entailler les joues et les oreilles...

Tommy aurait bien voulu descendre du tabouret et s'enfuir.

Mais il n'arrivait pas à bouger.

Il se rendit alors compte que l'Indien le retenait par le poignet.

Mais même s'il ne l'avait pas immobilisé, il aurait été incapable de fuir. Il était paralysé. Pas seulement par la peur. Il y avait quelque chose de séduisant dans le moment qu'il vivait ; ce potentiel de violence avait quelque chose, bizarrement... d'excitant.

– ... la boule ronde de ton menton, te scalper, te peler jusqu'à l'os et te laisser saigner à mort, ou bien tu mourrais d'autre chose, mais...

La lame n'était plus qu'à cinq centimètres de son nez.

– ... mais la machine continuerait...

Trois centimètres.

– ... le couteau continuerait à ronronner et couper, ronronner et couper...

Un centimètre.

– ... parce que les machines ne meurent pas...

Tommy sentait la minuscule brise provoquée par les mouvements continuels de la lame.

– ... les machines sont efficaces et sûres. Si tu veux réussir dans le monde de l'homme blanc, Petit Chef, tu dois être comme une machine.

Runningdeer coupa le courant et posa le couteau.

Il ne lâcha pas Tommy.

Se penchant sur lui, il ajouta :

– Si tu veux être grand, si tu veux faire plaisir aux esprits et faire ce qu'ils te demanderont lorsqu'ils t'enverront le signe du faucon de lune, alors tu dois être résolu, impitoyable, froid, obstiné et te moquer des conséquences, exactement comme une machine.

Après ce jour, en particulier lorsqu'ils avaient consommé ensemble des bonbons de cactus, ils parlèrent souvent de se vouer entièrement à un but et d'être aussi efficaces et sûrs que des machines. Alors qu'il approchait de la puberté, les rêves de Tommy étaient moins souvent remplis de références sexuelles que d'images du faucon de lune et de visions de personnes d'apparence normale, vues de l'extérieur, mais qui à l'intérieur étaient toutes faites de fils, de transistors et de connexions cliquetantes.

Au cours de l'été de ses douze ans, après sept années passées en compagnie de l'Indien, le garçon apprit ce qui était arrivé aux frères de Runningdeer. Une partie, du moins ; il devina le reste.

Ils étaient assis dans le patio et regardaient les arcs-en-ciel apparaître et disparaître dans la brume que lançait le système d'arrosage. Tom avait questionné Runningdeer à propos de ses frères à plusieurs reprises, depuis la scène de l'établi, plus d'un an et demi auparavant, mais jamais l'Indien ne lui avait répondu. Ce jour-là, cependant, le regard perdu sur les montagnes lointaines et embrumées, il murmura :

– C'est un secret que je vais te dire.

– Très bien.

– Aussi secret que tous les signes qui t'ont été envoyés.

– D'accord.

– Des hommes blancs, juste des étudiants, ivres, se baladaient dans un coin. Ils cherchaient peut-être des femmes, mais surtout la bagarre. Ils sont tombés sur mes frères par accident, dans un parking. L'un d'eux était marié, et sa femme était avec eux, et les étudiants ont commencé à jouer au jeu de l'Indien-provoqué, mais la femme de mon frère leur plaisait aussi vraiment. Ils la voulaient, et ils étaient juste assez saouls pour s'imaginer qu'ils n'avaient qu'à la prendre. Il y a eu une bagarre. Ils étaient cinq contre mes frères. Ils en ont battu un à mort avec un démonte-pneu. L'autre ne pourra plus jamais marcher. Ils ont pris la femme de mon frère avec eux, ils ont abusé d'elle.

Ces révélations stupéfièrent Tommy.

– Je hais les hommes blancs ! finit par s'exclamer le garçon.

Runningdeer éclata de rire.

– Vraiment, insista Tommy. Et les types qui ont fait ça, qu'est-ce qui leur est arrivé ? Est-ce qu'ils sont en prison, maintenant ?

– En prison ? Non.

Runningdeer sourit à l'enfant. Un sourire féroce, sans humour.

– Leurs pères étaient des hommes puissants. Ils avaient l'argent, l'influence. Alors le juge les a laissés filer pour « preuves insuffisantes ».

– Mon père aurait dû les juger. Il ne les aurait pas laissés filer, lui.

– Crois-tu ? demanda l'Indien.

– Jamais.

– Tu en es sûr ?

Mal à l'aise, Tommy persista.

– Sûr que je suis sûr.

L'Indien garda le silence.

– Je hais les hommes blancs, répéta Tommy, cette fois davantage pour s'attirer la bienveillance de Runningdeer que par conviction.

L'Indien rit de nouveau et tapota la main de Tommy.

Près de la fin de ce même été, après une journée éclatante, Runningdeer vint voir Tommy tard et, d'une voix sinistre et menaçante, lui dit :

– Il y a pleine lune ce soir, Petit Chef. Tu iras dans l'arrière-cour et tu la regarderas un moment. Je crois que le signe viendra enfin ce soir, le signe le plus important de tous.

Après le lever de la lune, qui se produisit juste à la tombée de la nuit, Tommy alla se tenir près de la piscine, à l'endroit même où Runningdeer lui avait montré le serpent qui se mordait la queue, sept ans auparavant. Il garda longtemps les yeux levés vers le globe céleste, dont un reflet allongé scintillait à la surface du bassin. C'était une lune jaune, hypertrophiée, immense, encore basse sur l'horizon.

Puis le juge sortit dans le patio et l'appela.

– Je suis ici, répondit Tommy.

Le juge alla le retrouver près de la piscine.

– Qu'est-ce que tu fais, Thomas ?

– J'attends de voir le...

– Le quoi ?

Juste à cet instant-là, Tommy vit la silhouette du faucon se détacher devant la lune. Pendant des années, il s'était fait répéter qu'un jour il le verrait ; il y était préparé, il savait tout ce que cela signifiait, et brusquement l'oiseau était là, pétrifié un instant en plein vol devant le cercle lumineux de l'astre.

– Ici ! s'écria-t-il, ayant sur le coup oublié qu'il ne devait faire confiance à personne, sauf à l'Indien.

– Ici quoi ? demanda le juge.

– Comment, tu ne l'as pas vu ?

– Il n'y a que la lune.

– Si tu avais regardé, tu l'aurais vu.

– Vu quoi ?

Que le juge fût aveugle au signe n'était pour Tommy qu'une preuve de plus qu'il avait un destin spécial, et que ce présage n'était destiné qu'à ses yeux – ce qui lui rappela qu'il ne pouvait pas faire confiance à son propre père. Il dit :

– Euh... une étoile filante.

– Tu restes là à regarder les étoiles filantes ?

– En réalité, ce sont des météores, se mit à expliquer Tommy, un peu trop vite. Tu comprends, la terre traverse cette nuit une ceinture de météores, il devrait y en avoir beaucoup.

– Depuis quand t'intéresses-tu à l'astronomie ?

– Oh, elle ne m'intéresse pas particulièrement.

L'enfant haussa les épaules.

– Je me demandais juste de quoi ça avait l'air. Pas très amusant.

Il fit demi-tour et partit vers la maison, bientôt suivi par le juge.

Le lendemain, mercredi, l'enfant parla du faucon de lune à Runningdeer.

– Mais je n'ai eu aucun message de lui. Je ne sais pas ce que les grands esprits veulent que je fasse pour faire mes preuves.

L'Indien sourit et le regarda en silence pendant un moment, qui finit par s'étirer désagréablement. Puis il déclara :

– Nous parlerons de tout cela en déjeunant, Petit Chef.

Le mercredi était le jour de miss Kerval, et Runningdeer et Tommy se trouvaient donc seuls à la maison. Ils s'assirent côte à côte sur les chaises du patio pour déjeuner. L'Indien n'avait apparemment apporté que des bonbons de cactus, et Tommy n'avait d'appétit pour rien d'autre.

Cela faisait longtemps que le garçon les engloutissait avidement, non pour leur goût, mais pour leur effet. Avec les années, cet effet était devenu régulièrement plus profond.

L'enfant ne tarda pas à se retrouver dans cet état rêveur tant désiré où il avait l'impression de planer, où les couleurs devenaient éclatantes, les sons puissants, les odeurs entêtantes et où tout paraissait agréable et séduisant. Lui et l'Indien parlèrent environ une heure, et à la fin de cette conversation, Tommy avait compris que les grands esprits attendaient de lui qu'il tuât son père dans quatre jours, le dimanche suivant.

– C'est ma journée de repos, ajouta Runningdeer, si bien que je ne serai pas là pour te soutenir. Mais en fait, c'est probablement ce que veut l'esprit : tu dois prouver ce que tu es sans l'aide de personne. Nous aurons au moins les quelques jours qui viennent pour tout préparer. Dimanche, tu seras prêt.

– Oui, répondit le garçon, rêveur. Oui, nous le préparerons ensemble.

Plus tard, le même après-midi, le juge revint à la maison, après une réunion d'affaires qui avait suivi une séance au tribunal. Se plaignant de la chaleur, il monta directement à l'étage prendre une douche. La mère de Tommy était déjà rentrée à la maison depuis une demi-heure. Installée dans un fauteuil du séjour, les pieds sur un tabouret bas rembourré, elle lisait le dernier numéro de *Town & Country* et sirotait ce qu'elle appelait son « apéritif d'avant l'apéritif ». À peine avait-elle levé les yeux lorsque le juge, depuis la porte de l'entrée, avait annoncé son intention de se doucher.

Dès que son père fut au premier étage, Tommy se rendit à la cuisine et prit un couteau de boucher au râtelier.

À l'extérieur, Runningdeer tondait le gazon.

Tommy se rendit dans le séjour, s'approcha de sa mère et l'embrassa sur la joue. Elle fut surprise par le baiser, mais davantage encore par le couteau, qu'il lui enfonça par trois fois dans la poitrine. Puis il monta au premier étage sans lâcher l'arme, qu'il enfonça dans l'estomac du juge au moment où celui-ci sortait de sa douche.

Il se rendit ensuite dans sa chambre et enleva ses vêtements. Il n'y avait pas de sang sur ses chaussures, mais beaucoup sur sa chemise et un peu sur son jeans. Après s'être rapidement lavé dans le lavabo de la salle de bains et avoir fait disparaître toute trace de sang par l'évacuation, il s'habilla d'une chemise et d'un jeans propres. Il fit un paquet serré des vêtements ensanglantés, enroulés dans une vieille serviette, et les porta au grenier, où il les dissimula dans un coin, derrière une malle de voyage. Il s'en débarrasserait plus tard.

De retour au rez-de-chaussée, il passa à côté du cadavre de sa mère sans le regarder et se rendit directement au bureau du juge, dont il ouvrit le tiroir du bas, à droite. De derrière une pile de dossiers, il retira le revolver de son père.

Une fois dans la cuisine, il éteignit les tubes au néon du plafond ; l'éclairage qui venait des fenêtres, s'il était suffisant, laissait cependant quelques coins d'ombre dans la pièce. Il déposa le couteau de boucher sur le plan de travail, à côté du réfrigérateur, de manière qu'il fût dans un de ces coins d'ombre. Puis il glissa le revolver sur l'une des chaises qu'il n'éloigna que partiellement de la table, de façon que l'arme restât facile à attraper mais difficile à voir.

Il alla alors jusqu'à la porte-fenêtre qui reliait la cuisine au patio et appela Runningdeer. L'Indien n'entendit pas le garçon, avec la pétarade de la tondeuse, mais il leva les yeux à un moment donné et le vit qui agitait la main. Il coupa le moteur, fronçant les sourcils, traversa la pelouse à moitié tondue et vint jusqu'au patio.

– Oui, Thomas ? dit-il, parce qu'il savait que le juge et sa femme se trouvaient à la maison.

– Ma mère a besoin de ton aide pour quelque chose, expliqua Tommy. Elle m'a demandé d'aller te chercher.

– Mon aide ?

– Ouais ; dans le séjour.

– Qu'est-ce qu'elle veut ?

– Eh bien que tu l'aides pour... ce sera plus facile de te montrer que de t'expliquer.

L'Indien suivit le garçon dans la grande cuisine, et passa devant le réfrigérateur pour gagner la porte qui donnait sur le hall.

Tommy fit halte brusquement, se tourna et dit :

– Oh, oui, maman a dit que tu aurais besoin de ce couteau, celui qui est là derrière toi, à côté du frigo.

Runningdeer se tourna, aperçut le couteau dans l'ombre et le saisit. Ses yeux s'élargirent.

– Petit Chef, il y a du sang sur ce couteau, il y a du sang...

Tommy avait déjà récupéré le revolver sur le siège. Comme l'Indien, surpris, se tournait vers lui, Tommy le leva à deux mains et fit feu jusqu'à ce qu'il eût vidé le barillet, même si le recul lui secouait douloureusement les bras et les épaules, manquant de peu le renverser. Au moins deux balles atteignirent Runningdeer, et l'une d'elles lui traversa la gorge.

L'Indien tomba lourdement. Le couteau lui échappa et partit en tournoyant sur le carrelage.

Du bout de sa chaussure, Tommy renvoya le couteau plus près du cadavre, afin qu'on ne doutât plus qu'il l'eût brandi.

Le garçon avait mieux compris le message des grands esprits que son mentor. Ils avaient voulu qu'il se libérât d'un seul coup de *tous ceux* qui exerçaient un certain pouvoir sur lui : à savoir le juge, sa mère et Runningdeer lui-même. À cette seule condition pouvait-il entamer la marche vers son grand destin.

Il avait calculé les trois assassinats avec la froideur d'un ordinateur et les avait exécutés avec la rigueur absolue et l'efficacité d'une machine. Il ne ressentait rien. Les émotions n'avaient pas eu part dans ses actions. En réalité, il éprouvait bien un peu de peur et d'excitation – et même de jubilation –, mais ces sentiments ne le distrayaient pas.

Après avoir contemplé quelques instants le corps de Runningdeer, Tommy décrocha le téléphone de la cuisine, fit le numéro de la police et clama, hystérique, que l'Indien, par vengeance, avait tué ses parents et que lui-même avait tué l'Indien avec le revolver de son père. Mais il ne raconta pas les choses aussi succinctement. Il était dans un tel état qu'ils durent lui arracher ses révélations. En fait, il leur fallut trois ou quatre longues minutes pour arriver à le convaincre d'arrêter sa logorrhée et de donner son nom et son adresse. Dans son esprit, il s'était entraîné tout l'après-midi à l'hystérie, dès après le déjeuner avec l'Indien. Il était satisfait de se sentir aussi convaincant, maintenant.

Il se rendit devant la maison, s'assit dans l'allée et pleura jusqu'à l'arrivée de la police. Ses larmes étaient plus authentiques que son hystérie. Il pleurait de soulagement.

Il avait revu par deux fois le faucon de lune au cours de sa vie. Il lui était apparu chaque fois qu'il en avait eu besoin, quand il voulait être sûr que les décisions qu'il voulait prendre étaient les bonnes.

Mais plus jamais il ne tua quelqu'un, car cette nécessité ne se représenta jamais.

Ses grands-parents maternels le prirent chez eux et l'élevèrent dans un autre quartier de Phoenix. Étant donné la tragédie qu'il avait vécue, ils lui donnèrent plus ou moins tout ce qu'il désirait, comme si lui refuser quelque chose eût été abominablement cruel et risquait d'être la goutte d'eau qui pouvait faire déborder le vase de son équilibre psychologique précaire. Il était l'unique héritier des biens de son père, qui se trouvèrent substantiellement augmentés d'importantes polices d'assurances sur la vie ; il eut donc droit à une éducation de toute première qualité et se retrouva avec un capital important pour démarrer dans la vie, après l'université. Le monde lui appartenait, avec ses multiples possibilités. Et grâce à Runningdeer, il jouissait d'un avantage supplémentaire : il savait, sans l'ombre d'un doute, qu'un grand destin l'attendait et que les forces conjuguées du destin et du Ciel voulaient le voir acquérir un pouvoir fabuleux sur les autres hommes.

Seul un fou tuait sans une nécessité absolue.

À de rares exceptions près, le meurtre n'était pas une solution *efficace* pour résoudre les problèmes.

Et maintenant, recroquevillé à l'arrière de sa fourgonnette, au fond du garage de Paula Parkins, Shaddack se rappelait à lui-même qu'il était un enfant prédestiné, qu'il avait vu par trois fois le faucon de lune. Il chassa de son esprit tout ce qui était crainte de Loman Watkins, peur d'échouer. Il poussa un soupir et glissa vers les limbes du sommeil.

Il fit son rêve familier. L'immense machine. À moitié métal, à moitié chair. Des pistons d'acier vont et viennent. Des cœurs humains pompent, infatigables, des lubrifiants de toutes sortes. Du sang et de l'huile, de l'acier et des os, du plastique et des tendons, des fils et des nerfs.

9

Chrissie était stupéfaite de voir le prêtre manger avec un tel appétit. La table, dans la cuisine du presbytère, débordait de nourriture : un immense plat de saucisses et d'œufs, des piles de rôties, un paquet de pains au lait, un autre de pains aux myrtilles, un bol de pommes de terre gratinées restées au chaud dans le four, des fruits frais et un sac de bonbons à la guimauve pour accompagner le chocolat chaud. Certes, le père Castelli était rondouillard, mais Chrissie s'était toujours imaginé les prêtres faisant preuve de modération en toutes choses, et se refusant au moins une partie des plaisirs de la table, tout comme ils renonçaient à ceux du mariage. Si le père Castelli consommait autant de nourriture à chaque repas, il aurait dû peser le double – non, le triple de son poids !

Pendant qu'ils mangeaient, elle lui parla des extra-terrestres qui s'étaient emparés de ses parents. Par déférence pour la prédisposition du prêtre à envisager une réponse spirituelle, et comme moyen de maintenir son intérêt, elle laissa la porte ouverte à une interprétation en termes de possession démoniaque, même si, à son avis, l'hypothèse d'envahisseurs d'un autre monde lui paraissait plus plausible. Elle lui raconta ce qu'elle avait vu en haut de l'escalier, la veille, et comment elle avait été enfermée dans le placard et poursuivie plus tard par Tucker et ses parents sous leur nouvelle et étrange forme.

Le prêtre exprima de l'étonnement et de l'inquiétude et lui demanda des détails à plusieurs reprises, mais pas une seule fois il ne s'arrêta un peu longuement pendant qu'il déjeunait. En fait, il mangeait avec une si phénoménale délectation que ses manières de table en souffraient. Chrissie était autant surprise par son laisser-aller que par son appétit. Par deux fois du jaune d'œuf lui coula sur le menton, et quand elle trouva le courage de le lui faire poliment remarquer, la première fois, il répondit en plaisantant et l'essuya aussitôt. Un instant plus tard, elle levait de nouveau les yeux et vit qu'il en avait encore. Il laissait tomber des morceaux de petit pain et semblait s'en moquer. Des miettes constellaient le devant de sa chemise noire, mais aussi quelques minuscules débris de saucisse, de pomme de terre, de pain aux myrtilles...

Elle commençait à se dire que le père Castelli se rendait coupable du péché de gourmandise comme bien peu d'hommes.

Mais en dépit de ses manières peu ragoûtantes elle continuait de bien l'aimer, car pas une fois il ne parut douter de sa santé d'esprit ou n'exprima de doutes sur la réalité de sa délirante histoire. Il l'écouta avec intérêt et le sérieux le plus absolu, paraissant sincèrement inquiet et même effrayé par ce qu'elle lui racontait.

– Vois-tu, Chrissie, on a fait peut-être des milliers de films sur le thème d'une invasion d'extra-terrestres, de créatures hostiles venues d'un autre monde, on a peut-être écrit des dizaines de milliers de livres sur le même sujet, et j'ai toujours affirmé que l'esprit de l'homme était incapable d'imaginer quelque chose qui ne soit pas possible dans l'univers créé par Dieu. Alors qui sait, hmm ? Qui peut nous affirmer qu'ils n'ont pas atterri à Moonlight Cove ? Je suis un amateur de cinéma, et j'ai toujours aimé les films d'épouvante, mais je n'avais jamais imaginé que je me retrouverais moi-même un jour dans un film d'horreur devenu réalité.

Il était sincère. Ce n'était pas du baratin.

Chrissie eut fini son histoire en même temps que son petit déjeuner, mais le père Castelli continua de manger. Avec la chaleur qui régnait dans la cuisine, les vêtements de la fillette séchèrent rapidement, et elle n'eut bientôt plus que le bas de son pantalon et ses chaussures de sport de vraiment mouillés. Elle se sentait suffisamment revigorée pour envisager ce qui l'attendait, maintenant qu'elle avait trouvé de l'aide.

– Et maintenant, il faudrait sans doute appeler l'armée, vous ne croyez pas, mon père ?

– Peut-être même l'armée et les Marines, répondit-il après un instant de réflexion. Les Marines conviendraient probablement mieux dans un cas pareil.

– Croyez-vous ?...

– Quoi donc, ma chère enfant ?

– Croyez-vous qu'il y ait une chance... eh bien... une chance que je retrouve mes parents ? Comme ils étaient avant ?

Le prêtre posa le petit pain au lait qu'il allait porter à sa bouche et tendit la main par-dessus la table, parmi les plats et les récipients de nourriture, pour prendre la sienne. Il avait les doigts un peu gras de beurre, mais ça lui était égal car il la rassurait et la réconfortait ; et pour le moment, elle avait avant tout besoin d'être rassurée et réconfortée.

– Vous serez de nouveau tous réunis, lui répondit le père Castelli avec beaucoup de chaleur. Je te le garantis absolument.

Elle se mordit la lèvre inférieure dans l'effort qu'elle faisait pour retenir ses larmes.

– Je te le garantis, répéta-t-il.

Tout à coup, son visage se mit à se *boursoufler.* Pas à gonfler régulièrement, comme un ballon, mais à se distendre à certains endroits et pas à d'autres ; des vagues le parcouraient, des pulsations rythmiques l'agitaient, comme si les os, en dessous, s'étaient ramollis et que des boules de vers de terre se tortillaient juste sous la peau.

– *Je te le garantis !*

Chrissie, trop terrifiée pour crier, resta quelques instants paralysée, pétrifiée sur sa chaise par la peur, incapable du moindre effort, incapable même de ciller ou de respirer.

Elle entendait les craquements-grincements-éclatements de ses os qui se fractionnaient pour se recomposer à une vitesse stupéfiante. La chair du prêtre produisait des bruits répugnants, des bruits humides, gargouillants, tandis qu'elle se coulait dans de nouvelles formes avec presque autant de facilité que de la cire chaude.

Le crâne du père Castelli monta en pain de sucre vers l'arrière, s'ornant d'une crête osseuse ; son visage n'avait presque plus rien d'humain et était maintenant devenu en partie crustacéen, en partie hyménoptérien, rappelant vaguement une guêpe, mais aussi avec quelque chose du chacal et des yeux pleins de haine et de férocité.

– Non ! finit par exploser Chrissie en un bref hurlement. (Son cœur battait tellement fort qu'elle en avait mal à la poitrine.) Non, allez-vous-en, laissez-moi tranquille, laissez-moi !

Les mâchoires de la créature s'allongèrent et s'ouvrirent presque jusqu'à ses oreilles sur une double rangée de dents immenses et pointues, en un sourire menaçant.

– Non, non !

Elle essaya de se lever.

Elle se rendit alors compte qu'il lui tenait toujours la main gauche.

Il parla, et sa voix, mystérieusement, lui rappela celle de sa mère et de Tucker lorsqu'ils l'avaient poursuivie jusqu'à l'entrée de l'égout, la veille au soir.

– *... envie, envie... veux... donne-moi... donne-moi...*

Il n'avait pas le même aspect que ses parents, lorsqu'ils s'étaient transformés. Comment se faisait-il que tous les extra-terrestres n'eussent pas le même aspect ?

Il ouvrit sa gueule gigantesque et siffla, d'épais filaments gluants et jaunâtres s'étirant comme de la mélasse entre ses mâchoires. Quelque chose s'agita à l'intérieur, une langue d'aspect étrange ; elle jaillit vers elle comme un diable de sa boîte, et se révéla être une bouche à l'intérieur de cette gueule, avec une autre double rangée de dents, plus petites et plus pointues encore, conçues pour s'introduire dans des endroits étroits et mordre les proies qui croyaient y avoir trouvé refuge.

Le père Castelli devenait quelque chose d'étonnamment familier : la créature du film *Alien*. Il n'était pas le monstre jusque dans tous ses détails, mais la ressemblance avait quelque chose de surnaturel.

Elle était prisonnière d'un film, juste comme le prêtre l'avait dit, un mauvais film d'horreur devenu réalité : sans aucun doute adorait-il ce navet. Le père Castelli était-il capable de prendre toutes les formes qu'il voulait, et ne devenait-il cette monstruosité que parce que c'était sa fantaisie et qu'elle correspondait mieux qu'une autre à l'image que Chrissie se faisait d'un extra-terrestre ?

C'était délirant.

Sous ses vêtements, le corps du prêtre changeait aussi. Sa chemise pendait sur lui à certains endroits, comme si ses chairs y avaient fondues, et se tendaient à d'autres sous la pression d'excroissances osseuses inhumaines. Les boutons sautèrent, le tissu se déchira. Son col romain éclata et retomba de travers sur un cou hideusement déformé.

Haletante, un curieux *eu-eu-eu-eu* qu'elle n'arrivait pas à arrêter lui montant du fond de la gorge, elle tenta de s'arracher à sa prise. Elle se leva, renversant sa chaise, mais il la tenait toujours fermement. Il était très fort. Elle n'arrivait pas à se libérer.

Les mains aussi avaient changé. Les doigts s'étaient allongés et recouverts d'une substance cornée – lisse, dure, d'un noir de jais –, et faisaient davantage penser à des pinces qu'à des doigts humains.

– *... envie... veux, veux... envie...*

Chrissie prit le couteau de son couvert, le brandit bien haut au-dessus de sa tête et le fit retomber de toutes ses forces dans l'avant-bras de la créature, juste au-dessus du poignet, où sa chair paraissait encore un peu plus humaine qu'ailleurs. Elle avait espéré que la lame le clouerait à la table, mais elle ne la sentit pas s'y enfoncer.

Il poussa un cri tellement aigu et perçant que Chrissie eut l'impression de vibrer des pieds à la tête.

Dans un spasme, la main démoniaque s'ouvrit, et elle s'arracha à sa prise. Elle eut la chance d'être la plus rapide, car les articulations cornées se refermèrent une fraction de seconde après, n'arrivant à lui pincer que le bout des doigts sans pouvoir la retenir.

La porte de la cuisine donnant sur l'extérieur était du côté du prêtre. Elle ne pouvait l'atteindre sans lui tourner le dos.

Avec un hurlement qui tenait du rugissement, il arracha le couteau de son bras et le jeta. Il balaya de la table plats, couverts et nourriture, d'un seul geste de son bras bizarrement transformé, maintenant plus long d'une vingtaine de centimètres. Il dépassait du poignet de sa chemise noire, hérissé des nœuds et des crochets monstrueux qui soulevaient la matière chitineuse ayant remplacé sa peau.

Marie, Mère de Dieu, priez pour moi ; Marie, pleine de grâce, priez pour moi ; Marie, qui êtes si chaste, priez pour moi. Je vous en supplie, pensa Chrissie.

Le prêtre s'empara de la table et la jeta également de côté, comme si elle ne pesait rien. Elle alla s'écraser contre le réfrigérateur.

Plus rien ne les séparait.

Plus rien ne la séparait de *ça*.

Elle fit semblant de s'élancer de deux pas vers la porte de la cuisine.

Le prêtre – ce n'était plus un prêtre, mais une *chose* qui se travestissait parfois en prêtre – pivota sur sa droite pour lui couper le chemin.

Elle se tourna immédiatement, comme elle avait toujours eu l'intention de le faire, et courut dans la direction opposée, vers la porte qui conduisait au hall d'entrée, bondissant par-dessus les tartines et les chapelets de saucisses éparpillés. La feinte marcha. Ses chaussures mouillées couinaient sur le lino, et elle l'avait dépassé avant qu'il eût compris qu'elle fonçait en fait sur sa gauche.

Elle le soupçonnait d'être aussi rapide que fort. Plus rapide qu'elle, sans aucun doute.

Si seulement elle pouvait atteindre la porte d'entrée et bondir dans la cour de devant, sans doute serait-elle sauvée. Elle soupçonnait qu'il ne la poursuivrait pas jusque dans la rue, où d'autres pourraient le voir. Les extra-terrestres ne s'étaient tout de même pas emparés de tout le monde, à Moonlight Cove, et tant qu'ils ne seraient pas maîtres de son dernier habitant, ils ne pouvaient se permettre de se promener en état transformé, dévorant les jeunes demoiselles en toute impunité.

Pas loin. La porte d'entrée, et quelques pas.

Elle avait couvert les deux tiers de la distance, s'attendant à chaque instant à sentir une serre saisir sa chemise par-derrière, lorsque la porte s'ouvrit devant elle. L'autre prêtre, le père O'Brien, se présenta sur le seuil et cligna les yeux, surpris.

Elle comprit sur-le-champ qu'elle ne pouvait pas non plus lui faire confiance. Impossible d'avoir vécu sous le même toit que le père Castelli sans être possédé du même germe démoniaque. Germe, empreinte, parasite visqueux, esprit – quel que fût le moyen d'effectuer la possession, il ne faisait aucun doute que le père O'Brien avait eu son injection, sa contamination.

Dans l'impossibilité d'aller en avant, en arrière ou de passer sous l'arche qui donnait sur le séjour, car c'était un cul-de-sac, c'est-à-dire un piège mortel, elle saisit le poteau de la rampe d'escalier, près duquel elle passait à cet instant-là, et se jeta dans l'escalier. Quatre à quatre, elle attaqua les marches.

En bas, la porte d'entrée se referma bruyamment.

Au moment où elle tournait sur le palier intermédiaire, elle les entendit qui montaient derrière elle.

Le couloir du premier, aux murs blancs, au plancher et au plafond de bois sombre, donnait sur des pièces des deux côtés.

Elle fonça vers une des chambres du fond, meublée chichement d'une garde-robe, d'une table de nuit, d'un lit double à couvre-lit blanc et d'un rayonnage plein de livres de poche surmonté d'un crucifix. Elle claqua la porte derrière elle mais ne chercha même pas à la verrouiller ou à la bloquer. Elle n'en avait pas le temps. Ils la démoliraient de toute façon en quelques secondes.

Répétant « Marie, Mère de Dieu, Marie, Mère de Dieu », en un murmure haletant et désespéré, elle se précipita jusqu'à la fenêtre, qu'encadraient des rideaux vert émeraude. La pluie coulait sur les vitres.

Ses poursuivants avaient atteint le couloir du premier ; leurs pas résonnaient lourdement dans la maison.

Elle saisit la poignée, sur le cadre, et essaya de soulever la fenêtre à guillotine ; elle refusa de bouger. Elle tripota le loquet, mais il était déjà désengagé.

Dans le couloir, les deux prêtres ouvraient les portes les unes après les autres.

La peinture bloquait la fenêtre, ou bien l'humidité l'avait fait gonfler. Elle recula de deux pas. Derrière elle, la porte s'ouvrit avec fracas, et elle entendit un ricanement.

Sans même regarder derrière elle, elle rentra la tête dans les épaules, enfouit le visage dans ses mains croisées, et se jeta à travers le vitrage, se demandant si elle ne risquait pas de se tuer en sautant du premier ; sans doute cela dépendait-il du terrain d'atterrissage. Du gazon serait parfait. Du béton, mauvais. Les piques de fer d'une grille carrément catastrophiques.

Le tintamarre de verre brisé résonnait encore dans l'air quand elle heurta le toit d'un porche, moins d'un mètre en dessous de la fenêtre, ce qui tenait d'autant plus du miracle qu'elle n'avait pas une seule coupure ; si bien qu'elle continua de balbutier « Marie Mère de Dieu » tandis qu'elle se laissait rouler, sous la pluie battante, jusqu'au bord de l'avant-toit couvert de bardeaux. Lorsqu'elle y arriva, elle s'y accrocha un instant, le côté gauche du corps encore sur le toit, le droit soutenu par une gouttière qui ployait avec d'inquiétants craquements sous son poids. Elle eut le temps de jeter un coup d'œil vers la fenêtre.

Quelque chose, d'aspect allongé et grotesque, se présentait dans l'encadrement.

Elle se laissa tomber. Elle atterrit sur un trottoir qu'elle heurta durement du flanc gauche ; ses os craquèrent, ses dents claquèrent tellement fort qu'elle crut les sentir se détacher, et elle s'écorcha profondément la main sur le ciment.

Mais elle ne resta pas là à s'apitoyer sur son sort. Elle bondit sur ses pieds, se tenant les côtes, et courut dans la direction de la rue. Elle ne se trouvait malheureusement pas sur la façade du presbytère, mais au contraire dans l'arrière-cour. À sa droite, une pelouse bordait le mur de Notre-Dame-de-Grâce, et un mur de brique de plus de deux mètres de haut encerclait le reste de la propriété.

À cause du mur et des arbres qui s'élevaient de part et d'autre, elle ne pouvait distinguer aucune des maisons, au sud ou à l'ouest, de l'autre côté de la contre-allée qui courait entre les terrains. Ce qui signifiait que les voisins du presbytère ne pouvaient pas non plus la voir, si par hasard le bruit les avait attirés aux fenêtres.

L'intimité des lieux expliquait l'audace de la chose-loup, qui s'aventurait sur l'avant-toit pour la poursuivre au grand jour – même s'il faisait un temps gris et sinistre.

Elle envisagea brièvement de rentrer dans la maison, de passer par la cuisine, le couloir, l'entrée et la porte de façade pour regagner la rue, parce que c'était la dernière chose à laquelle ils devaient s'attendre. Puis elle se dit :

– Tu n'es pas folle ?

Elle ne perdit pas non plus son temps à hurler. Son cœur cognait à tout rompre et semblait avoir doublé de volume, au point que ses poumons semblaient n'avoir plus de place pour se gonfler, et elle avait tout juste assez d'air pour rester debout, consciente, et courir. Mais pas pour crier. En outre, on aurait pu l'entendre sans savoir exactement d'où provenaient ses cris ; le temps qu'on identifie le presbytère, elle serait soit déchiquetée, soit possédée à son tour, tout ça parce que ses hurlements lui auraient fait perdre deux précieuses secondes.

Au lieu de cela, boitant légèrement pour soulager un muscle froissé dans sa cuisse gauche, sans pour autant perdre un seul instant, elle traversa la grande pelouse au pas de course. Elle savait qu'elle n'aurait pas le temps d'escalader un mur nu de plus de deux mètres, en particulier avec une main dont les chairs étaient à vif, et elle étudiait les arbres tout en courant. Il lui fallait en trouver un près du mur, facile à escalader, et d'où elle pourrait, grâce à une branche, sauter dans l'allée de service ou chez un voisin.

En dépit du crépitement de la pluie, elle entendit un grognement bas derrière elle, et elle osa jeter un coup d'œil par-dessus son épaule. Ne portant que les lambeaux d'une chemise, n'ayant plus ni pantalon ni chaussures, la chose-loup qui avait été le père O'Brien bondissait du rebord de l'avant-toit et se lançait à sa poursuite.

Elle découvrit finalement le bon arbre, puis, l'instant suivant, remarqua un portail à l'angle sud-ouest du mur. Elle ne l'avait pas vu plus tôt à cause de buissons qui, jusqu'ici, le lui avaient caché.

Hors d'haleine, tête baissée, coudes au corps, elle fonça vers le portail. Elle fit sauter le loquet simple de son encoche et fit irruption dans l'allée, tournant à gauche vers Jacobi Street pour s'éloigner d'Ocean Avenue. Là elle courut d'une traite, au milieu des flaques, presque jusqu'à l'angle de la rue avant d'oser regarder de nouveau derrière elle.

Rien ni personne ne l'avait suivie au-delà du portail du presbytère.

Par deux fois elle s'était trouvée aux mains des extra-terrestres, par deux fois elle avait réussi à leur échapper. Elle savait qu'autant de chance ne pouvait durer bien longtemps, et que la troisième serait la bonne.

10

Peu avant neuf heures, après moins de quatre heures de sommeil, des bruits discrets de vaisselle, venant de la cuisine, réveillèrent Sam Booker. Il s'assit sur le canapé, se frotta les yeux, enfila ses chaussures, mit son holster à l'épaule et passa dans le hall.

Tessa Lockland fredonnait doucement tout en manipulant poêle, bols et aliments sur le plan de travail surbaissé, près du fourneau, pour préparer le petit déjeuner.

Elle adressa un « Bonjour » rayonnant au policier lorsqu'il pénétra dans la cuisine.

– Qu'est-ce qu'il a donc de si bon, ce jour ? demanda-t-il.

– Écoutez donc cette pluie. La pluie me donne toujours une sensation de propreté et de fraîcheur.

– Elle me fiche le bourdon.

– Et puis, c'est agréable, non, d'être dans une cuisine, bien au sec et au chaud, à écouter la tempête ?

Sam gratta la barbe naissante de son menton.

– Moi, je trouve que ça sent un peu le renfermé, ici.

– Eh bien, on est tout de même en vie, et c'est déjà pas si mal.

– Puisque vous le dites.

– Dieu du Ciel !

Elle fit sonner une poêle contre le fourneau et lui jeta un regard noir.

– Est-ce que tous les agents du FBI sont comme vous ?

– Comment ça, comme moi ?

– De vrais rabat-joie.

– Je ne suis pas un rabat-joie.

– Une vraie tête de carême-prenant, oui.

– Que voulez-vous, la vie, ce n'est pas carnaval tous les jours.

– Ah non ?

– Non. La vie est dure et moche.

– Peut-être. Mais parfois aussi c'est carnaval.

– Et est-ce que tous les auteurs de documentaires sont comme vous ?

– Comment ça, comme moi ?

– Débordant d'optimisme béat ?

– C'est ridicule. Je ne suis pas une Pollyana.

– Moi je trouve que si.

– Non.

– Nous sommes coincés dans un patelin cauchemardesque, où les gens sont mis en pièces par des espèces inconnues, où les croquemitaines rôdent la nuit dans les rues, où un sorcier fou de l'informatique semble avoir bouleversé la biologie humaine, où il y a toutes les chances que nous soyons tués ou « convertis » avant minuit ce soir... et quand j'arrive ici, je vous trouve toute souriante, toute joyeuse, en train de chanter un air des Beatles.

– Ce n'était pas les Beatles.

– Hein ?

– Les Rolling Stones.

– Ça fait une différence ?

Elle poussa un soupir.

– Écoutez, si vous voulez avoir droit à ce petit déjeuner, vous allez m'aider à le faire, au lieu de rester planté là à faire la tête.

– Bon, d'accord, par quoi je commence ?

– Par appeler Harry par l'intercom, pour savoir s'il est bien réveillé. Dites-lui que le petit déjeuner sera prêt dans... disons quarante minutes. Crêpes, œufs et jambon grillé.

Sam appuya sur le bouton de l'intercom et dit :

– Hello, Harry.

L'invalide, déjà réveillé, répondit tout de suite, et dit qu'il descendrait d'ici à une demi-heure.

– Et maintenant ? demanda Sam à Tessa.

– Allez prendre les œufs et le lait dans le réfrigérateur, mais pour l'amour de Dieu, surtout ne regardez pas dans le carton de lait.

– Et pourquoi ?

Elle sourit.

– Vous le feriez tourner.

– Très drôle.

– Moi, je trouve.

Tandis qu'elle préparait la pâte à crêpes, puis cassait six œufs pour pouvoir les glisser dans la poêle à frire au moment voulu, et donnait à Sam les instructions pour mettre le couvert et l'aider à de menues tâches, comme couper les oignons et émincer le jambon, Tessa fredonna diverses chansons de Patti la Belle et des Pointer Sisters. Sam savait de quoi il s'agissait parce qu'elle le disait, lui annonçant chaque air comme un disc-jockey à la radio, ou comme si elle voulait faire son éducation et le détendre un peu. Travailler et chanter ne l'empêchait même pas de danser en même temps sur place ; elle se déhanchait, roulait des fesses et des épaules et claquait parfois dans ses doigts, prise par le rythme.

Sa bonne humeur n'était pas factice, mais il comprenait aussi qu'elle l'asticotait un peu et que cela contribuait à l'amuser. Il essaya de s'accrocher à sa morosité ; il restait de marbre quand elle lui souriait, mais bon Dieu, qu'est-ce qu'elle était mignonne ! Elle avait les cheveux ébouriffés, pas de maquillage, et ses vêtements, dans lesquels elle avait dormi, étaient tout froissés : mais cet aspect légèrement négligé ne faisait qu'ajouter à son charme.

Elle s'arrêtait parfois de fredonner et de chantonner pour lui poser des questions, mais elle reprenait son chant et sa danse pendant qu'il lui répondait.

– Avez-vous déjà trouvé ce que nous allons faire pour sortir de ce fichu coin ?

– J'ai mon idée.

– Patti la Belle, *New Attitude,* dit-elle pour identifier sa nouvelle chanson. Et cette idée, est-ce un profond secret très noir ?

– Non, mais il faut que j'en parle à Harry, que j'obtienne certaines informations de lui. C'est pourquoi je préfère n'en parler que lorsqu'il sera là pour le petit déjeuner.

Obéissant à ses instructions, il s'accroupit à hauteur du plan de travail surbaissé et se mit à couper des tranches de fromage dans un cube de Cheddar. Elle interrompit sa chanson, le temps de demander :

– Pourquoi dites-vous que la vie est dure et moche ?

– Parce que c'est vrai.

– Mais elle peut être aussi très drôle.

– Non.

– Pleine de beauté.

– Non.

– Et d'espoir.

– Des clous.

– Mais si !

– Mais non !

– Mais si, je vous dis !

– Non !

– Pourquoi êtes-vous si négatif ?

– Parce que j'en ai envie.

– Mais pourquoi en avez-vous envie ?

– Seigneur, vous n'arrêtez jamais ?

– Pointer Sisters, *Neutron Dance.*

Elle chanta un peu, et dansa sur place tout en rassemblant les coquilles d'œufs et d'autres débris qu'elle jeta dans la poubelle. Puis elle s'interrompit et dit : « Je me demande ce qui vous est arrivé pour que vous trouviez la vie seulement dure et moche.

– Mais non, vous vous en fichez.

– Pas du tout.

Il coupa une dernière tranche et reposa le couteau.

– Vous tenez vraiment à le savoir ?

– Oui, vraiment.

– Ma mère a été tuée dans un accident de voiture quand j'avais sept ans. J'étais avec elle, j'ai failli mourir, je suis resté coincé dans les tôles pendant une heure, face à face avec elle, à regarder son orbite sans œil et la moitié de sa figure enfoncée. Après ça, j'ai dû aller vivre avec mon paternel, dont elle était divorcée, une espèce de salopard d'ivrogne avec un sale caractère, et je suis incapable de vous dire combien de raclées il m'a fichues, combien de fois il m'a laissé des heures dans la cuisine attaché à une chaise, jusqu'à ce que je ne puisse pas me retenir et pisse dans mon pantalon – et alors il rappliquait pour me détacher, il voyait ce que j'avais fait, et il me fichait une autre raclée à cause de *ça*.

Il fut surpris par son propre déluge verbal. On aurait dit que les vannes de son inconscient venaient de lâcher, et que des flots bourbeux, retenus pendant de longues années, dévalaient maintenant de lui.

– C'est pourquoi, dès que j'ai eu terminé mes études secondaires, j'ai fichu le camp de cette baraque. J'ai pu m'inscrire au collège en vivant dans des chambres miteuses, où je partageais tous les soirs mon lit avec des armées de cancrelats. J'ai fait ma demande pour entrer au Bureau dès que j'ai pu, parce que je voulais voir un peu plus de justice dans ce monde, je voulais contribuer à le rendre plus juste, peut-être parce qu'il y en avait eu tellement peu dans ma vie. Mais j'ai découvert que dans plus de la moitié des cas, la justice ne triomphe jamais. Vous avez beau vous décarcasser, les méchants s'en tirent, parce qu'ils sont souvent fichtrement forts, et parce que les bons ne s'autorisent pas à employer les moyens déloyaux qu'il faudrait pour coincer les méchants. En plus, lorsqu'on est un agent, ce qu'on voit surtout c'est la face cachée de la société ; on a affaire à la lie, à toutes sortes de lies, et jour après jour on se sent devenir un peu plus cynique, un peu plus dégoûté par les gens.

Il parlait tellement vite qu'il était presque hors d'haleine.

Tessa avait arrêté de chanter.

Il poursuivit, animé d'une émotion que, chose rare chez lui, il n'arrivait pas à contrôler ; il parlait tellement vite que les mots se bousculaient parfois dans sa bouche.

– Et Karen, ma femme, est morte. Elle était merveilleuse, elle vous aurait plu, tout le monde l'aimait, tout le monde, mais elle a eu un cancer et elle est morte, elle a souffert, c'était horrible, beaucoup de souffrances, ah ! Ce n'était pas comme Ali McGraw au cinéma, pas avec un soupir, un sourire, et hop, adieu, mais dans l'angoisse. Et j'ai aussi perdu mon fils. Oh ! il vit, oui, seize ans maintenant, neuf quand sa mère est morte, physiquement et mentalement vivant, mais affectivement mort, le cœur calciné, froid en dedans, abominablement froid en dedans. Il aime les ordinateurs, les jeux électroniques et la télé et il écoute du hard rock. Du black metal. Vous savez ce que c'est, vous, le black metal ? Une musique de forcenés avec quelque chose de satanique, et il aime ça, parce qu'elle lui dit qu'il n'y a pas de valeurs morales, que tout est relatif, qu'il a raison de se sentir un étranger, qu'il a raison de se sentir froid en dedans, elle lui dit que du moment qu'il sent que quelque chose est bon, c'est bon. Vous savez ce qu'il m'a sorti, un jour ?

Tessa secoua la tête.

– Il m'a dit : « Les gens ne sont pas importants. Les gens ne comptent pas. Seules les *choses* sont importantes. L'argent est important, l'alcool est important, ma stéréo est importante, tout ce qui me fait me sentir bien est important, mais moi, je ne suis pas important. » Il raconte que les bombes nucléaires sont importantes parce qu'elles finiront par faire sauter un jour toutes ces belles choses, pas parce qu'elles détruiront les gens – après tout, les gens ne sont rien, rien que des bestioles polluantes qui transforment le monde en poubelle. Voilà ce qu'il dit. Voilà ce qu'il croit, d'après ce qu'il me raconte. Il prétend qu'il peut le prouver. Il m'a dit une autre fois : « T'as qu'à regarder des types en train de tourner autour d'une Porsche et de l'admirer, bien regarder leur tête, et tu verras qu'ils s'intéressent davantage à la bagnole qu'aux autres types. Ce n'est même pas le beau boulot qu'ils admirent, ils ne pensent pas un instant à *ceux* qui l'ont fabriquée. C'est comme si la voiture avait poussé sur un arbre à faire les Porsche. Ils l'admirent pour elle-même, pas pour ce qu'elle représente de savoir-faire et de haute technologie. La voiture est plus *vivante* qu'eux. Ça leur donne de l'énergie, de voir ses lignes élancées, d'imaginer combien ce doit être excitant de tenir toute cette puissance entre ses mains, et la bagnole devient comme ça beaucoup plus réelle et bien plus importante que n'importe lequel des types qui l'admirent. »

– Ce sont des conneries, fit Tessa avec conviction.

– Peut-être, mais c'est ce qu'il me raconte. Je sais bien que c'est de la bouillie pour les chats, et j'essaie de raisonner avec lui, mais il a réponse à tout – du moins, c'est ce qu'il s'imagine. Et parfois, je me demande... Si moi-même je n'avais pas autant d'amertume, si tant de gens ne m'avaient autant écœuré, est-ce que je ne serais pas capable d'être plus persuasif, quand je discute avec lui ? Si je n'étais pas ce que je suis, ne serais-je pas mieux à même de sauver mon fils ?

Il s'interrompit.

Il se rendit compte qu'il tremblait.

Tous deux restèrent quelques instants silencieux.

Puis il reprit, plus calme :

– Voilà pourquoi je dis que la vie est dure et moche.

– Je suis désolée, Sam.

– Vous n'y êtes pour rien.

– Ce n'est pas non plus votre faute.

Il mit le reste de Cheddar dans un morceau de Scell-o-frais et le rangea dans le réfrigérateur, pendant que Tessa retournait à sa pâte à crêpes.

– Mais vous avez eu Karen, dit-elle. Vous avez connu l'amour et la beauté, dans votre vie.

– Bien sûr.

– Alors vous...

– Mais ça ne dure pas.

– Rien ne dure éternellement, objecta Tessa.

– Exactement ce que je veux dire.

– Ce n'est pas une raison pour ne pas profiter des bonheurs qui nous sont donnés, tant que nous les avons. Si vous passez votre temps à toujours vous demander quand ça va se terminer, jamais vous ne connaîtrez un instant de vrai plaisir dans votre vie, Sam.

– Exactement ce que je veux dire, répéta-t-il.

Elle laissa la cuiller de bois dans le grand bol métallique et se tourna pour le regarder.

– Mais c'est là l'erreur ! Ce que je veux dire, c'est qu'il y a dans la vie des moments de joie, de plaisir, d'émerveillement... et si nous n'en profitons pas, si nous ne savons pas de temps en temps arrêter de penser à l'avenir et jouir de l'instant présent, alors nous n'aurons même pas le souvenir de ces joies pour nous aider dans les passes difficiles. Ni d'espoir.

Il la dévorait des yeux, plein d'admiration pour sa beauté et sa vitalité. Puis il se mit à l'imaginer prenant de l'âge, devenant infirme et mourant, comme toute chose mourait, et il dut détourner d'elle son regard, qu'il reporta sur la fenêtre, ruisselante de pluie, au-dessus de l'évier.

– Je suis désolé de vous avoir mise dans cet état, mais vous devez reconnaître que vous l'avez cherché. Vous vouliez absolument savoir pourquoi j'étais un tel carême-prenant.

– Oh, je me suis trompée, vous n'en êtes pas un. Vous allez beaucoup plus loin. Une vraie calamité naturelle.

Il haussa les épaules.

Chacun retourna à sa tâche.

11

Après son évasion réussie par le portail de l'arrière-cour, Chrissie continua d'errer pendant plus d'une heure, se demandant ce qu'elle devait faire, maintenant. Elle avait envisagé d'aller à l'école raconter son histoire à Mme Tokawa, en cas de difficulté avec le père Castelli. Mais elle en était au point de ne plus même avoir envie de faire confiance à Mme Tokawa. Après ce qu'elle venait de vivre avec les prêtres, elle songea que les extraterrestres avaient dû commencer par prendre possession des personnes importantes de la communauté, comme première étape vers la conquête de Moonlight Cove. Les prêtres étaient possédés ; elle avait la certitude qu'il en allait de même pour la police ; il était donc logique de supposer que les professeurs avaient fait partie des premières victimes.

Tandis qu'elle passait d'un quartier à l'autre, elle maudissait et bénissait alternativement la pluie. Les vêtements et les chaussures de nouveau trempés, elle était glacée jusqu'aux os. Mais l'épaisse grisaille et la pluie poussaient les gens à rester chez eux et la rendaient moins visible. En outre, le vent faiblit et un brouillard, léger et froid, monta de la mer. Il était loin d'avoir la densité de celui de la nuit dernière, mais cette brume qui se déchirait aux branches des arbres en y laissant une barbe suffisait à dissimuler plus complètement le passage d'une petite fille dans ces rues inamicales.

L'orage qui avait tonné la nuit dernière s'était aussi éloigné. Elle ne risquait plus d'être grillée par un éclair brutal, ce qui était déjà un réconfort.

Une fillette carbonisée par un éclair puis dévorée par des extra-terrestres ; les créatures de l'espace trouvent les frites d'humains délicieuses.

– Cannelées, elles seraient parfaites avec des oignons frits, déclare la reine-pondeuse.

Elle se déplaçait le plus possible en empruntant les contre-allées et les arrière-cours, ne traversant les rues que lorsqu'elle ne pouvait faire autrement et au pas de course, car elle avait vu un peu trop de duos d'individus à la mine sombre et à l'œil aux aguets, se déplaçant au ralenti dans des voitures, et dont la mission était évidemment de patrouiller. Par deux fois elle faillit leur tomber dessus dans des contre-allées, également, et dut plonger à l'abri pour ne pas être découverte. Un quart d'heure après sa fuite éperdue du presbytère, elle remarqua un accroissement des patrouilles dans ce secteur, un soudain afflux de véhicules et d'hommes à pied. C'étaient ces derniers qu'elle redoutait le plus. Ils étaient plus à même, sous leurs cirés, de fouiller dans tous les recoins et leur échapper était plus difficile qu'aux voitures de patrouille. Sa grande angoisse était de leur tomber dessus inopinément.

En réalité, elle passait plus de temps à se cacher qu'à se déplacer. Une première fois, elle se pelotonna un moment derrière un groupe de poubelles, dans une allée. Plus tard, elle trouva refuge sous un sapin de Vancouver dont les branches basses effleuraient le sol, comme une jupe, une retraite sombre où il faisait pratiquement sec. Par deux fois, elle se glissa sous des véhicules pendant quelques minutes.

Elle ne restait jamais plus de cinq à dix minutes au même endroit, craignant que quelque possédé zélé ne la vît se glisser dans l'une de ses cachettes et n'appelât la police pour signaler sa présence : auquel cas, c'était fini pour elle.

Le temps de gagner le terrain vague à côté du salon funéraire Callan, sur Juniper Lane, où elle se terra dans le plus épais des buissons, elle en était à se demander si elle allait jamais trouver quelqu'un pour l'aider. Pour la première fois depuis le début de son calvaire, elle commençait à perdre espoir.

Un énorme sapin étendait ses branches sur une bonne partie du terrain, et le buisson où elle avait trouvé refuge se trouvant dans son orbite, elle était protégée du gros de la pluie. Plus important, au milieu des hautes herbes, recroquevillée sur le côté, on ne pouvait la voir ni de la rue ni des maisons voisines.

Malgré tout, environ toutes les minutes, elle levait la tête, juste le temps de jeter un coup d'œil circulaire pour vérifier que personne ne s'approchait d'elle en catimini. C'est ainsi qu'elle voyait, au-delà de l'allée de service, vers Conquistador, un angle de la grande maison en pin et baies vitrées, sise sur le côté est de cette avenue. Elle se souvint brusquement de son propriétaire, Harry Talbot, l'homme en fauteuil roulant.

Il était venu l'année précédente parler aux élèves des classes de septième et sixième, lors d'un programme dit « d'éveil » qui durait une semaine ; du temps perdu, pour l'essentiel – mais *lui* avait été intéressant. Il leur avait parlé des difficultés et aussi des extraordinaires possibilités des personnes infirmes.

Chrissie avait commencé par se sentir désolée pour lui ; cet homme à demi mort lui avait fait pitié, tant il paraissait pathétique, assis dans son fauteuil roulant, avec son corps à demi détruit, ne pouvant se servir que d'une main, la tête légèrement inclinée en permanence sur un côté. Puis, en l'écoutant, elle s'était aperçue qu'il avait un merveilleux sens de l'humour et qu'il ne s'apitoyait pas sur lui-même ; elle trouva de plus en plus absurde de s'apitoyer sur lui. Les élèves avaient pu lui poser des questions, et il leur avait volontiers parlé de son existence, des détails de la vie quotidienne, des peines et des joies dont elle était faite. Elle avait fini par éprouver une grande admiration pour lui.

Quant à Moose, son chien, il était fabuleux.

Et maintenant elle regardait la maison en pin aux grandes baies vitrées, entre les pointes brillantes de pluie des hautes herbes ; elle pensait à Harry Talbot et à Moose et se demandait si ce n'était pas précisément là l'endroit où elle devait aller chercher de l'aide.

Elle se laissa retomber au milieu du buisson et réfléchit quelques minutes.

De toute évidence, un infirme cloué sur son fauteuil était la dernière personne que des extra-terrestres se soucieraient de posséder – si seulement ils l'envisageaient.

Elle eut immédiatement honte d'elle-même de penser une chose pareille. Un infirme, même cloué dans un fauteuil, n'est pas de ce seul fait un être humain de deuxième catégorie. Il avait tout autant qu'un autre à offrir aux étrangers.

Par ailleurs... pouvait-on attendre d'une bande d'extra-terrestres qu'ils eussent des conceptions éclairées sur la question des personnes infirmes ? N'en demandait-elle pas trop ? Après tout, ils débarquaient *d'ailleurs*. Leurs valeurs, en principe, n'étaient pas les mêmes que celles des humains. S'ils venaient dans les parages pour planter des graines – ou des bébés limaces visqueux ou n'importe quoi – chez les gens, s'ils mangeaient les gens, comment espérer les voir traiter les infirmes avec respect ?

Harry Talbot.

Plus elle y pensait, plus Chrissie devenait certaine que jusqu'ici, il avait dû échapper à l'attention des extraterrestres.

12

Après s'être fait traiter de calamité naturelle, Sam se contenta de diffuser un peu d'huile sur la poêle à crêpes pour qu'elle n'attachât pas.

Tessa alluma le four et y déposa le plat dans lequel elle placerait les crêpes, au fur et à mesure, afin de les garder au chaud.

Puis, d'un ton de voix qui lui fit instantanément comprendre qu'elle était bien décidée à le convaincre de réviser ses opinions pessimistes sur la vie, elle commença :

– Dites-moi...

– Non.

Il soupira.

– Puisque vous êtes cafardeux à ce point, pourquoi ne pas...

– Me suicider ?

– Oui. Pourquoi ?

Il eut un petit rire sans joie.

– En venant de San Francisco, sur la route, j'ai joué à un petit jeu, tout seul dans ma voiture : j'ai compté les raisons qui, pour moi, rendaient la vie digne d'être vécue. Je n'en ai trouvé que quatre, mais je pense qu'elles doivent suffire, puisque je traîne encore mes guêtres ici-bas.

– Et ces raisons ?

– La première : un bon repas mexicain.
– Acceptable.
– La deuxième : la Guinness Stout.
– Je ne déteste pas une Heineken brune de temps en temps.
– Je veux bien, mais ce n'est pas une raison de vivre. La Guinness, elle, en est une.
– Et en numéro trois ?
– Goldie Hawn.
– Vous connaissez Goldie Hawn ?
– Et non. Je ne suis même pas sûr d'en avoir envie ; je serais peut-être déçu. Je parle de la Goldie Hawn sur l'écran, de son image idéalisée.
– C'est la fille de vos rêves, n'est-ce pas ?
– Plus que ça. Elle... bon Dieu, je ne sais pas, moi... Elle donne l'impression de ne pas avoir été touchée, abîmée par la vie, de péter le feu, d'être heureuse, innocente, et... et marrante.
– Vous pensez la rencontrer un jour ?
– Je suppose que vous blaguez.
– Vous savez quoi ? répliqua Tessa.
– Quoi, quoi ?
– Si jamais vous la rencontriez, si jamais elle s'approchait de vous pendant une soirée et vous disait quelque chose de rigolo et de pas bête avec ce petit rire qu'elle a, vous ne la reconnaîtriez même pas.
– Oh que si !
– Oh, que non ! Vous vous trouveriez tellement occupé à ruminer sur tout ce que la vie a d'injuste, de dur, de cruel, de sinistre et de stupide que vous seriez incapable de saisir l'occasion. Enveloppé dans un tel brouillard de morosité que vous ne seriez pas fichu de voir quoi que ce soit. Et au fait, quelle est votre quatrième raison de vivre ?
Il eut un instant d'hésitation.

– La peur de la mort.

Elle fronça légèrement les sourcils.

– Je ne comprends pas. Si la vie est si épouvantable, pourquoi craindre la mort ?

– J'ai failli mourir. Il s'en est fallu d'un cheveu. J'étais sur la table d'opération. On me retirait une balle de la poitrine, et j'ai bien manqué passer l'arme à gauche. Sensation de m'élever hors de mon corps, lentement, jusqu'au plafond. J'ai regardé les chirurgiens pendant un moment, puis je me suis retrouvé fonçant de plus en plus vite dans un tunnel sombre vers cette lumière éblouissante – bref, tout le foutu scénario habituel.

Impressionnée et intriguée, mais aussi intéressée, elle ouvrait tout grands ses yeux bleu clair.

– Et alors ?

– J'ai vu ce qu'il y avait de l'autre bord.

– Vous parlez sérieusement, n'est-ce pas ?

– On ne peut plus sérieusement.

– Vous êtes en train de me dire qu'il y a quelque chose après la vie et que vous le *savez* ?

– Oui.

– Un Dieu ?

– Oui.

Stupéfaite, elle lui demanda alors :

– Mais si vous *savez* qu'il y a un Dieu quand nous quittons ce monde, vous savez donc que la vie a un sens, un but !

– Et alors ?

– Eh bien, ce sont les doutes que les gens éprouvent sur la finalité de la vie qu'on trouve à la racine, bien souvent, de leur pessimisme et de leur dépression. La plupart, s'ils avaient vécu ce que vous avez vécu, moi la première... eh bien... nous ne nous ferions plus jamais de souci. Nous aurions assez de force pour faire face à la pire adversité, en sachant qu'elle a un sens, et qu'il y a une vie ensuite. Si bien, cher monsieur, que je vous pose la question : qu'est-ce qui cloche, chez vous ? Comment se fait-il que vous ne voyiez pas la vie en rose, après ça ? Seriez-vous du genre tête de mule, ou quoi ?

– Une tête de mule ?

– Répondez à la question.

L'ascenseur se mit à ronronner.

– Harry arrive, dit Sam.

– Répondez à la question, répéta-t-elle.

– Disons que ce que j'ai vu, loin de me donner de l'espoir, m'a fichu une frousse que vous ne pouvez pas imaginer.

– Ah bon ? Vous me mettez sur des charbons ardents. Qu'y a-t-il, de l'autre côté ?

– Si je vous le dis, vous allez me prendre pour un fou.

– Vous n'avez rien à perdre. Je vous prends déjà pour un fou.

Il poussa un soupir, secoua la tête, et regretta de s'être laissé entraîner dans cette conversation. Comment s'y était-elle donc prise pour qu'il se livrât aussi complètement ?

L'ascenseur atteignit le deuxième et s'arrêta.

Tessa quitta le comptoir et s'approcha de lui.

– Dites-moi ce que vous avez vu, bon sang !

– Vous ne comprendriez pas.

– Vous me prenez pour qui ? Pour une demeurée ?

– Oh, vous comprendriez ce que j'ai vu. Mais pas ce que cela signifie pour moi.

– Êtes-vous bien sûr de seulement comprendre ce que cela signifie pour vous ?

– Oh, oui, répondit-il d'un ton solennel.

– Allez-vous me parler spontanément, ou bien vais-je devoir utiliser l'un de ces couteaux (elle eut un geste de la tête vers le râtelier) pour vous torturer et vous faire avouer ?

L'ascenseur redémarra du deuxième étage.

Sam eut un coup d'œil vers le hall d'entrée.

– Je n'ai vraiment aucune envie d'en parler.

– Ah oui, aucune envie ?

– Non, aucune.

– Voilà l'homme qui a vu Dieu en face et qui n'a pas envie d'en parler !

– Exact.

– La plupart du temps, les gens qui ont vu Dieu en face n'ont envie de parler que d'une chose : de cette expérience, justement. La plupart des gens qui ont vu Dieu en face ont établi des religions fondées sur cette unique rencontre avec Lui, et ils en ont parlé à des millions de personnes.

– Mais je...

– Et le fait est, d'après ce que j'ai lu, que la plupart des gens qui ont vécu une expérience de quasi-mort en ont été transformés pour le reste de leurs jours. Et toujours en bien. Les pessimistes en optimistes. Les athées en croyants. Leurs valeurs ont changé, ils ont appris à aimer la vie pour ce qu'elle est, ils sont foutrement rayonnants ! Mais pas vous. Oh non ! Vous êtes devenu encore plus amer, encore plus sinistre, encore plus mélancolique.

L'ascenseur atteignit le rez-de-chaussée et s'arrêta.

– Harry arrive, dit Sam.

– Dites-moi ce que vous avez vu.

– À vous, je pourrais peut-être le dire, répondit-il, surpris de découvrir qu'il aurait vraiment plaisir à en discuter avec elle, au bon endroit et au bon moment. Peut-être à vous. Mais plus tard.

Moose arriva en se dandinant dans la cuisine, haletant et souriant de tous ses crocs, immédiatement suivi de Harry dans son fauteuil roulant.

– Bonjour la compagnie, lança l'infirme d'un ton joyeux.

– Avez-vous bien dormi ? lui demanda Tessa, avec un sourire plein d'affection que Sam se prit à jalouser.

– Admirablement bien, mais pas aussi bien que les morts – grâce à Dieu.

– Des crêpes ?

– Une pile !

– Des œufs ?

– Une douzaine !

– Des rôties ?

– Toute la miche !

J'aime les hommes qui ont bon appétit.

– Que voulez-vous, fit Harry, j'ai couru toute la nuit, alors j'ai faim.

– Couru ?

– Oui, dans mes rêves. Poursuivi par les croquemitaines.

Pendant que Harry sortait un paquet de nourriture pour chien et remplissait l'écuelle de Moose, Tessa retourna au fourneau, jeta une nouvelle giclée d'huile dans la poêle et versa la première crêpe.

– Patti la Belle, *Stir It Up*, annonça-t-elle, se mettant aussitôt à chanter en dansant de nouveau sur place.

– Hé, dit Harry, je peux vous donner de la musique, si vous voulez.

Il roula jusqu'à un poste de radio encastré dans le comptoir que ni Tessa ni Sam n'avaient remarqué, le brancha et chercha parmi les stations, s'arrêtant sur une où l'on jouait *I Heard It through the Grapevine*, interprété par Gladys Knight et les Pips.

– C'est parfait ! s'exclama Tessa, qui se mit à onduler, à taper du pied et à verser sa pâte à crêpes avec tant d'enthousiasme que Sam n'arrivait pas à comprendre comment elle n'en mettait pas partout.

Harry éclata de rire et se mit à faire tournoyer son fauteuil motorisé, comme s'il dansait avec elle.

– Dites-moi, tous les deux, ne savez-vous pas que le monde est en train de s'écrouler, autour de nous ? ne put-il s'empêcher de leur lancer.

Ils l'ignorèrent – ce qu'il méritait, au fond, bougonna-t-il en lui-même.

13

Empruntant un itinéraire détourné, se fondant dans la pluie, la brume et les zones d'ombre qui se présentaient, Chrissie finit par atteindre l'allée à l'est de Conquistador. Elle pénétra dans l'arrière-cour de la maison Talbot, en passant simplement par le portail en pin, se faufila d'un buisson à un autre (manquant par deux fois marcher dans une crotte de chien : Moose avait beau être un chien fabuleux, il n'était pas parfait !), et atteignit les marches du porche de derrière.

Elle entendit de la musique à l'intérieur. Une vieillerie, datant de l'époque où ses parents étaient adolescents ; en fait, une de leurs chansons préférées. Chrissie ne se souvenait plus du titre, mais le nom du groupe lui était resté en mémoire : Junior Walker and the All-Stars.

Elle supposa que la musique, s'ajoutant au bruit de la pluie, couvrirait les bruits qu'elle pourrait faire, et s'engagea furtivement sur les marches du porche en pin pour gagner, accroupie, la fenêtre la plus proche. Elle resta pelotonnée un moment en dessous, tendant l'oreille vers ce qui se passait à l'intérieur. On parlait, on riait souvent, et parfois une voix se joignait à la musique de la radio. Rien du comportement des extra-terrestres ; ils avaient tout à fait l'air de gens ordinaires.

Des extra-terrestres aimeraient-ils la musique de Stevie Wonder, des Four Tops, des Pointer Sisters ? Sûrement pas. Pour des oreilles humaines, la musique des extra-terrestres évoquerait certainement des chevaliers en armure jouant de la cornemuse tout en dégringolant un grand escalier au milieu d'une meute de chiens aboyant.

Finalement, elle se redressa juste ce qu'il fallait pour glisser un œil au-dessus du bord de la fenêtre, à travers une ouverture entre les rideaux. Elle vit M. Talbot dans son fauteuil roulant, Moose, et un homme et une femme qu'elle ne connaissait pas. M. Talbot battait la mesure de sa bonne main sur le bras de son fauteuil, et Moose remuait vigoureusement la queue – quoique pas en cadence. L'autre homme, à l'aide d'une spatule, sortait des œufs d'une poêle à frire pour les disposer sur des assiettes, jetant de temps en temps des regards noirs à la femme (comme s'il lui reprochait de trop s'abandonner à la musique), alors que lui-même suivait le rythme en tapant du pied. La femme faisait défiler les crêpes qu'elle empilait sur un plat, au chaud dans le four, ce qui ne l'empêchait pas de se tortiller et d'onduler tout en jouant de la louche ; elle bougeait harmonieusement.

Chrissie s'accroupit de nouveau, et songea à ce qu'elle venait de voir. Rien dans leur comportement n'était particulièrement étrange, s'il s'agissait de gens ; mais si elle avait eu affaire à des extra-terrestres, elle ne les aurait pas surpris à faire les fous en écoutant la radio. Chrissie n'arrivait décidément pas à croire que les extra-terrestres – comme l'espèce de chose qui simulait le père Castelli – pussent avoir le sens de l'humour ou celui du rythme. Tous les extra-terrestres ne pouvaient avoir qu'un seul but, c'était évident : prendre possession de nouveaux hôtes et trouver de nouvelles recettes pour cuisiner les enfants tendres et dodus.

Elle décida malgré tout d'attendre et de les observer pendant qu'ils mangeraient. D'après ce qu'elle avait entendu sa mère et Tucker dire dans la prairie, la nuit dernière, d'après aussi ce qu'elle avait vu lors du déjeuner avec la créature qui s'était emparée du père Castelli, elle était convaincue que les extra-terrestres étaient des goinfres affamés et mangeaient avec autant d'appétit qu'une demi-douzaine d'hommes. Si Harry Talbot et ses invités ne se transformaient pas en porcs pendant le petit déjeuner, elle pourrait probablement leur faire confiance.

14

Loman était resté chez Peyser, pour superviser le nettoyage des lieux et le transfert des corps des régressifs jusque dans le fourgon de Callan. Il redoutait de laisser ses hommes s'en occuper seuls, craignant que la vue des corps transformés et l'odeur du sang n'induisent chez eux le désir de passer dans un état altéré. Il n'ignorait pas que tous – lui le premier – marchaient sur une corde raide tendue au-dessus d'un gouffre. Pour la même raison, il suivit le fourgon mortuaire jusqu'au salon funéraire et ne quitta Callan et son assistant que lorsque les corps de Sholnick et de Peyser eurent été plongés dans la fournaise ardente du crématorium.

Il contrôla où en étaient les recherches pour Booker, la femme Lockland et Chrissie Foster, et ordonna quelques changements dans le déploiement des patrouilles. Il se trouvait dans son bureau lorsque lui parvint le rapport de Castelli, et il se rendit immédiatement au rectorat de l'église pour apprendre par lui-même comment la fillette avait pu leur échapper. Les deux prêtres invoquaient toutes sortes d'excuses, plus mauvaises les unes que les autres. Il les soupçonna d'avoir régressé en vue de s'amuser avec la gamine, juste pour le plaisir, et, ce faisant, de lui avoir laissé l'occasion de filer. Bien entendu, ils ne l'admettraient jamais.

Loman multiplia les patrouilles dans le secteur, mais il n'y avait pas trace de la fillette. Elle devait se terrer quelque part. Néanmoins, puisqu'elle avait gagné la ville au lieu de s'échapper vers l'autoroute, ils avaient toutes les chances de l'attraper et de la convertir avant la fin du jour.

À neuf heures, il retourna chez lui, sur Iceberry Way, afin de prendre un petit déjeuner. Depuis qu'il avait failli dégénérer dans la chambre barbouillée de sang de Peyser, ses vêtements lui donnaient l'impression de pendre sur lui. Il avait perdu quelques livres lorsque les processus cataboliques de son organisme avaient dû consommer sa propre chair afin d'engendrer la fabuleuse énergie nécessaire à la régression – et pour *résister* à la régression.

La maison était sombre et silencieuse. Denny se trouvait sans aucun doute à l'étage, en face de l'écran de son ordinateur, là où il se tenait la veille. Grace avait quitté son travail à l'école Thomas Jefferson, où elle enseignait ; il fallait faire semblant de mener une vie ordinaire tant que tout le monde, à Moonlight Cove, n'aurait pas été converti.

Pour le moment, en effet, aucun enfant en dessous de douze ans n'avait subi la transformation, en partie parce que les techniciens de New Wave éprouvaient des difficultés à déterminer les dosages corrects pour les jeunes convertis. Ces problèmes avaient été résolus, et les enfants, cette nuit, allaient rejoindre leurs parents.

Loman resta quelques instants immobile dans la cuisine, écoutant la pluie crépiter sur les fenêtres et le tictac de l'horloge.

Il but un verre d'eau prise à l'évier. Puis un deuxième et un troisième. L'épreuve qu'il avait subie chez Peyser l'avait déshydraté.

Le réfrigérateur, plein à craquer, contenait des jambons de cinq livres, du rôti de bœuf froid, une demidinde, une assiette de côtes de porc, des blancs de poulet, des saucisses et des paquets de saucisson de Bologne et de viande séchée. Le métabolisme accéléré des convertis exigeait un régime riche en protéines. En outre, tous éprouvaient une forte envie de viande.

Il prit une miche de pain de seigle dans la panetière et s'assit à la table sur laquelle il avait posé du jambon, du rôti froid et un pot de moutarde. Il y resta un certain temps, coupant ou détachant de gros morceaux de viande qu'il plaçait entre deux tranches de pain tartinées de moutarde, avant d'en déchirer de grandes bouchées à pleines dents. La nourriture lui procurait des plaisirs moins subtils qu'autrefois, lorsqu'il était un homme ordinaire ; l'odeur et le goût des aliments provoquaient en lui une sorte d'excitation animale, toute d'avidité et de gloutonnerie. Il se sentait dans une certaine mesure écœuré par la manière dont il déchiquetait ses sandwichs, avalant les morceaux après les avoir à peine mâchés ; mais tous les efforts qu'il faisait pour se refréner ne tardaient pas à laisser la place à une exacerbation encore plus grande de sa voracité. Il glissa peu à peu dans une sorte de transe, hypnotisé par le rythme de ses mâchoires et les mouvements de déglutition de sa gorge. À un moment donné, sa tête s'éclaircit de nouveau suffisamment pour qu'il se rendît compte de ce qu'il faisait : il dévorait avec enthousiasme les blancs de poulet, alors qu'ils étaient crus. Il se laissa miséricordieusement retomber dans son état de transe.

Ayant fini de manger, il monta voir Denny dans sa chambre.

Lorsqu'il ouvrit la porte, tout, dans la pièce, lui parut dans le même état que la dernière fois qu'il y était entré, la veille. Les stores étaient baissés, les rideaux tirés et la pièce restait plongée dans l'obscurité, mis à part la lumière verdâtre émanant de l'écran. Denny était assis devant, absorbé par les chiffres qui y défilaient sans interruption.

Puis Loman vit quelque chose qui lui donna la chair de poule.

Il ferma les yeux.

Attendit.

Les rouvrit.

Ce n'était pas une illusion.

Il se sentit écœuré. Il aurait voulu battre en retraite sur le palier, oublier ce qu'il venait de voir, partir. Mais il ne pouvait ni bouger ni détourner les yeux.

Denny avait débranché la console de son ordinateur, et celle-ci gisait sur le sol, à côté de lui. Il avait dévissé la façade de l'unité de traitement. Il gardait les mains posées sur les genoux, mais ce n'était plus exactement des mains. Leurs doigts s'étaient démesurément allongés et, au lieu de se terminer par des ongles au-dessus d'une extrémité arrondie, se transformaient en ce qui paraissait être des câbles métalliques, aussi gros que des fils électriques de lampe, allant se perdre avec des torsions serpentines dans les entrailles de l'ordinateur.

Denny n'avait plus aucun besoin du clavier.

Il était devenu partie intégrante du système. Par l'intermédiaire de l'ordinateur et de son lien modem avec New Wave, Denny ne faisait plus qu'un avec Sun.

– Denny ?

Il se trouvait en état altéré, mais un état altéré n'ayant rien à voir avec celui que recherchaient les régressifs.

– Denny ?

Le garçon ne répondit pas.

– *Denny !*

Un cliquetis étrange et doux monta de l'appareil, accompagné de pulsations électroniques.

À contrecœur, Loman pénétra plus avant dans la chambre et s'avança près du plan de travail. Il abaissa les yeux sur son fils et frissonna.

Denny restait bouche bée et de la salive lui dégoulinait sur le menton. Il était tellement envoûté par sa fusion avec l'ordinateur qu'il ne se souciait de s'en détacher ni pour manger ni pour aller aux toilettes ; il avait uriné sur lui.

Il n'avait plus d'yeux. À la place, Loman vit ce qui lui parut être deux globes jumeaux d'argent fondu, aussi brillants que des miroirs. Ils reflétaient les chiffres qui grouillaient en face d'eux.

Les pulsations électroniques oscillantes et faibles ne provenaient pas de l'ordinateur mais de Denny.

15

Les œufs étaient excellents, les crêpes meilleures encore et le café assez fort pour attaquer les motifs de la porcelaine – mais pas au point, cependant, de devoir être mâché. Pendant qu'ils déjeunaient, Sam décrivit les grandes lignes du plan qu'il avait conçu pour faire passer un message au Bureau depuis la ville.

– Votre téléphone est toujours coupé, Harry ; je l'ai essayé ce matin. Et je crois que nous ne pouvons pas prendre le risque de chercher à gagner la nationale à pied ou en voiture, avec toutes les patrouilles et les barrages qu'ils ont établis. Cela reste l'ultime recours. Après tout, pour autant que nous le sachions, nous sommes les seules personnes à s'être rendu compte que quelque chose de... de réellement malsain était en train de se produire ici, et que la nécessité d'y mettre un terme était des plus urgentes. Nous, et peut-être la petite Foster, la fillette dont les flics ont parlé sur leur réseau, la nuit dernière.

– S'il s'agit réellement d'une fillette, remarqua Tessa, et même si elle est adolescente, elle n'a guère de chances contre eux. On peut supposer qu'ils ne vont pas tarder à l'attraper, si ce n'est pas déjà fait.

Sam acquiesça.

– Et s'ils nous coincent, nous aussi, pendant que nous tentons de filer en douce, il n'y aura plus personne pour faire le boulot. Nous devons donc adopter un mode d'action qui minimise les risques.

– Vous croyez qu'il en existe un? demanda Harry tout en récupérant un reste de jaune d'œuf à l'aide d'un morceau de pain

Il mangeait lentement et avec une précision touchante, ne disposant que d'une main valide.

Sam versa encore un peu de sirop d'érable sur ses crêpes, étonné de son propre appétit, qu'il attribua au fait qu'il s'agissait peut-être de son dernier repas.

– Voyez-vous, reprit-il, nous sommes dans une ville... câblée.

– Câblée ?

– Par un réseau d'ordinateurs. New Wave en a donné à la police afin de l'avoir dans ce réseau...

– Et aux écoles, ajouta Harry. Je me souviens de l'avoir lu dans le journal, au printemps dernier ou au début de l'été. Ils ont donné de nombreux ordinateurs aux écoles secondaires, mais aussi aux écoles primaires.

Une contribution au développement de la communauté, proclamaient-ils.

– Une contribution qui paraît à l'heure actuelle nettement moins désintéressée, non ? fit Tessa.

– Et comment !

– Il semble, reprit Tessa, qu'on puisse maintenant conclure qu'ils voulaient des ordinateurs dans les écoles pour les mêmes raisons qu'ils en voulaient dans la police – pour les ficeler solidement au réseau de New Wave, pour contrôler et surveiller.

Sam reposa sa fourchette.

– Voyons... New Wave emploie combien de personnes ? Un tiers de la population ?

– Quelque chose comme ça, répondit Harry. Moonlight Cove ne s'est véritablement développé qu'après l'installation de New Wave, il y a une dizaine d'années. D'une certaine manière, c'est une ville entreprise à l'ancienne mode : la vie ici ne dépend pas seulement du principal employeur sur le plan économique, mais aussi sur le plan social.

Après avoir pris une gorgée d'un café tellement fort qu'il emportait la bouche presque autant qu'un tord-boyaux, Sam dit :

– Un tiers des gens... ce qui veut dire au moins quarante pour cent de la population adulte.

– Oui, à vue de nez, admit Harry.

– Et il faut partir du principe que tout le monde, à New Wave, fait partie de la conspiration, que les employés ont figuré parmi les premiers... convertis.

Tessa acquiesça.

– Ça me paraît évident.

– Des gens tous plus intéressés que la moyenne par les ordinateurs, évidemment, puisqu'ils travaillent dans cette branche ; on peut donc supposer sans prendre de grands risques qu'ils en possèdent chacun un.

Harry opina du chef.

Et sans aucun doute, bon nombre de ces ordinateurs, sinon tous, sont reliés directement à New Wave par modem, afin qu'ils puissent travailler chez eux le soir ou pendant les week-ends, si besoin est. À l'heure actuelle, alors que le plan de conversion arrive à son terme, je suis prêt à parier qu'ils travaillent vingt-quatre heures sur vingt-quatre ; les données doivent aller et venir dans tous les sens par téléphone. Si Harry peut me dire si des gens habitant près d'ici travaillent pour New Wave...

– Il y en a plusieurs.

– Je pourrais me faufiler dehors, et essayer de pénétrer dans l'une des maisons ; les gens doivent être au travail. S'il n'y a personne, je pourrais peut-être passer un coup de fil par leur téléphone.

– Attendez une minute, intervint Tessa. Qu'est-ce que c'est que cette histoire de téléphone ? Puisqu'ils l'ont coupé !

Sam secoua la tête.

– Tout ce que nous savons, c'est que les téléphones publics ont été mis hors service, comme celui de Harry. Mais n'oubliez pas que New Wave contrôle l'ordinateur de la compagnie du téléphone, et peut donc probablement sélectionner les lignes à couper. Je suis prêt à jurer qu'ils n'ont pas coupé celles des gens ayant subi cette... conversion. Ils ne vont pas s'interdire à *eux-mêmes* de communiquer ! En particulier en ce moment, en pleine crise, et au moment où leur plan est sur le point d'aboutir. Il y a plus d'une chance sur deux que les seules lignes coupées soient celles dont, à leur avis, nous pourrions nous servir : cabines téléphoniques payantes, téléphones dans les lieux publics – comme au motel – et celles des habitants qui n'ont pas encore été convertis.

16

La peur imprégnait Loman Watkins ; elle le saturait à tel point que si elle avait eu une substance, elle aurait dégouliné de lui aussi copieusement que la pluie dégoulinait actuellement sur les carreaux. Il avait peur pour lui-même, pour ce qu'il risquait de devenir. Il avait peur aussi pour son fils, assis devant son ordinateur et transformé en une espèce de martien. Et il avait peur *de* son fils, inutile de le nier, une peur viscérale qui le rendait incapable de seulement le toucher.

Un flot de données scintilla sur l'écran en vagues vertes successives et brouillées. Les yeux liquides, argentés et brillants de Denny, semblables à deux flaques de mercure, reflétaient ce cours tumultueux et luminescent de lettres, de chiffres, de graphiques et de tableaux. Sans ciller.

Loman se souvint de ce que Shaddack lui avait déclaré chez Peyser, lorsqu'il avait vu l'homme ayant régressé en forme de loup – une forme qui ne pouvait avoir fait partie de l'histoire génétique humaine. La régression n'était pas simplement – ni même essentiellement – un processus physique. Mais le triomphe de l'esprit sur la matière, la conscience dictant la forme... ou l'inconscient. Ne pouvant plus être des gens ordinaires, et ne pouvant plus supporter une vie dépourvue de toute émotion, ils recherchaient des états altérés dans lesquels la vie était plus supportable. Et l'adolescent avait recherché l'état qui lui convenait, avait voulu devenir cette chose grotesque.

– Denny ?

Toujours pas de réponse.

Le garçon était devenu complètement silencieux. Même les pulsations électroniques émanant de lui s'étaient arrêtées.

Les cordons métalliques par lesquels se terminaient ses doigts vibraient continuellement, battant de temps en temps sur un rythme irrégulier, comme si un sang épais et inhumain y circulait dans un cycle qui le faisait passer de la partie inorganique à la partie organique de ce mécanisme.

Le cœur de Loman battait sur un rythme aussi frénétique qu'aurait été celui de ses pas s'il avait pu courir. Mais il restait cloué sur place par le poids de sa peur. Il transpirait abondamment, et dut faire un effort pour ne pas vomir le gargantuesque repas qu'il venait d'engloutir.

Désespéré, il se demandait ce qu'il devait faire ; la première idée qui lui vint à l'esprit fut d'appeler Shaddack et de lui demander son aide. L'informaticien comprendrait sûrement ce qui se passait et saurait inverser cette hideuse métamorphose, saurait lui rendre son Denny.

Vœu pieux. Plus personne ne contrôlait maintenant le projet Faucon-Lune, lancé comme une machine folle sur des chemins ténébreux, fonçant vers des horreurs cauchemardesques que Tom Shaddack n'avait jamais prévues et était bien incapable d'éviter.

De plus, l'homme, loin d'être effrayé par ce qui arrivait à Denny, en serait certainement ravi. Il verrait cette transformation comme un état altéré *supérieur,* tout aussi désirable qu'il fallait craindre et mépriser l'état dégénératif des régressifs. Son fils représentait ce que Shaddack cherchait vraiment, l'évolution forcée de l'homme en machine.

Loman se souvenait maintenant de ce que le fondateur de New Wave lui avait dit, lorsqu'il parlait, agité, dans la chambre pleine de sang de Peyser. *Ce que je ne comprends pas,* avait-il déclaré en substance, *c'est pour quelle raison les régressifs ont tous choisi une condition inférieure On a sûrement en soi le pouvoir de provoquer une évolution plutôt qu'une involution, de s'élever au-dessus de la simple condition humaine vers quelque chose de plus grand, de plus propre, de plus pur...*

Loman avait la certitude que cet adolescent aux yeux d'argent, avec la bave qui lui coulait sur le menton, n'incarnait absolument pas une forme supérieure d'existence, qu'il n'était en rien plus grand, plus propre ou plus pur. À sa manière, il avait tout autant régressé que Mike Peyser, transformé en une caricature de loup, ou Coombs en une caricature de singe. Comme Peyser, Denny avait renoncé à son individualité intellectuelle pour échapper à la conscience du vide d'une vie sans émotion; simplement, au lieu de devenir un sous-homme animalisé asservi à sa meute, il s'était transformé en un sous-homme mécanisé, asservi au réseau complexe d'un super-ordinateur. Il avait abandonné tout ce qui restait d'humain en lui – son esprit – pour devenir quelque chose de plus simple qu'un être humain, avec toute sa glorieuse complexité.

Une perle de salive se détacha du menton de l'adolescent et vint faire une tache circulaire sur son jean.

Connais-tu la peur, maintenant ? se demanda Loman. Tu ne peux aimer. Pas davantage que moi. Mais as-tu peur de quelque chose ?

Sûrement pas. Les machines ne connaissent pas la peur.

Bien que la conversion de Loman l'eût laissé incapable de vivre d'autres émotions que la peur, bien que ses nuits et ses jours se fussent transformés en un long supplice d'anxiété à l'intensité variable, il en était arrivé à un degré de perversion où il aimait sa peur, la chérissait, parce qu'elle demeurait le seul lien qui l'unissait à l'homme ordinaire qu'il avait été autrefois. Si on lui enlevait aussi sa peur, il ne serait plus qu'une machine de chair et de sang. Sa vie n'aurait plus la moindre dimension humaine.

Denny avait renoncé à cette ultime et précieuse émotion. Tout ce qu'il avait conservé, pour remplir ses longues journées grisâtres, était la logique, la raison, des enchaînements sans fin de calculs, l'absorption et l'interpolation ininterrompues de faits. Et si Shaddack ne s'était pas trompé dans ses pronostics de longévité pour ceux de la Nouvelle Race, ces journées se poursuivraient pendant des siècles.

Soudain, des bruits électroniques ayant quelque chose de surnaturel montèrent de nouveau du garçon et se répercutèrent sur les murs.

Des bruits aussi étranges que les chants et les cris, froids et lugubres, de quelque espèce animale vivant au plus profond des océans.

Appeler Shaddack et lui révéler la condition dans laquelle se trouvait Denny ne ferait qu'encourager ce fou dans sa quête insensée et diabolique. Une fois qu'il aurait vu ce qu'était devenu Denny, il serait capable de trouver un moyen d'obliger, de gré ou de force, tous ceux de la Nouvelle Race à se transformer en entités cybernétiques interchangeables, parfaites. Cette perspective fit monter d'un degré de plus la peur du policier.

L'enfant-machine retomba dans le silence.

Loman retira son revolver de l'étui. Sa main tremblait violemment.

Les données défilaient encore plus frénétiquement sur l'écran et, simultanément, sur la surface des yeux en argent fondu de Denny.

Sans quitter des yeux la créature qui naguère était son enfant, Loman exhuma péniblement des souvenirs de sa vie d'avant le Changement, dans un effort désespéré pour évoquer ce qu'il avait jadis ressenti pour

Denny – l'amour d'un père pour son fils, la délicieuse souffrance de l'orgueil paternel et de ses espoirs pour l'avenir. Il se rappela les escapades de pêche faites ensemble, les soirées devant la télé, les livres qu'il lui avait fait lire et dont ils avaient parlé, les longues heures passées à travailler dans la bonne humeur sur des projets scientifiques proposés par l'école... le Noël de sa première bicyclette... sa première amourette, quand il avait amené, nerveux, la fille des Talmadge à la maison pour la leur présenter... Loman arrivait à faire surgir des images d'un autre temps, des images riches de détails et néanmoins incapables d'éveiller la moindre chaleur en lui. Il savait qu'il aurait dû ressentir quelque chose puisqu'il allait tuer son unique enfant, quelque chose de plus que la peur, mais il n'en était plus capable. Afin de s'accrocher solidement à ce qui restait d'humain en lui, il aurait dû être capable de faire couler une larme, rien qu'une, tandis qu'il commençait à peser sur la détente de son Smith & Wesson, mais il garda l'œil sec.

Sans avertissement, quelque chose jaillit du front de Denny.

Loman poussa un cri et recula de deux pas hésitants sous l'effet de surprise.

Il pensa tout d'abord qu'il s'agissait d'un ver, car la chose était d'aspect huileux et segmentée, et avait la taille d'un crayon. Mais elle continua de pousser et il vit qu'elle était plus métallique qu'organique, et se terminait en une sorte de bouche de poisson d'un diamètre trois fois supérieur au reste du « ver ». Comme l'antenne de quelque insecte singulièrement répugnant, il ondulait devant le visage de Denny, de plus en plus long, finissant par rejoindre l'ordinateur.

Il le fait *volontairement*, pensa Loman.

La domination de l'esprit sur la matière, et non pas de la génétique court-circuitée. Les pouvoirs mentaux rendus concrets et non simplement la biologie devenue folle. C'était ce que voulait devenir le garçon, et si telle était la seule vie qu'il pût maintenant tolérer, la seule existence désirable pour lui, pour quelle raison ne pas la lui laisser vivre ?

L'hideuse extension vermiculée explora les mécanismes à découvert, disparut à l'intérieur, et se connecta avec l'appareil, créant entre le garçon et Sun un lien encore plus intime que celui qui existait par l'intermédiaire de ses mains anamorphosées et de ses yeux mercuriels.

Un gémissement creux, électronique à glacer le sang, monta de la bouche de l'adolescent, sans que remuent ni ses lèvres ni sa langue.

La peur d'agir qui paralysait Loman fut finalement dépassée par sa peur de ne pas agir. Il s'avança, posa le canon de son arme contre la tempe droite de son fils, et fit feu par deux fois.

17

Accroupie contre le mur, sous la fenêtre, se soulevant de temps en temps pour jeter un coup d'œil à travers la vitre aux trois personnes rassemblées autour de la table de la cuisine, Chrissie avait de plus en plus l'impression de pouvoir leur faire confiance. Avec le crépitement assourdi de la pluie, elle ne pouvait saisir que des fragments de leur conversation par la fenêtre fermée ; mais au bout d'un moment, elle crut comprendre qu'ils savaient que quelque chose d'épouvantable se passait à Moonlight Cove. Les deux étrangers paraissaient être en fuite, comme elle-même, et avoir trouvé refuge chez M. Talbot avec lequel, lui sembla-t-il, ils élaboraient un plan pour obtenir l'aide des autorités, à l'extérieur de la ville.

Elle décida de ne pas frapper à la porte. Elle était en bois plein, sans vitrage dans la partie supérieure, et ils ne pourraient voir qui se présentait. Elle en avait assez entendu pour savoir qu'ils étaient tendus, peut-être pas autant à bout de nerfs qu'elle l'était, mais incontestablement à cran. Un coup inattendu frappé à la porte risquait de leur ficher à tous les trois une crise cardiaque massive – à moins qu'ils ne prissent des revolvers et ne réduisent la porte en miettes, et elle avec.

Au lieu de cela, elle se redressa et, bien en vue, tapa au carreau.

M. Talbot eut un brusque mouvement de la tête et pointa aussitôt le doigt dans sa direction, mais en dépit de cela, l'autre homme et la femme bondirent sur leurs pieds avec la soudaineté de marionnettes enlevées dans les airs par leurs fils. Moose aboya par deux fois. Les trois personnes, plus le chien, regardaient Chrissie, stupéfaits. À voir leur expression, on aurait pu croire qu'ils se trouvaient face à un maniaque (encapuchonné de cuir pour cacher ses difformités et brandissant une tronçonneuse en marche), et non face à une fillette transie de fatigue et de peur.

Elle se dit qu'en ce moment, dans un patelin infesté d'extra-terrestres comme Moonlight Cove, même une petite fille pathétique et mouillée comme un chiot qu'on a voulu noyer pouvait être un objet de terreur pour ceux ne sachant pas qu'elle était encore humaine. Dans l'espoir de calmer leur frayeur, elle parla à travers la vitre :

– Aidez-moi, je vous en supplie, aidez-moi !

18

La machine hurla. Son crâne explosa sous l'impact des deux balles et elle se trouva projetée hors de son siège qu'elle entraîna dans sa chute. Les doigts démesurément allongés furent arrachés à l'ordinateur. La sonde segmentée et vermiculée cassa en deux, à mi-chemin entre l'appareil et le front d'où elle avait jailli. La chose resta gisante sur le sol, prise de tressaillements et de spasmes.

Il fallait que Loman ne la considérât que comme une machine. Pas comme son fils. L'idée était trop terrifiante.

Son visage était défiguré et tordu en un masque asymétrique surréaliste sous l'effet de l'explosion du crâne.

Les yeux argentés, noirs maintenant, faisaient penser à deux flaques de pétrole et non plus de mercure, dans leurs orbites.

À travers les fragments déchiquetés des os, Loman vit non seulement la matière grise qu'il s'était attendu à voir gicler, mais aussi des torsades de fils et d'infimes pointes brillantes, presque comme des grains de céramique, aux formes géométriques bizarres. Des volutes de fumée bleue montaient du sang qui coulait de la blessure.

Et cependant, la machine hurlait.

Les cris électroniques ne provenaient plus de la chose-enfant mais de l'ordinateur posé sur la table. Des sons tellement étranges qu'ils paraissaient aussi déplacés, provenant de la partie machinale de l'entité, qu'ils l'avaient été lorsqu'ils sortaient de sa partie organique.

Watkins prit conscience qu'ils n'étaient pas entièrement électroniques ; qu'ils manifestaient des qualités tonales et un caractère humains. Crispant.

Les vagues de données cessèrent d'affluer sur l'écran. Un mot se répétait des centaines de fois, venant remplir toutes les lignes :

NON NON NON NON NON NON NON NON NON NON NON NON NON NON NON...

Il comprit soudain que Denny n'était qu'à demi mort. La partie de l'esprit du garçon qui s'était trouvée dans son corps avait péri, mais un autre fragment de sa conscience, d'une manière ou d'une autre, continuait à vivre quelque part à l'intérieur de l'ordinateur, à vivre dans des puces de silicium au lieu de tissu organique. C'était cette partie de lui qui hurlait de sa voix froide de machine.

Sur l'écran :

OÙ SE TROUVE LE RESTE DE MOI OÙ SE TROUVE LE RESTE DE MOI NON NON NON NON NON NON NON NON NON NON...

Loman eut l'impression que son sang se figeait pour devenir une bouillie glacée, pompée par un cœur aussi pétrifié que la viande rangée dans le congélateur. Il n'aurait jamais cru qu'un frisson glacial pût être aussi pénétrant.

Il s'éloigna du corps recroquevillé, qui avait enfin arrêté de tressaillir, et tourna son revolver vers l'ordinateur. Il vida son arme sur la machine, en commençant par faire voler l'écran en éclats. À cause des stores et des rideaux, l'obscurité était presque totale dans la pièce, ce qui ne l'empêcha pas de pulvériser tous les circuits. Des milliers d'étincelles flamboyèrent dans le noir, jaillissant en gerbes de la mémoire centrale ; mais, avec un ultime crachotement, la machine mourut, et les ténèbres se refermèrent sur la pièce.

Une odeur d'isolant cramé empuantissait l'air. Et pire.

Loman quitta la pièce et se rendit jusqu'au haut des marches. Il resta là un moment, appuyé sur la rampe. Puis il descendit jusque dans le hall d'entrée. Il rechargea son revolver et le replaça dans son étui. Sortit sous la pluie. Monta dans sa voiture, la fit démarrer.

– Shaddack, dit-il à haute voix.

19

Tessa prit immédiatement la fillette en charge. Elle la conduisit au premier étage, laissant les autres dans la cuisine, et lui fit quitter ses vêtements trempés.

– Tu claques des dents, ma chérie.

– J'ai bien de la chance d'avoir encore des dents à faire claquer, rétorqua Chrissie.

– Tu as la peau carrément bleue !

– J'ai bien de la chance d'avoir encore une peau !

– Et j'ai cru remarquer que tu boitais.

– Ouais, je me suis tordu une cheville.

– Tu n'aurais pas une entorse, par hasard ?

– Non. Ce n'est pas bien grave. D'ailleurs...

– Oui, je sais, la coupa Tessa, tu as bien de la chance d'avoir encore des chevilles.

– Tout juste. À mon avis, les extra-terrestres doivent adorer les chevilles, tout comme il y a des gens qui adorent les pieds de cochon. Beurk.

Elle s'assit sur le bord du lit de la chambre d'ami, enroulée, nue, dans une couverture, et attendit que Tessa allât chercher un drap et une poignée d'épingles de nourrice qu'elle avait remarquées dans la lingerie.

– Les vêtements de Harry sont bien trop grands pour toi, dit Tessa, et je vais donc, pour le moment, ajuster ce drap sur toi. Comme ça, pendant que tes vêtements sécheront dans le sèche-linge, tu pourras descendre et nous raconter toute ton histoire d'un seul coup à tous les trois.

– Pour une histoire, c'est une histoire, répondit la fillette.

– Oui. Tu as l'air d'en avoir bavé.

– Ça ferait un sacré bouquin.

– Tu aimes les livres ?

– Oh oui, beaucoup !

En rougissant mais bien déterminée à se montrer à la hauteur, elle rejeta la couverture et laissa Tessa enrouler le drap autour de son corps, puis l'épingler de manière à lui faire une sorte de toge.

Pendant que la jeune femme s'activait, Chrissie lui dit :

– J'écrirai un livre, un jour, sur tout ce qui s'est passé. Je l'appellerai *Le Fléau venu d'ailleurs* ou *La Reine des extra-terrestres* – enfin je ne l'appellerai comme ça que s'il y a vraiment un nid et une reine quelque part, comme chez les termites, évidemment. Peut-être qu'ils ne se reproduisent pas comme des insectes, ni même comme des animaux. Ce sont peut-être des légumes, fondamentalement. Qui peut savoir ? Si ce sont plutôt des légumes, j'appellerai mon livre *Les Graines venues d'ailleurs* ou bien *Les Légumes de l'espace*, ou peut-être *Les Morilles meurtrières de Mars*. C'est pas mal de se servir d'allitérations pour les titres. Allitération. Il me plaît, ce mot. Pas vous ? Il sonne bien. J'aime les mots. Évidemment, on pourrait trouver des titres plus poétiques, plus mystérieux, comme *Racines d'une terre étrangère* ou *Feuilles lancées dans l'espace*. Hé, si ce sont des légumes, on aura peut-être la chance de les voir détruire par les doryphores ou le mildiou, étant donné qu'ils ne seront pas immunisés contre les parasites terrestres. Comme dans *La Guerre des mondes*, où ce sont des microbes qui viennent à bout des puissants martiens.

Il répugnait à Tessa de révéler à la fillette que leurs ennemis ne venaient pas des étoiles, car elle prenait le plus grand plaisir au bavardage de cette enfant précoce. Puis elle remarqua sa main droite blessée ; la paume était sérieusement écorchée, et la chair, au centre, paraissait à vif.

– Je me suis fait ça en tombant du porche du presbytère, expliqua la fillette.

– Tu es tombée d'un toit ?

– Ben oui. Bon sang, qu'est-ce que c'était excitant ! L'espèce de loup-garou me courait après et commençait à passer par la fenêtre, alors je n'avais pas le choix. C'est en tombant de là que je me suis aussi tordu la cheville. Mais j'ai tout de même pu courir jusqu'au portail avant qu'il me rattrape. Vous savez, miss Lockland...

– Appelle-moi Tessa.

Chrissie, apparemment, n'avait pas l'habitude de s'adresser aux adultes en les appelant par leur prénom. Elle fronça les sourcils et garda un instant le silence, hésitant à accepter cette invitation. Elle conclut manifestement qu'il serait grossier de ne pas utiliser ce prénom, puisqu'on lui demandait de le faire.

– D'accord... Tessa. De toute facon, je n'arrive pas à savoir ce que les extra-terrestres veulent exactement nous faire quand ils nous attrapent. Peut-être nous manger le foie ? Ou nous manger tout entier ? À moins qu'ils ne nous mettent des espèces d'insectes-pilules de leur fabrication dans les oreilles. Les insectes-pilules iraient jusque dans notre cerveau et en prendraient possession. D'une manière ou d'une autre, je me dis qu'il vaut mieux tomber d'un toit que de tomber dans leurs mains.

Une fois la dernière épingle posée, Tessa entraîna Chrissie dans la salle de bains et regarda si, dans l'armoire à pharmacie, elle ne trouverait pas quelque chose pour soigner la main écorchée de la fillette. Elle découvrit une bouteille de teinture d'iode à l'étiquette fanée, un rouleau entamé de tissu adhésif et un paquet de pansements de gaze si vieux que le papier sulfurisé dans lequel ils étaient emballés avait jauni. Mais à l'intérieur, la gaze était toujours bien blanche et la teinture d'iode paraissait intacte et picotait encore.

Pieds nus, enroulée dans sa toge, sa tignasse blonde frisottant au fur et à mesure qu'elle séchait, Chrissie s'assit sur le rabat des toilettes et se soumit, stoïque, au traitement de Tessa. Elle ne protesta pas, ne gémit pas, n'eut même pas l'esquisse d'un geste de recul.

En revanche, elle parla.

– C'est la deuxième fois que je tombe d'un toit, alors je me dis que je dois avoir un ange gardien qui fait bien son boulot. Il y a un an et demi, à peu près, des oiseaux – je crois que c'étaient des étourneaux – ont construit un nid sur le toit de l'une des écuries, à la maison. Il fallait absolument que j'aille voir les petits oisillons dans leur nid, alors, à un moment où mes parents n'étaient pas dans le coin, j'ai pris une échelle, j'ai attendu que la maman oiseau s'envole pour aller leur chercher à manger, et puis je suis montée à toute vitesse pour jeter un coup d'œil. Eh bien laissez-moi vous dire qu'avant d'avoir des plumes, il n'y a pas plus moche que des bébés oiseaux – les extra-terrestres exceptés, bien entendu. Des petites choses toutes plissées, tout en bec et œil, avec des avortons d'ailes comme des bras déformés. Si les premiers bébés humains avaient été aussi moches à leur naissance, les premiers hommes, il y a des millions d'années, les auraient jetés dans les toilettes et tiré la chasse – enfin, s'ils avaient eu des toilettes –, et n'auraient pas osé en avoir d'autres, et toute l'espèce aurait disparu avant de vraiment commencer.

Tout en badigeonnant la plaie de teinture d'iode (et en essayant, sans succès, de ne pas sourire), Tessa leva les yeux et vit que la fillette serrait très fort les paupières, ce qui lui plissait le nez, dans son effort pour se montrer courageuse.

– Puis le papa et la maman sont revenus, continua-t-elle, ils m'ont vue près du nid et ils se sont mis à me voler autour de la tête, comme s'ils m'attaquaient, en criant. J'ai eu tellement peur que je suis tombée du toit. Je ne me suis rien fait cette fois, peut-être parce que j'ai atterri dans du crottin de cheval. Ce qui n'a rien de bien agréable, laissez-moi vous dire. J'adore les chevaux, mais je les trouverais encore plus adorables si on pouvait leur apprendre à faire dans une caisse, comme les chats.

Tessa, à ce point, était déjà folle de cette gamine.

20

Sam se pencha et, coudes sur la table, écouta attentivement le récit de Chrissie Foster. Tessa avait beau avoir entendu les croquemitaines en pleine action au Cove Lodge et entr'aperçu l'un d'eux par la fente en dessous de sa porte, Harry avait beau les avoir aperçus de loin, dans la nuit et le brouillard, Sam avait beau avoir observé deux d'entre eux par l'une des fenêtres, la nuit précédente, la fillette restait la seule personne à les avoir vus de près, et plus d'une fois.

Mais ce n'était pas seulement l'unicité de cette expérience qui retenait l'attention de Sam. Il était tout autant captivé par les manières enjouées, la bonne humeur et la netteté des raisonnements de la jeune adolescente. Elle possédait manifestement une énergie peu commune et une résistance à toute épreuve : sans quoi, elle n'aurait jamais survécu au cauchemar dans lequel elle se débattait depuis la veille, non plus qu'aux événements de la matinée. Et pourtant, elle conservait une sorte de délicieuse innocence ; solide, oui ; dure, non. L'un de ces mômes qui vous rendent l'espoir pour toute la race humaine.

Un môme comme était autrefois Scott.

Ce qui expliquait pour quelle raison Chrissie Foster fascinait Sam. En elle, il voyait l'enfant qu'avait été son fils. Avant... avant qu'il n'eût changé. Avec un regret si poignant qu'il en ressentait une douleur sourde dans la poitrine et que sa gorge se serrait, il regardait et écoutait la fillette, non seulement pour recueillir les informations qu'elle pourrait leur transmettre, mais avec l'espoir irréaliste qu'en l'étudiant il pourrait enfin comprendre pourquoi son propre fils avait perdu espoir et innocence.

21

Dans l'obscurité de la cave de la colonie Icare, Tucker et sa meute ne dormaient pas, car ils n'en avaient pas besoin. Ils gisaient enroulés sur eux-mêmes et, de temps en temps, l'un ou l'autre mâle s'accouplait avec la femelle ; ils se mordaient alors avec une frénésie sauvage, mais leurs chairs déchiquetées se refermaient aussitôt. Ils se faisaient saigner pour le seul plaisir de l'odeur du sang, monstres immortels en train de jouer.

Les ténèbres et le périmètre dépouillé de tout autour du terrier de béton ne faisaient qu'accentuer la désorientation de Tucker. Il se souvenait de moins en moins de son existence avant la chasse excitante de la nuit précédente. Il éprouvait de moins en moins le sentiment de son individualité ; celle-ci ne devait pas être encouragée au sein de la meute, pendant la chasse, et était quelque chose d'encore moins désirable dans le terrier. Dans ce repaire claustrophobique sans fenêtre, l'harmonie passait par l'abandon de son moi au profit du groupe.

Des images de formes sombres et sauvages se faufilant subrepticement dans la forêt nocturne, ou fuyant au clair de lune par les prés, hantaient ses rêves éveillés. Lorsque, de temps en temps, le souvenir d'une forme humaine passait fugitivement dans son esprit, son origine restait un mystère pour lui ; pis que cela, il en était effrayé et revenait bien vite à ses fantasmes, scènes de chasse et d'accouplement dans lesquelles il n'était qu'un élément de la meute, l'un des aspects d'une ombre unique, une extension d'un organisme plus vaste, libéré de la nécessité de penser, n'ayant d'autre désir que d'être.

À un moment donné, il se rendit compte qu'il avait quitté la forme d'un loup, devenue trop contraignante. Il ne voulait plus être le chef de la meute, car c'était une situation où il y avait trop de responsabilités. Il ne voulait plus penser du tout. Juste être. *Être.* Les limitations de toute forme physique rigide lui semblaient insupportables.

Il sentait que l'autre mâle et la femelle avaient conscience de sa dégénérescence et suivaient son exemple.

Il sentit ses chairs se liquéfier, ses os se dissoudre, ses organes et ses vaisseaux abandonner leur forme et leur fonction. Il involua au-delà du singe le plus primitif, loin au-delà de la créature à quatre pattes qui était laborieusement sortie de l'eau en rampant, il y avait des millions d'années de cela, au-delà, encore au-delà, jusqu'à ce qu'il fût réduit à une masse palpitante de tissus organiques, à une soupe protoplasmique répandue dans la cave de la colonie Icare.

22

Loman Watkins sonna à la porte de la maison de Shaddack, sur la pointe nord ; son domestique, Evan, vint lui ouvrir.

– Désolé, chef Watkins, mais M. Shaddack n'est pas ici.

– Où est-il parti ?

– Je l'ignore.

Evan faisait partie de la Nouvelle Race. Pour être sûr de l'expédier définitivement, Loman lui tira deux fois dans la tête et deux fois dans la poitrine, tandis que l'homme gisait au sol, afin de lui détruire et le cerveau et le cœur. Ou si l'on préférait, la machine à traiter les données et la pompe. De quoi valait-il mieux se servir, maintenant ? De la terminologie biologique ou mécanique ? Où en étaient-ils tous rendus, sur la voie de la mécanisation ?

Loman referma la porte derrière lui et enjamba le corps d'Evan. Après avoir rechargé le barillet de son revolver, il fouilla la vaste maison pièce par pièce, étage par étage, à la recherche de Shaddack.

Il aurait aimé être poussé par le désir de vengeance, être consumé par la colère et rêver de la satisfaction qu'il éprouverait à frapper Shaddack à mort : mais tous ces sentiments puissants lui étaient refusés. La mort de son fils n'avait pas fait fondre la glace qui enrobait son cœur. Il n'arrivait à éprouver ni chagrin ni rage.

Au lieu de cela, il était poussé par la peur. Il voulait abattre Shaddack avant que celui-ci n'eût fait d'eux quelque chose de pire encore que ce qu'ils étaient devenus.

En tuant Shaddack – lequel était relié en permanence au super-ordinateur de New Wave par un simple système télémétrique cardiaque –, Loman activerait un programme de Sun qui diffuserait un ordre général de mort. Toutes les microsphères encapsulées dans les tissus les plus profonds de ceux de la Nouvelle Race capteraient ce message. Dès la réception de l'ordre de mort, ces ordinateurs biologiquement interactifs arrêteraient sur le champ le cœur de leur hôte. Tous les convertis de Moonlight Cove mourraient. Lui-même mourrait.

Mais il ne s'en souciait pas. Sa peur de la mort était dépassée par sa peur de vivre, en particulier s'il devait poursuivre une existence de régressif ou se transformer en cette chose plus hideuse encore qu'était devenue Denny.

En esprit, il se voyait dans cet état misérable – œil mercuriel étincelant, un tentacule vermiculé jaillissant sans une éclaboussure de sang de son front pour se livrer à un obscène accouplement avec l'ordinateur... La chair de poule qui lui hérissa la peau lui donna l'impression qu'elle allait se détacher de son corps.

N'ayant pu trouver Shaddack chez lui, il partit pour New Wave, où le créateur de ce monde nouveau devait sans aucun doute s'être réfugié, afin de dresser, dans le calme de son bureau, de nouveaux plans pour cet enfer qu'il appelait un paradis.

23

Peu après onze heures, Tessa accompagna Sam sous le porche de derrière, laissant Harry et Chrissie dans la cuisine. Les arbres étaient suffisamment hauts pour qu'ils ne fussent pas visibles pour les voisins, même ceux dont les maisons se trouvaient situées plus en hauteur sur la colline. La pénombre du porche était un gage supplémentaire de sécurité.

– Écoutez, dit-elle, c'est absurde d'y aller tout seul.

– C'est au contraire très logique.

L'air était froid et humide. Elle serra les bras contre elle et reprit :

– Je pourrais sonner à la porte de devant et attirer éventuellement l'attention des gens, pendant que vous passeriez par-derrière.

– Je ne veux pas avoir à m'occuper de vous.

– Je peux m'occuper de moi-même toute seule !

– Ouais, je veux bien le croire.

– Alors ?

– Alors voilà : je travaille seul. Point.

– Vous semblez tout faire tout seul.

Il ébaucha un sourire.

– Encore une dispute pour savoir si la vie est une joyeuse partie de campagne ou l'enfer sur terre ?

– Ce n'était pas une dispute, mais une discussion.

– De toute façon, j'ai choisi ce genre de mission clandestine précisément parce que je travaille très bien tout seul. Je ne veux plus de partenaires, parce que je ne veux plus les voir mourir, Tessa.

Elle savait qu'il faisait non seulement allusion aux deux autres agents tués en service lors d'une mission commune, mais également à sa femme.

– Restez avec la petite. Occupez-vous d'elle s'il arrive quoi que ce soit. Elle est comme vous, après tout.

– Comment, comme moi ?

– Elle fait partie de ces gens qui savent comment aimer la vie. Comment l'aimer réellement, profondément, indépendamment de tout ce qui peut arriver. C'est un talent rare autant que précieux.

– Vous aussi, vous le possédez.

– Non, je ne l'ai jamais eu.

– Mais bon Dieu ! Tout le monde naît avec l'amour de la vie chevillé au corps ! Vous l'avez encore, Sam. Vous avez simplement perdu le contact, mais vous pouvez le retrouver.

– Prenez soin d'elle, répondit-il.

Il se tourna sans attendre sa réaction, descendit les marches et s'enfonça dans la pluie.

– Vous avez intérêt à revenir, espèce de sauvage. Vous m'avez promis de me dire ce que vous avez vu de l'autre côté du tunnel, sur l'Autre Bord. Vous avez vraiment intérêt à revenir !

La silhouette de Sam devenait rapidement indistincte au milieu des gouttes argentées et des nappes grises de brouillard.

Tandis qu'elle le regardait s'éloigner, Tessa prit conscience que même s'il ne devait jamais lui parler de l'Autre Bord, elle voulait le voir revenir, pour un certain nombre de raisons, complexes, surprenantes et encore un peu obscures.

24

La maison des Coltrane s'élevait deux portes plus loin, sur Conquistador. Un seul étage. Barrière en cèdre vétuste. Patio couvert au lieu d'un porche, à l'arrière.

Se glissant vivement par là, tandis que la pluie rebondissait du toit du patio avec un crépitement qui rappelait mal à propos les craquements d'un feu, Sam alla regarder par une porte-fenêtre qui donnait sur une salle de séjour noyée dans la pénombre, puis par la fenêtre de la cuisine, tout aussi peu éclairée. Lorsqu'il atteignit la porte de la cuisine, il sortit le revolver de son étui, sous sa veste de cuir, et le tint le long de sa cuisse.

Il aurait pu gagner la façade et sonner à la porte, ce qui aurait paru moins suspect aux personnes à l'intérieur. Mais cela aurait signifié passer par la rue, et augmenter ses chances d'être aperçu non seulement par les voisins, mais par les hommes qui, d'après Chrissie, quadrillaient la ville.

Il frappa à la porte, quatre coups rapides. Personne ne répondit. Il frappa de nouveau, plus fort, puis une troisième fois, plus fort encore. S'il y avait eu quelqu'un dans la maison, on serait venu répondre.

Harley et Sue Coltrane devaient se trouver à New Wave, dont ils étaient tous deux employés.

La porte était verrouillée ; il espéra qu'il n'y avait pas de targette à l'intérieur.

Il avait laissé le reste de son matériel chez Harry, mais avait tout de même emporté avec lui son fer à crocheter, une tige métallique fine et souple. Les séries de télévision ont accrédité l'idée que n'importe quelle carte de crédit peut en tenir lieu, mais ces rectangles de plastique se coincent ou cassent trop souvent dans les serrures. Il préférait les bons vieux outils ayant fait leurs preuves. Il introduisit la tige entre la porte et son encadrement et la fit remonter, augmentant la pression lorsqu'il sentit de la résistance. Le pêne sauta. Il tira sur la poignée et la porte s'ouvrit avec un léger craquement. Il n'y avait aucune targette à l'intérieur.

Il pénétra dans la maison et ramena doucement le battant à lui, sans engager le pêne dans son encoche ; s'il devait effectuer une retraite précipitée, il ne voulait pas avoir à faire jouer un loquet.

La pièce n'était éclairée que par un peu de lumière lugubre, celle de ce jour pluvieux qui arrivait à y pénétrer. Le sol en vinyle, les murs et le carrelage étaient évidemment dans des teintes très claires, car dans cette pénombre, tout paraissait d'une nuance de gris plus ou moins sombre.

Il resta immobile pendant près d'une minute, tendant attentivement l'oreille.

Une pendule de cuisine émettait son tic-tac.

La pluie tambourinait sur le toit du patio.

Ses cheveux, mouillés, lui collaient au front. Il les repoussa de côté de sa main libre.

Quand il faisait un pas, ses chaussures couinaient.

Il se rendit directement au téléphone, un appareil mural au-dessus d'un secrétaire de coin. Lorsqu'il souleva le combiné, il n'entendit aucune tonalité. Mais la ligne n'était pas pour autant coupée. Elle véhiculait d'étranges sons ; des cliquetis, des bip-bip faibles, des modulations étouffées – tout cela mélangé en une musique funèbre et étrange, un thrène électronique.

Sam sentit sa nuque se glacer.

Délicatement et en silence, il reposa le combiné sur sa fourche.

Il se demandait quel genre de sons on entendait sur un téléphone reliant deux ordinateurs par modem. L'un des Coltrane aurait-il été au travail, ailleurs dans la maison, branché par téléphone sur le central de New Wave ?

Il ressentait confusément que ce qu'il avait entendu sur la ligne ne pouvait s'expliquer aussi simplement. Trop anormal, presque surnaturel. La salle à manger faisait suite à la cuisine. Un voilage léger couvrait ses deux grandes fenêtres, filtrant un peu plus la lumière grisâtre du jour. Il devina par leur forme plus qu'il ne vit un dressoir, un buffet, une table et des chaises, des blocs noirs ou gris ardoise.

Il s'arrêta de nouveau pour écouter. Il n'entendit rien d'anormal.

La maison était disposée selon le plan californien classique, sans hall au bas des escaliers. Chaque pièce donnait sur les autres dans un système ouvert et aéré. Il passa sous une arche pour pénétrer dans le grand séjour, soulagé qu'il y eût de la moquette partout : ses chaussures mouillées ne faisaient aucun bruit.

Le séjour était un peu moins sombre que les autres pièces qu'il avait visitées jusqu'ici, mais sa couleur la plus brillante n'était guère qu'un gris perle. À l'ouest, les fenêtres étaient assombries par la présence du porche de l'entrée, et la pluie dégoulinait sur celle de la façade nord. La lumière plombée qui passait par les carreaux éparpillait dans la pièce les ombres grises et aqueuses des centaines de gouttelettes qui roulaient sur les vitres ; Sam était tellement à cran qu'il avait presque l'impression de sentir glisser sur lui ces fantômes en forme d'amibe.

Entre l'éclairage des lieux et l'humeur dans laquelle il était, il avait l'impression de se trouver dans un vieux film en noir et blanc. L'une de ces variations sur le thème sinistre du *film noir**.

Le séjour était désert, mais un bruit soudain lui parvint de la dernière pièce du rez-de-chaussée qu'il lui restait à explorer. Dans l'angle sud-est de la maison, au-delà de l'entrée ; le salon, vraisemblablement. Une trille perçante qui le fit grincer douloureusement des dents, suivie d'un cri désespéré qui n'était ni une voix humaine ni un son de machine, mais quelque chose entre les deux, un gémissement semi-métallique arraché par la douleur et tordu par la déréliction. Ce cri fut suivi d'une pulsation électronique faible, comme un massif battement de cœur.

* En français dans le texte.

Puis le silence. Il avait relevé son arme, et la tenait tendue devant lui, prêt à tirer sur tout ce qui bougerait. Mais il ne distingua pas le moindre mouvement dans le silence rétabli.

La trille, le cri surnaturel et le sourd battement ne pouvaient pas avoir de rapport avec les croquemitaines qu'il avait vus la nuit précédente à l'extérieur de la maison de Harry, ni avec les êtres transformés décrits par Chrissie. Jusqu'à cet instant, la rencontre avec l'un d'eux était ce qu'il avait le plus redouté ; mais soudain, l'entité inconnue qui se tapissait dans le salon lui parut plus effrayante encore.

Il attendit.

Rien.

Il éprouvait l'impression bizarre que quelque chose était tout aussi attentif à ses mouvements que lui-même l'était à ceux qui pourraient se produire.

Il envisagea un instant de retourner chez Harry pour réfléchir à un autre moyen d'envoyer un message au bureau, car tout d'un coup la nourriture mexicaine, la Guinness Stout et les films de Goldie Hawn – même ce navet navrant de *Swing Shift* – lui paraissaient précieux au-delà de tout ; non plus de pathétiques raisons de vivre, mais des plaisirs si exquis qu'aucun mot n'aurait pu les décrire adéquatement.

La seule chose qui l'empêchât de prendre la poudre d'escampette fut Chrissie Foster. Le souvenir de ses yeux brillants. De son visage innocent. De son enthousiasme et de son animation quand elle leur avait raconté ses aventures. Peut-être avait-il échoué avec Scott, et peut-être était-il trop tard pour faire remonter la pente au garçon. Mais Chrissie était toujours vivante au plein sens du terme – sur les plans physique, intellectuel et émotionnel – et elle dépendait de lui. Personne d'autre que lui ne pouvait lui épargner la conversion.

Minuit était maintenant à un peu plus de douze heures.

Il longea l'une des parois du salon et traversa l'entrée à pas feutrés. Une fois là, il s'immobilisa dos au mur, à côté de la porte entrouverte de la pièce d'où lui étaient parvenus les sons étranges.

À l'intérieur, quelque chose cliquetait.

Il se raidit.

Des cliquetis faibles et doux. Pas des *tic-tic-tic* de griffes, comme celles qu'il avait entendues gratter à la fenêtre au cours de la nuit. On aurait plutôt dit une longue série de relais qui tombaient les uns après les autres, des dizaines d'interrupteurs que l'on fermait, des dominos tombant les uns contre les autres : *clic-clic-clic-cliquetis-clic-clic-cliquetis*...

Puis de nouveau le silence.

Tenant le revolver à deux mains, Sam se plaça face à la porte, qu'il ouvrit d'une poussée du pied ; il franchit le seuil et se mit en position de tir dès qu'il fut dans la pièce.

Des stores intérieurs fermaient les fenêtres, et les seules lumières étaient celles qui provenaient des écrans de deux ordinateurs. Des filtres les recouvraient, donnant un fond ambré aux caractères en noir. Tout ce qui, dans la pièce, n'était pas plongé dans l'ombre, baignait dans ce rayonnement doré.

Deux personnes étaient assises face aux terminaux, l'une sur le côté droit de la pièce, l'autre sur le côté gauche, se tournant le dos.

– Pas un geste, fit sèchement Sam.

Mais ni l'une ni l'autre ne bougea ou ne parla. Elles observaient une telle immobilité qu'il les crut un instant mortes.

La curieuse lumière était plus vive et cependant étrangement moins révélatrice que la clarté ténue du jour qui illuminait vaguement les autres pièces. Lorsque son regard se fut ajusté, Sam se rendit compte que les deux personnes assises là n'étaient pas seulement d'une immobilité anormale : en fait, ce n'était plus vraiment des êtres humains. L'horreur glacée qui s'empara de lui le poussa à avancer.

Indifférent à Sam, un homme nu, probablement Harley Coltrane, était installé sur une chaise pivotante à roulettes, à la droite de la porte, contre le mur ouest. Il était relié à l'ordinateur par deux câbles d'environ deux centimètres de diamètre qui, par leur éclat humide dans la lumière ambrée, paraissaient plus organiques que métalliques. Ils sortaient des entrailles de l'appareil (dont la façade avait été démontée) pour aller plonger dans celles de l'homme, juste en dessous de la cage thoracique, où ils se fondaient avec la chair sans plaies ni saignements. Ils battaient.

– Dieu du Ciel, murmura Sam.

Les avant-bras de Coltrane étaient complètement décharnés, rien que deux os dorés. Les chairs, sur le haut de ses bras, s'arrêtaient progressivement à cinq centimètres au-dessus des coudes. De ces chicots, le radius et le cubitus sortaient aussi impeccablement que le bras d'un robot de son carter métallique. Les mains squelettiques étreignaient le câblage, comme si elles jouaient simplement un rôle de pinces.

Lorsque Sam s'approcha de Coltrane pour mieux voir, il se rendit compte que les deux os n'étaient pas aussi bien différenciés qu'ils auraient dû l'être, et qu'ils avaient partiellement fusionné. En outre, ils étaient veinés de métal. Sous ses yeux, les câbles se mirent à palpiter avec une telle vigueur qu'ils commencèrent à vibrer violemment. S'ils n'avaient pas été solidement maintenus par les mains qui les empoignaient, ils se seraient sans doute arrachés soit de l'homme, soit de la machine.

Tire-toi.

Une voix s'élevait en lui, lui ordonnant de fuir – sa propre voix, même si ce n'était pas celle de Sam Booker adulte, mais celle de l'enfant qu'il avait été et que la peur qu'il ressentait le poussait à redevenir. La terreur extrême est une machine à remonter le temps mille fois plus efficace que la nostalgie, qui nous propulse à toute vitesse à travers les années jusqu'à ce que nous retrouvions l'intolérable condition oubliée d'impuissance dans laquelle nous passons une bonne partie de notre petite enfance.

Tire-toi, cours, tire-toi !

Sam résista à l'envie de se sauver.

Il voulait comprendre. Qu'est-ce qui se passait ? Qu'étaient devenus ces gens ? Pourquoi ? Quel rapport avec les croquemitaines qui rôdaient dans la nuit ? De toute évidence, Thomas Shaddack, grâce à ses découvertes en microtechnologie, avait trouvé un moyen d'altérer, radicalement et définitivement, la biologie humaine. Cela, c'était parfaitement clair aux yeux de Sam ; mais savoir cela, et seulement cela, était comme avoir l'impression que quelque chose vivait au fond de la mer sans jamais avoir vu un seul poisson. Sous la surface, demeuraient tant de mystères !

Tire-toi.

Ni l'homme à côté de lui ni la femme de l'autre côté de la pièce ne paraissaient avoir la moindre conscience de sa présence. Apparemment, il ne courait aucun danger imminent.

Cours, implorait le petit garçon effrayé en lui.

Des flots d'informations, chiffres, lettres, graphiques et tableaux sous des myriades de formes se déversaient en une véritable inondation sur l'écran ambré, tandis que sans un seul cillement Harley Coltrane regardait le défilé de scintillements atténués. Il ne les voyait pas comme un homme ordinaire les aurait vus, car il n'avait plus d'yeux. On les avait arrachés à leurs orbites pour les remplacer par un amas d'autres senseurs : de minuscules perles de verre couleur rubis, de petits nœuds de fils, de fragments gaufrés d'une sorte de céramique, tout un hérissement hétéroclite légèrement enfoncé dans les trous noirs de son crâne.

Sam ne tenait plus le revolver qu'à une main, maintenant. Il n'avait plus le doigt sur la gâchette mais sur la garde, car il tremblait tellement qu'il aurait pu faire feu involontairement.

La poitrine de l'homme-machine se soulevait et retombait. Sa mâchoire inférieure pendait, et une haleine à la puanteur amère en sortait en ondes rythmiques.

On voyait battre un pouls rapide à ses tempes et dans les artères démesurément gonflées de son cou. Mais des pulsations se manifestaient à d'autres endroits où il n'aurait pas dû y en avoir : au milieu de son front, le long de chacune de ses mâchoires, à quatre endroits différents de sa poitrine et de son ventre, dans le haut de son bras, où des vaisseaux sombres et noueux avaient grossi et dépassaient de la couche de graisse sous-cutanée, recouverts seulement par la peau. Son système circulatoire semblait avoir été remodelé et renforcé pour répondre aux nouvelles fonctions qu'on demandait à son organisme de remplir. Pis encore, ces pouls palpitaient selon un étrange rythme syncopé, comme si au mieux deux cœurs battaient dans sa poitrine.

Un hurlement jaillit de la bouche ouverte de la chose ; Sam tressaillit et lâcha un cri de surprise. Le son émis était semblable à celui, si inhumain, qu'il avait entendu depuis le salon et qui l'avait attiré ici, mais il l'avait cru produit par l'ordinateur.

Grimaçant sous l'effet du hurlement électronique, de plus en plus aigu et de plus en plus assourdissant, Sam détacha son regard de la bouche de l'homme-machine pour remonter vers ses « yeux ». Les senseurs se hérissaient toujours dans les orbites. Les perles de rubis brillaient d'une lumière propre, et Sam se demanda si elles enregistraient sa présence dans le spectre de l'infra-rouge ou par d'autres moyens. Mais Coltrane le voyait-il seulement ? L'homme-machine avait peut-être échangé le monde humain pour une réalité différente, était peut-être passé du plan physique à un autre niveau, et peut-être Sam n'avait pour lui aucune signification, passant inaperçu.

Le cri s'atténua, puis s'interrompit soudain.

Sans bien s'en rendre compte, Sam avait levé son arme et, à une distance d'environ cinquante centimètres, la pointait sur le visage de Harley Coltrane. Il fut aussi surpris de s'apercevoir que son doigt avait glissé sur la détente elle-même et qu'il s'apprêtait à détruire la chose.

Il hésita. Après tout, Coltrane était encore un être humain, au moins dans une certaine mesure. Qui pouvait se permettre de dire qu'il ne préférait pas l'état dans lequel il se trouvait actuellement à celui d'homme ordinaire ? Qui pouvait prétendre qu'il n'était pas heureux ainsi ? Sam se sentait mal à l'aise dans le rôle de juge, et plus encore dans celui de bourreau. Dans la mesure où il considérait que la vie était l'enfer sur terre, il devait envisager la possibilité que la condition de Coltrane fût une amélioration ou une échappatoire.

Entre l'homme et l'ordinateur, les câbles brillants en matière semi-organique se mirent à vibrer ; ils frottaient contre les mains squelettiques qui les retenaient prisonniers.

L'haleine pestilentielle de Coltrane était chargée d'effluves où se mêlaient la puanteur de la viande putréfiée et les odeurs de composants électroniques surchauffés.

Les senseurs brillaient et s'agitaient dans les orbites sans paupières.

Doré par le reflet de l'écran, le visage de Coltrane paraissait être figé dans un cri sans fin. Les vaisseaux qui battaient à ses tempes et à ses mâchoires évoquaient moins les battements de son cœur que le grouillement de parasites sous sa peau.

Avec un frisson de révulsion, Sam écrasa la détente. La détonation fit un vacarme assourdissant dans cet espace confiné.

La tête de Coltrane bascula en arrière sous l'effet de l'impact – Sam avait tiré à bout portant – puis retomba en avant, poitrine sur le menton, laissant échapper du sang et de la fumée.

Les câbles répugnants continuaient de battre comme s'ils faisaient circuler un fluide interne.

Sam sentit que l'homme n'était pas complètement mort. Il tourna le revolver vers l'écran de l'ordinateur.

L'une des mains squelettiques de Coltrane lâcha alors le câble qu'elle maintenait et, avec un horrible cliquetis d'ossements, vint brusquement saisir Sam au poignet.

Le policier hurla.

La pièce était maintenant une ruche de bip-bip, de clics et de bredouillis électroniques.

La main infernale le tenait solidement et avec une telle force que les doigts osseux lui pinçaient la chair et commençaient même à l'entailler. Il sentit un sang chaud couler le long de son bras, sous la manche de sa chemise. Dans un éclair de panique, il comprit que la puissance inhumaine de l'homme-machine était telle qu'elle pouvait encore lui broyer le poignet et le laisser pour toujours valide. Au mieux sa main allait-elle rapidement s'engourdir, et le revolver lui échapperait.

Coltrane s'efforçait de relever sa tête à demi détruite.

Sam pensa à sa mère, dans la voiture accidentée, son visage déchiqueté lui souriant, lui souriant, silencieux et immobile, mais lui souriant...

Il donna des coups de pied frénétiques à la chaise de Coltrane, avec l'espoir de l'envoyer rouler au loin, mais les roues avaient été bloquées.

La main osseuse serra plus fort, et Sam hurla de nouveau. Sa vision se brouilla, sans que cela l'empêchât de voir que la tête de l'homme-machine continuait à se relever lentement, très lentement.

Seigneur Jésus, je ne veux pas voir ce visage en bouillie !

Du pied droit, mettant tout ce qu'il avait d'énergie dans ses coups, Sam frappa une fois, deux fois, trois fois les câbles qui reliaient Coltrane à l'ordinateur. Ils se désolidarisèrent de l'homme avec un horrible bruit de succion, et la marionnette s'effondra sur son siège. En même temps, la main squelettique se détacha du poignet de Sam. Avec un crépitement froid, elle heurta le dur revêtement en plastique, sous la chaise.

Les graves pulsations électroniques battaient la mesure comme sur un tambour assourdi, les murs faisant écho, tandis qu'en dessous, un bêlement à peine audible oscillait continuellement entre trois notes.

Cherchant son souffle, encore sous le choc, Sam entoura son poignet meurtri de sa main gauche, comme si cela pouvait atténuer la douleur cuisante qui en montait.

Quelque chose le frôla à la cheville.

Il baissa les yeux et vit les câbles semi-organiques, semblables à des serpents incolores et sans tête, toujours rattachés à l'ordinateur et pleins d'une vie malveillante. Ils paraissaient avoir grandi et faire maintenant le double de leur longueur initiale, quand ils reliaient Coltrane à la machine. L'un d'eux emprisonna sa cheville gauche, l'autre serpenta autour de son mollet droit.

Il essaya de se dégager.

Ils le tenaient solidement.

Ils s'enroulèrent autour de ses jambes.

Il sut d'instinct qu'ils recherchaient la peau nue du haut de son corps et qu'au moindre contact ils s'y enfonceraient pour le rendre partie intégrante du système.

Il tenait toujours le revolver dans sa main droite, maintenant gluante de sang. Il visa l'écran ambré.

Le flot des informations n'y circulait plus ; au lieu de cela, le visage de Coltrane venait d'y apparaître. Il avait retrouvé ses yeux, et on aurait dit qu'il pouvait voir Sam car il le regardait dans les yeux tout en parlant :

– *... besoin... envie... besoin... envie...*

Sans pouvoir se figurer comment la chose était possible, Sam comprit que Coltrane vivait encore. Il n'était pas mort – en tous les cas pas entièrement – avec son corps organique. Il était encore là, dans la machine.

Comme pour confirmer cette intuition, Coltrane pesa contre la surface bombée de l'écran qui se mit à épouser le relief de ses traits. Le verre, devenu aussi malléable que de la gélatine, se gonfla et se creusa avant de se tendre vers l'extérieur, comme si l'homme s'était physiquement trouvé dans la machine, et poussait sur la paroi de verre qui le confinait.

C'était impossible. Et cependant ça se produisait, là, sous ses yeux. Harley Coltrane semblait contrôler la matière avec la seule puissance de son esprit, un esprit qui n'était même plus relié à un organisme humain.

Sam était hypnotisé par la peur, pétrifié, changé en bloc de glace. On aurait dit que son doigt, collé à la détente, était incapable de bouger.

La réalité venait de se déchirer, et à travers l'ouverture on aurait dit qu'un monde de cauchemar, doué d'une infinie malveillance, se précipitait dans l'univers que Sam connaissait et – soudain – aimait.

L'un des câbles ophidiens avait atteint sa poitrine et trouvé un chemin, sous son polo, pour rejoindre sa peau nue. Il eut l'impression d'avoir été touché par un tison chauffé à blanc, et la douleur rompit l'état de transe dans lequel il se trouvait.

Il fit feu par deux fois dans l'ordinateur, commençant par l'écran. Pour la deuxième fois, il tirait dans la tête de Coltrane. Sam, qui s'était presque attendu à ce que l'appareil absorbât la balle sans dégâts, vit avec soulagement le tube cathodique imploser, comme s'il était toujours fait de verre. L'autre balle déchiqueta les entrailles exposées de la mémoire centrale, détruisant définitivement la chose que Coltrane était devenu.

Les tentacules livides et huileux se détachèrent de lui ; ils se couvrirent d'ampoules qui se mirent à gonfler et crever, et parurent se putréfier sous ses yeux.

Les bip-bip, craquements et autres modulations électroniques, sans être insupportablement forts, restaient surnaturellement aigus et remplissaient toujours la pièce.

Lorsque Sam se tourna vers la femme assise devant l'autre ordinateur, près du mur est de la pièce, il constata que les câbles gluants de mucosité qui la reliaient à sa machine s'étaient allongés, lui permettant de se tourner sur sa chaise et de le regarder. En dehors de sa nudité et de ces liens semi-organiques, elle était dans un état assez différent de son époux, mais tout aussi horrible. Elle n'avait plus d'yeux ; mais, au lieu d'être hérissées de senseurs et de capteurs, ses orbites agrandies abritaient deux globes rougeâtres, trois fois plus gros qu'un œil ordinaire, dans un visage remodelé pour pouvoir les contenir ; il s'agissait moins d'yeux à proprement parler que de récepteurs en forme d'œil, sans doute conçus pour percevoir dans un spectre lumineux plus large. De fait, Sam se rendit compte que son image se reflétait, à l'envers, dans chacune des lentilles pourpres. Ses jambes, son ventre, ses seins, ses bras, sa gorge et son visage étaient parcourus d'un réseau serré de vaisseaux sanguins hypertrophiés, courant juste en dessous de sa peau, et qui semblaient tendus jusqu'au point de rupture – si bien qu'elle avait l'air d'un écorché d'anatomie pour un cours sur la vascularisation. Certains de ces vaisseaux transportaient peut-être du sang, mais d'autres palpitaient au rythme de vagues lumineuses comme celles du radium, les uns verts, certains d'un jaune sulfureux

Une sonde segmentée vermiculée, du diamètre d'un crayon, jaillit de son front, comme tirée par un coup de fusil, et fila vers Sam : elle parcourut les trois mètres qui les séparaient en une fraction de seconde, et le frappa au-dessus de l'œil droit avant qu'il eût le temps de l'éviter. La pointe mordit immédiatement dans sa peau. Il entendit une sorte de ronflement aigu, comme si des lames minuscules tournaient à quelque chose comme mille tours minute. Du sang se mit à lui couler sur le front et le long du nez. Mais il avait tiré ses deux dernières cartouches avant même d'avoir été touché. Les deux balles atteignirent leur but ; la première dans le haut du torse de la femme, la deuxième dans l'ordinateur, derrière elle, qui explosa en gerbes d'étincelles puis en éclairs électriques, jusqu'à hauteur du plafond, où ils zigzaguèrent un instant avant de disparaître. La sonde devint lâche et se détacha de lui avant d'avoir pu établir le lien avec son cerveau, ce qui était de toute évidence son intention.

En dehors de la lumière du jour grisâtre qui passait par les fentes ultra-fines des lattes, sur les stores, la pièce était complètement noire.

Absurdement, Sam se souvint de ce qu'un spécialiste des ordinateurs leur avait déclaré, lors d'un séminaire réservé aux agents du Bureau, pour leur expliquer le nouveau mode de fonctionnement : *Les ordinateurs ont de meilleures performances lorsqu'ils sont reliés, car cela permet un traitement parallèle des informations.*

Le front et le poignet droit en sang, il recula en trébuchant jusqu'à la porte ; sa main gauche trouva un interrupteur qui commandait un lampadaire. Il resta planté là – aussi loin qu'il était possible des deux grotesques cadavres tout en les surveillant toujours – et rechargea son arme avec les cartouches qu'il avait dans l'une des poches de sa veste.

Un silence surnaturel régnait dans la pièce.

Rien n'y bougeait.

Le cœur de Sam battait si violemment que chaque coup lui occasionnait une douleur sourde dans la poitrine.

Il fit par deux fois tomber une cartouche, tant sa main tremblait. Il ne se baissa pas pour les récupérer. Il ne pouvait s'empêcher de se dire que dès qu'il ne serait plus en position de faire feu avec précision ou de fuir, l'une des créatures mortes se révélerait bien vivante et bondirait sur lui comme l'éclair, crachotant des étincelles, et le paralyserait avant qu'il eût la possibilité de se relever et de s'enfuir.

Il reprit peu à peu conscience du crépitement de la pluie. Après avoir perdu beaucoup de sa force au cours de la matinée, elle tombait maintenant plus dru que jamais depuis le début du mauvais temps. Le tonnerre ne grondait pas, mais le furieux tambourinement de l'averse, s'ajoutant à l'isolation sonore des murs de la maison, avait probablement étouffé les détonations du revolver, assez, du moins, pour que les voisins ne les entendissent pas. Il pria le Ciel qu'il en fût ainsi. Sans quoi, ils allaient débarquer d'un instant à l'autre pour savoir ce qui s'était passé, et l'empêcheraient de s'échapper.

Du sang continuait de couler de la blessure de son front, et un filet lui pénétra dans l'œil droit, le picotant. Il l'essuya du revers de sa manche du mieux qu'il put, cillant pour chasser les larmes.

Son poignet lui faisait affreusement mal. Mais en cas de besoin, il était capable de tirer de la main gauche avec suffisamment de précision, du moins à courte distance.

Une fois le .38 rechargé, Sam s'avança de nouveau avec précaution dans la pièce, jusqu'au plan de travail où le corps métamorphosé de Coltrane gisait, effondré sur sa chaise, ses bras à demi métalliques effleurant le sol. Un œil sur l'homme-machine mort, il dégagea le téléphone du modem et le posa sur sa fourche, puis il souleva le combiné et eut le soulagement d'entendre la tonalité.

Il avait la bouche tellement sèche qu'il n'était pas sûr de pouvoir articuler convenablement lorsqu'il parlerait.

Il composa le numéro du Bureau à Los Angeles.

Cliquetis sur la ligne.

Un silence.

Une voix enregistrée s'éleva :

– Nous sommes désolés de ne pouvoir faire suivre votre appel pour le moment...

Il raccrocha et fit une nouvelle tentative.

– Nous sommes désolés de ne pouvoir...

Il reposa brutalement l'appareil.

Non seulement un certain nombre de téléphones de Moonligt Cove étaient coupés, mais ceux qui étaient en service ne pouvaient joindre que certains numéros. Des numéros approuvés. L'agence locale de la compagnie du téléphone se trouvait réduite à un système de communication élaboré au service exclusif des convertis.

Comme il se détournait du téléphone, il entendit quelque chose bouger derrière lui. Furtivement, mais avec vivacité.

Il exécuta un brusque demi-tour : la femme était à un mètre de lui. Elle n'était plus reliée à l'ordinateur détruit, mais l'un de ces câbles à l'aspect organique partait du bas de son épine dorsale et, traînant sur le plancher, allait rejoindre une prise électrique.

Sa terreur ne paralysant pas son imagination, Sam pensa : Tu peux remiser tes cerfs-volants à la noix, docteur Frankenstein, pas besoin d'orages ni d'éclairs ; de nos jours, mon vieux, on branche son monstre à la première prise venue, et on lui envoie la sauce direct, avec les compliments de la compagnie d'électricité Pacific Power & Light.

La femme émit un sifflement reptilien et lança un bras vers lui. Au lieu de doigts, elle tendait une main faite de prises à broches multiples comme celles qu'utilisent les petits ordinateurs ; mais ces broches étaient aussi effilées que des ongles.

Sam plongea de côté, heurta la chaise sur laquelle Harley Coltrane était toujours effondré, faillit tomber, mais ouvrit tout de même le feu en direction de la femme-chose. Il vida les cinq cartouches de son chargeur.

Les trois premières balles la rejetèrent en arrière, puis à terre, mais les deux dernières allèrent étoiler le plâtre du mur, car sa panique était telle qu'il n'avait pu s'empêcher d'appuyer sur la détente quand la femme était sortie de sa ligne de tir.

Elle essayait de se relever.

Comme ces saloperies de vampires, pensa-t-il.

Il avait besoin de l'équivalent, en haute technologie, d'un pieu de bois, d'une croix ou d'une balle d'argent.

Le circuit d'artères qui entrelaçait son corps nu était encore agité de palpitations lumineuses, même si, à certains endroits, jaillissaient des étincelles de court-circuit, exactement comme avaient fait les ordinateurs quand il avait tiré dedans.

Plus de balle dans son arme.

Il porta la main à sa poche. Vide.

Tire-toi.

Un gémissement électronique, pas assourdissant mais plus crispant que mille ongles crissant simultanément sur un tableau noir, monta de la femme.

Deux nouvelles sondes segmentées en forme de ver jaillirent de son visage, volant droit sur lui. Il manqua quelques centimètres à l'une et l'autre pour le toucher, peut-être un signe que son énergie allait en s'affaiblissant ; elles se rétractèrent comme deux jets de vif-argent retournant vers la masse-mère.

Néanmoins, elle se relevait.

Sam se précipita vers la porte, se baissa et ramassa les deux cartouches qu'il avait laissées tomber lorsqu'il avait rechargé. Il dégagea le cylindre, secoua l'arme pour faire tomber les douilles vides, et enfonça les deux dernières cartouches à la place.

– ... *enviiiiiiiiiiiiieee... enviiiiiiiiiiiieee...*

Elle était debout, et s'avançait vers lui.

Cette fois-ci, il tint le Smith & Wesson à deux mains, visa soigneusement et lui tira dans la tête.

Commence par la mémoire centrale, pensa-t-il dans un éclair d'humour noir. Seul moyen d'arrêter une machine programmée. Supprime le traitement d'informations et ce n'est plus rien qu'un fouillis de fils et de transistors bon pour la casse.

Elle s'effondra sur le sol. La lumière rouge de ses yeux inhumains s'éteignit ; ils étaient noirs, maintenant. Elle gardait une immobilité absolue.

Soudain, des flammes jaillirent en crachotant de son crâne fracassé, de ses yeux, de ses narines, de sa bouche grande ouverte.

Il alla rapidement vers la prise à laquelle elle était encore reliée, et d'un coup de pied fit sauter la fiche en matière semi-organique.

Les flammes continuaient à monter de sa tête.

Il ne pouvait risquer un incendie. On trouverait les corps, et on fouillerait probablement les environs, maison par maison, celle de Harry comprise. Il chercha des yeux quelque chose qu'il pourrait jeter sur elle pour étouffer les flammes, mais déjà celles-ci diminuaient d'intensité ; au bout de quelques instants, elles s'éteignirent spontanément.

L'air était empuanti de toutes sortes d'odeurs immondes – il préférait ne pas se demander l'origine de certaines.

Il se sentait légèrement étourdi. Une nausée monta en lui. Il serra les dents et contracta la gorge.

En dépit de son désir de sortir sur-le-champ de la pièce, il prit le temps de débrancher les deux ordinateurs. Ils étaient hors d'état de fonctionner et même d'être réparés, mais il éprouvait une peur irrationnelle de les voir, comme la créature du Dr Frankenstein, séquence après séquence dans le film, revenir à la vie sous l'effet de l'électricité.

Il hésita, une fois sur le seuil de la porte, et s'appuya contre le chambranle pour soulager ses jambes flageolantes et étudier les deux cadavres. Il s'était attendu à les voir reprendre leur apparence normale une fois morts, à la manière dont les loups-garous de cinéma, après avoir reçu une balle d'argent ou avoir été battus à mort avec une canne à pommeau d'argent, se métamorphosent toujours une ultime fois et retrouvent leur forme humaine torturée, enfin délivrée de la malédiction. Malheureusement, il ne s'agissait pas ici de lycanthropie, ni d'une malédiction surnaturelle, mais de quelque chose de pis, puisque c'était une création des hommes faite sans l'aide de démons, d'esprits, ou de tout ce qui grouillait dans la nuit. Les Coltrane restaient ce qu'ils étaient, de monstrueux bâtards de chair et de métal, de sang et de silicium – humains et machines à la fois.

Il n'arrivait pas à comprendre comment ils avaient pu devenir ce qu'ils étaient devenus, mais il se rappelait vaguement qu'un mot existait pour les décrire, un mot qui soudain lui revint en mémoire. Des cyborgs. Des personnes dont le fonctionnement physiologique est aidé ou commandé par un système mécanique ou électronique. Les porteurs de pacemakers, régulateurs des rythmes cardiaques, par exemple, sont des cyborgs – et c'est une excellente chose. Ceux dont les reins ne fonctionnent plus, et qui doivent régulièrement être dyalisés, en sont aussi – et c'est très bien. Mais avec les Coltrane, l'idée avait été poussée jusqu'à des limites extrêmes. Ils représentaient le côté cauchemardesque de la cybernétique avancée : ce n'étaient pas seulement les fonctions physiologiques qui étaient aidées, mais les fonctions mentales qui se trouvaient très certainement dépendantes d'une machine.

De nouveau, Sam fut pris d'un haut-le-cœur. Il se détourna vivement de la pièce emplie de fumée et battit en retraite jusqu'à la porte de la cuisine, pour sortir par où il était entré.

À chaque pas, il avait la certitude qu'il allait entendre une voix s'élever derrière lui, une voix à demi électronique – « ... *enviiiiieee...* » – et voir l'un des Coltrane s'avancer pesamment, ranimé par un reste d'énergie de sa batterie.

25

À l'entrée principale de New Wave Microtechnology, sur les hauteurs qui dominaient le périmètre nord de Moonlight Cove, le garde, sous son ciré noir orné du logo de l'entreprise, plissa les yeux pour mieux voir la voiture de police qui s'avançait. Lorsqu'il eut reconnu Loman, il lui fit signe de passer sans même l'arrêter. Loman était déjà bien connu dans les lieux, avant même les premières conversions.

Ce que New Wave représentait en termes de puissance, de prestige et de profits, ne se dissimulait pas derrière des bâtiments discrets, au siège social. L'endroit avait été conçu par un architecte en vogue, au goût prononcé pour les angles arrondis, les formes circulaires et la juxtaposition de murs incurvés convexes ou concaves. Les deux grands bâtiments de deux étages, construits à quatre ans d'intervalle, présentaient une façade en pierre de taille polie, d'énormes vitrages teintés, et s'harmonisaient bien avec le paysage.

Des quatorze cents personnes employées ici, près d'un millier vivaient à Moonlight Cove. Les autres résidaient dans d'autres communautés du comté. Toutes, évidemment, demeuraient à une distance accessible pour l'émetteur à micro-ondes installé sur le toit de la structure principale.

Sur l'allée le conduisant au parking, derrière les bâtiments principaux, Loman pensa : C'est évident, Shaddack est exactement notre révérend Jim Jones. Il a besoin d'être bien sûr que tous ses bigots d'adeptes le suivront jusqu'au dernier, quand il le voudra. Un pharaon des temps modernes. Lorsqu'il mourra, tous ses serviteurs mourront aussi, comme s'il s'attendait à être encore servi par eux dans l'autre monde. Conneries. Croyons-nous seulement encore à un autre monde ?

Non. La foi religieuse a quelque chose à voir avec l'espérance, elle exige un engagement affectif.

Ceux de la Nouvelle Race ne croyaient pas plus en Dieu qu'au Père Noël. Ils ne croyaient qu'en une chose, la puissance de la machine et le destin cybernétique de l'humanité.

Certains, peut-être, ne croyaient même pas à cela.

Loman, par exemple. Il n'y croyait plus du tout – ce qui le terrifiait, lui qui autrefois croyait en tant de choses.

Le rapport entre le chiffre d'affaires brut et les profits, d'un côté, et le nombre de salariés de New Wave, de l'autre, était élevé, même pour l'industrie de la microtechnologie, et sa capacité à payer de hauts salaires pour se procurer les plus talentueux dans le domaine se reflétait dans le pourcentage de voitures haut de gamme de l'énorme parking. Mercedes. Porsche. BMW. Corvette. Cadillac Seville. Jaguar. Japonaises de luxe aux équipements dernier cri.

On ne voyait que la moitié du nombre habituel de véhicules sur le parking. Comme si un fort pourcentage travaillait à la maison, grâce au modem. Combien étaient déjà comme Denny ?

Côte à côte sur le macadam inondé par la pluie, ces voitures évoquaient pour Loman un alignement de pierres tombales. Tous ces moteurs arrêtés, tout ce métal froid, ces centaines de pare-brise mouillés reflétant le ciel gris et sans relief de l'automne lui donnaient soudain un pressentiment de la mort. Pour le policier, ce parking préfigurait l'avenir de toute la ville : le silence, l'immobilité et la terrible paix éternelle d'un cimetière.

Si les autorités, au-delà des limites de Moonlight Cove, découvraient ce qui se passait ici, ou si en fin de compte tous les convertis se trouvaient être des régressifs – ou pis –, et si le projet Faucon-Lune s'avérait un désastre, le remède, cette fois, ne serait pas de la limonade empoisonnée au cyanure, comme celle que Jim Jones avait fait boire à ses fidèles, au Guyana, mais un ordre de mort envoyé en impulsions de micro-ondes. Des milliers de cœurs s'arrêteraient instantanément. Ceux de la Nouvelle Race s'effondreraient comme un seul homme, et Moonlight Cove deviendrait sur-le-champ un cimetière sans tombes.

Loman passa du premier au deuxième parking et se dirigea vers la zone réservée aux responsables de l'entreprise.

Si j'attends que Shaddack s'aperçoive que le projet Faucon-Lune tourne mal et qu'il nous embarque avec lui, songeait Loman, il ne le fera pas par souci de nettoyer les dégâts qu'il aura commis, non, pas cette espèce d'araignée-albinos. Il nous tuera avec lui pour le pur plaisir de la chose, afin de pouvoir faire une sortie spectaculaire, afin que le monde entier en reste bouche bée, médusé par sa puissance : un homme ayant eu le pouvoir de faire mourir des milliers de gens en même temps que lui !

Il ne manquerait pas de cinglés pour en faire un héros, pour l'idolâtrer. Des génies naissants un peu givrés tenteraient de l'imiter. C'était sans aucun doute ce que Shaddack avait à l'esprit. Dans le meilleur (ou le pire ?) des cas, le succès de Faucon-Lune signifierait la conversion de toute l'humanité, et Shaddack serait le maître du monde, littéralement. Sinon, si les choses tournaient mal et qu'il dût se tuer pour ne pas tomber aux mains des autorités, il deviendrait un personnage mythique d'inspiration satanique, dont la légende perverse encouragerait des légions de cinglés et de fous de pouvoir, les Hitler de l'ère du silicium.

Loman freina à l'extrémité de la rangée.

Il passa une main tremblante sur son visage qui luisait d'une sueur grasse.

Il était rempli du désir presque insoutenable d'abandonner cette responsabilité et de rechercher l'existence libre de toute pression des régressifs.

Mais il résista.

S'il réussissait à tuer Shaddack avant que celui-ci eût une chance de se suicider, sa légende en serait ternie. Loman lui-même ne mourrait que quelques secondes plus tard, comme tous ceux de la Nouvelle Race, mais au moins la légende devrait-elle tenir compte du fait que ce Jim Jones futuriste avait péri sous les coups de l'une des créatures qu'il avait créées. On verrait que son pouvoir avait des limites, que son intelligence en avait aussi, et qu'il était peut-être un dieu, mais un dieu non exempt de défauts, un dieu victime de la même folie que le Dr Moreau de Wells, et son œuvre serait davantage considérée comme démente.

Loman tourna à droite et constata, désappointé, que ni la Mercedes de Shaddack ni son van couleur anthracite ne se trouvaient sur l'emplacement qui leur était réservé. Il pouvait cependant être ici ; quelqu'un d'autre avait pu le conduire et le déposer.

Loman gara son véhicule sur le rectangle marqué TS et coupa le moteur.

Il portait son arme de service dans un étui à la hanche ; par deux fois, il avait déjà vérifié qu'elle était chargée. Il vérifia encore.

Entre le domicile de Shaddack et New Wave, le policier s'était arrêté sur le bord de la route pour rédiger une note qu'il avait l'intention de laisser sur le cadavre du nouveau Jim Jones, note dans laquelle il expliquait clairement qu'il avait tué l'homme qui l'avait fabriqué. Lorsque les autorités pénétreraient dans Moonlight Cove, venant du monde des non-convertis, elles trouveraient la note et comprendraient.

Ce n'était pas poussé par de nobles intentions qu'il voulait tuer Shaddack. Ce genre de sacrifice élevé exigeait une profondeur de sentiment à laquelle il ne pouvait plus prétendre. Il allait l'assassiner strictement parce qu'il était terrifié à l'idée que Shaddack pût découvrir ce qu'il était advenu de Denny, ou d'autres ayant subi la même évolution monstrueuse, et inventât un moyen de tous les obliger à une union sacrilège avec les machines.

Des yeux en argent fondu...

De la bave lui coulant sur le menton...

La sonde-pseudopode jaillissant du front du garçon pour aller chercher la chaleur vaginale de l'ordinateur...

Ces images à glacer le sang, ainsi que d'autres, tournaient impitoyablement dans l'esprit de Loman.

Il allait tuer Shaddack pour ne pas être lui-même forcé de devenir ce que Denny était devenu, et la destruction de la légende de l'informaticien fou ne serait qu'un effet bénéfique secondaire.

Il replaça le revolver dans son étui et descendit de voiture. Se hâtant sous la pluie, il gagna l'entrée principale, poussa les portes en verre biseauté et pénétra dans le hall de marbre ; là, tournant à droite, il se dirigea vers la réception. En termes de luxe de style « siège social », l'endroit rivalisait avec les sociétés high-tech les plus connues de Silicon Valley, un peu plus au sud. Marbres, parements de cuivre, délicats candélabres de cristal, chandeliers modernes et autres babioles attestaient le succès de New Wave.

La femme de service était Dora Hankins. Le policier l'avait toujours connue. Elle avait un an de plus que lui. Il avait un temps flirté avec sa sœur cadette, quand il avait dix-huit ans.

Elle leva les yeux sans rien dire lorsqu'elle le vit approcher.

– Shaddack ? demanda-t-il.

– Il n'est pas ici.

– Tu en es sûre ?

– Oui.

– Quand doit-il arriver ?

– Sa secrétaire doit le savoir.

– Je monte.

– Très bien.

Tandis que se refermaient sur lui les portes de l'ascenseur, après qu'il avait appuyé sur le bouton du deuxième étage, Loman songea à la petite conversation qu'il aurait eue avec Dora Hankins, à l'époque où ils n'avaient encore ni l'un ni l'autre subi le Changement. Ils se seraient mutuellement taquinés, auraient échangé des nouvelles de leurs familles respectives, commenté le mauvais temps. Plus maintenant. Les bavardages étaient un plaisir de leur ancien univers. Une fois convertis, ils leur paraissaient sans objet. En fait, s'il se rappelait que ces bavardages faisaient naguère partie de la vie civilisée, il ne se souvenait absolument plus pour quelles raisons il avait pu s'y complaire, ni des plaisirs qu'ils lui procuraient.

La suite qui composait les bureaux de Shaddack occupait l'angle nord-est du bâtiment, au deuxième étage. La première pièce du hall était un salon de réception à la luxueuse moquette beige, richement meublé des plus beaux canapés Roche-Bobois en cuir, autour de tables basses en cuivre dont les plateaux de verre mesuraient un pouce d'épaisseur. La seule œuvre d'art était une peinture de Jasper Johns – un original, pas une reproduction.

Qu'allait-il advenir des artistes, dans le monde à venir ? se demanda fugitivement Loman.

Mais il connaissait la réponse. Il n'y en aurait plus un seul. L'art, c'était de l'émotion pure matérialisée par de la peinture sur de la toile, par des mots sur une page, par de la musique dans une salle de concert. Pas d'art, dans le nouveau monde. Ou alors, un art de la peur. Les mots qu'utiliseraient le plus souvent les écrivains seraient des synonymes de ténèbres. Les musiciens n'écriraient plus que des chants funèbres, et le pigment le plus utilisé par les peintres serait le noir.

Vicky Lanardo, secrétaire de direction de Shaddack, se trouvait à son bureau.

– Il n'est pas là, dit-elle.

Derrière elle, la porte de l'énorme bureau privé de Shaddack était grande ouverte ; aucune lumière n'y était allumée. Il n'était éclairé que par la clarté plombée du jour, qui passait en bandes gris cendré entre les lamelles des stores.

– Quand doit-il venir ? demanda Loman.

– Je ne sais pas.

– Aucun rendez-vous ?

– Aucun.

– Savez-vous où il est ?

– Non.

Loman repartit. Il rôda pendant un moment dans les corridors, les bureaux et les labos à demi déserts, dans l'espoir de tomber sur Shaddack.

Il ne tarda cependant pas à conclure que le grand homme ne devait pas traîner dans les lieux. De toute évidence, il préférait rester mobile pour le dernier jour de la conversion de Moonlight Cove.

Le policier quitta le bâtiment, retourna au véhicule de patrouille, et partit à la recherche de son créateur.

26

Dans le cabinet de toilette du rez-de-chaussée, à côté de la cuisine, Sam s'assit sur le couvercle refermé des toilettes et laissa Tessa remplir, comme pour Chrissie, ses fonctions d'infirmière. Mais les blessures de Sam étaient plus sérieuses que celles de la fillette.

Dans le cercle de la taille d'une pièce de monnaie qui déparait son front, la peau avait disparu, ainsi que toute la chair, au centre : on y voyait un morceau d'os d'environ deux millimètres de diamètre. Arrêter le flot du sang qui coulait des minuscules capillaires coupés exigea plusieurs minutes de pression continue, suivie d'une application de teinture d'iode, puis d'une couche généreuse de cicatrisant en crème, par-dessus laquelle Tessa fixa un pansement de gaze qu'elle maintint par un bandage bien serré. Mais même après tous ces efforts, la gaze ne tarda pas à se teinter lentement de rouge sombre.

Tandis que Tessa officiait, Sam poursuivit le récit de son histoire pour le bénéfice de tous :

– ... Si bien que si je ne lui avais pas tiré dans la tête à ce moment précis... Si j'avais été trop lent d'une ou deux secondes, je crois que cette foutue saloperie de truc, une sonde, aucune idée du nom qu'on peut lui donner, m'aurait troué le front et se serait enfoncée dans mon cerveau, pour se connecter avec moi comme elle l'était avec l'ordinateur.

Chrissie, qui avait récupéré sa blouse et son jeans secs, se tenait debout dans l'entrée du cabinet de toilette, le visage blême, mais ne voulait pas en perdre une miette.

Harry avait roulé son fauteuil à côté d'elle.

Moose s'était allongé aux pieds de Sam, et non à ceux de son maître, comme s'il avait compris qu'à ce moment le visiteur avait davantage besoin de réconfort que Harry.

Sam avait la peau anormalement froide, au toucher, plus que ne pouvaient l'expliquer les quelques minutes qu'il avait passées sous la pluie glacée. Il tremblait, et était parcouru par moments de frissons si violents que ses dents claquaient.

Plus il parlait, plus Tessa se sentait devenir froide à son tour, au point de se mettre elle-même à frissonner avec lui.

Il avait le poignet droit coupé des deux côtés, là où Harley Coltrane l'avait serré de sa puissante main osseuse. Aucun vaisseau sanguin important n'avait été sectionné, et les plaies n'exigeaient pas de points. Les meurtrissures, qui commençaient à peine à apparaître et n'épanouiraient leur bleuissure que dans quelques heures, seraient pires que les coupures. Il se plaignait d'une douleur dans l'articulation, et sa main restait faible, mais Tessa ne pensait pas qu'il eût des os fracturés ou écrasés.

– ... comme s'ils avaient reçu la capacité de contrôler leur apparence physique, continuait Sam d'une voix tremblante, et de faire d'eux tout ce qu'ils voudraient, l'esprit dominant la matière, exactement comme Chrissie l'a dit lorsqu'elle nous a parlé du prêtre, celui qui s'est transformé en une créature de film fantastique...

La fillette acquiesça.

– Ce que je veux dire, c'est qu'ils changeaient de forme sous mes yeux, qu'ils faisaient jaillir ces appendices pour essayer de me transpercer. Et cependant, alors qu'ils disposent de cet incroyable contrôle de leur corps, on dirait qu'ils ne cherchent à faire d'eux... que des créatures de cauchemar.

Sa blessure à l'abdomen était la plus légère des trois. Comme sur son front, un rond de peau avait été arraché ; mais la sonde qui l'avait frappé là semblait avoir été destinée à le brûler plutôt qu'à s'ouvrir un passage jusque dans son organisme. La chair était calcinée, et la plaie s'était en quelque sorte cautérisée elle-même.

Depuis son fauteuil roulant, Harry demanda :

– Croyez-vous, Sam, que ces gens se contrôlent réellement eux-mêmes, qu'ils ont *choisi* de devenir semblables à des machines ? N'auraient-ils pas été plutôt envahis, je ne sais de quelle manière, par les machines, contre leur volonté ?

– Je ne sais pas. Mais c'est aussi plausible que le reste.

– Mais comment ont-il pu être envahis ? Comment quelque chose comme ça a-t-il pu se produire ? Comment de telles transformations du corps humain sont-elles pensables ? Et quel rapport existe-t-il entre les Coltrane et les croquemitaines ?

– Ça fait beaucoup de questions, observa Sam, et la seule chose que je puisse dire, c'est qu'il existe un rapport avec New Wave. Obligatoirement. Or aucun de nous, ici, ne s'y connaît dans la technologie de pointe de ce domaine, si bien que nous n'avons même pas les informations de base pour spéculer de manière intelligente ; pour nous, il pourrait tout aussi bien s'agir de magie ou de phénomènes surnaturels. La seule manière de jamais comprendre ce qui se passe reste d'obtenir une aide extérieure, de mettre Moonlight Cove en quarantaine, de s'emparer des laboratoires et des enregistrements de New Wave, et de reconstituer ce qui est arrivé, comme un spécialiste des incendies reconstitue les événements en fouillant dans les cendres.

– Les cendres ? s'étonna Tessa, qui aidait Sam à remettre sa chemise. Cette comparaison, comme d'autres choses que vous avez dites, me fait penser que ce qui se prépare ici va rapidement se transformer en une véritable explosion.

– C'est le mot, répondit Sam.

Il voulut boutonner sa chemise d'une main, mais finit par laisser faire la jeune femme. Elle remarqua qu'il avait la peau encore froide, et que ses frissons ne diminuaient pas avec le temps.

– Tous ces meurtres qu'il leur faut dissimuler, ces choses qui rôdent dans la nuit... tout cela donne l'impression que l'effondrement a commencé, que quoi que ce soit que l'on a essayé de faire ici a tourné autrement que prévu, et que cet effondrement va en s'accélérant.

Il respirait trop rapidement, pas assez à fond. Il se tut un instant, et se força à prendre une profonde inspiration.

– Ce que j'ai vu chez les Coltrane... ne ressemblait à rien de ce qu'un esprit, même détraqué, aurait pu vouloir. Personne n'aurait pu vouloir faire quelque chose comme ça à des gens... et encore moins des gens vouloir se le faire à eux-mêmes. On se serait cru devant une expérience de laboratoire dont on aurait perdu le contrôle... de la biologie saisie de folie, la réalité mise à l'envers. Je jure devant Dieu que si c'est ce genre de secret qui se cache dans les maisons de cette ville, alors tout le projet est forcément en train de s'effondrer sur New Wave en ce moment même ; ça s'écroule sur leur tête comme un château de cartes, en plus dur, qu'ils veuillent l'admettre ou non. C'est en train d'exploser, en ce moment, une sacrée explosion, et nous sommes juste au milieu.

Depuis l'instant où il avait franchi en trébuchant le seuil de la cuisine, dégoulinant de pluie et de sang, jusqu'au moment où Tessa eut nettoyé et pansé ses plaies, elle avait remarqué quelque chose qui l'effrayait encore plus que sa pâleur et ses tremblements. Il ne cessait de les toucher, les uns après les autres. Il avait pris Tessa dans ses bras, dans la cuisine, lorsqu'elle avait poussé un cri de surprise en voyant sa blessure sanglante au front ; il l'avait serrée contre lui et lui avait répété qu'il allait bien, que ce n'était rien. Il avait avant tout paru se rassurer lui-même en constatant qu'elle-même, Harry et Chrissie allaient bien, eux aussi, comme s'il s'était attendu, en revenant, à les trouver... changés. Il étreignit aussi Chrissie, comme si elle était sa propre fille, lui disant :

– Ça va aller, tu vas voir, ça va aller, lorsqu'il avait vu à quel point elle était terrifiée.

Harry lui avait tendu une main amicale que Sam avait saisie et gardée longuement, paraissant ne la relâcher qu'à contrecœur. Dans le cabinet de toilette, pendant que Tessa traitait ses blessures, il lui avait à plusieurs reprises touché les mains, les bras, et avait même une fois effleuré sa joue, comme s'il se demandait si sa peau était aussi douce et chaude qu'elle le paraissait. Il avait également tendu un bras vers Chrissie et lui avait tapoté l'épaule, puis tenu un moment la main, avec des pressions rassurantes. Or jusque-là, il avait été tout le contraire, se montrant réservé, mesuré, froid, un peu distant, même. Mais durant le quart d'heure qu'il avait passé chez les Coltrane, il s'était trouvé tellement secoué par ce qu'il avait vécu que la carapace d'isolement dans laquelle il s'était enfermé lui-même avait volé en éclats ; il s'était mis à rechercher les contacts humains que, moins d'une demi-heure auparavant, il ne mettait même pas au rang de la nourriture mexicaine, de la Guinness Stout et des films de Goldie Hawn.

Lorsqu'elle voulut évaluer l'intensité de l'horreur nécessaire pour l'avoir transformé de manière aussi abrupte et complète, Tessa se sentit plus épouvantée que jamais : la rédemption de Sam Booker faisait penser à celle d'un pécheur qui, sur son lit de mort, ayant vu s'ouvrir la gueule de l'enfer, se tourne désespérément vers le dieu qu'il méprisait naguère, à la recherche de réconfort et de consolation. Était-il moins sûr, maintenant, de leurs chances de s'en sortir ? Peut-être quémandait-il les contacts humains parce que, s'en étant privé pendant tant d'années, il croyait qu'il ne lui restait que quelques heures pour faire l'expérience d'une certaine communion avec ceux de son espèce avant que les ténèbres, profondes, infinies, ne se refermassent sur eux.

27

Shaddack s'éveilla sur son rêve familier et réconfortant d'une humanité faite d'hommes et de machines combinés dans un moteur d'une puissance incalculable recouvrant le monde, aux buts mystérieux. Comme toujours, il se sentait revigoré tout autant par le rêve que par le sommeil lui-même.

Il sortit du van et s'étira. Avec des outils qu'il trouva dans le garage, il força la porte qui donnait dans la maison de feu Paula Parkins. Il se servit des toilettes, puis se lava le visage et les mains.

Il alla ensuite relever la grande porte du garage et fit rouler le van jusque sur l'allée, où la réception et l'envoi d'informations par micro-ondes seraient meilleurs.

Il pleuvait toujours, et des flaques se formaient dans les dépressions de la pelouse. Des volutes de brume ondulaient paresseusement dans l'atmosphère sans vent, ce qui signifiait probablement que le brouillard qui monterait plus tard de la mer serait encore plus dense que celui de la nuit dernière.

Il prit un autre sandwich au jambon et un Coke dans la glacière et mangea tout en pianotant sur l'ordinateur du véhicule, afin de vérifier où en était le projet Faucon-Lune. Le programme de six à dix-huit heures, pendant lequel quatre cent cinquante conversions devaient être effectuées, était toujours en cours. Alors qu'il n'était que douze heures cinquante, trois cent neuf personnes avaient déjà reçu leur injection de microsphères à spectre complet. Les équipes de conversion étaient largement en avance.

Il apprit en revanche que les patrouilles n'avaient toujours pas retrouvé Sam Booker, non plus que la femme, Lockland.

L'informaticien aurait dû s'inquiéter de cette défaillance, mais elle le laissa indifférent. Il avait vu le faucon de lune, après tout, non pas une mais trois fois, et il avait la certitude qu'il finirait par atteindre tous ses objectifs.

La petite Foster restait également introuvable. Cela non plus ne l'inquiéta pas. Elle avait très certainement fait une rencontre mortelle au cours de la nuit. Ces régressifs, parfois, pouvaient se révéler utiles.

Booker et Lockland avaient d'ailleurs peut-être été victimes d'accidents similaires. Il y aurait quelque ironie à ce que les régressifs – unique défaut du projet, mais défaut potentiellement sérieux – eussent contribué à préserver le secret de Faucon-Lune.

Par micro-ondes, il tenta sans succès de joindre Tucker à New Wave, puis chez lui. Watkins aurait-il eu raison ? Tucker serait-il un régressif incapable, comme Peyser, de retrouver sa forme humaine ? Se trouverait-il en ce moment quelque part dans les bois, prisonnier d'un état altéré ?

Coupant l'ordinateur, Shaddack soupira. Après minuit, lorsque tout le monde aurait été converti, la première phase du projet ne serait pas achevée. Pas tout à fait. Il y aurait du ménage à faire.

28

Dans la cave de la colonie Icare, trois corps s'étaient fondus en un. L'entité qui en était résultée n'avait ni rigidité, ni ossature, ni forme définie ; c'était une masse pulsante de tissus qui vivait en dépit de l'absence de cerveau, de cœur et de vaisseaux sanguins, et de tout organe différencié. Cette soupe protéinique primitive était consciente bien que sans cerveau, capable de voir et d'entendre bien que sans yeux et sans oreilles, sans entrailles mais affamée.

Les agrégats de microsphères de silicone s'étaient dissous en elle. Cet ordinateur interne ne pouvait plus fonctionner dans la substance radicalement altérée de la créature, et celle-ci n'avait pas davantage l'usage de l'assistance biologique que cet ordinateur avait pour objet de lui apporter. Il n'était plus relié à Sun, celui de New Wave. Au cas où le méga-ordinateur enverrait un ordre de mort, il ne le percevrait pas, et la créature continuerait à vivre.

Elle était devenue maîtresse de sa physiologie en se réduisant à une essence simplifiée de l'existence physique.

Les trois esprits s'étaient également fondus en un. La conscience qui habitait maintenant la cave obscure était d'une forme aussi peu complexe que le corps amorphe et gélatineux qui l'abritait.

Elle avait renoncé à toute mémoire, car les souvenirs avaient inévitablement trait à des événements et à des relations, à des choses dotées de conséquences, et celles-ci, bonnes ou mauvaises, impliquaient que l'on était responsable de ses actions. C'est la fuite des responsabilités qui, avant tout, avait fait régresser la créature. La souffrance était une autre raison de renoncer à la mémoire – souffrance de se souvenir de ce que l'on avait perdu.

De même, elle avait renoncé à la capacité d'envisager l'avenir, de faire des plans, de rêver.

Elle n'avait maintenant plus conscience du moindre passé, et le concept d'avenir était au-delà de sa portée. Elle ne vivait que pour l'instant, sans penser à rien, sans rien sentir, sans se soucier de rien.

Elle n'éprouvait qu'un besoin : survivre.

Et pour survivre, il ne lui fallait qu'une chose : manger.

29

La vaisselle du petit déjeuner avait été faite pendant que Sam, dans la maison des Coltrane, affrontait des monstres apparemment mi-ordinateurs mi-zombies – voire mi-grille-pain, pour ce qu'ils en savaient. Une fois Sam pansé, ils se réunirent tous les quatre autour de la table de la cuisine pour discuter de ce qu'il fallait faire.

Moose restait à côté de Chrissie, la regardant de ses yeux bruns mélancoliques, comme s'il l'adorait plus que la vie. Elle ne pouvait résister au plaisir de le câliner et de le gratter derrière les oreilles tant qu'il voulait.

– Le grand problème de notre époque, disait Sam, est d'arriver à contrôler l'accélération des progrès techniques de manière à les utiliser pour améliorer la qualité de la vie, sans se laisser déborder par eux. Pouvons-nous nous servir de l'ordinateur pour remodeler notre monde et nos vies, sans un jour finir par l'idolâtrer ? Ce n'est pas une question idiote, ajouta-t-il avec un clin d'œil à Tessa.

Celle-ci fronça les sourcils.

– Je n'ai pas dit qu'elle l'était. Nous avons tendance à faire une confiance aveugle aux machines, à croire que tout ce que nous sort un ordinateur est parole d'Évangile.

– Et à oublier la vieille maxime : il ne peut vous rendre que ce qu'on lui donne, intervint Harry.

– Exactement, dit Tessa. Il est dangereux de croire la machine infaillible, pour la bonne raison que celui qui l'a conçue, qui a conçu ses programmes, peut être un fou.

– Les gens ont tendance, observa Sam, non, éprouvent un profond désir de dépendre des machines.

– Ouais, dit Harry. Ça, c'est notre fichu besoin de nous débarrasser de nos responsabilités chaque fois que c'est possible. Un besoin inscrit dans nos gènes, j'en jurerais, et la seule manière de faire quelque chose dans ce monde est de lutter en permanence contre notre inclination naturelle à l'irresponsabilité. J'en arrive à me demander parfois si ce n'est pas ce qui nous est tombé dessus lorsque Ève a écouté le serpent et croqué la pomme : cette aversion pour nos responsabilités. La plupart de nos maux ont là leur origine.

Chrissie remarqua que ce thème échauffait l'infirme. S'aidant de sa bonne main et du peu de force qui lui restait dans l'une des jambes, il se soulevait dans son fauteuil ; son visage avait pris des couleurs. Il serra sa main en poing et la regarda attentivement, comme s'il y tenait quelque chose de précieux, une idée qu'il ne voulait pas laisser filer avant de l'avoir complètement explorée.

Il déclara :

– Les hommes volent, tuent, mentent, trichent parce qu'ils ne se sentent aucune responsabilité pour les autres. Les politiciens veulent le pouvoir et être applaudis lorsque leur politique réussit, mais ils prennent bien rarement la responsabilité de leurs échecs. Le monde est plein de gens prêts à vous expliquer comment vivre votre vie, comment avoir le paradis sur terre, mais lorsque leurs idées se révèlent aberrantes, lorsqu'elles se terminent par des Dachau, des goulags ou des massacres systématiques comme ceux qui ont suivi notre départ de l'Asie du Sud-Est, ils détournent la tête et leurs regards, et prétendent n'avoir aucune responsabilité dans la catastrophe.

Il frissonna, et Chrissie aussi – bien qu'elle ne fût pas entièrement sûre d'avoir tout compris.

– Bon sang, reprit Harry, si je n'y ai pas pensé cent fois, je n'y ai pas pensé une. Que dis-je, cent fois, mille, dix mille fois, à cause de la guerre.

– Celle du Viêt-nam ? demanda Tessa.

Harry acquiesça. Il contemplait toujours son poing.

– Pendant la guerre, pour survivre, il fallait être responsable chaque instant de chaque jour, être sans hésiter responsable de soi-même dans chacune de ses actions. Être responsable des copains, aussi, parce qu'on ne réussissait pas à survivre seul. C'est peut-être le seul aspect positif de la guerre : elle vous clarifie les idées et vous fait comprendre que le sens des responsabilités est ce qui sépare les bons des méchants. Je ne regrette pas de l'avoir connue, même au regard de ce qui m'est arrivé. J'ai appris cette grande leçon, appris à être responsable de tout ; et je me sens encore responsable des gens pour qui nous combattions, je m'en sentirai toujours responsable ; et parfois, quand je songe à la manière dont nous les avons abandonnés sur le champ de bataille, quand je pense aux fosses communes, je n'arrive pas à m'endormir et je pleure, car ils comptaient sur moi, et dans la mesure où je faisais partie du processus, je porte la responsabilité de cet abandon.

Tous gardèrent le silence.

Chrissie ressentait une oppression dans sa poitrine, la même chose que ce qu'elle éprouvait à l'école lorsqu'un professeur – n'importe quel professeur, dans n'importe quelle matière – commençait à expliquer un sujet qui lui était inconnu jusque-là, et qui l'impressionnait au point de changer sa vision du monde. Ça ne lui arrivait pas souvent, mais c'était toujours un sentiment à la fois effrayant et exaltant. Elle le ressentait en ce moment, après ce que venait de dire Harry, mais d'une manière cent fois plus forte que lorsqu'elle avait été mise en face d'une nouvelle idée ou d'une nouvelle vision des choses en mathématiques ou en géographie.

– Harry, dit alors Tessa, il me semble que dans ce cas, votre sens des responsabilités est excessif.

Il finit par détacher les yeux de son poing.

– Non. C'est impossible. Votre sens des responsabilités envers les autres ne peut jamais être excessif. (Il lui sourit.) Mais je crois déjà vous connaître assez bien pour soupçonner que vous le savez déjà, même si vous n'en avez pas conscience.

Il se tourna vers Sam et continua :

– Certains, parmi ceux qui sont revenus de cette guerre, n'y ont rien vu de bon. Lorsque j'en rencontre, j'ai toujours l'impression qu'ils n'ont jamais appris la leçon, et j'ai tendance à les éviter, même si je me dis que je suis injuste. Peux pas m'en empêcher. Mais lorsque j'en trouve un qui a appris la leçon, je suis prêt à lui confier ma vie. Bon Dieu ! Je lui confierais mon âme... on dirait bien, au fait, que c'est ce qu'ils veulent nous voler, aujourd'hui. Mais vous allez nous tirer de là, Sam. (Il ouvrit finalement le poing.) Je n'en doute pas.

Tessa parut surprise.

– Vous avez été au Viêt-nam ? demanda-t-elle à Sam.

– Oui, après le collège et avant d'entrer au Bureau.

– Mais vous n'y avez pas fait allusion. Ce matin, pendant que nous préparions le petit déjeuner, lorsque vous m'avez expliqué toutes les raisons que vous aviez de voir les choses différemment de moi, vous avez parlé de la mort de votre femme, de celle de vos collègues, de vos rapports avec votre fils, mais pas de ça !

Sam, à son tour, contemplait son poignet bandé. Il mit un certain temps avant de répondre.

– La guerre reste l'expérience la plus personnelle de ma vie.

– Quel point de vue bizarre...

– Non, remarqua Harry, nullement bizarre. L'expérience la plus intense et la plus personnelle.

– Si je n'en avais pas réellement fait le tour, reprit Sam, j'en parlerais probablement encore, elle me trotterait probablement dans la tête en permanence. Mais j'ai fait ma paix avec elle. J'ai compris. Et en parler maintenant à bâtons rompus avec quelqu'un que je connais à peine... ce serait l'amoindrir, il me semble.

Tessa regarda Harry et dit :

– Mais vous saviez, vous, qu'il avait été au Viêt-nam ?

– Oui.

– Sans avoir eu besoin de le lui demander ?

– En effet.

Sam, qui était resté jusqu'ici accoudé à la table, s'adossa à son siège.

– Harry, je jure que je ferais de mon mieux pour tous nous tirer d'affaire. Mais je voudrais mieux cerner l'ennemi. Je sais que tout vient de New Wave. Mais qu'ont-ils fait, exactement ? Comment les arrêter ? Et comment espérer les manœuvrer alors que je ne comprends même pas de quoi il est question ?

Jusqu'ici, Chrissie avait eu l'impression que la conversation lui passait largement au-dessus de la tête, même si elle l'avait trouvée fascinante et qu'avait été réveillé en elle son goût d'apprendre. Mais elle estimait maintenant pouvoir y contribuer.

– Vous êtes *sûrs* que ce ne sont pas des extra-terrestres ?

– Nous en sommes sûrs, répondit Tessa en lui souriant, tandis que Sam lui ébouriffait les cheveux.

– Ce que je voulais dire, poursuivit néanmoins Chrissie, c'est que les choses ont peut-être mal tourné à New Wave parce que des extra-terrestres ont justement atterri là et s'en sont servis comme d'une base ; ils veulent peut-être tous nous transformer en machines, comme les Coltrane, pour faire de nous leurs esclaves. D'ailleurs, quand on y pense, c'est plus logique que de vouloir nous manger. Ce sont des extra-terrestres, après tout, ce qui veut dire qu'ils ont d'autres types d'estomac et de sucs digestifs, et on serait sans doute impossibles à digérer pour eux, on leur ficherait des boutons, la colique...

Sam, qui se trouvait assis à côté de la fillette, lui prit les deux mains et les tint avec douceur dans les siennes, n'oubliant ni sa paume écorchée ni son propre poignet blessé.

– Je ne sais pas si tu as bien écouté ce qu'Harry vient de nous dire, Chrissie...

– Oh, si, le coupa-t-elle. Tout ce qu'il a dit.

– Eh bien alors tu me comprendras, si je te dis que vouloir rejeter la faute de toutes ces horreurs sur des extra-terrestres n'est qu'une autre manière de déplacer les responsabilités. C'est nous, les hommes, qui sommes responsables, avec notre capacité monstrueuse à faire du mal aux autres. Il paraît difficile de croire que quelqu'un, même un cinglé, ait voulu faire des Coltrane ce qu'ils étaient devenus ; et pourtant, il y a bien quelqu'un qui l'a voulu. Si nous essayons d'en rejeter la faute sur les extra-terrestres – ou sur le diable, ou sur Dieu, ou sur les trolls, ou sur n'importe qui –, nous ne serons jamais en mesure de voir la situation comme elle est réellement et de nous en sortir. Tu comprends ?

– Un peu.

Il lui sourit. Il avait un très beau sourire, même s'il ne l'exhibait pas souvent.

– Je pense que tu comprends plus qu'un peu.

– Plus qu'un peu, admit Chrissie. Évidemment, ce serait chouette si c'étaient des extra-terrestres, parce qu'on n'aurait juste qu'à trouver leur nid ou leur ruche, à les brûler un bon coup, ou à faire sauter leur vaisseau spatial, et tout serait terminé. Mais si ce ne sont pas des extra-terrestres, si c'est nous, enfin des gens comme nous qui ont fait tout ça, alors on est peut-être loin d'en avoir fini.

30

Sa frustration ne faisant que croître, Loman Watkins parcourait Moonlight Cove en tous sens, sous la pluie, à la recherche de Shaddack. Il était retourné à la maison de la pointe nord pour s'assurer qu'il n'y était pas revenu et avait regardé dans le garage pour savoir quel véhicule manquait. C'était donc le van anthracite aux vitres teintées qu'il cherchait, sans arriver à le localiser.

Partout où il allait, les équipes de conversion et les patrouilles étaient au travail. Si les non-convertis avaient peu de chances de remarquer autre chose que des allées et venues sortant un peu de l'ordinaire, Loman avait constamment conscience de leur présence active.

Aux barrages routiers nord et sud de la route du comté, ainsi qu'au barrage principal à l'extrémité est d'Ocean Avenue, en direction de la nationale, les hommes de Watkins continuaient de refouler les étrangers qui voulaient pénétrer dans Moonlight Cove. La vapeur d'eau qui montait des pots d'échappement des voitures de patrouille se mêlait aux premières volutes de la brume qui commençait à se former, malgré la pluie. Les gyrophares bleus et rouges se reflétaient sur le macadam mouillé, et on aurait dit que des traînées de sang – les unes riches en oxygène, les autres appauvries – coulaient sur la chaussée.

Rares étaient les personnes à se présenter : la ville n'était ni le siège du comté ni un centre commercial important pour les communautés environnantes. Qui plus est, sa situation à l'extrémité ou presque de la route secondaire du comté faisait qu'il n'y avait à peu près nulle part où se rendre au-delà, si bien que personne n'avait à l'emprunter pour simplement traverser le territoire de la ville. Ceux qui insistaient se voyaient expliquer que l'entrée en ville était interdite à cause d'une émission toxique provoquée par un accident à New Wave, et les plus sceptiques étaient arrêtés, conduits au commissariat et mis sous les verrous en attendant que fût prise la décision de les convertir ou de les tuer.

Depuis la mise en place de la quarantaine, aux petites heures du matin, une dizaine de personnes seulement s'étaient présentées aux barrages, et six avaient ainsi été incarcérées.

Shaddack avait judicieusement choisi le site de sa première expérience. Par son isolement relatif, Moonlight Cove était plus facile à contrôler.

Loman aurait bien voulu donner l'ordre de lever les barrages et filer lui-même jusqu'à Aberdeen Wells, afin de tout raconter au shérif du comté. Il souhaitait réduire à néant le projet Faucon-Lune.

Il n'avait plus peur de la colère de Shaddack, ni de la mort. Enfin presque... Il avait peur de Shaddack et de la mort, mais moins que de la perspective de devenir comme Denny. Autant se remettre aux mains des autorités fédérales – voire aux mains des savants qui, lorsqu'ils feraient le ménage de Moonlight Cove, ne manqueraient pas d'avoir envie de le disséquer – que rester en ville et renoncer inévitablement aux ultimes fragments de son humanité, soit dans la régression, soit par de cauchemardesques épousailles de son corps et de son esprit avec un ordinateur.

Mais s'il ordonnait à ses hommes de lever le camp, il ne ferait qu'éveiller leurs soupçons, et leur loyauté envers Shaddack, fondée sur la terreur, était plus forte que celle qu'ils lui devaient. Ils redoutaient leur maître de New Wave plus que tout au monde, car ils n'avaient pas vu ce que Denny était devenu, et n'avaient pas encore conscience de ce que l'avenir leur réservait et qui pouvait être pire encore que la régression à l'état sauvage. Comme les hommes-bêtes de Moreau, ils respectaient la Loi du mieux qu'ils pouvaient, n'osant pas, au moins pour le moment, trahir leur manipulateur. Ils feraient certainement tout pour empêcher Loman de saboter le projet Faucon-Lune, et il risquait d'être tué ou, pire, de se retrouver enfermé dans une cellule.

Il ne pouvait risquer de trahir ses convictions contre-révolutionnaires : il n'aurait plus eu la moindre chance d'en finir avec Shaddack. En esprit, il se vit emprisonné, Shaddack lui souriant sardoniquement à travers les barreaux, tandis qu'on approchait un ordinateur auquel on avait l'intention de le brancher...

Des yeux d'argent fondu...

Il continua donc de circuler sous la pluie persistante, plissant les yeux pour voir à travers le pare-brise mouillé. Les essuie-glaces allaient et venaient régulièrement, comme des métronomes battant la mesure des heures restantes. Il avait une conscience aiguë de la marge de temps qui se réduisait.

Il était l'homme-puma en chasse, et Moreau se tapissait quelque part dans l'île-jungle qu'était devenue Moonlight Cove.

31

Au début, la créature protéenne se contenta de se nourrir des choses qu'elle trouvait, à l'aide des fins pseudopodes qu'elle allongeait par le système d'évacuation de la cave ou par les fissures du mur, jusque dans la terre humide des environs. Insectes. Larves. Lombrics. Elle ne connaissait plus le nom de ces choses, mais les dévorait avec avidité.

Elle ne tarda pas, cependant, à avoir épuisé les réserves d'insectes et de vers qui se trouvaient dans un périmètre de dix mètres autour de la maison. Elle éprouva le besoin d'un repas plus substantiel.

Elle se mit à s'agiter et à grouiller, comme si elle essayait de donner une forme à ses tissus amorphes afin de pouvoir quitter la cave à la recherche d'une proie. Mais elle n'avait conservé aucun souvenir de ses formes antérieures et n'éprouvait aucun désir de s'imposer une structure quelconque.

L'esprit enfermé dans cette masse de gelée n'avait plus qu'une conscience extrêmement obscure de lui-même, mais il était resté capable de se remodeler suffisamment pour satisfaire à ses besoins. Soudain, une dizaine de bouches sans lèvres ni dents s'ouvrirent dans cette forme fluide, et il en jaillit un son claironnant, dont l'essentiel était au-delà de la gamme des sons audibles pour une oreille humaine.

Dans l'édifice en ruine sous lequel s'abritait la bête informe, des douzaines de souris s'activaient de leur vie de rongeur, mangeant, bâtissant des nids, se toilettant. Elles s'immobilisèrent toutes en même temps à l'appel qui montait de la cave.

La créature les sentait au-dessus d'elle, dans les murs lézardés ; elle n'y pensait pas comme à des souris, mais comme à de petits paquets chauds de chair vivante. De la nourriture. Du carburant. Elle les voulait. Elle en avait besoin.

Elle tentait d'exprimer ce besoin sous la forme d'un ordre inarticulé mais impératif.

Dans tous les coins de la maison, les souris tressaillaient. Elles s'essuyaient le museau de leurs pattes antérieures, comme si elles venaient de traverser des toiles d'araignée et tentaient de débarrasser leur fourrure de ces fils impalpables et collants.

Une petite colonie de huit chauves-souris vivait dans le grenier ; elles aussi réagirent au pressant appel. Elles se laissèrent tomber des poutres où elles étaient suspendues et se mirent à voler frénétiquement et au hasard dans la grande salle du haut, frôlant constamment les murs et se frôlant entre elles.

Mais rien ne descendit vers la créature enfouie dans le sous-sol. L'appel avait bien touché les petits animaux auxquels il était destiné, mais sans obtenir l'effet désiré.

La chose informe se tut.

Ses nombreuses bouches se refermèrent.

Une à une, les chauves-souris regagnèrent leur perchoir.

Les souris restèrent un moment sans bouger, comme étourdies, puis retournèrent à leurs occupations habituelles.

Deux minutes plus tard, la bête informe essaya de nouveau, employant d'autres modulations sonores, toujours inaudibles pour l'oreille humaine, mais plus attirantes qu'auparavant.

Les chauves-souris reprirent leur manège dans le grenier, mais à une telle cadence qu'un observateur aurait estimé leur nombre à une centaine, et non à huit. Le battement de leurs ailes était plus bruyant que le tambourinement de la pluie sur le toit percé.

Partout, les souris se redressaient sur leurs pattes de derrière, l'oreille tendue, au garde-à-vous. Celles qui hantaient les parties basses, plus près de la source de l'appel, se mirent à frissonner violemment, comme si elles se trouvaient soudain devant un chat près de bondir, un sourire carnassier à la gueule.

Avec des cris suraigus, les chauves-souris foncèrent vers un trou dans le plancher du grenier et passèrent dans une pièce du premier où elles continuèrent à tournoyer, s'élevant et plongeant dans un ballet sans fin.

Deux souris du rez-de-chaussée commencèrent à se diriger vers la cuisine où béait, grande ouverte, la porte conduisant au sous-sol. Mais elles s'arrêtèrent sur le seuil, apeurées, indécises.

En dessous, l'entité sans forme multiplia par trois la puissance de son appel.

L'une des souris de la cuisine se mit soudain à saigner d'une oreille et tomba sur le sol, morte.

À l'étage, les chauves-souris heurtèrent les murs, leur radar hors d'usage.

La chose tapie dans la cave baissa un peu la force de sa modulation.

Les chauves-souris jaillirent immédiatement de la pièce sur le palier, descendirent par la cage d'escalier et gagnèrent le hall d'entrée. Là, elles survolèrent deux douzaines de souris qui trottinaient avec précipitation.

En dessous, les nombreuses bouches de la créature s'étaient rejointes pour ne plus former qu'un vaste orifice au centre de sa masse palpitante.

Se succédant à toute vitesse, les chauves-souris s'engouffrèrent tout droit entre les mâchoires béantes, comme autant de cartes à jouer noires qu'on aurait jetées dans une corbeille à papier. Elles allèrent s'engluer dans la gelée protoplasmique où elles furent rapidement dissoutes par de puissants acides digestifs.

Une armée de souris et quatre rats – ainsi qu'un couple de tamias qui avait son nid dans le mur de la salle à manger – se bousculèrent au haut des marches raides de l'escalier de la cave, avec des couinements excités, courant eux-mêmes à leur perte.

Après cette bourrasque, la maison retrouva son calme.

La créature mit fin à son chant de sirène. Pour le moment.

32

Le policier Neil Penniworth avait la responsabilité de patrouiller le quart nord-ouest de Moonlight Cove. Il était seul dans son véhicule, car même avec les renforts venus du personnel de New Wave, la police manquait d'hommes.

Pour le moment, il préférait travailler seul. Depuis l'épisode Peyser, lorsque l'odeur du sang et la vue de l'homme en état altéré lui avaient donné envie de régresser, il redoutait d'être avec d'autres personnes. Et ce n'était que d'un cheveu qu'il avait évité de dégénérer totalement la nuit dernière. S'il assistait à une nouvelle régression, ce désir pourrait le reprendre, et cette fois-ci, il n'était pas sûr qu'il serait capable de surmonter la noire fascination.

Mais il avait aussi peur de se retrouver tout seul. La lutte pour s'accrocher à ce qui lui restait d'humanité, pour résister au chaos, pour être responsable, était épuisante, et il éprouvait un puissant désir d'échapper à la dureté de cette nouvelle existence. Seul, sans personne pour le voir s'il se laissait aller à abandonner ce qui était sa forme et sa substance, sans personne pour l'avertir et l'encourager à lutter, ou même pour protester, il serait perdu.

Le poids de sa peur avait autant de réalité qu'une dalle de fonte, et son écrasement chassait la vie de lui. Il avait par moments des difficultés à trouver sa respiration, comme si ses poumons étaient cerclés de fer.

La voiture paraissait se rapetisser et il finit par avoir l'impression d'être prisonnier d'une camisole de force. Les heurts de métronome des essuie-glaces devenaient plus bruyants, au moins à ses oreilles, jusqu'à faire le vacarme d'une canonnade. À plusieurs reprises au cours de la matinée et au début de l'après-midi, il dut se ranger sur le bas-côté et se jeter hors de la voiture, sous la pluie, respirant l'air frais à grandes goulées.

Au fur et à mesure qu'avançait la journée, cependant, même le monde à l'extérieur du véhicule se mit à lui paraître plus petit. Il s'arrêta sur Holliwell Road, à moins d'un kilomètre à l'ouest des bâtiments de New Wave, et descendit de voiture ; mais il ne se sentit pas mieux. Le plafond bas de nuages gris l'empêchait de voir le ciel sans limite. Rideaux à demi transparents d'oripeaux clinquants et de la soie la plus fine, la pluie et le brouillard l'isolaient du reste du monde. L'humidité était poisseuse, étouffante.

L'eau débordait des gouttières, courait en torrents boueux dans les fossés, dégoulinait de chaque branche et de chaque feuille de chaque arbre, la pluie crépitait sur le macadam, rendait un son creux sur la carrosserie de la voiture, sifflait, gargouillait et ricanait sur son visage qu'elle fouettait, le battant avec tant de force qu'on aurait dit que mille marteaux minuscules tentaient de le faire tomber à genoux : chacun était trop petit pour y parvenir seul, mais ils possédaient un effet cumulé brutal.

Neil remonta dans le véhicule de patrouille avec autant de précipitation qu'il en était sorti.

Il comprit que ce n'était ni à la sensation de claustrophobie de la voiture, ni à la chape énervante de la pluie sur lui qu'il cherchait désespérément à échapper. Ce qui l'oppressait, en réalité, était sa vie en tant que membre de la Nouvelle Race. Capable de ne ressentir que la peur, il se trouvait prisonnier d'un huis clos émotionnel aux dimensions tellement étriquées qu'il ne pouvait plus y bouger. Il ne suffoquait pas à cause de pressions venues de l'extérieur ; il était au contraire comme ligoté intérieurement à cause de ce que Shaddack avait fait de lui.

Ce qui signifiait qu'il n'existait aucun moyen de s'en évader.

Sauf, peut-être, par le biais de la régression.

Neil n'arrivait plus à supporter la vie qu'il devait maintenant vivre. Par ailleurs, la pensée d'une involution sous une forme sous-humaine lui répugnait et le terrifiait.

Son dilemme apparaissait insoluble.

Il était aussi angoissé par son incapacité à ne pas penser à son intenable situation que par cette situation elle-même. Elle ne cessait de revenir à la charge dans son esprit ; il n'arrivait pas à trouver le moindre répit.

Les seuls instants où son angoisse – et un peu de sa peur – diminuait sa pression étaient ceux pendant lesquels il travaillait sur le terminal d'ordinateur du véhicule de patrouille. Lorsqu'il vérifiait les bulletins, pour voir si des messages ne l'attendaient pas, lorsqu'il consultait le programme Faucon-Lune pour savoir où en étaient les conversions, ou lorsqu'il se livrait à quelque autre tâche du même genre, son attention se concentrait tellement sur les interactions avec l'appareil que son anxiété et sa claustrophobie exaspérante s'estompaient brièvement.

Depuis l'adolescence, Neil s'était intéressé aux ordinateurs, même s'il n'était jamais devenu un « hacker ». Son intérêt n'avait rien d'obsessionnel. Il avait évidemment commencé avec des jeux sur ordinateur, puis avait reçu en cadeau, un peu plus tard, un coûteux ordinateur personnel. Ensuite, il avait acheté un modem, avec de l'argent économisé sur un travail d'été. Et si ses moyens ne lui avaient pas permis de faire des appels lointains ou de passer de longues heures à utiliser ce système, depuis ce trou perdu de Moonlight Cove, il avait tout de même trouvé ses expéditions de chasse enrichissantes et amusantes.

Et maintenant, assis dans la voiture garée sur Holliwell Road, pianotant sur son ordinateur, il songeait que le monde intérieur de l'électronique était d'une admirable propreté, relativement simple, prévisible et sain. Tellement différent de l'existence humaine – que ce soit sous la forme de l'ancienne ou de la Nouvelle Race. Là, régnaient logique et raison. Causes, effets, effets secondaires, tout était en noir et blanc ; ou bien si c'était gris, il s'agissait d'un gris soigneusement étalonné, quantifié, mesuré. Il était plus facile de traiter des faits, froids et secs, que des sentiments. Un univers uniquement formé d'informations, sans matière, faits d'événements abstraits, lui paraissait infiniment plus désirable que l'univers véritable, celui du froid et de la chaleur, des choses pointues ou écornées, douces ou rudes, l'univers du sang et de la mort, de la souffrance et de la peur.

Appelant menu après menu à l'écran, Neil fouillait de plus en plus profondément dans les dossiers de Sun relatifs au projet Faucon-Lune. Il n'avait aucun besoin des informations qu'il réclamait, mais il trouvait un certain réconfort dans les processus permettant de les obtenir.

Il commença à considérer l'écran de son terminal non pas comme un tube cathodique sur lequel s'affichaient des données, mais comme une fenêtre donnant sur un autre monde. Un monde de faits. Débarrassé de contradictions troublantes... et de responsabilités. Dans ce monde, on ne ressentait rien. Il n'y avait que le connu et l'inconnu, soit une abondance de faits sur un sujet particulier, soit un manque, mais on n'y ressentait rien ; on n'y ressentait jamais rien ; sentir était la malédiction de ceux dont l'existence dépendait d'un sac de peau plein de chairs, d'os et de viscères.

Une fenêtre sur un autre monde.

Neil toucha l'écran.

Il aurait aimé que la fenêtre pût s'ouvrir ; il aurait aimé la franchir et passer dans ce lieu où régnaient la raison, l'ordre et la paix.

De la pointe du doigt, il traça des cercles sur l'écran qui dégageait une douce chaleur.

Bizarrement, il pensa à Dorothy et à son chien Toto, arrachés aux plaines du Kansas et enlevés haut dans les airs par un cyclone, pour être rejetés ensuite de ces limbes grisâtres dans un monde bien plus captivant. Si seulement quelque tornade électronique pouvait jaillir du terminal et l'emporter en un lieu plus accueillant...

Ses doigts passèrent à travers l'écran.

Stupéfait, il retira vivement la main.

Le verre n'était pas cassé. Les informations, chiffres ou mots, continuaient de défiler sur l'écran, comme avant.

Il essaya tout d'abord de se convaincre qu'il avait eu une hallucination. Mais il n'y croyait pas.

Il fléchit les doigts ; apparemment, ils n'avaient rien.

Il tourna les yeux vers le ciel de tempête. Il avait coupé les essuie-glaces. La pluie coulait sur le pare-brise en petites rigoles qui déformaient le monde, au-delà ; tout y paraissait tordu, déformé, étrange. Jamais il ne pourrait y avoir de paix, d'ordre ni de santé en un tel lieu.

D'une main hésitante, il toucha de nouveau l'écran ; il lui parut solide.

Puis il repensa combien désirable était le monde prévisible et impeccable de l'ordinateur, et comme la fois précédente, sa main passa au travers de la vitre, jusqu'au poignet, ce coup-ci. L'écran s'était ouvert et refermé, l'enserrant étroitement, comme s'il s'agissait d'une membrane organique. Les informations continuaient de s'afficher, lettres et chiffres contournaient son poignet en lignes déformées.

Son cœur battait fort. Il était effrayé et excité en même temps.

Il essaya d'agiter les doigts dans cette mystérieuse chaleur interne. Il ne les sentait plus. Il commença à penser qu'ils avaient été coupés ou dissous, et que du sang allait jaillir de son moignon de poignet lorsqu'il ressortirait la main.

Néanmoins, il la retira.

Sa main était intacte.

Mais ce n'était plus une main ordinaire. La peau, sur le dessus, de la pointe des ongles au poignet, était veinée de fil de cuivre et de verre. Dans les filaments de verre battait un pouls lumineux et régulier.

Il retourna la main. Sa paume et ses doigts, côté interne, ressemblaient à la surface d'un tube à rayons cathodiques. Des données y scintillaient, lettres vertes sur un fond vitreux et sombre. Lorsqu'il compara les mots et les chiffres de sa main à ceux de l'écran du terminal, il constata qu'ils étaient identiques. Les informations changèrent sur l'écran; elles changèrent simultanément sur sa main.

D'un seul coup, il comprit que la régression sous une forme bestiale n'était pas la seule issue qui s'ouvrait à lui, qu'il pouvait entrer dans le monde de la pensée électronique et de la mémoire magnétique, de la connaissance dépourvue de désirs charnels, de la conscience sans les sentiments. Il ne s'agissait ni d'une intuition intellectuelle au sens strict ni d'une intuition purement instinctive. À quelque niveau plus profond que l'intellect ou l'instinct, il venait de comprendre qu'il pouvait se remodeler plus radicalement encore que Shaddack ne l'avait fait.

Il abaissa la main et la porta sur la console placée entre les sièges. Aussi aisément qu'il avait pénétré le verre, ses doigts franchirent le clavier, le capot et se perdirent dans les entrailles de la machine.

Il était comme un fantôme, un ectoplasme capable de traverser les murs.

Une sensation de froid lui remonta le long du bras.

Sur l'écran, des motifs cryptiques lumineux remplaçaient les informations.

Il s'enfonça dans son siège.

La sensation de froid atteignait maintenant l'épaule et remontait dans son cou.

Il soupira.

Il sentit qu'il se passait quelque chose dans ses yeux. Il ne savait pas exactement quoi. Il aurait pu regarder dans le rétroviseur, mais il n'en prit pas la peine. Il décida de les fermer et de les laisser devenir ce qu'il était nécessaire qu'ils devinssent, dans le cadre de cette deuxième et totale conversion.

Cet état altéré était infiniment plus séduisant que celui des régressifs. Irrésistible.

Le froid gagnait son visage ; sa bouche s'engourdit.

Quelque chose se passait aussi dans sa tête. Il prenait autant conscience de la géographie intérieure de ses circuits cérébraux et de ses synapses que du monde extérieur. Son corps ne faisait plus autant partie de lui qu'auparavant ; il sentait moins de choses par son intermédiaire, comme si ses terminaisons nerveuses avaient été anesthésiées ; il ne pouvait même pas dire s'il faisait chaud ou froid dans la voiture, à moins de se concentrer sur cette information. Son corps n'était rien de plus que la carrosserie d'une machine, après tout, un râtelier où étaient disposés des senseurs, conçu pour protéger et servir son moi intérieur, son esprit calculateur.

Le froid envahissait maintenant le cerveau.

Impression de dizaines, de centaines, de milliers d'araignées glacées courant à la surface de sa matière grise et s'y enfouissant.

Il se souvint soudain que Dorothy avait fini par trouver que Oz était un cauchemar, et désespérément tenté, à la fin, de retrouver le chemin du Kansas. Alice, aussi, n'avait trouvé que folie et terreur dans le terrier du lapin, au-delà du miroir...

Un million d'araignées glacées.

Sous son crâne.

Un milliard.

Froides, très froides.

Qui filaient dans tous les sens.

33

Alors qu'il tournait toujours dans Moonlight Cove à la recherche de Shaddack, Loman aperçut deux régressifs traverser une rue au pas de course.

Il se trouvait sur Paddock Lane, à l'extrémité sud de la ville, un quartier où les propriétés atteignaient une telle taille qu'on pouvait y garder des chevaux ; des écuries privées s'élevaient à côté ou derrière les maisons, situées loin de la rue, derrière des barrières, à l'autre bout de vastes parcs somptueusement paysagés.

Les deux régressifs firent irruption d'un dense massif d'azalées de taille adulte, s'ornant encore d'un feuillage mais dépourvu de fleurs, à cette époque de l'année. À quatre pattes, ils traversèrent la chaussée en trois bonds, sautèrent par-dessus le fossé, de l'autre côté, avant de foncer tête baissée dans une haie où ils disparurent.

Même si de grands pins s'alignaient de part et d'autre de Paddock Lane, rendant plus sombre encore ce jour déjà plongé dans la pénombre, Loman était sûr de ce qu'il avait vu. Des bêtes modelées par les fantasmes de ces créatures et non d'après des animaux précis existant dans la nature : en partie loup, en partie félin, peut-être, en partie reptile. Ils étaient rapides et paraissaient puissants. L'un d'eux avait tourné la tête vers lui et, dans l'ombre, ses yeux avaient eu le reflet rougeâtre de ceux d'un rat.

Il ralentit mais ne s'arrêta pas. Il se moquait éperdument d'identifier et d'appréhender les régressifs depuis peu. D'ailleurs, il les avait déjà identifiés, en un certain sens : tous les convertis. Il savait que pour les arrêter, il n'y avait qu'une chose à faire, arrêter Shaddack. Il était aux trousses d'un gibier autrement important que ces deux-là.

Il était néanmoins agacé de voir qu'ils avaient maintenant l'audace de se manifester en plein jour, de partir en chasse à deux heures et demie de l'après-midi. Jusqu'ici, ils s'étaient comportés en créatures discrètes de la nuit, cachant la honte de leur régression en ne passant en état altéré que longtemps après le coucher du soleil. S'ils en étaient à s'aventurer avant la tombée de la nuit, le projet Faucon-Lune, dans ce cas, s'effondrait beaucoup plus rapidement que ce que le policier avait prévu. Moonlight Cove n'en était plus à osciller au bord du gouffre : la ville avait bel et bien déjà basculé au fond.

34

Ils étaient remontés dans la chambre de Harry, au second, et, depuis une heure et demie, se creusaient la tête et discutaient sur les options qui leur restaient. Ils n'avaient allumé aucune lampe. La lumière aqueuse et morne de l'après-midi emplissait la pièce, et contribuait à en rendre l'atmosphère encore plus morose.

– La conclusion, nous sommes tous d'accord là-dessus, est qu'il existe deux moyens d'envoyer un message hors de la ville.

– Oui, mais dans un cas comme dans l'autre, remarqua Tessa, inquiète, vous aurez beaucoup de chemin à parcourir.

Sam haussa les épaules.

Tessa et Chrissie avaient enlevé leurs chaussures pour s'asseoir sur le lit, adossées à la têtière. La fillette manifestait clairement le besoin de rester auprès de Tessa, et semblait avoir eu la même réaction que le poussin qui sort de l'œuf et s'imprègne de l'image du premier oiseau adulte venu qu'il voit, que ce soit ou non sa mère.

Tessa reprit la parole.

– Ce ne sera pas aussi facile que d'aller chez les Coltrane, à deux portes d'ici. Pas en plein jour.

– Vous croyez que je devrais attendre la tombée de la nuit ? demanda Sam.

– Oui. Le brouillard ne va pas tarder à s'épaissir, avec la fin de l'après-midi.

Le délai avait beau l'inquiéter, elle était convaincue que cette solution était meilleure. Au cours des heures passées à attendre, de nouvelles personnes seraient converties. Moonlight Cove devenait un environnement de plus en plus étranger, dangereux et imprévisible.

Se tournant vers Harry, Sam demanda :

– Vers quelle heure la nuit tombe-t-elle ?

Harry était dans son fauteuil roulant. Moose lui tenait de nouveau compagnie ; il avait passé sa grosse tête sous le bras du siège pour la poser sur les genoux de Harry, heureux de pouvoir rester de longs moments dans cette posture malcommode en échange de quelques caresses, de grattages derrière l'oreille ou de paroles apaisantes.

– Actuellement, le crépuscule commence avant six heures.

Sam était assis auprès du télescope. Il l'avait utilisé quelques minutes auparavant pour observer les rues, et avait remarqué une activité accrue par rapport au matin : de nombreuses patrouilles, en véhicule et à pied. Le nombre des résidents restant à convertir baissait régulièrement et les conspirateurs du projet Faucon-Lune s'enhardissaient, redoutant de moins en moins d'attirer l'attention sur leurs activités.

Avec un coup d'œil à sa montre, Sam dit :

– L'idée de gaspiller un peu plus de trois heures ne me sourit guère. Plus nous pourrons faire savoir rapidement ce qui se passe ici au reste du monde, plus il y aura de gens qui... qui échapperont à ce qu'il est prévu qu'on leur fasse.

– D'accord, mais si vous êtes pris pour n'avoir pas attendu la nuit, objecta Tessa, il n'y aura pratiquement plus aucune chance de sauver qui que ce soit.

– Argument qui tient la route, fit Harry.

– Oui, surenchérit Chrissie. Ce n'est pas parce que ce ne sont pas des extra-terrestres qu'il sera plus facile de leur échapper.

Comme même les téléphones encore en fonctionnement ne leur auraient pas permis de faire d'autres appels que ceux destinés à des numéros approuvés en ville, ils avaient renoncé à cette solution. Mais Sam avait compris que n'importe quel ordinateur relié par modem au super-ordinateur de New Wave – appelé Sun, d'après Harry – pourrait constituer un moyen de sortir des limites de la ville : autoroute électronique par laquelle ils arriveraient à contourner les restrictions actuelles sur les lignes téléphoniques et les barrages routiers.

Comme l'avait remarqué Sam la nuit dernière, lorsqu'il s'était servi du terminal de la voiture de police, Sun était en contact permanent et direct avec des dizaines d'autres ordinateurs – y compris plusieurs banques de données du FBI, les unes classées « grand public», mais les autres réservées, en principe, aux seuls agents du Bureau. S'il arrivait à s'installer devant un terminal, à se brancher sur Sun et, par l'intermédiaire du super-ordinateur, à contacter un ordinateur du FBI, il pourrait alors transmettre un appel à l'aide qui apparaîtrait sur les écrans des ordinateurs du Bureau, et même le faire tirer sur papier par les imprimantes laser.

Ils prenaient évidemment pour acquis que les restrictions sur les contacts avec l'extérieur valables pour les lignes téléphoniques ordinaires ne s'appliquaient pas aux liaisons que Sun avait établies avec le reste du monde. Si les voies qui sortaient de Moonlight Cove par le biais de Sun étaient elles aussi coupées, ils se trouvaient alors dans une situation complètement désespérée.

De manière bien compréhensible, il répugnait à Sam de faire une autre tentative chez l'un des employés de New Wave, redoutant d'être de nouveau confronté à des gens comme les Coltrane. Ce qui ne lui laissait que deux possibilités d'avoir accès à un ordinateur pouvant être relié à Sun.

La première consistait à essayer de profiter d'une voiture de patrouille et de son terminal mobile, comme il avait fait la nuit précédente. Mais la police connaissait sa présence, maintenant, et il lui serait plus difficile de se glisser dans une voiture n'étant pas en service. En outre, tous les véhicules devaient être actuellement utilisés, entre autres pour les rechercher, lui-même et Tessa. Et même si une berline se trouvait garée derrière le bâtiment de la police municipale, il devait régner sur place une activité beaucoup plus grande que la dernière fois.

Mais il pouvait aussi utiliser les ordinateurs du lycée de Roshmore Way ; New Wave les avait offerts non pas poussé par le noble souci d'améliorer l'éducation des élèves, mais comme moyen de s'attacher davantage la communauté. Sam estimait, et Tessa était d'accord avec lui, que les terminaux de l'établissement scolaire devaient pouvoir être mis en liaison avec Sun.

Malheureusement, Moonlight Cove Central, du nom qu'on donnait habituellement au lycée, se trouvait sur le côté ouest de Roshmore Way, à deux croisements à l'ouest de la maison de Harry, et à un pâté de maisons au sud. En temps ordinaire, il se serait agi d'une agréable marche de cinq minutes. Mais avec les rues sous haute surveillance, avec chaque maison constituant potentiellement une tour de guet occupée par l'ennemi, atteindre Central sans être vu devenait aussi risqué que de vouloir traverser un champ de mines.

– En plus, observa Chrissie, les cours ne sont pas terminés, à cette heure. Vous ne pouvez pas arriver là-bas comme ça, et vous asseoir devant un ordinateur.

– Dans la mesure, en particulier, où on peut supposer que les professeurs figurent parmi les premiers convertis, ajouta Tessa.

– À quelle heure finissent les classes ? demanda Sam.

– À Jefferson, nous sortons à trois heures. mais ils restent une demi-heure de plus à Central.

– Trois heures et demie, autrement dit, conclut Sam.

Harry consulta sa montre.

– Dans quarante-sept minutes. Mais ensuite, il doit bien y avoir des activités para-scolaires, non ?

– Bien sûr, répondit la fillette. L'orchestre va répéter, l'équipe de football va s'entraîner, et je sais qu'il y a d'autres clubs qui se reunissent régulièrement.

– À quelle heure crois-tu que tout cela sera terminé ?

– Je sais que la répétition a lieu de quatre heures moins le quart à cinq heures moins le quart, parce que je connais un garçon qui y joue. Il a un an de plus que moi. Moi, je joue de la clarinette. Je voudrais faire partie de l'orchestre, l'année prochaine. Enfin... s'il y a un orchestre. Et une année prochaine.

– Autrement dit, vers cinq heures, l'école est vide.

– Non, l'entraînement de football dure plus longtemps.

– Tu crois qu'ils vont jouer, avec le temps qu'il fait ?

– Je ne crois pas.

– Si de toute façon vous devez attendre cinq heures, cinq heures et demie, intervint alors Tessa, autant attendre encore un petit peu et ne partir qu'à la nuit tombée.

Sam acquiesça.

– C'est logique.

– Il y a une chose que vous oubliez, Sam, remarqua Harry.

– Quoi ?

– Peu de temps après votre départ d'ici, peut-être même à six heures tapantes, ils vont rappliquer pour me convertir.

– Seigneur Jésus, c'est vrai !

Moose dégagea sa tête de sous le bras du fauteuil et se tint assis, bien droit, ses oreilles noires dressées, comme s'il avait compris ce qui venait d'être dit et s'attendait déjà à entendre sonner ou frapper à la porte.

– Je crois qu'il faut absolument ne partir qu'après la tombée de la nuit, reprit Harry. Mais dans ce cas, vous devrez prendre Tessa et Chrissie avec vous. Ce ne serait pas sûr de les laisser ici.

– Il faudra aussi que vous veniez, dit aussitôt la fillette. Avec Moose. Je ne sais pas s'ils convertissent les chiens, mais il faudra prendre Moose juste au cas où. On ne peut pas les laisser en faire une machine ou je ne sais quoi.

Le chien poussa un petit grognement.

– Est-ce qu'on peut compter qu'il n'aboiera pas ? insista Chrissie. Il ne faudra pas que ça arrive à un moment crucial. On pourrait bien lui enrouler quelque chose, de la gaze, autour de la gueule pour le museler ; c'est un peu cruel et blessant pour lui, d'accord, puisque ça voudrait dire qu'on n'a pas entièrement confiance en lui, mais ça ne lui ferait pas mal physiquement, et je suis sûre qu'on pourrait se faire pardonner après avec un bon steak, et...

S'apercevant tout d'un coup que ses compagnons observaient un silence inhabituellement solennel, la fillette se tut à son tour. Clignant des yeux, elle regarda tour à tour Harry, Sam, puis Tessa, toujours assise à côté d'elle.

Des nuages plus sombres encore s'étaient amoncelés depuis qu'ils étaient montés au second, et les ombres de la pièce devenaient plus profondes. Mais cela n'empêcha pas Tessa de voir trop clairement le visage de Harry Talbot, à cet instant-là. Elle se rendit compte des efforts qu'il déployait pour masquer sa peur ; il y réussissait assez bien, et afficha un sourire authentique lorsqu'il prit la parole d'une voix qui ne tremblait pas. Seule l'expression de ses yeux le trahissait.

– Je n'irai pas avec vous, mon petit chat, répondit-il à Chrissie.

– Oh ! fit-elle.

Elle se tourna de nouveau vers lui, et son regard glissa jusque sur le fauteuil roulant.

– Mais vous êtes bien venu à l'école le jour où vous nous avez parlé. Il vous arrive de quitter la maison. Vous devez bien avoir un moyen de sortir.

L'infirme sourit.

– L'ascenseur descend jusqu'au garage, au sous-sol. Il n'y a pas de voiture, parce que je ne peux plus conduire, mais de là je peux facilement gagner l'allée, puis le trottoir.

– Eh bien alors ?

– Mais je ne peux aller nulle part dans ces rues, continua Harry en se tournant vers Sam, sans quelqu'un pour m'accompagner. Les pentes sont trop fortes. Les freins sont bons et le moteur est suffisamment fort, mais pas assez pour certaines d'entre elles.

– On sera avec vous, objecta Chrissie le plus sérieusement du monde. On vous aidera.

– Ma petite chatte, dit Harry d'un ton ferme, vous ne pourrez pas vous faufiler sans être vus en territoire ennemi jusqu'à l'école, si vous devez me tirer en même temps. Pour commencer, vous devrez éviter le plus possible d'utiliser les rues elles-mêmes, et passer systématiquement de cour en jardin ; moi, je ne peux rouler que sur du dur, en particulier avec un temps pareil, quand le sol est détrempé.

– On pourrait vous porter.

– Non, intervint Sam, on ne pourrait pas. Pas si nous voulons avoir une chance d'atteindre l'école et de passer le message au Bureau. Le trajet est court, mais plein de dangers, et il nous faudra le parcourir le plus léger possible. Désolé, Harry.

– Inutile de vous excuser. J'aurais refusé, de toute façon. Vous croyez que j'ai envie d'être baladé en ville, jeté sur votre épaule comme un sac de ciment ?

Manifestement au désespoir, Chrissie quitta le lit et resta plantée debout, les poings sur les côtés. Elle regardait Sam et Tessa tour à tour, dans une muette supplication : qu'ils trouvent un moyen de sauver Harry !

L'atmosphère s'assombrissait, aux deux sens du terme.

Moose gémit doucement.

Des larmes scintillèrent dans les yeux de Chrissie, qui paraissait incapable de regarder Harry. Elle alla jusqu'à l'une des fenêtres et regarda à l'extérieur, vers la maison voisine et la rue, au-delà, restant suffisamment en retrait pour ne pas risquer d'être aperçue.

Tessa aurait voulu pouvoir la consoler.

Comme elle aurait voulu consoler Harry.

Plus que cela : elle aurait voulu pouvoir remettre de l'ordre dans ce chaos.

En tant que metteur en scène-scénariste-productrice, elle possédait le talent de faire bouger choses et gens, de prendre des décisions ; elle savait toujours comment résoudre un problème, comment réagir dans une crise, comment maintenir un projet en marche une fois les caméras lancées. Mais aujourd'hui, elle était perdue. Certes, il arrivait parfois que le monde réel lui résistât et ne voulût pas se conformer à ses exigences. Peut-être était-ce pour cette raison qu'entre carrière et famille, elle avait choisi la première, alors même qu'elle avait connu une atmosphère familiale inégalable quand elle était enfant. Le monde réel, celui des bagarres quotidiennes, était brouillon, imprévisible, plein de choses inachevées ; elle ne pouvait s'attendre à y mettre le même ordre que quand elle en choisissait des éléments qu'elle réduisait à un film nettement structuré. La vie était la vie, avec sa profusion et sa richesse... un film n'en était que des essences partielles. Peut-être s'en sortait-elle mieux avec les essences qu'avec la vie, avec tous ses détails clinquants.

L'optimisme à toute épreuve qu'elle tenait de sa famille, aussi éclatant, naguère, qu'un puissant projecteur, s'il ne l'avait pas désertée, ne diffusait plus, pour le moment, qu'une lumière tamisée.

– Vous allez voir, ça va bien se passer, dit Harry, rompant le silence.

– Comment ? demanda Sam.

– Je figure probablement en dernier sur leur liste. Les infirmes et les aveugles sont certainement ceux qui les inquiètent le moins, en toute logique. Même si nous nous rendons compte de quelque chose, nous sommes incapables de quitter la ville pour aller chercher de l'aide. J'ai une de mes voisines, Mme Sagarian, qui est aveugle ; je suis prêt à parier que nous sommes les derniers, tous les deux. Ils ne débarqueront ici que vers minuit. Vous verrez, je vous parie tout ce que vous voulez. Alors tout ce que vous avez à faire, c'est d'aller à l'école, contacter le Bureau, et m'envoyer de l'aide fissa avant minuit. Et tout ira bien.

Chrissie se détourna de la fenêtre, en larmes.

– Vous le croyez vraiment, monsieur Talbot ? Sincèrement, vous croyez qu'ils ne viendront pas avant minuit ?

La tête penchée sur le côté, figée dans cette éternelle attitude qui pouvait paraître désinvolte ou au contraire vous serrer le cœur, selon la manière dont on le regardait, Harry adressa un clin d'œil à la fillette, bien qu'à cette distance elle eût peu de chance de le voir.

– Si je te mens, ma petite chatte, que Dieu tout-puissant me foudroie sur-le-champ.

La pluie redoubla, mais il n'y eut aucun éclair.

– Tu vois ? ajouta Harry avec un sourire.

La fillette avait beau avoir très envie de croire au scénario que l'infirme avait esquissé, Tessa, quant à elle, savait bien qu'on ne pouvait compter sur ce qui n'était qu'une vague probabilité. Ç'aurait été trop beau. Trop semblable au développement narratif d'un film. La vie réelle, comme elle venait elle-même de se le dire, était brouillonne et imprévisible. Elle souhaitait désespérément croire que Harry resterait sain et sauf jusqu'à minuit moins dix, mais la réalité était qu'il courrait les plus grands dangers dès que l'horloge sonnerait six heures et que commencerait la dernière série de conversions.

35

Shaddack resta dans le garage de Paula Parkins pendant l'essentiel de l'après-midi.

Par deux fois, il souleva la grande porte, lança le moteur et roula jusque dans l'allée pour contrôler les progrès de Faucon-Lune, depuis son terminal. Satisfait chaque fois, il retournait dans le garage et refermait la porte.

Les mécanismes du projet Faucon-Lune fonctionnaient sans heurt. Il l'avait conçu, construit, mis sur la ligne de départ, et n'avait eu qu'à appuyer sur le bouton. Il pouvait maintenant se dérouler sans lui.

Il resta de longues heures derrière son volant, à rêver à l'époque où, les étapes terminales du projet enfin franchies, le monde entier serait à sa merci. Une fois l'ancienne race disparue, il aurait donné une nouvelle définition au mot « pouvoir », car aucun homme avant lui, dans l'histoire, n'en aurait jamais exercé un comparable. Ayant remodelé l'espèce, il pourrait lui donner la destinée qui lui plairait. L'humanité ne serait plus qu'une immense ruche, bourdonnant d'activité, au service de sa vision. Pendant qu'il se perdait dans ses songes éveillés, son érection devint si forte qu'il commença à ressentir une douleur sourde.

Shaddack connaissait beaucoup de scientifiques qui paraissaient croire sincèrement que le but des progrès technologiques était d'améliorer le sort de l'humanité, d'arracher l'espèce à sa fange et de la conduire, finalement, jusqu'aux étoiles. À ses yeux, en revanche, elle n'avait qu'un but : concentrer tous les pouvoirs dans ses mains. Les candidats au pouvoir absolu et universel, avant lui, avaient compté sur le pouvoir politique, ce qui signifiait toujours, en fin de compte, le pouvoir légalisé des armes. Hitler, Staline, Mao, Pol Pot et d'autres avaient cherché le pouvoir au moyen de l'intimidation et des meurtres de masse, et n'étaient montés sur leur trône qu'en pateaugeant dans le sang ; aucun, cependant, n'avait réussi à obtenir ce que les circuits de silicium n'allaient pas tarder à accorder à Shaddack. La plume n'est pas plus forte que l'épée, mais les microprocesseurs sont plus forts que les plus vastes armées.

S'ils avaient su ce qu'il avait entrepris et les rêves de conquête qu'il nourrissait, à peu près tous les autres hommes de science auraient dit qu'il était cinglé, mégalomane, tordu. Il s'en moquait. Ils se trompaient, évidemment, parce qu'ils ne se rendaient pas compte de qui il était. L'enfant du faucon de lune. Il avait fait disparaître ceux qui s'étaient prétendus ses parents, et on ne l'avait ni soupçonné ni puni pour cela, preuve que les lois qui gouvernent les autres hommes ne le concernaient pas. Ses véritables père et mère étaient des forces spirituelles puissantes et désincarnées. Elles l'avaient protégé de toute punition parce que les meurtres commis il y avait si longtemps à Phoenix étaient une offrande sacrée à ses véritables géniteurs, un acte de foi et de confiance en eux. Les autres ne l'auraient pas compris parce qu'ils ne pouvaient savoir que toute existence était centrée autour de lui, que l'univers lui-même n'existait que parce qu'il existait et que si jamais il mourait, ce qui était peu probable, alors l'univers cesserait simultanément d'exister. Il était le centre de la création. Le seul homme qui comptait. Les grands esprits le lui avaient dit. Les grands esprits lui avaient soufflé cette vérité à l'oreille, pendant sa veille comme pendant son sommeil, depuis plus de trente ans.

L'enfant du faucon de lune...

L'après-midi tirait à sa fin, et il se sentait de plus en plus excité, à l'idée qu'approchait le bouclage de la première étape de son projet. Du coup, il supportait de moins en moins bien d'être exilé au fond de ce garage. Il avait certes trouvé sage de se tenir à l'écart des lieux où Loman Watkins pourrait le trouver, mais il éprouvait de plus en plus de difficulté à justifier le besoin de se cacher. Les événements qui s'étaient déroulés dans la maison de Mike Peyser, la nuit précédente, ne lui paraissaient plus aussi catastrophiques, se réduisaient à des effets secondaires mineurs. Il avait la certitude que le problème des régressifs serait finalement résolu. Son génie résidait dans le lien direct qui existait entre lui et les forces spirituelles, et aucune difficulté n'était insurmontable lorsque de grands esprits désiraient le succès. La forte impression de menace que lui avait produite Watkins diminuait dans son souvenir, et bientôt la promesse du chef de la police lui parut être des paroles en l'air, vides et pathétiques.

Il était l'enfant du faucon de lune : avoir oublié une telle vérité et éprouvé assez de peur pour fuir le surprenait. Bien entendu, Jésus lui-même s'était tenu à l'écart dans le jardin, avait brièvement connu la peur et combattu les démons. Le garage de Paula Parkins était en quelque sorte son jardin de Gethsémani, le lieu où il s'était réfugié pour répudier les derniers doutes qui le hantaient.

Il était l'enfant du faucon de lune.

À quatre heures trente, il releva la porte du garage.

Il lança le moteur, s'avança sur l'allée.

Il était le fils du faucon de lune.

Il s'engagea sur la route du comté et prit la direction de la ville.

Il était l'enfant du faucon de lune, l'héritier de la couronne de lumière, et à minuit il monterait sur le trône.

36

Pack Martin (son prénom était en réalité Packard, sa mère l'ayant baptisé d'après la marque d'une voiture qui avait été l'orgueil de son père) vivait dans une caravane de chantier basée au sud-est de la ville. C'était une antiquité, dont la peinture se ternissait et se craquelait comme le vernis d'une vieille poterie. Rouillée par endroits, marquée de coups, elle était posée sur des blocs de béton en guise de fondations, au milieu d'un terrain où poussaient essentiellement des mauvaises herbes. Pack n'ignorait pas que pour beaucoup de gens de Moonlight Cove, sa résidence avait tout d'une verrue sur une joue de jeune fille, mais il s'en fichait éperdument.

La caravane disposait d'un branchement électrique, d'un fourneau à pétrole et d'un système de plomberie, ce qui suffisait à ses besoins. On y était au chaud et au sec, et il y avait de quoi mettre la bière au frais. Un véritable palais.

Mieux que tout, il l'avait payée vingt-cinq ans auparavant, avec le magot herité de sa mère, et elle n'était même pas hypothéquée. Il lui était resté un peu d'argent de cet héritage, et il écornait rarement le capital. Les intérêts atteignaient presque trois cents dollars par mois, sans compter qu'il touchait sa pension d'invalidité, pension qu'il devait au miracle d'une chute faite trois semaines après son incorporation dans l'armée. Le seul vrai travail auquel Pack s'était véritablement adonné à fond, au cours de toute sa vie, avait été l'étude et l'apprentissage par cœur des symptômes les plus subtils et les plus complexes des blessures sérieuses au dos, avant de se faire examiner pour qu'il fût statué sur son cas.

Il était né avec une vocation pour le loisir, ce qu'il avait découvert tres tôt dans sa vie. Il y avait incompatibilité entre le travail et lui. Il pensait que, destiné à naître dans une famille riche, quelque chose était allé de travers : c'est pourquoi le sort l'avait fait naître fils d'une serveuse qui s'était montrée assez industrieuse et économe pour lui laisser un héritage minimal.

Il n'enviait cependant personne. Chaque mois, il achetait une bonne douzaine de cartons de la bière la meilleur marché, au magasin discount de l'autoroute ; il avait la télé, et avec un sandwich au saucisson à l'ail bien moutardé de temps en temps, voire quelques Fritos, il se considérait comme parfaitement heureux.

Vers quatre heures, en ce mardi après-midi, Pack avait déjà sérieusement entamé son deuxième paquet de six bières et regardait, effondré dans son fauteuil avachi, un jeu-télé au cours duquel la petite culotte de la fille chargée de la remise des prix, régulièrement révélée par sa mini-mini-jupe, était beaucoup plus intéressante que le meneur de jeu, les candidats ou les questions.

– Alors, quel est votre choix ? demandait le meneur de jeu. Ce qui se trouve derrière le paravent numéro un, numéro deux ou numéro trois ?

Répondant à la télé, Pack lança :

– Moi je prends ce qui est sous le Dim de la petite, merci beaucoup, avant d'ingurgiter une nouvelle rasade de bière.

Juste à ce moment-là, on frappa à la porte.

Pack ne se leva pas, et rien dans son attitude ne montra qu'il avait remarqué quelque chose. Il n'avait aucun ami, et les visiteurs n'offraient aucun intérêt pour lui. Il s'agissait toujours de bons samaritains de la communauté qui lui apportaient des conserves dont il n'avait rien à faire, ou s'offraient à nettoyer les mauvaises herbes, ce qu'il refusait aussi : il aimait bien les mauvaises herbes.

On frappa de nouveau.

Pack réagit, ce coup-ci, en montant le son de la télé.

On frappa plus fort.

– Allez-vous-en ! lança-t-il.

Cette fois-ci on cogna violemment à la porte, et toute la caravane vibra.

– Mais qu'est-ce qu'ils foutent ?

Pack éteignit la télé et se leva.

Les coups ne se répétèrent pas, mais Pack entendit un étrange bruit de frottement contre le flanc de la caravane.

La construction se mit à craquer sur ses fondations, comme elle le faisait parfois lorsque le vent soufflait fort. Or aujourd'hui, il n'y avait pas de vent.

– Des mômes, conclut Pack.

La famille Aikhorn, qui vivait de l'autre côté de la route secondaire, à environ deux cents mètres au sud, avait des gosses tellement tarés qu'on aurait dû les piquer, les conserver dans le formol et les exposer dans un musée de criminels en herbe. Ces garnements ne trouvaient rien de plus drôle que de jeter des pétards entre les parpaings des fondations, ce qui le réveillait avec une détonation monumentale au milieu de la nuit.

Les bruits de frottement s'arrêtèrent, mais c'était maintenant deux gosses qui marchaient sur son toit.

C'en était trop, ce coup-ci. Le toit métallique ne fuyait pas, mais il avait tout de même connu des jours meilleurs, et il risquait de plier ou de craquer le long des joints, sous leur poids.

Pack ouvrit la porte et s'avança sous la pluie, leur criant des obscénités. Mais lorsqu'il leva les yeux, ce ne fut pas des enfants qu'il vit sur le toit. Non, ce qu'il découvrit à la place était quelque chose sorti tout droit d'un film d'horreur des années cinquante, de la taille d'un homme, équipé de mandibules qui claquaient et d'yeux à facettes, ainsi que d'une bouche encadrée de petites pinces. Cette monstruosité présentait également quelques traits vaguement humains, suffisamment pour qu'il crût pouvoir reconnaître Daryl Aikhorn, le père des petits garnements.

– *Enviiiiiiieeee*, râlait la chose d'une voix aux intonations à demi aikhorniennes, à demi coléoptériennes.

Elle bondit sur lui, tandis qu'un dard méchamment effilé jaillissait de son corps répugnant. Avant même que ce javelot dentelé, qui mesurait un bon mètre de long, eût crevé son ventre et l'eût complètement transpercé, Pack comprit que les journées passées à boire de la bière, à manger des sandwichs au saucisson à l'ail et des Fritos, et à regarder des nanas aux petites culottes impeccables à la télé, le tout partiellement aux frais de l'armée – il comprit que ces jours-là étaient terminés.

Randy Hapgood, du haut de ses quatorze ans, pataugeait jusqu'aux mollets dans l'eau boueuse d'un caniveau ayant débordé, un sourire de mépris aux lèvres, comme pour signifier que la nature devrait lui opposer des obstacles mille fois plus formidables si elle espérait l'impressionner. Il refusait de porter un ciré et des bottes de caoutchouc, car il trouvait une telle tenue par trop ringarde. D'ailleurs, qui a jamais vu des superblondes au bras d'un type tenant un parapluie ? Aucune super-nana ne s'accrochait cependant au bras de Randy, pour le moment, mais à son avis, cela tenait à ce qu'elles n'avaient pas encore remarqué à quel point il était cool et indifférent au mauvais temps, et à quel point il possédait tout ce qui en imposait aux autres mecs.

Il était trempé jusqu'aux os et frigorifié – mais sifflait avec superbe pour le dissimuler – lorsqu'il arriva chez lui à cinq heures moins vingt, la répétition de l'orchestre, à Central, ayant été écourtée à cause du mauvais temps. Il se débarrassa de son blouson en jean, l'accrocha à la porte de la penderie et enleva ses tennis transformées en éponges.

– Je suis làààààààà ! cria-t-il, parodiant la petite fille dans le film *Poltergeist*.

Personne ne lui répondit.

Il savait que ses parents étaient à la maison : la porte n'était pas fermée à clef, et la lumière était allumée. Depuis quelque temps, ils travaillaient de plus en plus souvent à la maison. Ils faisaient quelque chose comme de la recherche de production pour New Wave, et ils pouvaient passer toute une journée sur leurs terminaux, dans la pièce du fond, au premier étage, sans avoir besoin de se rendre au bureau.

Randy alla prendre un Coke dans le frigo, fit sauter la capsule, en avala une gorgée et monta l'escalier pour aller raconter, tout en séchant, sa journée à Pete et Marsha. Il ne les appelait pas papa et maman, et eux trouvaient ça très bien ; ils étaient cools, ses vieux. Parfois, il les trouvait même un peu trop cools. Ils roulaient en Porsche, s'habillaient avec six mois d'avance sur la mode et parlaient en toute franchise de n'importe quel sujet avec lui, n'importe lequel, les trucs sexuels y compris, comme s'ils avaient été ses copains. Si jamais il réussissait à draguer une super-blonde, il redouterait de la ramener à la maison, de peur que la fille ne trouvât son père infiniment plus cool que lui. Il regrettait parfois que Pete et Marsha ne fussent pas plus ou moins bedonnants, mal fagotés, en retard d'un train sur la mode, et ne tinssent à se faire appeler papa et maman. La compétition pour les bonnes places et la popularité était déjà suffisamment féroce comme ça à l'école, sans avoir besoin de se prolonger à la maison avec ses parents.

Une fois en haut de l'escalier, il lança :

– Pour reprendre le mot immortel de l'intellectuel américain contemporain, John Rambo, Yo !

Toujours pas de réponse.

À l'instant où Randy tendit la main vers la porte de la pièce, au bout du palier, un accès de trouille le saisit. Il frissonna, fronça les sourcils mais ne s'arrêta cependant pas : son image de soi de type ultra-cool ne l'autorisait pas à avoir les jetons.

Il franchit le seuil, préparant une vanne sur le fait qu'ils devenaient sourdingues ou quoi. Trop tard. L'effroi le cloua sur place.

Pete et Marsha étaient assis de part et d'autre d'une grande table de travail, les deux terminaux adossés l'un à l'autre. Non, ils n'étaient pas simplement assis, mais branchés à leur siège et à leur ordinateur par des dizaines de câbles segmentés, hideux, qui bourgeonnaient de leur corps – ou provenaient de la machine –, et qui non seulement les rattachaient à l'appareil, mais les ancraient dans le sol, où ils disparaissaient. Leur visage était encore vaguement reconnaissable, quoique démentiellement transformé, à demi chair pâle, à demi métal, l'air d'avoir légèrement fondu.

Randy n'arrivait plus à respirer.

Mais soudain, il put bouger et bondit en arrière.

Derrière lui, la porte claqua.

Il tourna sur lui-même.

Des tentacules – à moitié organiques, à moitié métalliques – surgirent des murs. Toute la pièce paraissait animée d'une vie malveillante et insensée, à moins que les murs ne fussent pleins de mécanismes étranges. Les tentacules se déroulaient vite, en claquant autour de lui ; ils l'accrochèrent aux bras, l'immobilisèrent complètement et le tournèrent vers ses parents.

Ils se tenaient toujours sur leur siège mais ne faisaient plus face à l'ordinateur.

Ils le regardaient avec des yeux verts rayonnants qui semblaient bouillir dans leurs orbites, agités et crevés de bulles.

Randy hurla. Il se débattit, mais les tentacules le maintenaient.

Pete ouvrit la bouche ; il en jaillit une demi-douzaine de sphères argentées, comme de grosses billes de roulement, qui vinrent heurter son fils à la poitrine.

Une explosion de douleur se propagea dans tout le corps de l'adolescent. Mais elle ne dura guère plus de deux secondes. La sensation de chaleur brûlante se transforma en un froid glacial qui alla se ramifiant jusqu'à ses extrémités et à son visage.

Il essaya de hurler encore ; aucun son ne sortit de sa gorge.

Les tentacules se rétractèrent vers le mur, l'entraînant avec eux, jusqu'à ce qu'il eût le dos collé contre le plâtre.

Le froid emplissait maintenant sa tête, se ramifiait, se glissait partout.

Il voulut encore crier. Cette fois-ci, un son sortit de sa bouche. Une trépidation menue, électronique.

Ce même après-midi, habillée d'un chaud pantalon de laine et d'un cardigan par-dessus son sweat-shirt, car elle n'arrivait pas à se réchauffer avec le temps qu'il faisait, Meg Henderson était assise à la table de sa cuisine, près de la fenêtre, devant un verre de chenin blanc et une assiette de crackers aux oignons accompagnés d'une pointe de gouda, et lisait un roman de Rex Stout.

Elle avait lu toutes les aventures de Nero Wolfe, des années auparavant, mais elle les relisait : reprendre de vieux romans avait ceci de réconfortant que les héros n'avaient pas changé. Wolfe était toujours un génie et un gourmet ; Archie, toujours un homme d'action ; Fritz régentait la cuisine privée la plus raffinée au monde. Aucun d'eux n'avait pris une ride depuis la dernière fois qu'elle les avait rencontrés, un tour qu'elle aurait bien aimé apprendre.

Meg avait quatre-vingts ans, et elle les faisait. Sans erreur possible. Elle ne se racontait pas d'histoires là-dessus. Parfois, lorsqu'elle tombait sur son reflet dans un miroir, elle se regardait, abasourdie, comme si elle n'avait pas eu cette tête pendant une bonne partie du siècle et regardait une étrangère. Elle s'attendait plus ou moins à y voir un reflet de sa jeunesse, car intérieurement, elle avait gardé vingt ans. Fort heureusement, elle ne se sentait pas octogénaire. Ses os grinçaient, ses muscles possédaient autant de tonus que ceux de Jabba the Hut dans *La Guerre des étoiles n° 3* qu'elle avait vu récemment sur son magnétoscope, mais elle ne souffrait ni d'arthrite ni d'autres misères du même genre, Dieu merci. Elle habitait toujours dans son bungalow de Concord Circle, une curieuse petite rue en demi-lune qui partait de Sierra Avenue, à l'est de la ville, pour y revenir un peu plus loin. Elle l'avait acheté avec Frank quarante ans auparavant, alors qu'ils enseignaient tous les deux à Thomas Jefferson, à l'époque où on ne distinguait pas encore lycée et collège. Moonlight Cove, alors, était une agglomération bien plus petite. Depuis la mort de Frank, c'est-à-dire depuis quatorze ans, elle avait vécu seule dans le bungalow. Elle pouvait encore faire son ménage, ses courses et sa cuisine, et appréciait ce privilège.

Elle appréciait encore plus celui d'avoir conservé toute sa vivacité d'esprit. Plus que les infirmités physiques, elle redoutait la sénilité, ou une attaque qui l'aurait laissée physiquement fonctionnelle, mais dépossédée de ses souvenirs et qui aurait altéré sa personnalité. Elle s'efforçait de conserver sa souplesse d'esprit en lisant beaucoup de livres, dans toutes sortes de domaines, et en louant des films pour son magnétoscope, évitant comme la peste la bouillie anesthésiante qui passait pour du divertissement dans les programmes télé.

À quatre heures trente, elle avait lu la moitié du roman, même si elle s'arrêtait à chaque fin de chapitre pour regarder par la fenêtre. Elle aimait la pluie. Elle aimait tout ce que Dieu décidait d'envoyer sur la planète – tempête, grêle, vent, chaleur, froid –, car la variété et les extrêmes de la Création étaient ce qui la rendaient si fascinante.

Tandis qu'elle regardait la pluie, qui s'était un temps réduite à un simple crachin avant de se remettre à tomber plus furieusement encore, elle vit apparaître trois créatures, fantastiques au plus haut degré, au milieu du bosquet d'arbres qui clôturait sa propriété à l'arrière, à moins de vingt mètres de la fenêtre auprès de laquelle elle se tenait. Elles s'immobilisèrent quelques instants, une brume fine déroulant ses volutes autour de leurs chevilles, comme s'il s'agissait de monstres de cauchemar nés dans ces lambeaux de brouillard, susceptibles de s'y dissoudre à nouveau aussi soudainement qu'ils en avaient jailli. Mais au lieu de cela ils bondirent soudain en direction du porche de derrière.

Tandis qu'ils se rapprochaient à toute vitesse, Meg sentit sa première impression se renforcer. Ils ne ressemblaient à aucune créature du bon Dieu... tout au plus aurait-on dit des gargouilles qui, soudain animées du souffle de la vie, seraient descendues des tours d'une cathédrale.

Elle comprit immédiatement qu'elle devait se trouver au premier stade d'une hémorragie cérébrale massive, car c'est ce que l'on a toujours le plus redouté qui, inévitablement, finit par se produire. Mais elle était stupéfaite par la manière dont les choses se présentaient, à savoir par une hallucination aussi fantastique.

Car il ne pouvait s'agir que d'une hallucination, précédant l'explosion d'un vaisseau qui, dans son cerveau, devait déjà gonfler et faire pression sur sa matière grise. Elle attendit que se produisît une douloureuse explosion sous son crâne, que son visage et son corps se tordissent sur la droite ou sur la gauche, selon le côté qui allait être paralysé.

Même lorsque la première des gargouilles fracassa la fenêtre en passant au travers, dans une averse de débris de verre qui commença par renverser le chenin blanc et l'envoya ensuite rouler au sol, même lorsque l'abominable créature, toute en dents et en griffes, se retrouva à califourchon sur elle, elle s'émerveilla à l'idée qu'une hallucination pût donner une illusion de réalité aussi puissante et vivante, sans être surprise, cependant, par l'intensité de la douleur. Elle avait toujours su que mourir ferait mal.

Dora Hankins, la réceptionniste de New Wave, avait l'habitude de voir partir des gens dès quatre heures trente. Officiellement, le travail cessait à cinq heures, mais beaucoup d'employés poursuivaient leurs activités chez eux, sur leur ordinateur personnel, si bien que personne n'était chargé de veiller au respect de la règle des huit heures par jour. Depuis qu'ils étaient convertis, en outre, il n'y avait plus besoin de règlement, car tous travaillaient à un même but, pour le nouveau monde en gestation, et la peur de Shaddack était amplement suffisante à les discipliner.

Vers seize heures cinquante-cinq, Dora n'avait toujours vu personne passer par le hall d'entrée et se sentit gagnée par une appréhension. Le bâtiment était étrangement silencieux, alors que des centaines de gens travaillaient toujours dans leur bureau ou leur labo, au rez-de-chaussée, où elle se trouvait, comme dans les deux étages du bâtiment. En réalité, celui-ci paraissait désert.

À cinq heures, personne n'était encore parti, et Dora décida d'aller voir ce qui se passait. Elle abandonna son poste au bureau de réception, traversa le fond du grand hall de marbre, franchit une porte à l'encadrement de laiton et s'engagea dans un corridor plus modeste, au sol recouvert de carreaux synthétiques, de chaque côté duquel donnaient des bureaux. Elle poussa la porte du premier sur sa gauche, un secrétariat pour les cadres subalternes ne disposant pas d'une secrétaire personnelle.

Les huit employées se tenaient devant leur terminal. Dans la lumière fluorescente, Dora n'eut aucun mal à voir à quel point organismes et machines étaient intimement reliés.

La peur était la seule émotion que Dora avait éprouvée depuis des semaines. Elle croyait la connaître sous toutes ses formes, à tous les degrés. Mais elle lui tomba dessus avec une force plus grande que jamais, plus noire, plus intense que tout ce qu'elle avait connu.

Un tentacule brillant jaillit du mur, à sa droite. En dépit de son aspect métallique, il en tombait des filaments, sorte de mucus jaunâtre. La chose alla directement frapper l'une des secrétaires et lui perfora la nuque, sans lui faire perdre, apparemment, une seule goutte de sang. Du sommet du crâne d'une autre, un tentacule s'éleva comme un naja au son de la flûte d'un charmeur de serpents, hésita, puis, à une vitesse stupéfiante, alla crever le revêtement anti-bruit du plafond et y disparut sans l'endommager.

Dora pressentit que tous les ordinateurs et les employés de New Wave s'étaient connectés de cette manière pour ne plus former qu'une seule entité, dans laquelle l'immeuble lui-même était rapidement intégré à son tour. Elle aurait voulu courir mais restait paralysée sur place, sachant peut-être que toute tentative de fuite se révélerait vaine.

Quelques instants plus tard, elle était à son tour branchée au système.

Betsy Soldonna collait avec soin une affichette sur le mur, derrière le bureau de la bibliothèque municipale de Moonlight Cove. Elle annonçait la semaine de la lecture, un programme destiné à pousser les enfants à lire davantage de récits de fiction.

Betsy était assistante bibliothécaire, mais les mardis, jour où Cora Danker s'absentait, elle travaillait seule. Elle aimait bien Cora, mais avait également plaisir à se retrouver toute seule. Cora était bavarde, et chaque minute de libre était pour elle prétexte à rapporter des commérages ou à commenter les personnages ou les intrigues de ses émissions de télé favorites. Betsy, qui aimait depuis toujours les livres, aurait été ravie de parler sans fin de ses lectures, mais Cora, en dépit de son titre de bibliothécaire en chef, ne lisait qu'à peine.

Betsy déchira un quatrième morceau de Scotch du distributeur et colla le coin restant de l'affichette sur le mur, avant de se reculer pour admirer son œuvre.

Elle l'avait elle-même exécutée, et n'était pas peu fière de ses modestes talents artistiques. Sur le dessin, on voyait un garçon et une fillette tenant chacun un livre dans lequel ils étaient plongés, les yeux exorbités. Les sourcils de la fillette paraissaient avoir sauté comme des bouchons de champagne de son front, et il en allait de même des oreilles du garçon. Ils avaient l'un et l'autre les cheveux dressés sur la tête. Au-dessus d'eux on lisait : *Les livres sont des machines à s'amuser transportables, remplis de choses excitantes et de surprises.*

Des rangées de derrière, à l'autre bout de la bibliothèque, lui parvint un son curieux – un grognement, une toux étouffée, et ce qui aurait pu être un ricanement. Puis le tapage parfaitement reconnaissable d'une rangée de livres tombant sur le sol du haut de leur étagère.

En dehors de Betsy, il n'y avait qu'une personne dans la salle de lecture : Dale Foy, ancien caissier au supermarché Lucky, qui avait pris sa retraite à soixante-cinq ans, trois ans auparavant. Il était toujours à la recherche de récits de suspense du genre « thriller » qu'il n'aurait pas déjà lus, et se plaignait qu'aucun d'eux ne fût aussi bon que ceux des bons vieux conteurs d'autrefois, par quoi il entendait John Buchan plutôt que Robert Louis Stevenson.

Betsy fut soudain prise du pressentiment que M. Foy venait d'avoir une attaque cardiaque dans l'une des allées, qu'elle l'avait entendu gargouiller un appel à l'aide et qu'il avait fait tomber les livres en tentant de se raccrocher à une étagère. Elle l'imaginait déjà se tordant dans les affres de l'agonie, incapable de respirer, le visage devenant bleu, les yeux exorbités, une écume sanglante à la bouche...

Des années de lecture intensive, on le voit, avaient fini par aiguiser les facultés imaginatives de Betsy au point de les rendre aussi affûtées qu'un rasoir en acier suédois.

Elle fit précipitamment le tour de son bureau et se mit à courir le long des rangées de livres, regardant dans chaque allée étroite flanquée d'étagères sur deux mètres cinquante de haut.

– Monsieur Foy ? Ça va bien, monsieur Foy ?

Elle trouva les livres tombés dans la dernière, mais pas trace du retraité. Intriguée, elle fit demi-tour pour partir par où elle était venue, et se trouva alors nez à nez avec M. Foy. Mais un M. Foy changé. Et même l'imagination exacerbée de Betsy Soldonna n'aurait pu concevoir ce qu'était devenu M. Foy, non plus que les choses qu'il paraissait sur le point de lui faire. Les quelques minutes qui suivirent furent remplies de surprises plus stupéfiantes que dans aucun des nombreux livres qu'elle avait lus, mais la fin était très triste.

À cause des sombres nuages de tempête qui s'amoncelaient dans le ciel, un crépuscule précoce envahit Moonlight Cove, et l'on aurait pu croire que toute la ville fêtait la semaine de la lecture, à la bibliothèque. La journée qui finissait s'avérait, pour beaucoup, riche d'excitation et de surprises, tout à fait comme dans le palais de miroirs déformants de la fête foraine la plus macabre ayant jamais édifié ses tentes.

37

D'un geste circulaire, Sam balaya le grenier avec le rayon de sa torche électrique. Il avait un plancher en bois non raboté, mais pas d'éclairage. On n'y avait rien rangé et seule la poussière et les toiles d'araignées s'y étaient accumulées, ainsi que de nombreux cadavres desséchés d'abeilles qui, après avoir construit leur ruche, étaient mortes, du fait d'une campagne d'extermination, ou simplement parce que le terme de leur courte vie était arrivé.

Satisfait, il revint à la trappe et redescendit l'échelle aux barreaux de bois qui donnait dans le placard de la chambre de Harry, au second. Ils avaient enlevé la plupart des vêtements pour faire descendre l'échelle de meunier amovible.

Tessa, Chrissie, Harry et Moose l'attendaient à la porte du placard, dans la pièce où gagnait l'obscurité.

– Ouais, dit Sam, ça devrait aller.

– Je ne suis pas monté là-haut depuis avant la guerre, admit Harry.

– Un peu sale, quelques araignées, mais vous serez en sécurité. Si vous ne figurez pas à la fin de leur liste, si jamais ils viennent chez vous de bonne heure, ils trouveront la maison vide. Jamais ils ne penseront au grenier. Comment un homme ayant perdu l'usage de ses deux jambes et d'un bras pourrait-il s'y hisser ?

Sam n'était pas sûr de croire tout à fait ce qu'il disait. Mais pour la paix de son esprit (et pour celle de Harry), il voulait y croire.

– Est-ce que je peux prendre Moose avec moi ?

– Ne prenez que le revolver dont vous avez parlé, répondit Tessa. Pas Moose. Si bien dressé qu'il soit, il risque d'aboyer au mauvais moment.

– Mais est-ce que Moose ne risquera rien... quand ils viendront ? se demanda Chrissie à voix haute.

– Non, rien, j'en suis sûr, fit Sam. Ils n'en veulent qu'aux gens, pas aux chiens.

– Il vaudrait mieux monter tout de suite, Harry, remarqua Tessa. Il est déjà cinq heures vingt. Nous n'allons pas tarder à partir.

La pièce se remplissait d'une ombre dense à la vitesse à laquelle un verre se remplit d'un vin rouge sang.

TROISIÈME PARTIE

La nuit leur appartient

Montgomery m'expliqua que la Loi... s'affaiblit étrangement à la tombée de la nuit ; qu'alors, les animaux jouissaient de leur force maximum ; qu'un esprit d'aventure s'emparait d'eux avec le crépuscule ; et qu'ils osaient faire des choses dont on ne les aurait même pas crus capables de rêver au cours de la journée.

H. G. Wells, *L'Île du Dr Moreau*

1

Dans les collines couvertes de buissons, autour de la colonie Icare abandonnée, lapins, lièvres, musaraignes, imités de quelques renards, se précipitèrent hors de leur terrier et tendirent l'oreille sous la pluie, frissonnant. Dans les deux plus proches bosquets de pins, d'eucalyptus et de bouleaux dénudés par l'automne, l'un au sud et l'autre à l'est des bâtiments, écureuils et ratons laveurs se dressèrent, au garde-à-vous.

Les oiseaux furent les premiers à réagir. En dépit de la pluie, ils quittèrent l'abri de leur nid dans les arbres, les granges en ruine ou les combles de la maison elle-même. Avec des croassements et des piaillements, ils s'élevèrent en spirales dans le ciel, plongeant et virevoltant avant de foncer directement vers le corps de bâtiment principal.

Étourneaux, roitelets, corbeaux, chouettes et faucons se précipitaient dans une bruyante confusion de battements d'ailes. Certains se cognaient avec insistance aux murs, comme aveugles, et finissaient par tomber à terre, les ailes ou le cou brisés, continuant à se débattre et à pépier jusqu'à l'épuisement ou la mort. D'autres, tout aussi frénétiques, trouvaient des portes et des fenêtres ouvertes, par lesquelles ils entraient sans se faire de mal.

Bien que toute vie animale, dans un rayon de deux cents mètres, eût entendu l'appel, seules les bêtes les plus proches y obéirent. Les lapins bondirent, les écureuils partirent au galop, les coyotes et les renards trottinèrent et les ratons laveurs se dandinèrent de leur curieuse démarche, à travers l'herbe mouillée, les orties couchées par le poids de l'eau et la boue – tous en direction du chant de sirène. Certains étaient des prédateurs, d'autres, par nature, des proies timides, mais ils couraient côte à côte sans conflit. On aurait dit une scène tirée d'un film de Walt Disney – le petit peuple des champs et des bois, amical et sans malice, réagissant aux douces harmonies de quelque vieillard noir qui, lorsqu'ils seraient rassemblés autour de lui, leur raconterait des histoires de magie et d'aventures. Mais il n'y avait pas quelque charmant et sympathique griot là où ils se précipitaient, et la musique qui les attirait était sombre, froide et sans mélodie.

2

Tandis que Sam ahanait sous le poids de Harry pour lui faire gagner le grenier, Tessa et Chrissie descendaient le fauteuil roulant jusqu'au sous-sol ; il s'agissait d'un modèle solide, équipé d'un lourd moteur, non pas d'un siège pliable, et il n'aurait pu franchir la trappe. Elles le placèrent juste à côté de la grande porte du garage, comme si Harry s'était rendu jusque-là en l'utilisant, avant d'embarquer dans la voiture d'un ami, par exemple.

– Vous croyez qu'ils vont avaler ça ? demanda Chrissie, inquiète.

– Il y a une chance, répondit Tessa.

– Ils vont peut-être penser que Harry est parti hier de la ville. Avant qu'ils mettent les barrages.

Tessa acquiesça, mais elle savait (et soupçonnait Chrissie de s'en douter aussi) que les chances de succès de leur subterfuge étaient minces. Si Sam et Harry avaient eu autant confiance dans le stratagème du grenier qu'ils le prétendaient, ils auraient exigé d'y laisser également la fillette, au lieu de l'entraîner dans la cauchemardesque nuit de tempête qui s'était abattue sur Moonlight Cove.

Elles remontèrent jusqu'au second et trouvèrent Sam qui repliait l'échelle et remettait la trappe en place. Moose l'observait, l'air intrigué.

– Cinq heures quarante-deux, dit Tessa après un coup d'œil à sa montre.

Sam s'empara de la tringle de la penderie, qu'il avait dû ôter pour faire descendre l'échelle pliante, et la reposa dans ses encoches.

– Aidez-moi à remettre les vêtements.

Chemises et pantalons avaient été posés sur le lit, toujours sur leur cintre. Ils se les passèrent comme des pompiers amateurs faisant circuler des seaux d'eau, et rendirent rapidement son aspect antérieur au placard.

Tessa s'aperçut qu'un peu de sang frais coulait à travers l'épais bandage du poignet droit de Sam. Les efforts qu'il venait de fournir avaient rouvert ses plaies. S'il ne s'agissait pas de blessures dangereuses, elles devaient faire très mal, et tout ce qui risquait de l'affaiblir ou de le distraire au cours de la périlleuse expédition qui les attendait diminuait leurs chances de succès.

Refermant la porte, Sam murmura :

– Seigneur, ça me fait horreur de le laisser comme ça.

– Cinq heures quarante-six, lui rappela Tessa.

Tandis que la jeune femme endossait un blouson de cuir et que Chrissie s'enfouissait dans un coupe-vent imperméable en nylon bleu appartenant à Harry et trop grand pour elle, Sam rechargea son revolver. Il avait tiré toutes les balles en réserve dans ses poches chez les Coltrane, mais Harry possédait deux armes de poing, dont une du même calibre que celle de Sam ; l'infirme les avait avec lui dans le grenier, ainsi que les boîtes de munitions, dans lesquelles Sam avait prélevé une douzaine de cartouches de .38.

Ajustant le revolver dans son étui d'épaule, il alla au télescope et étudia les rues en direction de Central.

– Toujours beaucoup d'activité, commenta-t-il.

– Des patrouilles ? demanda Tessa.

– Beaucoup de pluie, aussi. Et le brouillard semble s'épaissir rapidement.

Grâce à la tempête, le crépuscule précoce commençait déjà à laisser la place à une profonde obscurité ; et s'il restait du jour au-dessus des nuages barattés par le mauvais temps, on aurait pu croire, en dessous, que la nuit était déjà tombée, tant était sombre le manteau de ténèbres qui s'abattait sur la ville mouillée et pelotonnée entre ses collines.

– Cinq heures cinquante.

– Si M. Talbot est en tête de leur liste, ils peuvent être là d'une minute à l'autre, observa Chrissie.

Abandonnant le télescope, Sam répondit :

– Très bien. Allons-y.

Tessa et la fillette lui emboîtèrent le pas. Le trio prit par l'escalier, tandis que Moose empruntait l'ascenseur.

3

Ce soir, Shaddack était comme un enfant.

Tandis qu'il allait et venait entre la mer et les collines, de Holliwell Road au nord jusqu'à Paddock Lane au sud, il ne se souvenait pas avoir jamais été d'une aussi bonne humeur. Il changeait constamment d'itinéraire, avant tout pour être sûr de passer par chacune des rues de l'agglomération ; la vue de chaque maison et de chaque citoyen à pied dans le mauvais temps l'affectait d'une manière toute nouvelle : bientôt, tout et tous dépendraient ici de son bon plaisir.

Il n'avait pas connu autant d'excitation et d'impatience depuis l'époque où, enfant, il attendait le soir de Noël. Moonlight Cove n'était qu'un gigantesque jouet et, dans quelques heures, au douzième coup de minuit, lorsque débuterait enfin la fête, au creux de cette nuit noire, il allait s'amuser comme un fou avec le merveilleux joujou. Il s'autoriserait enfin à pratiquer des jeux dont il s'était contenté jusqu'ici de rêver. À partir de minuit, il ne se refuserait rien, comblerait tous ses désirs : car quelque sanglant ou abominable que fût le jeu qu'il choisirait, il n'y aurait ni arbitre ni autorité pour le sanctionner.

Et comme un enfant se faufilant dans la penderie afin de subtiliser quelques pièces dans les poches du veston de son père pour s'acheter une crème glacée, il était tellement fasciné par la perspective de la récompense qu'il en oubliait virtuellement que tout risque de désastre n'était pas écarté. Minute par minute, la menace que faisaient planer les régressifs s'amenuisait dans son esprit. Il n'avait pas complètement oublié Loman Watkins, mais il n'arrivait plus à se souvenir exactement pour quelle raison il avait passé plus de la moitié de la journée à se cacher du chef de la police, au fond d'un garage.

Plus de trente années passées à se contrôler en permanence, trente années d'efforts soutenus et d'application sans relâche, trente années à puiser dans ses ressources physiques et mentales, depuis le jour où il avait assassiné ses parents et Runningdeer, trente années pendant lesquelles il avait réprimé ses désirs, sublimés dans son travail, l'avaient enfin conduit à cet instant, où son rêve allait se réaliser. *Il ne pouvait en douter*. Douter de sa mission, douter de son issue, serait remettre en question le caractère sacré de sa destinée et insulter les grands esprits qui lui avaient accordé leurs faveurs. Il était devenu incapable de seulement voir le côté négatif des choses, et détournait son esprit de tout ce qui pouvait miner ses certitudes.

Il sentait la présence des grands esprits dans la tempête.

Il les sentait se déplacer, invisibles, à travers sa ville.

Ils étaient venus pour assister à son ascension sur le trône du destin, et la bénir.

Il n'avait jamais remangé de bonbons au cactus depuis le jour où il avait tué ses parents et l'Indien, mais au cours des années, il avait éprouvé de véritables retours de flammes de leurs effets, qui lui tombaient dessus de manière inattendue. À un moment donné, il se trouvait dans ce monde-ci, l'instant suivant dans l'autre, dans cet univers surnaturel, parallèle au nôtre où les bonbons au cactus l'avaient chaque fois entraîné – une réalité dans laquelle les couleurs étaient à la fois plus vives et plus subtiles, où chaque objet paraissait doté de plus de facettes et de dimensions que dans le monde ordinaire, dans laquelle il se sentait étrangement sans poids, flottant comme un ballon rempli à l'hélium, et où les voix des esprits lui parlaient. Ces brusques retours avaient été fréquents au cours des années qui avaient suivi les meurtres, se produisant en moyenne deux fois par semaine, pour diminuer progressivement en nombre – mais pas en intensité – pendant son adolescence. Ces états de transe rêveuse, qui d'ordinaire ne duraient qu'une heure ou deux mais pouvaient se prolonger sur une demi-journée, furent en partie responsables de sa réputation, auprès de sa famille comme auprès de ses professeurs, d'enfant détaché et replié. Tous éprouvaient de la sympathie pour lui, naturellement, car ils supposaient que cette attitude tenait au terrible traumatisme qu'il avait subi.

Maintenant, tandis qu'il roulait dans son van, il se plongeait lentement dans l'état de stupeur lié à l'absorption des bonbons au cactus. C'était inattendu ; cependant, la transe ne se déclencha pas brusquement, comme toujours jusqu'ici. Au lieu de cela elle l'envahit comme monte une marée, insidieusement. Et plus elle devenait profonde, plus il soupçonnait que cette fois, il ne serait pas brutalement arraché à cet état de conscience plus élevé. À partir de maintenant, il habiterait l'un et l'autre monde, ce qui était la manière dont les grands esprits vivaient, conscients des niveaux les plus élevés comme les plus bas de l'existence ; il commença même à penser que ce qu'il éprouvait était une sorte de conversion spirituelle, mille fois plus profonde que celle qu'avaient subie les citoyens de Moonlight Cove.

Dans cet état d'exaltation, tout paraissait spécial et merveilleux à Shaddack. Le scintillement des lumières, dans la ville balayée par la pluie, semblait la parer de joyaux ayant jailli dans l'obscurité. L'aspect argenté et fluide de la pluie elle-même l'étonnait, comme le ciel somptueusement agité, d'un gris plombé de plus en plus sombre.

Comme il freinait en arrivant à la hauteur de l'intersection de Paddock Lane et Saddleback Drive, il toucha machinalement sa poitrine ; il sentit l'appareil de télémétrie qu'il portait au bout d'une chaîne passée autour de son cou, et fut incapable, pendant un instant, de se souvenir à quoi il servait, ce qui lui parut également plein de mystère et merveilleux. Puis il se rappela que l'appareil contrôlait et radiodiffusait ses battements de cœur, et qu'ils étaient captés à New Wave. Il était efficace dans un rayon de huit kilomètres, ainsi que de l'intérieur des bâtiments. Si la réception de ses battements de cœur s'interrompait pendant plus d'une minute, Sun était programmé pour envoyer un ordre de destruction aux microsphères injectées chez tous ceux de la Nouvelle Race.

Quelques minutes plus tard, sur Bastenchurry Road, lorsqu'il effleura de nouveau le dispositif, le souvenir de son utilité lui échappa une fois de plus. Il sentait qu'il s'agissait d'un objet puissant, que celui qui le détenait disposait par là de la vie des autres, et l'enfant imaginatif resté en lui décida que ce devait être une amulette, un don des grands esprits, signe supplémentaire qu'il se tenait à cheval sur les deux mondes, un pied dans celui des hommes ordinaires, l'autre dans le royaume des grands esprits, les dieux des bonbons au cactus.

Son progressif retour en état de fugue mentale, comme un médicament à effet différé, l'avait ramené à l'état de sa jeunesse, du moins à celui qu'il avait connu pendant les sept ans où il était resté ensorcelé par Runningdeer. Un enfant. Et un demi-dieu. Le fils favori du faucon de lune ; il pouvait donc faire n'importe quoi à n'importe qui et, tandis qu'il continuait à circuler, il se mit à rêver à tout ce qu'il pourrait faire... et à qui.

Il éclatait de temps en temps d'un petit rire retenu, un peu aigu, et ses yeux brillaient comme ceux d'un garçonnet cruel et malsain, étudiant des fourmis prisonnières d'un cercle de feu.

4

Tandis que Moose allait et venait autour d'eux, agitant tellement la queue qu'il paraissait sur le point de décoller, Chrissie attendait avec Sam et Tessa, dans la cuisine, que le jour mourant eût perdu toute lumière.

Finalement, Sam dit :

– C'est bon. On reste très près les uns des autres. Faites exactement ce que je vous dirai de faire.

Il regarda la jeune femme et la fillette un long moment avant d'ouvrir la porte ; sans échanger un mot, tous trois s'étreignirent. Tessa embrassa Chrissie sur les joues, puis Sam fit de même, et la fillette leur rendit leurs baisers. Nul besoin qu'on lui dise les raisons de cette soudaine crise d'affection. Ils étaient des personnes, des personnes véritables, et il était important d'exprimer ses sentiments : car là-dehors, dans la nuit, les véritables personnes devenaient de plus en plus rares. Peut-être n'allaient-ils plus jamais ressentir le genre de choses qu'éprouvent les personnes véritables ; c'est pourquoi ces sentiments, en cet instant précis, leur paraissaient si précieux.

Qui savait ce qu'éprouvaient ces métamorphosés cauchemardesques ? Qui seulement aurait souhaité le savoir ?

En outre, s'ils n'atteignaient pas Central, ce serait pour être tombés aux mains d'une équipe de recherche ou d'un couple de croquemitaines en cours de route. Et dans ce cas, c'était leur dernière chance de se faire leurs adieux.

Finalement, Sam les entraîna sous le porche.

Chrissie referma soigneusement la porte derrière elle. Moose n'essaya pas de sortir. C'était une bête trop noble et bonne pour tenter ce genre de farce. Mais il passa le museau dans l'entrebâillement qui se refermait, la reniflant et essayant de lui lécher la main, et elle craignit de lui pincer le nez. Il se recula au dernier moment, et le loquet claqua.

Sam en tête, ils partirent en direction de la maison qui se trouvait au sud de celle de Harry. Aucune lumière ne l'éclairait. Chrissie espérait que personne ne s'y trouvait, sans pouvoir s'empêcher d'imaginer quelque monstrueuse créature à l'affût derrière les vitres noires, les observant en se léchant les babines.

La pluie lui paraissait plus froide que lorsqu'elle avait fui, la nuit précédente, mais cela tenait peut-être au fait qu'elle sortait tout juste de la chaleur de la maison. À l'ouest, une ultime lueur faisait une tache grise dans le ciel. Les gouttelettes glacées qui la fouettaient semblaient arracher aux nuages ce reste de luminosité pour le jeter à terre, et draper la ville dans des ténèbres aqueuses. Avant même d'avoir atteint la clôture qui séparait le terrain de Harry de celui de son voisin, Chrissie se sentit bien contente d'avoir un coupe-vent à capuchon, même s'il était tellement grand qu'elle avait l'impression d'être déguisée avec les vêtements de ses parents.

La barrière de piquets de bois était facile à escalader. Elles suivirent Sam, à travers l'arrière-cour du voisin, jusqu'à la barrière suivante. Chrissie l'avait déjà franchie, Tessa juste derrière elle, avant de se rendre compte qu'ils venaient d'atteindre la maison des Coltrane.

Elle regarda vers les fenêtres. Aucune lumière, là non plus, ce qui était encourageant : des lumières auraient signifié que quelqu'un avait trouvé ce qui était resté des Coltrane après leur bataille avec Sam.

Traversant cette troisième cour pour gagner la barrière suivante, la peur irrationnelle que les Coltrane fussent ressuscités, malgré toutes les balles que leur avait tirées Sam, s'empara de la fillette ; elle les imaginait, dissimulés derrière la fenêtre de la cuisine, ayant vu leur Némésis et ses deux compagnes, s'apprêtant à ouvrir la porte donnant sur la cour... Elle s'attendait à voir deux cyborgs s'avancer à grands pas métalliques et tendre vers eux des bras d'acier – version industrielle des morts-vivants dans les vieux films de zombies, avec des antennes-radars tourbillonnantes au sommet de leur crâne, crachant de la vapeur par des évents placés sur leur ventre.

Sa peur l'avait sans doute ralentie, car Tessa faillit la heurter et dut lui donner une légère poussée pour la faire avancer plus vite ; la fillette se courba et courut ainsi jusqu'à l'autre bout de la cour.

Sam l'aida à passer par-dessus une grille se terminant en fer de lance. Elle se serait probablement empalée si elle avait tenté de la franchir toute seule. Chrissie Foster en brochette. Brrrr.

Les gens étaient chez eux dans la maison suivante, et Sam alla se réfugier derrière un buisson pour étudier la disposition des lieux avant de continuer. Chrissie et Tessa le rejoignirent rapidement.

Pendant l'escalade de la dernière clôture, elle dut s'appuyer sur sa main écorchée et se fit mal, en dépit du bandage. Mais elle serra les dents et ne se plaignit pas.

Écartant les branches de ce qui semblait être un mûrier, Chrissie observa la maison, qui se dressait à seulement quelques mètres d'eux. Par la fenêtre de la cuisine, elle vit quatre personnes occupées à préparer le dîner. Un couple d'âge moyen, un monsieur aux cheveux grisonnants et une fillette de son âge.

Elle se demanda s'ils avaient déjà été convertis. Il lui semblait que non, mais il n'y avait aucun moyen d'en être sûr. Étant donné que les robots et les croquemitaines savaient se dissimuler, avec la plus grande habileté, sous une apparence humaine, on ne pouvait faire confiance à personne, ni à son meilleur ami ni même à ses parents. Tout à fait comme quand des extra-terrestres s'emparent des gens.

– Même s'ils regardent par la fenêtre, murmura Sam, ils ne peuvent nous voir. Allons-y.

Chrissie quitta le couvert derrière lui, et traversa la pelouse jusqu'à la limite de propriété suivante, rendant grâce à Dieu pour le brouillard, qui se faisait à chaque instant plus dense.

Finalement, ils atteignirent la dernière maison de la rue, au carrefour de Bergenwood Way, l'artère qui conduisait à Conquistador.

Ils se trouvaient tous les trois aux deux tiers de la pelouse et à moins de dix mètres de la rue, lorsqu'un véhicule s'y engagea venant dans leur direction, après avoir tourné au carrefour situé plus haut. Suivant l'exemple de Sam, Chrissie se jeta sur l'herbe détrempée, car il ne se trouvait aucun buisson, à proximité, qui aurait pu leur servir de refuge. Et s'ils avaient essayé de se précipiter à l'abri, le conducteur aurait pu apercevoir leurs silhouettes, dans le rayon de ses phares, pendant qu'ils couraient encore.

Aucun lampadaire n'éclairait Bergenwood Street, ce qui jouait en leur faveur, et cette fois-ci, il n'y avait même plus trace de lueur à l'ouest.

Comme la voiture se rapprochait, roulant lentement soit à cause du mauvais temps, soit parce que ses occupants étaient en patrouille, ses lumières se diffusaient dans le brouillard, qui semblait non tant les réfléchir que rayonner d'une lueur propre. Les objets situés à quelques mètres de part et d'autre du véhicule apparaissaient bizarrement tordus, sous l'effet de ces nuages lumineux au lent tournoiement, paresseusement collés au sol.

Lorsque la voiture fut à moins de cent mètres d'eux, un passager, de l'arrière, alluma un projecteur tenu à la main, et se mit à balayer les pelouses des maisons de Bergenwood Road. Pour l'instant, il éclairait celles du côté sud, mais il pouvait tout aussi bien décider de s'intéresser au côté nord quand la voiture arriverait à leur hauteur.

– Marche arrière, dit Sam d'un ton sans réplique. Mais à plat ventre, en rampant, en rampant !

Le véhicule atteignit le carrefour voisin.

Chrissie rampait derrière Sam, qui se dirigeait non pas dans la direction par laquelle ils étaient arrivés, mais vers la maison. Elle ne voyait pas où il envisageait de se cacher : le porche de l'arrière n'avait qu'une balustrade sommaire, et aucun buisson n'était de dimensions suffisantes. Peut-être voulait-il gagner l'angle de la maison – mais jamais Tessa ni elle n'auraient le temps de l'atteindre...

Lorsqu'elle jeta un coup d'œil par-dessus son épaule, elle vit que le projecteur continuait de fouiller les jardins des maisons du côté sud. Néanmoins, il fallait aussi penser à l'éclairage indirect des phares qui allait balayer cette pelouse-ci dans quelques secondes.

Moitié à quatre pattes, moitié sur le ventre, le plus vite possible, elle écrasait sans aucun doute au passage nombre d'escargots et de lombrics venus profiter de l'herbe mouillée, et n'osait trop s'arrêter à cette idée. Elle arriva jusqu'à un trottoir de ciment qui faisait le tour de la maison, et se rendit compte que Sam avait disparu.

Elle s'immobilisa à quatre pattes, regardant à droite et à gauche.

Tessa arriva à sa hauteur.

– L'escalier de la cave, ma chérie, vite !

Elle se précipita et découvrit aussitôt des marches en béton qui, effectivement, conduisaient à la cave par l'extérieur. Sam était accroupi au fond, où gargouillait faiblement l'eau de pluie qui s'engouffrait dans le puisard ménagé devant la porte fermée. Chrissie le rejoignit dans cet abri, aussitôt suivie de Tessa. Quatre secondes plus tard, tout au plus, un rayon de lumière venait balayer le mur au-dessus d'eux, s'arrêtant même un instant, pour danser à quelques centimètres au-dessus de leur tête, à hauteur de la première marche.

Ils restèrent pelotonnés, immobiles et silencieux, pendant encore une minute, le temps que le véhicule se fût suffisamment éloigné. Chrissie était persuadée qu'on les avait entendus de l'intérieur de la maison, que la porte, dans le dos de Sam, allait s'ouvrir brusquement d'une seconde à l'autre, que quelque chose allait leur bondir dessus, une créature à moitié loup-garou, à moitié ordinateur, grognant et émettant des bip-bip, la gueule hérissée d'autant de semi-conducteurs que de crocs, et disant quelque chose comme : « Pour être tué, appuyez sur le bouton ENTREZ. »

Elle fut soulagée lorsque Sam murmura enfin :

– On y va !

Ils retraversèrent la pelouse en direction de Bergenwood Way. Cette fois-ci, la rue resta déserte.

Comme Harry le leur avait expliqué, une canalisation pour les eaux de pluie, bâtie en pierre, courait le long de Bergenwood Way ; d'après l'infirme qui y avait joué enfant, elle mesurait un peu moins d'un mètre de large pour un mètre cinquante de haut. À en juger par ces précisions, c'était au moins trente centimètres d'eau qui s'y engouffraient en ce moment. Un courant rapide, noir, que ne révélaient que quelques rares reflets et des clapotis intermittents.

Cette canalisation constituait un chemin dissimulé idéal par rapport à la rue, qu'ils remontèrent jusqu'à ce qu'ils eussent trouvé, comme le leur avait promis Harry, la première des échelles métalliques aux barreaux pris dans le ciment, qui, tous les cent mètres environ, permettaient d'y descendre. Sam s'y engagea le premier, suivi de Chrissie puis de Tessa.

Le policier dut se courber pour garder la tête en dessous du niveau de la rue, Tessa un peu moins, mais Chrissie pas du tout. Avoir douze ans n'était pas sans avantages, en particulier lorsqu'il fallait échapper à des loups-garous, à de voraces extra-terrestres, à des robots ou à des nazis – et à un moment ou à un autre, au cours des précédentes vingt-quatre heures, elle avait dû fuir devant les trois premières variétés de monstres, mais pas encore devant les nazis, grâce à Dieu – mais qui sait ce qui l'attendait ?

Les eaux tourbillonnantes étaient froides autour de ses pieds et de ses mollets. À son grand étonnement, elle sentit le courant qui pesait avec force sur elle, alors qu'il atteignait à peine ses genoux. Il la poussait et la tirait sans relâche, comme s'il était une chose vivante qui aurait cherché à la faire tomber. Elle ne risquait pas de chuter tant qu'elle restait sur place, les jambes écartées, mais elle se demandait combien de temps elle serait capable de conserver son équilibre tout en marchant. La pente que suivait le flot était prononcée et le vieux dallage de pierres, au fond, était parfaitement poli après plusieurs décennies d'intempéries. Du fait de cette combinaison d'éléments, cette canalisation valait presque les conduites à eau d'un parc d'amusement aquatique.

Si jamais elle tombait, elle serait entraînée jusqu'au bas de la colline, à peu de distance de la falaise, là où la canalisation s'élargissait avant de lâcher ses eaux tout droit dans la terre. Harry leur avait parlé de la présence de barreaux de sécurité à l'entrée de ce déversoir, mais elle se disait qu'ils devaient être rouillés ou manquants, et se voyait déjà emportée au tréfonds de la terre. En fait, le système revoyait le jour à la base de la falaise et déversait son trop-plein soit sur la plage, à marée basse, soit dans la mer.

Elle n'avait aucune difficulté à s'imaginer en train de culbuter et tournoyer dans la canalisation, impuissante, de s'étouffer en avalant de l'eau sale, de chercher désespérément à s'accrocher à quelque chose, et de dégringoler brusquement tout droit sur une soixantaine de mètres, se cognant contre les parois du puits dans sa partie verticale, se brisant les os, s'écrabouillant la tête, heurtant le fond avec...

Bon, d'accord, elle se l'imaginait parfaitement bien, mais l'utilité de se le représenter aussi clairement lui parut soudain discutable.

Harry les avait heureusement avertis de ce risque, et Sam s'y était préparé. Il déroula la corde (empruntée à une poulie que Harry avait dans son garage mais n'utilisait plus depuis longtemps) qu'il avait enroulée autour de sa taille. C'était un vieux cordage, mais Sam avait dit qu'il était encore solide, et Chrissie espérait qu'il avait raison. Il en garda l'extrémité nouée autour de lui, serra une boucle autour de la ceinture de Chrissie, puis noua finalement l'autre bout autour de la taille de Tessa, laissant environ un mètre cinquante de mou entre chacun d'eux. Si l'un d'eux tombait – disons-le tout de suite, Chrissie était celle qui risquait le plus d'être entraînée dans une chute mortelle – les autres pourraient s'arc-bouter, le temps qu'elle reprît pied.

Tel était, du moins, le cas de figure envisagé.

Ils commencèrent la descente, Sam et Tessa courbés, Chrissie la tête dans les épaules, marchant jambes écartées comme un troll – la nuit précédente, elle avait pu s'entraîner dans l'égout, sous la prairie.

Respectant les instructions de Sam, elle tenait la corde devant elle à deux mains, soulevant la partie qui retombait lorsqu'elle se rapprochait trop de lui afin de ne pas trébucher dessus, puis la laissant filer lorsqu'il s'éloignait de nouveau. Tessa, derrière elle, faisait la même chose, et la fillette sentait par moments une légère traction à sa taille.

Ils se dirigeaient vers un conduit souterrain qui se trouvait à une centaine de mètres en contrebas. La canalisation passait en effet sous terre à hauteur de Conquistador, non seulement pour franchir l'intersection, mais ensuite sur une longueur de deux pâtés de maisons, et ne refaisait surface qu'à Roshmore.

Chrissie ne cessait de jeter des coups d'œil, par-dessus l'épaule de Sam, à l'entrée qui se rapprochait. Elle n'aimait pas trop ce qu'elle voyait. Une ouverture circulaire, en ciment et non plus en pierre. Le conduit était plus large que la canalisation rectangulaire et devait faire un mètre cinquante de diamètre, sans doute pour pouvoir donner accès aux égoutiers chargés du nettoyage et de l'entretien. Ce n'était cependant ni la forme ni la taille de l'égout qui la mettait mal à l'aise et lui hérissait les cheveux sur la nuque, mais son absolue noirceur. Il était encore plus noir que la nuit même, d'un noir total, inqualifiable, et elle avait l'impression qu'ils se dirigeaient tous les trois droit dans la gueule béante de quelque mastodonte préhistorique.

Une voiture passa lentement sur Bergenwood, une autre sur Conquistador. La lumière des phares se réfractait dans le brouillard de plus en plus épais, si bien que la nuit elle-même parut un moment se mettre à scintiller ; mais bien peu de cette lumière atteignit le bas de la canalisation et il n'en pénétra rien dans la bouche de sa partie souterraine.

Lorsque Sam franchit le seuil de ce tunnel, disparaissant entièrement à sa vue au bout de deux pas, Chrissie le suivit sans hésitation, mais non sans angoisse. Ils avançaient à un rythme lent, car non seulement le fond s'inclinait en pente raide, comme avant, mais il était en outre incurvé sur les côtés, ce qui le rendait plus traître que celui de la partie à ciel ouvert.

Sam avait une lampe de poche, mais Chrissie savait qu'il éviterait de s'en servir près de l'entrée ou de la sortie ; une patrouille aurait pu apercevoir un reflet en passant, et venir vérifier.

Le conduit était aussi ténébreux que le ventre d'une baleine. Non pas qu'elle sût comment était le ventre d'une baleine, mais elle se doutait bien qu'il ne s'y trouvait aucun éclairage, même pas une petite veilleuse à l'image de Donald Duck, comme celle qu'elle avait à côté de son lit, lorsqu'elle était petite. L'image du ventre de la baleine lui paraissait bien convenir, car elle éprouvait l'inquiétante impression que le conduit était en fait un estomac, que les eaux agitées jouaient le rôle de sucs digestifs et que déjà ses chaussures de tennis et le bas de son jeans commençaient à se dissoudre dans le flot corrosif.

C'est alors qu'elle tomba. Elle avait glissé sur quelque chose, peut-être un champignon ayant poussé avant l'arrivée du mauvais temps et si solidement fixé par son pied que les eaux n'avaient pu l'arracher. Elle lâcha la corde et se mit à faire des moulinets des bras pour garder l'équilibre, ce qui ne l'empêcha pas de tomber dans de grands éclaboussements, ni de se sentir aussitôt entraînée par les eaux.

Elle eut assez de présence d'esprit pour ne pas crier. Un cri aurait attiré une patrouille – ou pire encore. Cherchant sa respiration, recrachant l'eau qui pénétrait dans sa bouche, elle sentit qu'elle heurtait les jambes de Sam et le déséquilibrait. Elle se demanda combien de temps ils allaient rester là, morts, en décomposition, au fond du puits vertical ou à l'extérieur de la falaise, avant que leurs restes ballonnés et violacés ne fussent retrouvés.

5

Dans ces ténèbres sépulcrales, Tessa entendit tomber la fillette et fit immédiatement halte, plantant les jambes aussi solidement que possible, bien écartées, sur le sol incurvé, tout en tenant fermement, à deux mains, la corde qui se tendit presque aussitôt sous le poids de Chrissie.

Sam poussa un grognement, et Tessa comprit que la fillette l'avait heurté ; la corde redevint molle un instant, puis se raidit de nouveau, la tirant en avant – ce qu'elle interpréta par le fait que Sam avait dû trébucher et s'efforçait de retrouver l'équilibre, tandis que la petite, coincée contre ses jambes, menaçait de le faire tomber. Si Sam avait également chuté et été emporté par les eaux tumultueuses, la corde ne se serait pas seulement tendue : la traction, trop forte, aurait déséquilibré Tessa.

Elle entendit de grands bruits d'éclaboussement devant elle. Un juron poussé à voix basse par Sam.

L'eau montait peu à peu. Elle crut tout d'abord à un tour de son imagination, puis elle se rendit compte que le torrent lui montait maintenant au-dessus des genoux.

Cette fichue obscurité intégrale était le pire ; aveugles de fait, ils étaient incapables de se rendre exactement compte de ce qui se passait.

Brutalement, elle se sentit de nouveau tirée en avant. Elle fit deux, trois, six pas.

Ne tombez pas, Sam !

Elle trébucha et faillit perdre l'équilibre ; consciente qu'ils étaient au bord de la catastrophe, Tessa s'arc-bouta sur la corde, se servant de sa raideur comme point d'appui au lieu de courir pour lui rendre du mou. Pourvu, se dit-elle, que je tienne le coup !

Elle oscilla. La corde tirait violemment sur sa taille, trop raide pour qu'elle pût faire un tour mort autour de son poignet et en contrôler ainsi plus ou moins la tension.

La pression de l'eau, contre ses jambes, ne cessait de croître.

Ses pieds glissèrent.

Comme des images-vidéo défilant en accéléré, d'étranges pensées lui traversèrent l'esprit, des dizaines à la seconde, sans liens entre elles, certaines assez surprenantes. Elle pensa à vivre, à survivre, au fait qu'elle ne voulait pas mourir, ce qui n'était pas étonnant, mais elle pensa aussi à Chrissie, à l'idée qu'elle ne voulait pas la décevoir, et elle se vit avec la fillette, quelque part dans une maison confortable, comme si elle était sa mère – mais le plus surprenant de tout était à quel point elle le désirait, ce qui semblait d'autant plus ridicule que les parents de Chrissie n'étaient pas morts, à sa connaissance, et n'étaient peut-être pas définitivement changés ; la conversion – ou quoi que ce soit qu'on leur avait fait – n'était pas forcément irréversible. La famille de Chrissie pouvait de nouveau se reconstituer. Mais Tessa n'arrivait pas à se le représenter. La possibilité de se retrouver avec la fillette lui paraissait plus grande. Puis elle pensa à Sam, au fait qu'elle n'avait pas eu l'occasion de faire l'amour avec lui, et là, alors, ce fut de la pure stupéfaction qu'elle éprouva. Car si elle admettait le trouver somme toute attirant, elle n'avait pas pris conscience d'être séduite de manière aussi radicale. Certes, son cran, face au désespoir spirituel dans lequel il était plongé, ne manquait pas de charme, et son numéro des quatre-raisons-de-vivre avait quelque chose d'un défi qui l'intriguait et qu'elle avait envie de relever. Serait-elle capable de lui en donner une cinquième ? Ou de supplanter Goldie Hawn en tant que quatrième ? Dire qu'il avait fallu qu'elle fût sur le point de se noyer au fond d'un obscur boyau pour se rendre compte à quelle vitesse elle s'était éprise de lui.

Elle dérapa de nouveau. Le fond de la canalisation était beaucoup plus glissant que dans la partie en pierre, comme si de la mousse avait envahi le béton. Chrissie toussa ; on aurait dit qu'elle s'étouffait.

La profondeur de l'eau, au milieu du conduit, atteignait maintenant environ cinquante centimètres.

L'instant suivant, la ligne se tendit brutalement, une fois de plus, puis se ramollit aussitôt.

La corde avait cassé. Sam et Chrissie venaient d'être emportés dans le tunnel.

Les gargouillis-clapotis de l'eau se répercutaient sur les parois, et les échos se superposaient aux échos ; le cœur de Tessa battait tellement fort qu'elle l'entendait cogner, mais cela n'aurait pas dû l'empêcher de percevoir leurs cris, tandis que le torrent les emportait. Il y eut quelques instants d'un affreux demi-silence.

Puis Chrissie toussa de nouveau. À quelques pas d'elle.

Une lampe de poche s'alluma. Sam la masquait presque entièrement de la main.

Chrissie se tenait sur le côté du boyau, le plus loin possible du flot, pressée contre la paroi, les deux mains appuyées de part et d'autre.

Sam, debout, se tenait pieds bien écartés. L'eau tourbillonnait et écumait autour de ses jambes. Il avait fait demi-tour et les regardait, face au courant.

En réalité, la corde n'avait pas cassé ; elle s'était simplement ramollie dès l'instant où Sam et Chrissie avaient retrouvé l'équilibre.

– Ça va ? murmura Sam à la fillette.

Elle acquiesça d'un signe de tête, encore à demi étouffée par l'eau qu'elle avait avalée. Elle plissa le visage de dégoût, cracha une fois, deux fois et dit :

– Beurk !

Regardant vers Tessa, Sam répéta :

– Ça va ?

Elle n'arriva pas à parler. On aurait dit qu'elle avait une grosse boule bien dure au fond de la gorge. Elle déglutit à plusieurs reprises, cligna des yeux. Une vague de soulagement l'envahit à retardement, réduisant la pression presque insupportable qui pesait sur ses poumons, et elle finit par répondre.

– Ouais. Ça va. Ça va.

6

Sam se sentit soulagé lorsqu'ils arrivèrent au bout du conduit, sans avoir fait d'autre chute. Il resta quelques instants immobile, juste à l'extérieur de la sortie, les yeux tournés avec gratitude vers le ciel. Du fait du brouillard, il ne pouvait le voir, en réalité, mais ce n'était qu'un problème technique. Il n'en était pas moins soulagé d'être de nouveau à l'air libre, même s'il se tenait toujours jusqu'aux genoux dans l'eau boueuse.

Ils se trouvaient maintenant pratiquement dans une rivière. Soit la pluie tombait plus fort que jamais sur les collines, dans l'arrière-pays, soit quelque retenue d'eau du système d'évacuation venait de lâcher. Le niveau arrivait pratiquement à l'aine de Sam et pas loin de la taille de Chrissie, et le déluge que déversait la canalisation souterraine poussait dans leur dos avec une force impressionnante. Il devenait à chaque instant plus difficile de conserver l'équilibre dans cette cataracte.

Il se tourna, tendit la main vers la fillette, la rapprocha de lui et dit :

– À partir de maintenant, je vais te tenir par le bras. Solidement.

Elle acquiesça.

L'obscurité de la nuit égalait presque celle du conduit, et même à quelques centimètres de son visage, il n'arrivait à deviner qu'une forme vague ; pas un seul de ses traits. Lorsqu'il se tourna vers Tessa, qui se tenait juste derrière Chrissie, il ne distingua qu'une silhouette floue qui aurait pu être n'importe qui.

Tenant fermement la fillette, il se tourna de nouveau vers la partie à ciel ouvert de la canalisation, qui se présentait exactement comme Harry la lui avait décrite d'après ses souvenirs d'enfance. En dépit des remontrances de ses parents, il y avait joué souvent... Dieu soit loué qu'existent des enfants désobéissants.

À un coin de rue devant eux, cette nouvelle section en pierre se déversait dans un autre conduit fermé en béton. Ce *tuyau*, pour reprendre l'expression de Harry, représentait le dernier tronçon avant le puits vertical, à l'extrémité ouest de la ville. En principe, dans les derniers mètres du conduit principal, était placée une série de solides barres de métal allant de haut en bas et espacées de trente centimètres, créant une barrière à travers laquelle seuls l'eau et les petits objets pouvaient passer.

Il n'existait virtuellement aucune chance d'être entraîné dans le puits, formant déversoir, de soixante mètres de profondeur.

Mais Sam ne voulait pas prendre ce risque. Pas question qu'il y ait une nouvelle chute. Après avoir été emporté et jeté contre la barrière de sécurité, si par hasard ils n'étaient pas réduits en miettes, comment se remettre debout et remonter le long de ce boyau en pente raide, à contre-courant ? C'était un supplice qu'il préférait ne pas envisager, et encore moins avoir à endurer.

Toute sa vie, il avait eu l'impression de faire faux bond aux gens. Alors qu'il n'avait que sept ans le jour où sa mère mourut dans l'accident, il avait toujours été dévoré de culpabilité, comme si elle était morte par sa faute, comme si, en dépit de son jeune âge, en dépit du fait qu'il était lui-même coincé dans l'épave de la voiture, il aurait dû pouvoir la sauver. Plus tard, Sam n'avait jamais réussi à satisfaire son ignoble et lamentablement dégueulasse ivrogne de père – et avait souffert profondément de cet échec. Comme Harry, il éprouvait le sentiment d'avoir fait faux bond au peuple du Viêtnam, même si la décision de l'abandonner était venue d'autorités placées bien au-dessus de lui, des autorités sur lesquelles il était sans la moindre influence. Aucun des agents du Bureau morts en mission avec lui n'avait péri par sa faute, et cependant il ne pouvait s'empêcher de se dire qu'il leur avait aussi fait faux bond. Il avait fait faux bond à Karen, d'une certaine manière, même si on lui disait qu'il était maboul de croire qu'il portait la moindre responsabilité dans le cancer de sa femme. Mais il ne pouvait s'empêcher non plus de penser que s'il l'avait davantage aimée, il aurait trouvé l'énergie de la sortir de là. Et s'il y en avait un à qui il avait fait faux bond, c'était bien Scott, son fils.

Chrissie lui serra la main.

Il lui rendit son étreinte.

Elle avait l'air si menue...

Il se souvint de la conversation qu'ils venaient d'avoir un peu plus tôt, dans la cuisine, sur la responsabilité. Il se rendit soudain compte que son sens des responsabilités, surdéveloppé, frisait l'obsession, mais il restait tout de même d'accord avec Harry : on ne se sentait jamais trop responsable des autres, en particulier de sa famille et de ses amis. Il n'aurait jamais imaginé avoir l'une des grandes révélations de sa vie alors qu'il se trouvait dans l'eau jusqu'aux hanches ou presque dans un égout, fuyant des ennemis à la fois humains et inhumains : c'était pourtant ce qui lui arrivait. Il comprit que son problème ne tenait pas à l'enthousiasme avec lequel il endossait les responsabilités, ni au poids inhabituel de celles qu'il acceptait de prendre. Non, bon Dieu, non ; son problème était qu'il avait laissé son sens des responsabilités faire barrage à sa capacité d'assumer ses échecs. Tout homme connaît des échecs, de temps en temps ; et ces échecs, bien souvent, n'incombent pas tant à l'homme lui-même qu'au destin. Lorsqu'il échouait, il lui fallait non seulement apprendre à continuer, mais à avoir *plaisir* à continuer. Il ne pouvait permettre à l'échec de le laisser exsangue du plaisir même de la vie. C'était blasphématoire de tourner ainsi le dos à la vie, si l'on croyait en Dieu – et parfaitement stupide si l'on n'y croyait pas. Comme si on disait : « Les hommes échouent, mais moi, je ne dois pas échouer, parce que je suis plus qu'un homme ordinaire, je me tiens quelque part entre les anges et Dieu. » Il comprit pour quelles raisons il avait perdu Scott : parce qu'il avait lui-même perdu son amour de la vie, le goût de s'amuser, et avait cessé d'être en mesure de partager quoi que ce soit avec son fils – ou de mettre un terme à la spirale nihiliste de celui-ci, lorsqu'elle avait commencé.

À cet instant précis, s'il avait essayé de compter les raisons qu'il avait de vivre, leur liste se serait considérablement allongée ; il en aurait inscrit des centaines. *Des milliers.*

Tout cela lui fut révélé d'un seul coup, alors qu'il tenait la main de Chrissie, comme si le flux du temps s'était étiré grâce à quelque tour de la relativité. Il comprit que s'il n'arrivait à sauver ni la fillette ni Tessa, et que lui-même s'en tirait, il devrait néanmoins se réjouir d'être vivant, et continuer à vivre. Leur situation avait beau être dramatique et leurs chances plus que réduites, il se sentit un moral à toute épreuve, au point qu'il faillit éclater de rire. Le cauchemar qu'ils vivaient à Moonlight Cove l'avait profondément secoué ; il venait de lui faire ingurgiter de force un certain nombre de vérités importantes, des vérités simples qu'il aurait été facile de voir au cours de ses longues années de tourment, mais qu'il accueillait avec gratitude, en dépit de cette simplicité et de son passé d'entêtement obstiné. La vérité, au fond, était peut-être toujours simple, lorsqu'on la découvrait.

Ouais, bon, d'accord, peut-être pourrait-il continuer à vivre même s'il n'arrivait pas à être à la hauteur de ses responsabilités aujourd'hui, vis-à-vis de Tessa et de Chrissie, mais nom de Dieu, il n'allait pas échouer ! Qu'il soit pendu s'il échouait !

Que je sois pendu si j'échoue.

Il garda la main de Chrissie dans la sienne et s'avança prudemment sur le dallage de pierre retrouvé, soulagé de sentir ses inégalités et l'appui rugueux, sans mousse glissante, qu'il procurait à son pied. Il y avait juste assez d'eau pour lui donner une légère impression de flotter, ce qui rendait plus difficile de reposer le pied au sol après l'avoir levé ; si bien qu'au lieu de marcher normalement, il fit traîner ses chaussures sur le fond de la canalisation.

Moins d'une minute plus tard, ils atteignaient une série de barreaux métalliques cimentés dans la paroi. Tessa les rejoignit, et pendant quelques instants ils restèrent ainsi, accrochés aux barreaux, tout au bonheur de les sentir solides et résistants.

Deux minutes plus tard, alors que la pluie perdait brusquement de son intensité, Sam se sentit prêt pour la prochaine étape. Prenant garde à ne pas marcher sur les mains de Tessa ou de Chrissie, il escalada les trois barreaux inférieurs et regarda dans la rue.

Pas un mouvement, sinon les volutes du brouillard.

Cette partie de la canalisation à ciel ouvert longeait Central. Le terrain de sport commençait à quelques mètres de lui et, au-delà de cet espace dégagé, à peine visible dans la nuit et le brouillard, s'élevait le bâtiment de l'école elle-même, modestement éclairé par deux faibles lampes de sécurité.

Le périmètre était fermé d'un grillage de plus de deux mètres cinquante de haut. Mais ce n'était pas pour impressionner Sam : les grillages ont toujours un portail quelque part.

7

Harry attendait dans le grenier, redoutant le pire, mais espérant aussi contre toute raison.

Il était adossé au mur extérieur de la grande pièce sans lumière, dans le coin le plus éloigné de la trappe par laquelle Sam l'avait hissé. Il n'y avait rien, là-haut, derrière quoi se dissimuler.

Toutefois, si jamais quelqu'un poussait le zèle jusqu'à vider la penderie de la chambre, abaisser l'échelle pliable et passer la tête par la trappe, peut-être n'irait-il tout de même pas jusqu'à explorer tous les recoins d'un endroit aussi vide. Peut-être éteindrait-il sa lampe et redescendrait-il, en ne voyant que des moutons de poussière et des toiles d'araignée.

Ridicule, évidemment. Quelqu'un qui prendrait la peine de regarder dans le grenier prendrait aussi celle de l'examiner à fond, sans ignorer un seul recoin. Mais cet espoir avait beau être absurde, Harry s'y accrochait. Il savait ce que c'était que se nourrir d'espoir, que de transformer le plus léger repas en un repas substantiel ; car depuis longtemps l'espoir était ce qui, avant tout, l'avait soutenu.

Il n'était pas trop mal installé. Le grenier n'était pas chauffé, et avec l'aide de Sam pour gagner du temps, il avait mis des chaussettes de laine, un pantalon plus chaud et endossé deux chandails.

Curieux, comme la plupart des gens s'imaginent qu'une personne paralysée ne ressent rien dans ses extrémités inertes. Dans certains cas, c'était vrai ; les terminaisons nerveuses détruites, on n'éprouvait plus aucune sensation. Mais les atteintes de la moelle épinière pouvaient prendre des milliers de formes, et mis à part une coupure totale de celle-ci, la gamme des sensations laissées à la victime variait considérablement.

Dans le cas de Harry, bien qu'il eût perdu l'usage d'un bras et d'une jambe, et presque l'usage de son autre jambe, il sentait très bien le froid et le chaud. Si quelque chose le piquait, il en avait conscience, sinon sous forme de douleur, du moins sous forme d'une sorte de pression.

D'un point de vue purement physique, il ressentait moins de choses que lorsqu'il jouissait de l'intégrité de son corps, c'était indiscutable. Mais toutes les sensations ne sont pas physiques. Il était sûr que bien des gens ne le croiraient pas, mais il avait pourtant la conviction que son handicap avait enrichi sa vie émotionnelle. Reclus par nécessité, il avait appris à compenser la pénurie de contacts humains dans laquelle il vivait. Les livres l'avaient aidé ; les livres lui avaient ouvert le monde. Et le télescope. Mais fondamentalement, c'était sa volonté tenace de mener une existence aussi pleine que possible qui lui avait permis de conserver son intégrité d'esprit et de cœur.

S'il vivait aujourd'hui ses dernières heures, il soufflerait la chandelle sans amertume quand le moment viendrait. Il regrettait certes ce qu'il avait perdu, mais, et c'était plus important, il chérissait ce qu'il avait su préserver. En dernière analyse, il avait le sentiment d'avoir vécu une vie qui en avait valu la peine, une vie bonne et précieuse.

Il avait deux revolvers avec lui. Exactement un pistolet calibre 45 et un revolver à barillet calibre 38. S'ils montaient le chercher dans le grenier, il viderait tout d'abord le pistolet sur eux ; puis il tirerait toutes les balles du revolver, sauf une. La dernière serait pour lui.

Il n'avait pas pris de cartouches de réserve. En période de crise, un homme ne disposant que d'une seule main ne peut recharger assez vite, et ses efforts ne lui auraient valu qu'un finale pathétique et dérisoire.

Le crépitement de la pluie, sur le toit, venait de s'atténuer. Il se demanda s'il s'agissait d'une accalmie passagère, ou si la tempête était réellement terminée.

Ce serait merveilleux de revoir le soleil.

Il était plus inquiet pour Moose que pour lui-même. Le malheureux animal se trouvait tout seul, en bas. Il espérait que lorsque les croquemitaines viendraient, ils ne lui feraient pas de mal. Et que s'ils le découvraient dans le grenier et l'acculait au suicide, le chien retrouverait rapidement un bon maître.

8

Depuis la voiture de patrouille, Moonlight Cove faisait à Loman Watkins l'impression d'une ville à la fois morte et grouillante de vie.

Comparée aux signes d'activité habituels d'une petite agglomération, on aurait dit une coquille vide, aussi défunte que n'importe quelle ville fantôme au cœur du désert de Mohave. Boutiques, bars et restaurants étaient fermés. Même le très fréquenté restaurant Perez avait tiré ses volets et éteint ses lumières. Les seuls piétons, alors que les trombes d'eau avaient cessé, étaient les patrouilles à pied et les équipes de conversion. De même, les patrouilles en véhicules, privés ou de la police, avaient toutes les rues à eux.

Malgré tout, une activité perverse bouillonnait dans la ville. Plusieurs fois, Loman aperçut d'étranges silhouettes se déplacer vivement dans le brouillard et l'obscurité, toujours furtives, mais bien plus audacieuses qu'elles ne l'étaient encore les nuits précédentes. Lorsqu'il s'arrêta ou ralentit pour étudier ces rôdeurs, certains d'entre eux s'immobilisèrent dans l'ombre pour l'observer avec des yeux sinistres, jaunes, verts ou d'un rouge de braise, comme s'ils estimaient dans quelle mesure ils avaient une chance d'attaquer le véhicule et de l'arracher à son siège avant qu'il eût levé le pied du frein. À les voir ainsi, il sentait monter en lui l'envie d'abandonner la voiture, ses vêtements et la rigidité de la forme humaine pour les rejoindre dans ce monde plus simple de chasse, de nourriture dévorée et de rut.

Chaque fois il détournait rapidement les yeux et redémarrait, avant qu'ils eussent pu donner suite à leurs impulsions. Ou lui aux siennes. Ici et là, il passait devant des maisons où brillaient d'étranges lumières, et derrière les fenêtres desquelles se déplaçaient des ombres tellement grotesques et invraisemblables que son cœur battait plus fort et que ses paumes devenaient moites, alors qu'il se trouvait pourtant hors de portée de ces créatures. Il ne s'arrêta pas pour chercher à savoir ce qu'elles étaient ni à quelle tâche elles se livraient, car il se doutait bien qu'elles devaient ressembler à ce que Denny était devenu et qu'elles étaient plus dangereuses, à bien des titres, que les régressifs en vadrouille.

Il se déplaçait maintenant dans un univers lovecraftien de forces primitives et cosmiques, d'entités monstrueuses patrouillant la nuit, un univers dans lequel les êtres humains se trouvaient réduits à l'état de bétail, et où la conception judéo-chrétienne d'un Dieu motivé par l'amour était remplacée par les anciennes divinités qu'animaient de sombres désirs, le goût de la cruauté et une soif inextinguible du pouvoir. Dans l'air, dans le brouillard qui s'accumulait, à l'ombre des arbres dégouttant de pluie, dans les rues non éclairées, et même dans les artères principales qu'illuminaient brutalement les lampes à arc de sodium, partout il éprouvait l'impression que rien de bon ne pourrait arriver cette nuit... mais que n'importe quoi d'autre, en revanche, était susceptible de se produire, aussi fantastique ou bizarre que cela fût.

Pour avoir lu d'innombrables livres de poche, au cours des années, il connaissait bien Lovecraft. Il l'aimait infiniment moins, cependant, que Louis L'Amour, avant tout parce que ce dernier restait dans le domaine du possible, contrairement à Lovecraft. Ou du moins, était-ce ce que Loman avait cru. Il savait maintenant que les hommes étaient capables de créer, dans le monde réel, des enfers qui valaient bien ceux décrits par les écrivains les plus imaginatifs.

Une terreur et un désespoir lovecraftiens s'abattaient sur la ville, en une trombe encore plus dense que celle de la pluie qui les avait précédés. Tout en conduisant dans les rues métamorphosées, Loman gardait son revolver à portée de la main, posé sur le siège à côté de lui.

Shaddack.

Il fallait trouver Shaddack.

Sur Juniper, il s'arrêta au croisement d'Ocean Avenue. Au même moment, une autre voiture de police freina au stop, de l'autre côté du carrefour.

Aucune circulation sur Ocean. Baissant sa vitre, Loman avança lentement et vint se placer à côté de l'autre véhicule, à trente centimètres à peine.

Par le numéro figurant sur la porte, Loman savait qu'il s'agissait de Neil Penniworth ; mais lorsqu'il scruta la vitre, il ne reconnut pas le jeune policier. Il vit à la place quelque chose qui aurait pu être naguère Penniworth, c'est-à-dire une forme encore vaguement humaine qu'éclairait le tableau de bord et surtout l'écran du terminal. Deux câbles jumeaux, comme celui qui avait jailli du front de Denny pour l'accoupler plus intimement à son ordinateur, sortaient du crâne de l'homme. Et en dépit de l'éclairage insuffisant, il eut l'impression que l'un d'eux serpentait jusqu'au tableau de bord, tandis que l'autre le reliait à l'ordinateur. La forme du crâne de Penniworth avait également changé de manière spectaculaire ; étiré en avant, il était hérissé de choses pointues qui devaient être des senseurs ou des sondes et luisaient doucement, comme du métal poli, à la lumière de l'écran ; ses épaules étaient plus larges et bizarrement dentelées et pointues. Il semblait avoir le plus sérieusement du monde cherché à ressembler à un robot de bande dessinée. Ses mains n'étaient pas posées sur le volant, mais peut-être n'avait-il plus besoin de mains, à l'heure actuelle ; Loman soupçonna que Penniworth ne faisait plus qu'un, non seulement avec l'ordinateur, mais aussi avec la voiture de patrouille.

Le cyborg tourna lentement la tête pour faire face à Loman.

Dans ses orbites sans globe oculaire, de petits éclairs électriques ne cessaient de jaillir et de crépiter.

Shaddack avait déclaré qu'en libérant ceux de la Nouvelle Race des émotions, il leur avait donné la possibilité de faire un usage bien plus intensif de leurs capacités intellectuelles innées, au point de pouvoir même exercer un contrôle mental sur les formes et les fonctions de la matière. Leur conscience leur dictait maintenant leur forme ; pour échapper à un univers où les émotions n'étaient plus permises, ils pouvaient devenir ce qu'ils voulaient – sans pourtant pouvoir retourner à leur état antérieur. D'évidence, la vie de cyborg était libérée de toute angoisse, puisque c'était dans cette monstrueuse incarnation que Penniworth avait cherché à se débarrasser de sa peur et de ses pulsions – voire à s'oblitérer lui-même, peut-être, dans une certaine mesure.

Mais que ressentait-il, maintenant ? Quels buts poursuivait-il ? Et demeurait-il dans cet état altéré parce qu'il le préférait réellement ? Ou bien en était-il prisonnier comme Peyser, soit pour des raisons physiques, soit parce que quelque aberration de sa psychologie ne lui permettait pas de retrouver la forme humaine vers laquelle il désirait par ailleurs retourner ?

Loman tendit la main vers le revolver.

Un câble segmenté jaillit de la voiture de Penniworth, à hauteur de la portière du conducteur, sans déchirer le métal, comme si celui-ci avait fondu et s'était instantanément reformé pour le produire, à cela près qu'il présentait un aspect à demi organique. La sonde claqua contre la vitre de Loman.

Le revolver échappa aux mains glissantes du policier, car il ne pouvait détacher les yeux de ce qui se passait pour l'attraper.

Le vitrage ne se cassa pas, mais un rond de la taille d'une grosse pièce de monnaie se mit à bouillonner et à fondre presque sur-le-champ ; la sonde entra dans la voiture, se dirigeant droit sur le visage de Loman. Elle avait une bouche charnue en forme de ventouse, comme celle d'une lamproie, mais les minuscules dents pointues, à l'intérieur, paraissaient en acier.

Il écarta la tête et écrasa l'accélérateur, oubliant le revolver. La Chevrolet parut reculer pendant une fraction de seconde ; puis, avec une puissante poussée qui colla Loman au dossier, elle bondit en avant, sur Juniper, en direction du sud.

Pendant un instant, la sonde s'étira entre les deux voitures et frôla même le nez de Loman, avant de disparaître d'un seul coup, rappelée comme on réenroule un cordage par la portière dont elle était sortie.

Il roula à vive allure jusqu'à l'extrémité de la rue, puis ralentit pour tourner. L'air sifflait dans le trou laissé par la sonde dans sa vitre.

Les pires craintes de Loman semblaient prendre corps. Ceux de la Nouvelle Race qui ne choisissaient pas la régression allaient tous se transformer – ou être transformés selon les vœux de Shaddack – en hybrides infernaux, mi-hommes, mi-machines.

Trouve Shaddack. Assassine l'apprenti sorcier et libère les monstres pétris d'angoisse qu'il a engendrés.

9

Précédée de Sam et suivie de Tessa, Chrissie pataugeait sur le gazon détrempé du terrain de sport où, par endroits, l'herbe écrasée laissait la place à des flaques de boue qui aspiraient bruyamment ses chaussures ; elle avait l'impression de ressembler elle-même à une sorte d'extra-terrestre clownesque qui aurait eu de la peine à marcher à cause de pieds équipés de ventouses. Puis il lui vint à l'esprit que cette nuit, à Moonlight Cove, c'était bien *elle* l'extra-terrestre, puisqu'elle était différente de la majorité des habitants de la ville.

Ils se trouvaient aux deux tiers du chemin lorsqu'ils furent pétrifiés sur place par un cri suraigu qui fendit la nuit avec la même impeccable rigueur qu'une hache parfaitement aiguisée fend une bûche bien sèche en deux. La voix inhumaine s'éleva, retomba et s'éleva de nouveau, sauvage, surnaturelle mais familière : l'appel de l'une de ces bêtes qu'elle avait prises pour des êtres venus d'ailleurs. Bien que la pluie se fût arrêtée, l'atmosphère était restée chargée d'humidité et le cri portait loin, comme la note claire et sonore d'une trompette éloignée.

Pis, une autre bête semblable, tout aussi excitée, répondit à cet appel. Puis une demi-douzaine de hurlements à glacer le sang s'élevèrent, allant peut-être de Paddock Lane, tout au sud, jusqu'à Holliwell Road au nord, et des hautes collines de l'est aux dernières maisons, près des falaises, à l'ouest. À deux coins de rue d'ici.

Tout d'un coup, Chrissie se prit à regretter le froid et les ténèbres de la canalisation souterraine, et son eau qui lui tourbillonnait autour de la taille, aussi chargée de détritus que si le diable s'y était baigné. Cet espace dégagé lui paraissait infiniment plus dangereux.

Un nouveau cri s'éleva au moment où mouraient les autres, plus proche que tous ceux qui avaient précédé. Trop proche.

– À l'intérieur, vite, dit Sam.

Chrissie commençait à reconnaître en son for intérieur qu'après tout, elle ne ferait pas une héroïne bien fameuse pour un roman de Andrée Norton. Elle avait peur, elle avait froid, l'épuisement lui picotait les yeux, elle avait faim et commençait à s'apitoyer sur elle-même. L'aventure, elle en avait soupé. Elle ne désirait plus que deux choses, se trouver bien au chaud et n'avoir rien à faire sinon lire de bons livres, aller au cinéma et déguster des gâteaux gros comme ça. Depuis le temps, une véritable héroïne de roman aurait déjà inventé toute une batterie de stratagèmes – transformer les gens robotisés en inoffensives machines à laver, par exemple – et les monstres de Moonlight Cove en seraient aux abois, tandis que se prépareraient les cérémonies qui la couronneraient princesse du royaume, sous les acclamations de ses sujets, pleins de respect et de gratitude.

Ils coururent jusqu'au bout du terrain de sport, contournèrent les tribunes et traversèrent le parking désert, derrière l'école.

Personne ni rien ne les attaqua.

Merci, mon Dieu. Votre amie, Chrissie.

Quelque chose hulula de nouveau.

Parfois, même Dieu semblait atteint de perversité.

On comptait six portes différentes à l'arrière du bâtiment. Ils passèrent de l'une à l'autre, Sam les essayant et en examinant les serrures à l'aide de la lampe de poche dont il cachait presque complètement la lumière avec la main. Apparemment, il ne paraissait pas capable d'en forcer une seule, et elle se sentit un peu déçue ; elle s'imaginait que les agents du FBI étaient tellement bien entraînés qu'en cas de coup dur ils devaient être capables d'ouvrir le coffre-fort de la Banque centrale à l'aide d'une simple épingle à cheveu.

Il étudia également quelques fenêtres et passa ce qui lui parut une éternité à regarder à travers les vitres avec sa lampe. En fait, il n'examinait pas l'intérieur des salles, mais l'encadrement et les systèmes de fermeture des fenêtres.

À la dernière porte, la seule avec la partie supérieure vitrée, Sam coupa la lampe de poche, regarda Tessa, l'air solennel, et dit à voix basse :

– Je ne crois pas qu'il y ait de système d'alarme ici, mais je peux me tromper. En tout cas, il n'y a pas d'adhésif d'alarme sur le verre, ni de contacteurs durs sur les fenêtres, pour autant que je peux m'en rendre compte.

– Ce sont les deux seuls types d'alarme qu'on pourrait trouver ? demanda Tessa, sur le même ton.

– Il y a bien aussi des systèmes de détection des mouvements, soniques ou autres. Mais ils sont bien trop élaborés pour une simple école, et sans doute seraient trop sensibles pour ce genre de bâtiment.

– Et qu'est-ce qu'on fait ?

– Je vais casser un carreau.

Chrissie s'attendait à le voir sortir de ses poches un large rouleau d'adhésif, et en coller des bandes sur l'un des panneaux pour amortir et le coup et le bruit de verre brisé. Dans les livres, c'était toujours comme ça qu'on faisait. Mais il se contenta de se mettre de côté, de lever le bras et de donner un bon coup de coude dans la vitre de l'angle inférieur droit. Le verre vola en éclats et tomba au sol, à l'intérieur, dans un tapage infernal. Peut-être avait-il oublié son rouleau d'adhésif.

Il passa la main par l'ouverture, tâta la serrure, tourna un verrou, et entra le premier. Chrissie le suivit, s'efforçant de ne pas marcher sur le verre brisé.

Sam alluma sa lampe de poche, sans la masquer autant qu'il l'avait fait à l'extérieur, mais tout en évitant que des reflets aillent jouer sur les fenêtres.

Ils se trouvaient dans un long couloir. Il s'en dégageait une odeur de pin due au désinfectant dont le responsable de l'entretien, depuis des années, aspergeait le sol avant de le frotter, si bien que le dallage en était imprégné. Les effluves lui étaient familiers – les mêmes montaient des sols de Thomas Jefferson – et elle fut désappointée de les retrouver ici. Elle s'était imaginé que les lycées étaient des endroits spéciaux et mystérieux, mais comment auraient-ils pu l'être, si on y utilisait les mêmes désinfectants que dans les autres écoles ?

Tessa referma silencieusement la porte derrière eux.

Ils restèrent immobiles quelques instants, l'oreille tendue.

Le bâtiment était silencieux.

Ils s'avancèrent alors dans le couloir, regardant à l'intérieur des classes, mais tombant aussi sur les toilettes ou des placards, à la recherche du labo abritant les ordinateurs. Au bout de cinquante mètres, ils aboutirent à un couloir perpendiculaire et s'y arrêtèrent, tendant une fois de plus l'oreille.

Le silence régnait toujours dans l'école.

L'obscurité également. La seule lumière, quelle que fût la direction, était celle du faisceau de la lampe de Sam, qu'il ne masquait plus du tout, maintenant. Il l'avait passée à la main gauche, pour pouvoir prendre son revolver dans la droite.

Au bout d'un long moment, il dit :

– Y a personne là-dedans.

Ce qui paraissait être le cas.

Un instant, Chrissie se sentit soulagée, plus en sécurité.

Mais au fait, s'il le croyait réellement, comment se faisait-il qu'il gardât son arme à la main ?

10

Tandis qu'il sillonnait son domaine, attendant minuit avec impatience – encore cinq heures –, Thomas Shaddack n'avait cessé de régresser vers un état infantile. Maintenant que son triomphe était sur le point d'éclater, il pouvait se débarrasser du déguisement d'adulte sous lequel il s'était si longtemps dissimulé, et il en était soulagé. Il n'avait jamais été réellement un adulte. Mais un petit garçon dont le développement affectif s'était définitivement interrompu à l'âge de douze ans, lorsque le message du faucon de lune, non seulement lui était parvenu, mais s'était *incrusté* en lui ; après quoi, il avait simulé des émotions adultes pour aller de pair avec sa croissance physique.

Mais il n'était plus nécessaire de faire semblant.

D'une certaine manière, il avait toujours su qu'il était ainsi, et considéré que là gisait sa plus grande force ; que c'était un avantage sur ceux qui avaient laissé leur enfance derrière eux. Un enfant de douze ans avait la capacité d'abriter et d'entretenir un rêve avec plus de détermination que ne l'aurait fait un adulte, car les adultes ne cessaient d'être distraits par des besoins et des désirs conflictuels. Un garçon encore impubère, en revanche, pouvait n'avoir qu'une seule idée en tête et se consacrer sans la moindre arrière-pensée à un unique Grand Rêve. Convenablement dévoyé, un garçon de douze ans pouvait constituer un monomaniaque parfait.

Le projet Faucon-Lune, le Grand Rêve dans lequel il disposait d'un pouvoir divin, ne serait pas venu à maturité s'il s'était développé de la manière habituelle. Il devait sa réalisation imminente à sa maturation affective interrompue.

Il était de nouveau petit garçon, non plus secrètement mais ouvertement, impatient de satisfaire tous ses caprices, de s'emparer de ce dont il avait envie, de faire tout ce qui brisait les règles. Les galopins de douze ans ne rêvent que de transgresser les règles et de défier l'autorité. Dans le pire des cas, les galopins de douze ans sont naturellement hostiles à toute loi, prêts à se rebeller sous l'effet de leur poussée d'hormones.

Mais Shaddack était plus qu'un rebelle : un gamin planant sur des bonbons au cactus qu'il avait mangés longtemps avant, mais qui avaient laissé en lui une marque psychique profonde, si son physique ne s'en était pas ressenti. Un gamin qui savait être un dieu. Tout ce qu'un garçonnet ordinaire a comme tendance à la cruauté pâlissait en comparaison de la cruauté d'un dieu.

Pour passer le temps jusqu'à minuit, il se mit à imaginer l'usage qu'il ferait de son pouvoir, lorsque tout Moonlight Cove serait tombé entre ses mains. Certaines de ses idées le faisaient frissonner, dans un étrange mélange d'excitation et de dégoût.

Il se trouvait sur Iceberry Street lorsqu'il se rendit compte que l'Indien était avec lui. Il eut la surprise, lorsqu'il tourna la tête, de voir Runningdeer à ses côtés, sur le siège du passager. Il arrêta même le van en pleine rue et le regarda, incrédule, effrayé, choqué.

Mais Runningdeer ne le menaçait pas. En fait, l'Indien ne lui adressa pas la parole et ne se tourna même pas vers lui. Il regardait droit devant lui, à travers le pare-brise.

Peu à peu, Shaddack comprit. L'esprit de l'Indien lui appartenait, maintenant, tout autant que lui appartenait son véhicule. Les grands esprits lui avaient donné Runningdeer comme conseiller, en récompense pour le succès de Faucon-Lune. Mais c'était lui et non Runningdeer qui, aujourd'hui, contrôlait la situation, et l'Indien ne parlerait que s'il lui adressait la parole.

– Salut, Runningdeer, dit-il.

L'Indien se tourna vers lui.

– Salut, Petit Chef.

– Tu m'appartiens, dorénavant.

– Oui, Petit Chef.

Pendant un très bref instant, il vint à l'esprit de Shaddack qu'il était fou et que Runningdeer n'était qu'une illusion créée par son cerveau malade. Mais les petits garçons monomaniaques ne sont pas capables d'un examen approfondi de leur état mental, et cette idée s'évanouit aussi vite qu'elle était venue.

– Tu feras ce que je te dirai de faire, reprit-il.

– Toujours.

Ravi au-delà de tout, Shaddack lâcha la pédale de frein et repartit. Les phares lui révélèrent une chose aux yeux d'ambre, à la silhouette fantastique, qui buvait à même une flaque sur le sol. Il se refusa à y attacher la moindre importance et, lorsqu'il l'eut dépassée, il la laissa disparaître de son esprit aussi rapidement qu'elle avait disparu sous le manteau nocturne de la rue.

Adressant un regard rusé à l'Indien, il dit :

– Sais-tu ce que je vais faire, un de ces jours ?

– Et quoi donc, Petit Chef ?

– Lorsque j'aurai converti les gens du monde entier, pas seulement ceux de Moonlight Cove, quand plus personne ne se dressera sur mon chemin, alors je me mettrai à la recherche de ta famille, de tous tes frères restants, de toutes tes sœurs, de tous tes cousins, et je trouverai tout le monde, oncles, tantes, enfants... et je les ferai payer pour tes crimes. Je veux dire, je les ferai réellement payer.

Il s'exprimait avec une pétulance geignarde, mais si le ton qu'il avait pris lui déplaisait, il n'arrivait pas à s'en débarrasser.

– Je tuerai tous les hommes, reprit-il, je les réduirai en morceaux sanglants, je le ferai moi-même. Je leur dirai que c'est à cause de leur relation de parenté avec toi qu'ils doivent souffrir, ils te mépriseront, ils maudiront ton nom, et tu regretteras d'avoir été en vie. Et je violerai toutes les femmes, je leur ferai mal, vraiment mal, et je les tuerai ensuite. Qu'est-ce que tu en dis, hein ?

– Si c'est ce que tu veux, Petit Chef.

– Et comment, c'est ce que je veux !

– Alors tu pourras le faire.

– Et comment, je pourrai le faire !

Shaddack fut surpris de sentir les larmes lui monter aux yeux. Il s'arrêta à un carrefour, et resta immobile derrière son volant.

– Ce n'était pas juste, ce que tu m'as fait.

L'Indien ne répondit rien.

– Dis que ce n'était pas juste !

– Ce n'était pas juste, Petit Chef.

– Ce n'était pas juste du tout.

– Pas juste du tout.

Shaddack tira un mouchoir d'une poche, se moucha, puis se tamponna les yeux. Ses larmes séchèrent vite.

Il sourit au paysage nocturne, à travers le pare-brise, soupira et jeta un coup d'œil à Runningdeer.

L'Indien regardait devant lui, silencieux.

– Bien entendu, sans toi, j'aurais pu ne jamais être un enfant du faucon de lune, conclut-il.

11

La salle des ordinateurs se trouvait au rez-de-chaussée, au centre du bâtiment, près du point de jonction de quatre corridors. Les fenêtres donnaient sur une cour mais n'étaient visibles d'aucune rue, ce qui permit à Sam d'allumer la lumière.

C'était une grande pièce, disposée à la manière d'un laboratoire de langue, avec un terminal installé dans chacun des cubicules à trois pans qu'elle comportait. Trente ordinateurs, du haut de gamme, équipés de disques durs, s'alignaient ainsi le long de trois des murs et dans une double rangée, au milieu.

Contemplant cette débauche de matériel, Tessa dit :

– New Wave faisait preuve de générosité, non ?

– Plutôt de suite dans les idées, à mon avis, répondit Sam.

Il remonta l'une des rangées d'appareils, à la recherche de lignes de téléphone et de modems, mais n'en trouva pas.

Tessa et Chrissie se tenaient sur le pas de la porte et surveillaient le couloir plongé dans l'obscurité.

Sam s'assit au hasard devant l'un des ordinateurs et le brancha. Le symbole de New Wave apparut à l'écran.

Dépourvus de téléphone et de modem, ces appareils n'avaient peut-être été donnés que pour la formation des étudiants, sans intention de les ligoter à New Wave à un stade ou un autre du projet Faucon-Lune.

Le symbole disparut, et un menu apparut à l'écran. Les programmes, sur ces puissantes machines à disques durs, étaient chargés et prêts à servir dès que le système était mis en route. Cinq choix s'offraient à lui :

A FORMATION 1
B FORMATION 2
C TRAITEMENT DE TEXTE
D COMPTABILITÉ
E AUTRES

Il hésita, non parce qu'il ne savait quelle lettre cliquer, mais parce qu'il fut soudain pris de peur à l'idée de se servir de l'appareil. Il ne se souvenait que trop bien des Coltrane. Il avait beau avoir eu l'impression que c'étaient eux qui avaient choisi de fusionner avec l'ordinateur, que la métamorphose était venue d'eux, rien ne lui prouvait, en fait, que ce n'était pas le contraire.

Peut-être était-ce l'ordinateur, par quelque mystérieux procédé, qui avait lancé ses extensions sur eux. Ça lui paraissait cependant impossible. En outre, grâce aux observations de Harry, il savait que l'on convertissait la population de Moonlight Cove par une injection, non au moyen de quelque force insidieuse qui, par l'intermédiaire de claviers d'ordinateurs, passerait de manière quasi magique chez les gens. Néanmoins, il hésitait.

Finalement il appuya sur E et obtint une liste de sujets scolaires :

A TOUTES LANGUES
B MATHS
C TOUTES SCIENCES
D HISTOIRE
E ANGLAIS
F AUTRES

Il cliqua sur F. Un troisième menu apparut, et la procédure continua jusqu'à une sélection finale : NEW WAVE.

BONJOUR
VOUS ÊTES EN CONTACT
AVEC LE SUPER-ORDINATEUR
DE NEW WAVE MICROTECHNOLOGY
JE M'APPELLE SUN
JE SUIS À VOTRE SERVICE

Les appareils de l'école étaient directement branchés sur New Wave. Pas besoin de modem.

DÉSIREZ-VOUS VOIR LES MENUS ?
OU POUVEZ-VOUS SPÉCIFIER
CE QUE VOUS RECHERCHEZ ?

En songeant à la profusion de menus du seul système du département de la police, qu'il avait parcouru la nuit dernière dans le véhicule de patrouille, il se dit qu'il pouvait rester ici toute la nuit à passer de menus en sous-menus avant de trouver ce qu'il cherchait. Il tapa : DÉPARTEMENT DE POLICE DE MOONLIGHT COVE;

DOCUMENT D'ACCÈS RESTREINT
VEUILLEZ NE PAS POURSUIVRE SANS
L'ASSISTANCE D'UN PROFESSEUR

Il soupçonna que les professeurs disposaient de chiffres de code individuels ; selon qu'ils étaient ou non convertis, ils avaient (ou non) accès à ce type de document. Pas question de taper des numéros au hasard : les possibilités de combinaison pouvaient être de plusieurs millions, voire de milliards, selon le nombre de chiffres, et il aurait pu rester assis jusqu'à ce que ses cheveux blanchissent et que ses dents tombent sans en trouver un seul.

Mais la nuit dernière, il s'était servi du code d'accès personnel du policier Reese Dorn ; peut-être fonctionnait-il aussi sur d'autres appareils que le terminal de son véhicule. Il ne risquait rien à essayer. Il tapa donc 262699.

L'écran se vida, puis : BONJOUR, OFFICIER DORN.

Il demanda de nouveau le département de police.

Cette fois, il put y accéder.

CHOISISSEZ
A CONTRÔLEUR
B DOCUMENTATION CENTRALE
C TABLEAU DE BULLETINS
D MODEM EXTÉRIEUR

Il appuya sur D.

Apparut alors une liste d'ordinateurs, répartis un peu partout aux États-Unis, sur lesquels il pouvait se brancher.

Il sentit ses mains qui, soudain, devenaient moites. Il était sûr que quelque chose allait mal tourner, ne serait-ce que parce que rien n'avait été facile depuis le moment où il était arrivé dans ce patelin.

Il jeta un coup d'œil à Tessa.

– Tout va bien ?

Elle scruta un instant le corridor sombre et lui adressa un clin d'œil.

– On dirait. Alors, ça marche ?

– Ouais... peut-être.

Il se tourna de nouveau vers l'écran et murmura :

– Je t'en prie…

Il parcourut des yeux la longue liste des branchements vers l'extérieur. Il trouva notamment FBI KEY, le nom du dernier et du plus sophistiqué des réseaux mis en place par le Bureau – un système dit de haute sécurité, qui interconnectait les antennes et leur donnait accès à une banque centrale d'informations, située au quartier général de Washington. Il datait de moins d'un an. En théorie, seuls les agents disposant d'un numéro de code d'accès personnel devaient pouvoir utiliser FBI key.

Tu parles, haute sécurité.

S'attendant toujours à des ennuis, Sam tapa FBI key. Le menu disparut, et l'écran resta quelques instants vide. Puis l'écusson du FBI fit son apparition – en couleurs, bleu et or. Avec le mot KEY dessous.

Ensuite, une série de questions s'inscrivit sur l'écran. QUEL EST VOTRE NUMÉRO DE CARTE D'IDENTITÉ DU BUREAU ? VOTRE NOM ? VOTRE DATE DE NAISSANCE ? DATE À LAQUELLE LE BUREAU VOUS A ENGAGÉ? NOM DE JEUNE FILLE DE VOTRE MÈRE ?

Ayant répondu à toutes, et pour cause, le dernier obstacle tomba.

– Dans le mille ! s'écria-t-il, osant se laisser aller à l'optimisme.

– Qu'est-ce qui se passe ? demanda Tessa.

– Je suis dans le système central du Bureau, à Washington.

– Je ne savais pas que vous étiez un mordu d'électronique.

– Coup de chance. Mais je suis dedans.

– Et maintenant ?

– Je vais demander l'opérateur de service dans une minute. Mais auparavant je vais envoyer le bonjour à toutes les antennes du Bureau du pays, pour les réveiller un peu.

– Le bonjour ?

Dans le vaste menu de FBI key, Sam choisit G TRANSMISSION INTERBUREAUX IMMÉDIATE car il voulait joindre tout le monde, pas seulement l'antenne de San

Francisco, laquelle était cependant la plus proche. Il y avait une chance sur un million pour que l'opérateur de service, à San Francisco, ne prît pas garde au message, au milieu de tous ceux qui lui parvenaient, même en dépit du sigle ALERTE ROUGE dont il allait l'accompagner. Si jamais cela se produisait, il ne resterait pas longtemps à dormir, car tout le monde lui tomberait dessus pour savoir pour quelle raison on leur avait communiqué un message d'alerte pour un problème à Moonlight Cove, en dehors de leur juridiction.

Il ne comprenait pas la moitié de ce qui arrivait dans cette ville. Il n'aurait même pas pu expliquer, dans le jargon des bulletins du Bureau, ne serait-ce que la moitié de ce qu'il croyait comprendre. Il réussit cependant à mettre au point un résumé qui lui parut aussi précis qu'il devait l'être – et qui, espérait-il, allait se traduire par un branle-bas général.

ALERTE ROUGE !
MOONLIGHT COVE, CALIFORNIE

* DIZAINES DE MORTS SITUATION EMPIRANT ;
DES CENTAINES D'AUTRES POURRAIENT MOURIR D'ICI À QUELQUES HEURES.
* NEW WAVE MICROTECHNOLOGY ENGAGÉ DANS UNE EXPÉRIMENTATION ILLICITE SUR DES SUJETS HUMAINS NON CONSENTANTS.
CONSPIRATION D'UNE ENVERGURE GIGANTESQUE.
* MILLIERS DE PERSONNES CONTAMINÉES.
* JE RÉPÈTE : TOUTE LA POPULATION DE LA VILLE CONTAMINÉE.
* SITUATION EXTRÊMEMENT DANGEREUSE.
* PERSONNES CONTAMINÉES SOUFFRENT PERTES DE FACULTÉS, MANIFESTENT TENDANCES À L'EXTRÊME VIOLENCE.

* JE RÉPÈTE : EXTRÊME VIOLENCE.

* DEMANDE IMMÉDIATE MISE EN QUARANTAINE PAR LES FORCES SPÉCIALES D'INTERVENTION DE L'ARMÉE. DEMANDE ÉGALEMENT APPUI IMMÉDIAT, MASSIF ET AVEC ARMES PAR LE PERSONNEL DU BUREAU.

Il donna sa position, à l'école de Roshmore, afin que l'avant-garde des forces d'interventions sût où les trouver ; il n'était cependant pas certain que Tessa, Chrissie et lui pussent demeurer en toute sécurité dans le refuge de l'école jusqu'à leur arrivée. Il signa de son nom et en donnant son numéro de carte d'identité fédérale.

Ce message n'allait pas les préparer au choc de ce qu'ils allaient découvrir à Moonlight Cove, mais au moins mettrait-il la machine en branle et les pousserait-il à la prudence.

Il tapa TRANSMISSION, puis il eut une idée et effaça le mot de l'écran. Il tapa RÉPÉTER TRANSMISSION.

COMBIEN DE RÉPÉTITIONS ? demanda l'ordinateur.

99.

L'ordinateur confirma.

Il tapa alors TRANSMISSION de nouveau, et cliqua sur le bouton ENTER.

QUELS BUREAUX ?

TOUS.

L'écran se vida. Puis : TRANSMISSION EN COURS.

À ce moment-là, toutes les imprimantes laser de toutes les antennes du FBI, dans le pays, se mirent à reproduire la première des quatre-vingt-dix-neuf répétitions du message. Les équipes de nuit n'allaient pas tarder à grimper aux rideaux.

Il faillit en hurler de joie.

Mais sa tâche n'était pas terminée. Ils ne s'étaient pas encore tirés de ce chaos.

Sam revint rapidement au menu KEY et cliqua sur A OPÉRATEUR DE NUIT. Cinq secondes après, il entrait en contact avec l'agent de service au département des communications du quartier général, à Washington. Un numéro apparut à l'écran – le numéro d'identification de l'opératrice, suivi de son nom, ANNE DENTON. Prenant une immense satisfaction à se servir de sa propre technologie pour provoquer la chute de Thomas Shaddack, l'effondrement de New Wave et l'avortement du projet Faucon-Lune, Sam se lança dans une conversation sans parole et à distance avec Anne Denton, avec l'intention de lui détailler les horreurs dont Moonlight Cove était témoin.

12

Bien que Loman n'éprouvât plus le moindre intérêt pour les activités du département de police, il branchait son terminal toutes les dix minutes, environ, pour voir s'il ne s'était rien passé de spécial. Plus exactement, il espérait que Shaddack entrerait en contact avec la police, pour une raison ou une autre; s'il arrivait à capter un dialogue entre Shaddack et les autres flics, il pourrait peut-être déduire de la conversation le lieu où ce salopard se trouvait.

Il ne gardait pas l'ordinateur branché en permanence, parce qu'il en avait peur. Il ne croyait pas que l'appareil allait l'étreindre brusquement dans des tentacules et lui sucer la cervelle, mais il s'était aperçu que travailler trop longtemps en interaction avec l'écran risquait d'éveiller en lui les mêmes tentations que celles auxquelles Neil Penniworth et Denny avaient succombé, tout comme le fait d'avoir été en contact avec les régressifs lui avait donné le violent désir d'involuer.

Il venait juste de se garer sur Holliwell Road, où ses allées et venues inquiètes avaient fini par le conduire, et de brancher l'appareil afin de voir s'il n'y avait pas quelque conversation en cours, lorsque le mot ALERTE apparut en grandes lettres sur l'écran. Il retira vivement la main, comme si quelque chose l'avait mordu.

SUN DEMANDE DIALOGUE.

Sun ? Le super-ordinateur de New Wave ? Pourquoi cherchait-il à joindre le département de police ?

Avant que quelqu'un d'autre, au quartier général de la police ou dans une autre voiture, ne pût intervenir, Loman prit la communication.

DEMANDE DE CLARIFICATION, dit Sun.

Loman tapa OUI, ce qui pouvait signifier CONTINUEZ.

Structurant ses questions sur la base de ses programmes d'autoévaluation, qui lui permettaient de contrôler son propre travail comme s'il était un observateur extérieur, Sun dit : LES APPELS TÉLÉPHONIQUES DE NUMÉROS NON APPROUVÉS OU VERS CES NUMÉROS SONT-ILS TOUJOURS INTERDITS ENTRE MOONLIGHT COVE ET L'EXTÉRIEUR ?

OUI.

LES LIGNES RÉSERVÉES DE SUN SONT-ELLES INCLUSES DANS L'INTERDICTION SUS-MENTIONNÉE ? demanda l'ordinateur de New Wave, parlant de lui à la troisième personne.

Perplexe, Loman tapa : LA QUESTION N'EST PAS CLAIRE.

Patiemment, étape par étape, Sun lui expliqua qu'il disposait de ses propres lignes, indépendantes du central téléphonique, afin de communiquer avec d'autres ordinateurs partout dans le pays.

Comme il savait cela, le policier tapa : OUI.

LES LIGNES RÉSERVÉES DE SUN SONT-ELLES INCLUSES DANS L'INTERDICTION SUS-MENTIONNÉE ? répéta alors l'ordinateur

Si Loman s'était autant intéressé que son fils aux ordinateurs, il aurait pu se douter rapidement de ce qui se passait, mais il était toujours aussi perplexe. Il tapa donc POURQUOI ? voulant dire par là : POURQUOI POSEZ-VOUS LA QUESTION ?

MODEM EXTÉRIEUR ACTUELLEMENT EN FONCTION.

OPÉRATEUR ?

SAMUEL BOOKER.

Loman Watkins aurait éclaté de rire s'il avait été capable d'éprouver de la joie. L'agent avait donc trouvé un moyen de sortir de Moonlight Cove, et maintenant tout ce merdier allait être enfin étalé au grand jour.

Avant d'avoir pu s'enquérir de ce qu'avait fait Booker et de l'endroit d'où il appelait, un autre nom apparut en haut à gauche de l'écran : SHADDACK. Le Moreau de New Wave suivait donc le dialogue sur son terminal et venait de se glisser dans la conversation. Loman fut ravi de laisser l'apprenti sorcier et Sun converser tranquillement.

Shaddack demanda davantage de détails.

Sun répondit : CONTACT PRIS AVEC LE SYSTÈME KEY DU FBI.

Loman imagina le choc, pour Shaddack. OPTIONS, tapa aussitôt le maître des monstres. Ce qui signifiait qu'il cherchait désespérément un menu d'options de Sun pour traiter l'affaire.

Sun lui en proposa cinq, dont la dernière était COUPER LA COMMUNICATION, celle que choisit Shaddack.

Quelques instants plus tard, Sun signalait : TRANSMISSION AVEC LE SYSTÈME KEY DU FBI COUPÉE.

Loman espéra que Booker avait eu le temps d'envoyer un message assez clair pour faire sauter la baraque.

Sur l'écran, apparut une question de Shaddack : TERMINAL DE SHADDACK ?

VOUS DEMANDEZ LIEU D'ORIGINE DE L'APPEL ?

OUI.

ÉCOLE CENTRALE DE MOONLIGHT COVE, SALLE DES ORDINATEURS.

Loman était garé à trois minutes de Central.

Il se demanda à quelle distance s'en trouvait Shaddack. Peu importait. Près ou loin, Shaddack allait se magner le train pour arriver le plus vite possible et empêcher Booker de compromettre le projet Faucon-Lune – ou pour se venger, si c'était trop tard.

Au moins Loman savait-il maintenant où trouver celui qui l'avait fait ce qu'il était.

13

Sam en était seulement à son sixième échange avec Anne Denton, à Washington, lorsque brusquement l'écran se vida. La communication venait d'être coupée.

Il aurait bien voulu croire qu'il était victime d'une panne ordinaire de transmission, mais il savait bien que ce n'était pas le cas.

Il se leva si vite qu'il renversa sa chaise.

Chrissie sursauta, et Tessa s'exclama :

– Qu'est-ce qui se passe ? Qu'est-ce qui se passe ?

– Ils savent que nous sommes ici. Ils vont arriver.

14

Depuis son grenier, Harry entendit retentir la sonnette de la porte d'entrée.

Son estomac se tordit. Il avait l'impression qu'il venait de monter dans un véhicule de grand huit, et que celui-ci venait de quitter la rampe d'accès.

Nouveau coup de sonnette.

Un long silence s'ensuivit. Ils savaient qu'il était infirme ; on lui laisserait le temps de réagir.

Une troisième fois, on sonna.

Il regarda sa montre. Seulement sept heures vingt-quatre. Il ne trouva aucun réconfort à l'idée qu'on ne l'avait pas mis en fin de liste.

La sonnette retentit encore, longuement, avec insistance.

Il entendit alors les aboiements de Moose, étouffés par les deux étages qui les séparaient.

15

Tessa saisit la main de Chrissie. Le trio se précipita hors de la salle des ordinateurs. La pile de la lampe de poche ne devait pas être de la première jeunesse, car elle commençait à donner des signes de faiblesse. Elle espérait qu'elle durerait au moins le temps de retrouver le chemin de la sortie. La disposition de l'école – qui ne leur avait pas paru particulièrement compliquée lorsqu'il s'était agi d'en reconnaître les axes sans être soumis à l'urgence – semblait maintenant un vrai labyrinthe.

Ils traversèrent un premier carrefour de quatre corridors, entrèrent dans l'un d'eux, et avaient déjà parcouru plusieurs mètres lorsque Tessa se rendit compte de leur erreur.

– Nous ne sommes pas arrivés par ici.

– Ça ne fait rien, dit Sam. N'importe quelle porte fera l'affaire.

Ils parcoururent encore dix mètres avant de se rendre compte, lorsque la lueur déclinante de la lampe eut atteint l'extrémité du corridor, que celui-ci se terminait en cul-de-sac.

– Par là, dit Chrissie.

Elle lâcha la main de Tessa et rebroussa chemin dans l'obscurité, forçant les deux adultes soit à la suivre, soit à l'abandonner.

16

Shaddack se doutait que Booker – qu'il croyait seul – n'avait certainement pas forcé l'une des entrées de l'école pouvant être vues de la rue (l'Indien était d'accord) et se rendit directement à l'arrière du bâtiment. Il négligea les portes métalliques, obstacles beaucoup trop formidables, pour étudier les fenêtres, en espérant découvrir une vitre brisée.

La dernière porte, la seule avec un haut panneau vitré, était dans une extension du bâtiment formant angle droit avec le corps principal. Lorsque le pinceau de ses phares vint la balayer, alors qu'il tournait pour suivre la route de service, il remarqua l'absence de reflet de la vitre inférieure droite. Il en était à une dizaine de mètres.

– Là, dit-il à Runningdeer.

– Oui, Petit Chef.

Il se gara aussitôt et saisit son fusil de chasse semi-automatique, un Remington calibre 12, posé derrière lui sur le plancher de la fourgonnette. La boîte de cartouches se trouvait sur le siège du passager. Il l'ouvrit, en prit quatre ou cinq de plus, puis descendit du van et se dirigea vers la porte à la vitre brisée.

17

Quatre coups sourds retentirent à travers la maison, jusqu'au grenier, et Harry crut distinguer un bruit de verre cassé.

Moose aboyait furieusement. On aurait dit un chien d'attaque dressé pour tuer, et non un labrador doux comme un agneau. Peut-être allait-il vouloir défendre sa maison et son maître en dépit de sa bonne nature innée.

Surtout ne fais rien, mon garçon, pensa Harry. N'essaie pas de jouer au héros. Va ramper dans un coin et laisse-les passer, lèche-leur la main s'ils veulent te caresser et ne...

Le chien poussa un bref couinement et se tut.

Non, pensa Harry, déchiré par le chagrin. Il venait non seulement de perdre un chien, mais son meilleur ami.

Moose aussi avait le sens des responsabilités.

Le silence retomba sur la maison. Ils allaient commencer par fouiller le rez-de-chaussée.

La colère prit peu à peu le pas sur le chagrin et la rage, chez l'infirme. Moose. Bon Dieu, ce malheureux et inoffensif clébard ! Il sentait son visage s'empourprer ; il aurait voulu tous les tuer.

Il saisit le pistolet .38 dans sa bonne main et le posa sur ses genoux. Ils allaient mettre un moment avant de le trouver, mais il se sentait mieux avec l'arme dans sa paume.

Pendant son service militaire, il avait remporté des médailles de tireur d'élite, aussi bien au fusil qu'aux armes de poing. Mais cela datait de bien longtemps. Plus de vingt ans qu'il n'avait pas tiré un coup de feu, même à titre d'exercice : depuis l'époque où il avait quitté ce beau et lointain pays d'Asie, depuis le matin où, sous un superbe ciel exceptionnellement bleu, il avait été estropié pour le reste de sa vie. Il avait conservé les deux armes, propres et bien huilées, surtout par habitude ; on garde toute sa vie les réflexes de soldat qu'on vous a longuement inculqués. Aujourd'hui, il s'en réjouissait.

Un claquement.

Ronflement d'un moteur.

L'ascenseur.

18

À mi-chemin du bon corridor, tenant la lampe de plus en plus faiblarde de la main gauche et son revolver de l'autre, Sam entendit une sirène de voiture de police au moment précis où il rattrapait Chrissie. Trop près, les flics. Pas le temps de sortir. D'autant qu'il était incapable de dire si la patrouille faisait le tour par l'arrière de l'école ou si elle se présentait à l'entrée, côté rue.

Apparemment, Chrissie se sentait aussi incertaine que lui. Elle s'arrêta de courir et dit :

– Qu'est-ce qu'on fait, Sam ? Où on va, où on va ?

De derrière eux leur parvint la voix de Tessa :

– Attention, Sam, l'entrée !

Pendant un instant, il ne comprit pas ce qu'elle voulait dire. Puis il vit la porte s'ouvrir, à l'autre extrémité du couloir, soit à environ trente mètres. Celle par laquelle ils étaient entrés. Un homme en franchit le seuil. La sirène hurlait toujours, se rapprochant. Ils étaient donc plusieurs à converger ici, une véritable escouade. Le type qui venait d'entrer n'était que le premier, un grand gaillard de plus d'un mètre quatre-vingt-dix au bas mot, mais sinon juste une ombre se détachant à peine sur la lueur indirecte de la lampe de sécurité, à l'extérieur de la porte.

Sam tira, sans se soucier de déterminer si l'homme était bien un ennemi : tous, ici, étaient leurs ennemis, jusqu'au dernier, et ils étaient légion. Il savait qu'à cette distance il n'avait guère de chances de faire mouche, d'autant plus que sa précision était entamée par la blessure de son poignet, qui le faisait souffrir abominablement depuis leurs aventures dans la canalisation souterraine. Avec le recul, un élancement douloureux lui remonta tout le bras jusqu'à l'épaule pour revenir dans sa main, comme si un fluide acide allait et venait de sa clavicule au bout de ses doigts. Il perdit la moitié de sa force et faillit même lâcher le revolver.

L'écho tonnant du coup de feu de Sam ne s'était pas encore tu, le long des murs du corridor, que le type à l'autre bout répliquait, mais à l'artillerie lourde : un gros fusil de chasse. Fort heureusement, il était un piètre tireur et visait trop haut, comme s'il ne tenait pas compte du fait que le recul relevait le canon de son arme. Si bien que sa première décharge échoua dans le plafond, à dix mètres devant lui, pulvérisant un tube fluo éteint et quelques dalles antibruit. Sa réaction confirma son manque d'expérience en matière d'armes à feu ; il compensa trop, cette fois-ci, et ce fut le sol du couloir qui fit les frais de son deuxième coup de feu.

Sam ne se contenta pas d'assister à la maladroite fusillade en simple observateur. Il avait aussitôt pris Chrissie par la main, ouvert une porte donnant sur une pièce plongée dans une totale obscurité, et propulsé la fillette à l'abri, au moment même où les chevrotines du deuxième coup de feu criblaient de trous les carreaux de vinyle. Tessa leur avait emboîté le pas, et, après avoir refermé la porte derrière elle, elle s'adossa contre le panneau de bois comme si elle était Superwoman et avait eu le pouvoir d'arrêter les balles.

Sam lui tendit la lampe, dont l'éclairage agonisait.

– Avec mon poignet, je vais avoir besoin de mes deux mains pour tirer.

Dans la main de Tessa, le faisceau jaune affaibli balaya la pièce. Ils se trouvaient dans la salle de répétition de l'orchestre. À droite de la porte, des plates-formes à degrés, encombrées de chaises et de pupitres à musique, s'élevaient vers le mur du fond. Sur la gauche, on distinguait une zone plus dégagée, le podium du chef d'orchestre et un bureau en bois blond et métal. Ainsi que deux portes. L'une et l'autre ouvertes, et donnant sur d'autres salles.

Chrissie n'eut pas besoin de se faire prier pour suivre Tessa jusqu'à la plus proche de ces issues, tandis que Sam fermait la marche, à reculons, l'arme pointée sur la porte par laquelle ils étaient entrés.

À l'extérieur, la sirène s'était tue. Ce n'était plus seulement à un maladroit équipé d'un fusil de chasse qu'ils allaient avoir affaire, maintenant.

19

Ils avaient fouillé le rez-de-chaussée et le premier étage, et venaient d'arriver au second, dans la chambre.

Harry les entendait parler. Leurs voix s'élevaient au travers du plafond qui lui servait maintenant de plancher. Mais il n'arrivait pas à distinguer leurs paroles.

Il espérait presque qu'ils allaient repérer la trappe conduisant au grenier, dans le placard, et décider de monter. Il voulait avoir l'occasion d'en descendre au moins un ou deux. Pour Moose. Après vingt longues années passées dans la peau d'une victime, il en avait assez. Mortellement assez. Il voulait pouvoir leur montrer que Harry Talbot était un homme qu'il fallait prendre au sérieux, et que même si Moose n'était qu'un chien, on ne pouvait impunément l'abattre comme tel.

20

Au milieu des volutes du brouillard, Loman distingua une seule voiture de patrouille à côté de la fourgonnette de Shaddack. Il freina non loin, juste à l'instant où en descendait Paul Amberlay. Mince, tout en nerfs, intelligent, Amberlay était l'un des subalternes les plus doués de Loman ; mais en ce moment, il avait l'air d'un écolier apeuré dans un uniforme trop grand pour lui.

Lorsque Loman descendit à son tour de voiture, Amberlay se dirigea vers lui ; il tenait son revolver à la main, et tremblait visiblement.

– Seulement vous et moi ? Mais bon sang, où sont passés les autres ? C'est une alerte majeure !

– Où sont passés les autres ? répondit Loman. Vous n'avez qu'à écouter, Paul. Rien qu'à écouter.

De partout dans la ville montait un chant surnaturel composé de dizaines de voix sauvages qui s'appelaient entre elles, ou défiaient la lune invisible flottant au-dessus des nuages essorés.

Loman alla rapidement au coffre de son véhicule et l'ouvrit. Comme celui de toutes les autres voitures de patrouille, il contenait un fusil anti-émeute calibre 20, dont il n'avait jamais eu l'usage dans la paisible agglomération, jusqu'ici. Mais New Wave, qui avait généreusement doté les forces de police, n'avait pas mégoté sur le matériel, même s'il ne paraissait pas indispensable. Le policier retira l'arme de son râtelier.

Se joignant à lui, Amberlay lui demanda :

– Vous prétendez qu'ils ont régressé, tous régressé, tous ceux de la police, sauf vous et moi ?

– Écoutez donc, répéta Loman, appuyant le calibre 20 contre le pare-chocs.

– Mais c'est démentiel ! s'exclama Amberlay. Seigneur, vous voulez dire que ça nous arrive à tous ?

Loman prit alors la boîte de cartouches, à droite du puits de roue de secours, et en déchira le couvercle.

– Comment, Paul, vous ne ressentez pas l'appel ?

– Non ! protesta Amberlay, un peu trop vite. Non, je ne le ressens pas, je ne ressens rien !

– Moi, si.

Le chef de la police introduisit cinq cartouches dans l'arme, une dans le canon, quatre dans le magasin.

– Et je suis sûr que vous le sentez aussi, Paul. J'ai envie d'arracher mes vêtements et de changer, de changer, et de me mettre à courir, pour être libre, courir avec eux, chasser, tuer et courir avec eux.

– Pas moi, non, jamais !

– Vous mentez.

Loman épaula le fusil chargé et tira à bout portant sur Amberlay, lui faisant exploser la tête.

Il n'aurait pu faire confiance au jeune policier, il n'aurait pu lui tourner le dos, pas avec la pulsion de régression qui le tourmentait, pas avec ces voix dans la nuit qui lançaient leur chant de sirène.

Au moment où il fourrait une poignée de cartouches dans sa poche, il entendit un coup de fusil de chasse provenant de l'intérieur de l'école.

Il se demanda si c'était Shaddack ou Booker qui avait tiré. Shaddack, sans doute : il voyait mal le policier équipé d'une arme aussi encombrante. Luttant pour contrôler la terreur et la rage qui montaient en lui, luttant contre la puissante et hideuse impulsion qui le poussait à abandonner sa forme humaine, Loman entra pour vérifier.

21

Tommy Shaddack entendit bien une détonation, mais il ne s'y attarda pas tellement, car, après tout, ils étaient en guerre maintenant. On pouvait d'ailleurs savoir de quel genre de guerre il s'agissait rien qu'en sortant dans la nuit et en écoutant les cris des combattants se répercuter entre les collines et les falaises. Toute son attention était concentrée sur sa cible : Booker, mais aussi la femme et la gamine qu'il avait aperçues dans le corridor, et qui étaient sans doute Tessa Lockland et la petite Foster. Il n'arrivait pas à comprendre comment ces trois-là s'étaient retrouvés.

La guerre. Il se comporta donc comme les soldats dans les bons films du genre, ouvrit la porte d'un coup de pied et tira dès le seuil de la salle. Pas de hurlement. Il se dit qu'il n'avait dû toucher personne, fit feu une deuxième fois, n'entendit toujours rien, et en conclut que les ennemis n'étaient plus là. Il franchit l'encadrement, chercha l'interrupteur, le trouva et découvrit qu'il se trouvait dans la salle de répétition déserte.

Ils avaient évidemment filé par l'une des deux autres portes, ce qui eut le don de le mettre en colère, très en colère. La seule fois de sa vie où il avait utilisé une arme à feu datait du jour où, à Phoenix, il avait abattu l'Indien avec le revolver de son père ; mais il n'avait pu le rater, ayant tiré à bout portant. Néanmoins, il s'était imaginé qu'il aurait dû être naturellement un bon tireur. Après tout, bon sang, il avait vu des tas de films de guerre et de cow-boy, sans compter les séries policières, à la télévision ; ça n'avait pourtant pas l'air difficile : on pointe l'arme, on presse la détente. Mais ça se gâtait dans la réalité, et Tommy était en colère, furieux. Ils ne devraient pas avoir le droit de faire croire que c'était aussi facile dans leurs films, avec une arme qui vous saute dans les mains comme si c'était une chose vivante.

Mais il était averti, maintenant, et il allait se raidir quand il ferait de nouveau feu, écarter les jambes et bien se contracter, et comme ça les coups de feu ne partiraient ni vers le plafond ni vers le sol. Il les crucifierait froidement la prochaine fois, et il leur ferait regretter de l'avoir obligé à leur donner la chasse, au lieu de tomber raides morts quand lui voulait les voir raides morts. Non mais !

22

L'autre issue de la salle de musique donnait sur un deuxième couloir qui desservait dix pièces de répétition insonorisées, où les étudiants pouvaient à loisir massacrer pendant des heures les musiques les plus raffinées sans déranger personne. À l'extrémité de cet étroit couloir, Tessa poussa une nouvelle porte et alluma un bref instant la lampe de poche ; elle vit qu'ils se trouvaient dans une nouvelle salle, aussi grande que la salle de l'orchestre, comportant également une estrade à degrés dans le fond. Un graffiti élaboré d'étudiant, avec anges aux ailes déployées et tout le fourniment, proclamait qu'on se trouvait ici dans le lieu où chantait le meilleur chœur du monde.

Au moment où Chrissie et Sam franchissaient à leur tour le seuil, un coup de fusil retentit au loin. Comme s'il venait de l'extérieur. Mais à l'instant précis où Sam refermait la porte derrière lui, une nouvelle détonation lui parvint, plus proche cette fois ; le coup avait dû être tiré dans la salle d'orchestre, estima-t-il. Il fut rapidement suivi d'un deuxième.

Ici encore, ils trouvèrent deux portes ; mais l'une d'elles donnait dans le bureau du chef de musique, et n'avait pas d'autre issue.

Ils foncèrent vers la deuxième et tombèrent encore dans un couloir, qu'ils trouvèrent éclairé par un signal de sécurité permanent, rouge, sur lequel on lisait ESCALIER. Oui, ESCALIER et non SORTIE. Ce qui signifiait qu'ils se trouvaient dans un puits inférieur, sans aucun accès vers l'extérieur.

– Montez avec elle, ordonna Sam à Tessa.

– Mais...

– Montez ! Ils investissent probablement le rez-de-chaussée par toutes les entrées, de toute façon.

– Mais qu'est-ce que vous...

– Je vais faire un petit arrêt ici.

Une porte claqua violemment, puis un coup de feu retentit dans la salle du chœur.

– Partez ! fit Sam d'une voix basse mais impérative.

23

Harry entendit que l'on ouvrait la porte du placard, dans la chambre, en dessous.

Le grenier était froid, mais il dégoulinait de transpiration comme dans un sauna. Il aurait peut-être mieux fait de ne pas prendre le deuxième chandail.

Puis il pensa : Et merde, non, venez, venez donc me chercher. Si vous croyez que je tiens à vivre éternellement...

24

Sam mit un genou en terre dans le couloir, à l'extérieur de la salle du chœur, prenant une position stable pour compenser la faiblesse de son poignet droit. Il maintint le battant de la porte ouvert d'une quinzaine de centimètres, et seul le canon de son arme dépassait. Il tenait le .38 dans la main droite, sa main gauche lui enserrant le poignet.

Il aperçut le type à l'autre bout de la salle, sa silhouette se détachant sur la lumière qui parvenait du couloir, derrière lui. Grand. Impossible de distinguer ses traits. Impression qu'il ne lui était pas tout à fait inconnu.

L'homme au fusil ne vit pas Sam. Il ne faisait que se montrer prudent, mitraillant au hasard avant d'entrer quelque part. Il appuya sur la détente. Le *clic* retentit bruyamment dans la salle silencieuse. Il réarma le fusil à pompe. Nouveau cliquetis : plus de munitions dans le magasin.

Sam décida aussitôt de changer de plan. Il se leva, franchit la porte et pénétra de nouveau dans la salle du chœur, incapable d'attendre que le type allumât l'éclairage général ou s'avançât davantage, car c'était le bon moment pour le cueillir, avant qu'il eût rechargé. Tout en avançant, Sam tira les quatre dernières cartouches de son .38, toutes ses forces rassemblées pour que chaque coup portât. Au deuxième ou au troisième, le type se mit à couiner, Seigneur, à couiner comme un gosse, la voix haut perchée et tremblotante, tandis qu'il reculait précipitamment dans le corridor, hors de la vue du policier.

Sam continua d'avancer, tâtonnant de la main gauche dans son blouson, pour prendre de nouvelles cartouches, tandis que de la droite il basculait le barillet et le secouait pour en faire tomber les douilles vides. Une fois près de la porte par laquelle avait disparu le grand type, il s'adossa au mur, rechargea le Smith & Wesson et rabattit le barillet.

Il ouvrit alors la porte d'un coup de pied et regarda dans le petit couloir qui reliait la salle du chœur à celle de l'orchestre. Les plafonniers étaient allumés.

Il était désert.

Pas de sang sur le sol.

Merde. Sa main droite était à moitié engourdie. Il sentait son poignet enfler, sous le bandage imbibé de sang frais. À l'allure où se dégradait sa précision de tir, il allait devoir demander au type de bien vouloir mordre l'extrémité du canon s'il voulait ne pas le rater.

Les portes qui donnaient sur les dix petites pièces de répétition étaient toutes fermées, mais celle qui débouchait dans la salle d'orchestre, à l'autre extrémité, était restée ouverte, et la lumière brillait dans la grande pièce. Le type au fusil de chasse pouvait être là-bas comme dans l'une des dix petites pièces. Où qu'il fût, il avait eu néanmoins le temps de remettre au moins deux cartouches dans son arme, et il n'était plus temps de le poursuivre.

Sam recula et laissa la porte se refermer automatiquement. À l'instant précis où elle allait se rabattre, il aperçut le grand type qui se présentait sur le seuil de la salle de l'orchestre, à une douzaine de mètres de lui.

Shaddack lui-même.

Le fusil de chasse retentit.

L'épaisse porte anti-bruit, en se refermant au moment crucial, suffit à arrêter les gros plombs.

Sam fit demi-tour et courut à travers la salle du chœur jusque dans l'autre couloir, où il s'engagea dans l'escalier qu'il avait fait prendre à Tessa et Chrissie.

Une fois sur le palier, il les vit qui l'attendaient là, sous la douce lumière rouge d'un signal ESCALIER.

En dessous, Shaddack abordait les premières marches de l'escalier.

Sam se retourna, descendit la première marche et se pencha sur la rampe. Il aperçut une épaule et un bras de son poursuivant et tira par deux fois.

De nouveau, Shaddack couina comme un enfant, avant de battre en retraite contre le mur, loin du puits central de l'escalier, et devint invisible.

Sam ne savait pas s'il avait ou non fait mouche. Peut-être. En revanche, il *savait* qu'il n'avait pas mortellement blessé Shaddack, que celui-ci continuait à monter, marche à marche, adossé au mur. Et lorsque cet enfoiré arriverait au palier intermédiaire, il jaillirait brusquement et mitraillerait tout ce qui pourrait être devant lui.

En silence, Sam battit en retraite sur le palier du haut et revint dans le couloir. La lumière rouge du système de sécurité tombait sur le visage de Tessa et Chrissie... illusion de sang.

25

Cliquetis, bruits de frottement.

Ça recommençait.

Harry savait ce qu'il entendait : le glissement de cintres sur une tige de métal.

Comment s'en étaient-ils douté ? Bon Dieu, peut-être étaient-ils capables de le *sentir*, là-haut. Il transpirait comme un cheval, après tout. Qui sait si la conversion n'affinait pas leurs sens ?

Les cliquetis et les frottements s'arrêtèrent.

Un instant plus tard, il entendit qu'on sortait la barre de ses supports. Afin de manœuvrer la trappe.

26

La lampe de poche était à l'agonie, et Tessa devait la secouer pour lui faire rendre quelques secondes d'un éclairage débile et hésitant.

Ils avaient quitté le couloir pour pénétrer dans ce qui s'avéra être un labo de chimie, avec des paillasses en marbre noir, des éviers en acier inox et de hauts tabourets de bois. Il n'y avait nulle part où se cacher.

Ils regardèrent par les fenêtres, avec l'espoir de trouver quelque avant-toit. Non. Il aurait fallu sauter du premier étage sur une dalle de ciment.

Au fond du labo, une porte donnait dans un cagibi de trois mètres carrés, plein de produits chimiques dans des boîtes scellées ou dans des bouteilles, dont certaines comportaient une étiquette avec un crâne, des tibias, et le mot DANGER en grosses lettres rouges. Elle se dit qu'il devait y avoir moyen de se servir de certains de ces produits comme arme, mais ils n'avaient pas le temps de procéder à un inventaire ni de chercher quelles substances ils pourraient bien mélanger. En outre, elle n'avait jamais été bien brillante en chimie et ne se rappelait pratiquement plus rien de ses cours. Elle risquait de se faire sauter à la figure le premier mélange qu'elle tenterait. À l'expression du visage de Sam, elle comprit qu'il n'était pas plus doué qu'elle dans ce domaine.

Le cagibi comportait une deuxième porte, donnant dans un autre labo qui semblait faire également office de classe de biologie. Des planches d'anatomie étaient accrochées sur l'un des murs. Mais la pièce n'offrait pas davantage de cachette que la précédente.

Tenant Chrissie serrée contre elle, Tessa regarda Sam et murmura :

– Et maintenant ? Est-ce qu'il vaut mieux attendre ici et espérer qu'il ne nous trouve pas... ou continuer à bouger ?

– Je crois qu'il est préférable de se déplacer, répondit Sam. On risque davantage de se faire coincer en se planquant.

Elle acquiesça.

Il passa devant elle et Chrissie, ouvrant la marche entre les bancs du labo en direction de la porte du couloir.

De derrière eux – du cagibi ou du labo de chimie, c'était impossible à dire – leur parvint un *clic* étouffé mais net.

Sam s'immobilisa, fit passer la jeune femme et la fillette devant lui et se tourna pour couvrir leur sortie.

Chrissie à côté d'elle, Tessa s'avança jusqu'à la porte donnant sur le couloir, tourna le bouton lentement, en silence, puis poussa le battant vers l'extérieur.

Shaddack surgit dans l'obscurité du couloir et, à la lumière aux pulsations mourantes de la lampe, enfonça le canon de son fusil dans l'estomac de la jeune femme.

– Vous allez le regretter, je peux vous le dire ! s'exclama-t-il d'un ton excité.

27

Ils abaissèrent la trappe. Un rayon de lumière vint éclairer les chevrons, mais il n'atteignait pas le coin dans lequel Harry se tapissait, ses jambes mortes allongées devant lui.

Sa mauvaise main recroquevillée entre ses cuisses, il étreignait de l'autre son pistolet avec une énergie féroce.

Son cœur n'avait jamais battu aussi fort ni aussi vite depuis vingt ans, depuis les champs de bataille de l'Asie du Sud-Est. Son estomac se contractait douloureusement et sa gorge était tellement serrée qu'il avait du mal à respirer. La peur lui donnait presque le tournis. Mais, bon Dieu, il se sentait bougrement *vivant*.

Avec des grincements et des bruits secs, l'échelle se déplia.

28

Tommy Shaddack faillit bien l'étriper, avant de se rendre compte à quel point elle était *jolie* ; du coup il n'eut plus envie de la tuer, en tout cas pas tout de suite, pas tant qu'il ne l'aurait pas obligée à faire des choses avec lui, à *lui* faire des choses. Elle allait devoir lui obéir au doigt et à l'œil, sans quoi elle allait gicler sur les murs, ouais, elle était à lui, et elle avait intérêt à bien le comprendre, ou bien elle le regretterait, elle le regretterait amèrement.

Puis il vit la fillette à côté d'elle, une ravissante petite fille, dix à douze ans, quelque chose comme ça, et ça l'excita encore plus. Il pourrait commencer par elle, il se taperait l'autre ensuite, il pourrait les prendre comme il voudrait, leur faire faire des choses, toutes sortes de choses, puis il leur ferait mal, c'était son droit, elles ne pouvaient pas dire le contraire, car il détenait maintenant tous les pouvoirs, il avait vu trois fois le faucon de lune.

Il les repoussa dans la pièce par la porte ouverte, le canon du fusil toujours enfoncé dans le ventre de la femme ; elle recula, obéissante, entraînant la fillette avec elle. Booker se tenait derrière, une expression de stupéfaction sur le visage.

– Laisse tomber ton revolver et éloigne-toi, dit Shaddack, sans quoi je transforme cette salope en gelée de groseille, je te jure que je le ferai, tu n'auras pas le temps de m'en empêcher.

Booker hésita.

– Lâche-le ! ordonna Shaddack.

L'agent lâcha l'arme et fit deux pas de côté.

Sans soulager la pression du Remington contre le ventre de Tessa, il la fit pivoter jusqu'à ce qu'elle pût atteindre l'interrupteur et allumer les tubes fluo. Les ombres disparurent de la salle.

– Bon, d'accord, écoutez-moi, tous les trois, dit Shaddack. Vous allez vous asseoir sur ces tabourets, oui, là, et surtout n'essayez pas de jouer aux marioles.

Il recula, gardant l'arme pointée vers eux. Ils avaient l'air terrorisé, et il en éclata de rire.

Tommy se sentait de plus en plus excité, maintenant, réellement excité ; il venait de décider qu'il allait tuer Booker en face de la femme et de la gamine, non pas rapidement, d'un seul coup mortel, mais lentement, en commençant par les jambes. Il le laisserait se tordre un moment au sol, puis il lui tirerait un deuxième coup de feu dans le ventre, mais pas de trop près, il ne fallait pas qu'il mourût instantanément, il voulait le faire souffrir, souffrir, pendant que la femme et la gamine regarderaient, il leur montrerait le genre de client qu'il était, lui, Thomas Shaddack, elles lui seraient reconnaissantes d'avoir été épargnées, tellement reconnaissantes qu'elles se mettraient à genoux et qu'elles le laisseraient leur faire des choses, faire toutes les choses dont il avait rêvé depuis trente ans et qu'il s'était refusées, trente ans de continence qui allaient exploser, tout de suite, cette nuit...

29

À peine filtrés par le toit et les bouches d'aération, arrivaient des hurlements surnaturels en contrepoint, en solo et en chœur. On aurait cru que les portails de l'enfer venaient d'être ouverts et laissaient les habitants des derniers cercles envahir Moonlight Cove.

Harry s'inquiétait pour Sam, Tessa et Chrissie.

En dessous de lui, l'équipe de conversion, toujours invisible, mettait en place l'échelle escamotable. L'un d'eux commença à escalader.

Harry se demanda de quoi ils allaient avoir l'air. D'hommes ordinaires, simplement – le vieux Doc Fitz avec une seringue et deux flics comme assistants ? Ou de croquemitaines ? Ou aurait-il affaire à l'un de ces hommes-machines dont Sam avait parlé ?

Le premier passa la tête par la trappe. Il s'agissait du docteur Worthy, le plus jeune médecin de la ville.

Harry envisagea un instant de faire feu pendant qu'il était encore sur l'échelle. Mais il n'avait pas tiré depuis vingt ans, et il ne voulait pas gaspiller le peu de munitions dont il disposait. Autant attendre qu'il se rapprochât.

Worthy ne disposait pas de lampe de poche. Et ne paraissait pas en avoir besoin. Il regarda directement vers le coin le plus sombre, là où Harry se terrait et dit :

– Comment saviez-vous que nous allions venir, Harry ?

– Intuition d'infirme, répondit Harry d'un ton sarcastique.

Dans le centre du grenier, il y avait suffisamment d'espace en hauteur pour se tenir debout. Worthy, sorti en position accroupie de la trappe à cause des chevrons en pente, se redressa progressivement en s'avançant. Lorsqu'il eut fait quatre pas, Harry fit feu par deux fois.

La première balle manqua sa cible, mais la deuxième l'atteignit en pleine poitrine.

Worthy fut violemment rejeté en arrière et tomba de tout son poids sur le plancher du grenier. Il y resta quelques instants, pris de tressaillements, puis se mit sur son séant, toussa une fois, et se releva.

Du sang brillait sur tout le devant de sa chemise blanche en lambeaux. Il avait été grièvement blessé, et néanmoins venait de récupérer en quelques secondes.

Harry se souvint de ce que Sam lui avait dit à propos des Coltrane qui ne voulaient pas mourir. *Il faut tirer sur le système de traitement de l'information.*

Il visa la tête de Worthy et tira de nouveau par deux fois, mais à cette distance – environ huit mètres – et selon cet angle en contre-plongée, il manqua complètement sa cible. Il hésita : il ne restait que quatre cartouches dans le magasin du pistolet.

Un autre homme fit son apparition par la trappe.

Harry lui tira dessus, dans l'espoir de le faire reculer.

Imperturbable, l'homme continua de monter.

Plus que trois cartouches.

Restant à distance, le docteur Worthy dit :

– Nous ne sommes pas ici pour vous faire mal, Harry. Je ne sais pas ce que vous avez entendu dire ni comment vous avez été mis au courant du projet, mais ce n'est pas une mauvaise chose...

Sa voix mourut, et il inclina la tête comme s'il tendait l'oreille vers les cris inhumains qui, dehors, emplissaient la nuit. Une expression de désir très particulière, visible même dans la pénombre du grenier, traversa le visage du médecin.

Il se secoua, cligna des yeux et se souvint qu'il était en train d'essayer de vendre son élixir à un client récalcitrant.

– Pas une mauvaise chose du tout, Harry. En particulier pour vous. Vous retrouverez l'usage de vos jambes, Harry, vous marcherez comme tout le monde. Vous retrouverez l'usage de tout votre corps ! Car avec le Changement, vous serez capable de vous guérir vous-même. Finie, la paralysie !

– Non merci. Pas à ce prix.

– Quel prix, Harry ? répondit Worthy en écartant les bras, paumes ouvertes. Quel prix ai-je payé ?

– Votre âme ? demanda Harry.

Un troisième homme se présenta à la trappe.

Le deuxième écoutait les hululements qui pénétraient dans le grenier par les bouches d'aération. Il se mit à grincer violemment des dents et à cligner très rapidement des yeux. Puis il leva les mains et se couvrit le visage, comme saisi d'une angoisse soudaine.

Worthy remarqua le comportement de son compagnon.

– Ça ne va pas, Vanner ?

Les mains de Vanner... se transformèrent. Ses poignets enflèrent et devinrent noueux de proéminences osseuses, ses doigts s'allongèrent, tout cela en deux secondes. Lorsqu'il abaissa les mains de devant son visage, ce fut pour exhiber des mâchoires en train de s'allonger, comme celles d'un loup-garou surpris en pleine métamorphose. Sa chemise se déchira au fur et à mesure que son corps se transformait. Il grogna en montrant des dents d'une blancheur éclatante.

– ... *Envie,* dit Vanner, *envie... envie... besoin...*

– Non ! cria Worthy.

Le troisième homme, à peine sorti de la trappe, roula sur le plancher, se métamorphosant à son tour pour prendre un aspect vaguement coléoptérien parfaitement répugnant.

Avant même de savoir ce qu'il faisait, Harry vida le .38 sur la chose-insecte, jeta l'arme et saisit le revolver calibre 45 posé à côté de lui ; il tira trois coups de feu de plus, atteignant manifestement une fois la chose-insecte à la tête. Elle se mit à ruer, parcourue de tressaillements, tomba par la trappe et ne remonta pas.

Vanner avait subi une métamorphose complète, très pointue, sans doute une créature vue dans un film, car la forme rappelait vaguement quelque chose à Harry, comme si ce dernier avait aussi vu le film en question. Vanner se mit à hurler pour répondre aux créatures de la nuit, à l'extérieur.

Arrachant frénétiquement ses vêtements, comme si leur pression sur sa peau lui était insupportable, Worthy se transforma à son tour en une bête très différente des deux autres. Quelque grotesque incarnation physique de ses désirs les plus fous.

Il ne restait que trois cartouches à Harry, et il devait garder la dernière pour lui-même.

30

Un peu plus tôt, après avoir survécu au supplice de la canalisation, Sam s'était promis d'apprendre à accepter l'échec, ce qui jusqu'ici avait été bel et bon. Mais voici que l'échec était de nouveau imminent.

Il ne pouvait pas échouer, alors que Tessa et Chrissie dépendaient de lui. Si aucune autre possibilité ne se présentait à lui, il sauterait au moins sur Shaddack au moment où celui-ci serait sur le point d'appuyer sur la détente.

La difficulté était de juger de ce moment. Shaddack, par son comportement et ses paroles, avait l'air d'un dément. Les plombs paraissaient sauter les uns après les autres dans son cerveau et il était bien capable de tirer en plein milieu d'un de ces éclats de rire glapissants, enfantins, rapides et nerveux qu'il ne cessait de pousser.

– Descendez de votre tabouret, ordonna-t-il à Sam.

– Quoi ?

– Vous m'avez bien entendu, nom de Dieu, descendez de votre tabouret. Allongez-vous sur le sol, par là, ou vous allez le regretter. Je vous le dis, vous allez fichtrement le regretter.

Il fit décrire un arc de cercle au canon de son arme.

– Descendez de ce tabouret et allongez-vous.

Sam ne voulait pas le faire, parce qu'il savait que Shaddack cherchait à le séparer de Tessa et Chrissie pour l'abattre.

Il hésita, puis se laissa glisser du haut siège, parce qu'il n'y avait rien d'autre à faire. Il passa entre deux des bancs du labo pour gagner la partie dégagée que lui avait indiquée Shaddack.

– À terre, dit Shaddack. Je veux vous voir par terre, ramper devant moi.

Se laissant tomber sur un genou, Sam glissa la main dans une poche intérieure de son blouson de cuir et y prit la tige de métal dont il s'était servi pour faire sauter la serrure, dans la maison des Coltrane, et la lança loin de lui, du même coup de poignet dont on jette une carte sur une table.

Le morceau de métal survola un instant le sol et alla heurter avec un tintement le pied d'une des paillasses de marbre.

Le dément tourna vivement le Remington vers le bruit.

Avec un cri de rage et de détermination, Sam bondit et se jeta sur Shaddack.

31

Tessa empoigna Chrissie et l'entraîna vivement loin de la bagarre, vers la porte donnant sur le couloir. Elles s'accroupirent toutes les deux contre le mur, avec l'espoir de ne pas se trouver dans la ligne de feu.

Sam était arrivé par-dessous le fusil avant que Shaddack eût le temps de le ramener dans l'axe. L'agent saisit le canon de la main gauche et le poignet de son adversaire par sa main droite affaiblie, et poussa de toutes ses forces pour le déséquilibrer. L'homme alla heurter brutalement un banc.

Sam accueillit le hurlement de Shaddack avec un ricanement de satisfaction, comme si lui aussi allait se transformer en l'une des bêtes qui hululaient dans la nuit.

Tessa le vit donner un violent coup de genou entre les jambes du fou, qui poussa un hurlement.

– Bravo, Sam ! ne put s'empêcher de s'écrier Chrissie.

Tandis que Shaddack s'étouffait, crachouillait et se pliait involontairement en deux, par réaction à la douleur qui flamboya dans ses parties génitales, Sam lui arracha le fusil des mains, recula, et...

... et à ce moment-là un homme en uniforme de la police entra dans le laboratoire par la porte du cagibi, un fusil à pompe à la main.

– Non ! cria-t-il. Laissez tomber cette arme. Shaddack est à moi.

32

La chose qui avait été Vanner s'avança vers Harry, avec des grognements graves, laissant échapper une bave jaunâtre. Harry fit feu par deux fois, l'atteignit à chacun des coups, mais ne réussit pas à la tuer. Les plaies béantes semblaient se fermer sous ses yeux.

Plus qu'une cartouche.

– *... Besoin, besoin...*

Harry mit le canon du .45 dans sa bouche, l'appuyant sur son palais, s'étouffant sur le métal brûlant.

La monstrueuse chose vaguement sélacienne le dominait de toute sa hauteur. Elle avait une tête démesurée, d'une taille trois fois la normale, disproportionnée avec son corps. Et cette bête était tout en gueule, la gueule tout en dents – non pas des crocs de loup, mais les dents acérées et incurvées d'un requin. Vanner ne s'était pas contenté de se remodeler d'après l'un des grands prédateurs de la nature, il avait voulu faire de lui une créature plus meurtrière et carnassière que tout ce que la nature avait jamais créé.

Mais lorsque Vanner ne fut qu'à un mètre de lui, se baissant pour mordre, Harry sortit le canon de l'arme de sa bouche, disant :

– Bon Dieu, non !

Il tira dans la tête de la chose. Elle tomba à la renverse avec un grand bruit, et resta allongée sur le plancher.

Le système de traitement des données, il n'y avait que ça de vrai.

La joie intense qu'éprouva Harry fut de courte durée. Worthy achevait sa transformation et semblait pris de frénésie à la vue du carnage qui venait de se dérouler dans le grenier, à cause aussi des hurlements de plus en plus frénétiques qui leur parvenaient du monde extérieur par les bouches d'aération. Il tourna son regard phosphorescent sur Harry ; on pouvait y lire une faim inhumaine.

Plus de cartouches.

33

Sam était en plein dans la ligne de mire du flic, sans la moindre possibilité de manœuvrer. Il dut laisser tomber le Remington qu'il venait d'arracher à Shaddack.

– Je suis de votre bord, répéta le flic.

– Personne n'est de notre bord, répondit Sam.

Shaddack cherchait à reprendre son souffle et à se redresser ; il regardait le policier avec une terreur abjecte.

Dans l'esprit de préméditation le plus froid que Sam eût jamais vu, sans trace de la plus petite émotion, pas même de la colère, le flic tourna le calibre 20 vers Shaddack, lequel ne constituait plus une menace pour personne, et tira par quatre fois. Comme sous les coups de poing d'un géant, Shaddack partit à reculons et alla s'écraser contre le mur après avoir renversé deux tabourets.

Le flic jeta son arme et s'approcha d'un pas vif du cadavre. Il déchira la veste de survêtement que Shaddack portait sous son manteau et arracha un objet étrange, une sorte de gros médaillon rectangulaire, qui pendait au bout d'une chaîne en or placée autour de son cou.

Brandissant le curieux bijou, le flic dit :

– Shaddack est mort. Ses battements de cœur ne sont plus retransmis. En ce moment même, Sun est en train de mettre en route un programme final. Dans moins d'une minute, nous connaîtrons tous la paix. La paix, enfin.

Sam crut tout d'abord que l'homme leur annonçait qu'ils allaient tous mourir *ici,* que la chose qu'il tenait à la main allait les tuer, que c'était une bombe, un engin destructeur quelconque. Il recula vivement vers la sortie, et vit que Tessa avait pensé la même chose. Elle avait pris Chrissie par la main et ouvrait déjà la porte.

Mais si c'était une bombe, elle était silencieuse, ou bien son rayon d'action se réduisait à quelques dizaines de centimètres. Soudain, le visage de l'officier de police se tordit ; entre ses mâchoires crispées, il murmura :

– Dieu.

Ce n'était pas une exclamation, mais plutôt une supplication ou peut-être la description inadéquate de quelque chose qu'il venait de voir à l'instant. Car il s'effondra aussitôt, mort, sans la moindre cause apparente.

34

Lorsqu'ils ressortirent par la porte de derrière, Sam remarqua immédiatement que le plus parfait silence régnait. Les hurlements aigus des métamorphosés ne se répercutaient plus dans la nuit, au-dessus de la ville emmitouflée de brouillard.

Les clefs étaient sur le contact de la fourgonnette.

– C'est vous qui conduisez, dit-il à Tessa.

Son poignet avait démesurément enflé. Les battements du sang s'y répercutaient douloureusement, jusque dans la dernière fibre de chair.

Il s'installa du côté passager.

Chrissie se pelotonna sur ses genoux, et il la serra dans ses bras. Elle gardait un silence inhabituel. Elle était épuisée, sur le point de s'effondrer, mais Sam savait que la cause de son silence était plus profonde que la fatigue.

Tessa claqua sa portière et démarra. Il n'était pas nécessaire de lui dire où se rendre.

Tout en roulant vers la maison de Harry, ils découvrirent des rues jonchées de cadavres ; non pas des cadavres d'hommes et de femmes ordinaires, comme le leur révélait sans aucun doute possible le pinceau des phares, mais ceux de créatures sorties tout droit d'une peinture de Jérôme Bosch, tordues et fantasmagoriques. Elle conduisait lentement, avec des manœuvres pour les éviter, et elle dut à deux reprises monter sur le trottoir pour contourner des amas de corps tombés ensemble, sous l'effet, apparemment, de la même force invisible qui avait tué le policier, à Central.

Shaddack est mort. Ses battements de cœur ne sont plus retransmis. En ce moment même, Sun est en train de mettre en route un programme final...

Au bout d'un moment, Chrissie enfouit sa tête contre la poitrine de Sam pour ne pas regarder dehors.

L'agent fédéral s'efforçait de se dire que tous ces cadavres n'étaient que des fantômes, que jamais une telle folie n'aurait pu se produire, que ce soit par l'application de la technologie la plus sophistiquée ou par la sorcellerie. Il s'attendait à les voir disparaître dans les nappes de brouillard, mais lorsque celui-ci se dissipait, ils étaient toujours là, massés sur la chaussée, les pelouses ou les trottoirs.

Immergé dans toute cette horreur et cette laideur, il n'arrivait pas à croire avoir été insensé au point de passer des années de sa précieuse vie plongé dans la morosité, à refuser de voir la beauté du monde. Folie bien étrange. Lorsque se lèverait l'aube, il ne pourrait plus voir une fleur sans s'émerveiller de sa délicatesse et de sa beauté, au-delà de toutes les possibilités de création des êtres humains.

– Dites-le-moi, maintenant, dit Tessa en s'engageant dans la rue qui conduisait chez Harry.

– Vous dire quoi ?

– Ce que vous avez vu. Votre expérience de la mort. Qu'avez-vous vu de l'autre coté, qui vous a tellement fait peur ?

– J'étais un idiot, répondit-il avec un rire peu assuré.

– Probablement, mais permettez-moi d'en juger.

– Eh bien, je ne saurais vous expliquer exactement. Il s'agissait davantage de quelque chose que je comprenais que d'une vision, à proprement parler.

– Et alors, qu'avez-vous compris ?

– Que ce monde est notre point de départ. Qu'ensuite il y a une vie, soit sur un autre plan, soit dans une série infinie de plans... ou bien que nous vivons sur ce plan-ci, réincarnés. Je ne peux rien dire avec certitude, mais c'est quelque chose que j'ai profondément ressenti et que je savais lorsque j'ai atteint le bout du tunnel et vu la lumière, la lumière brillante.

Elle lui jeta un coup d'œil.

– Et c'est ça qui vous a fait si peur ?

– Oui.

– Le fait que nous vivions encore ?

– Oui. Parce que je trouvais la vie tellement sinistre, comprenez-vous. Rien qu'une série de tragédies, rien que de la souffrance. J'avais perdu toute capacité d'apprécier la beauté de la vie, ses joies, et je ne voulais pas mourir pour que tout recommence – en tout cas, je préférais que ce soit le plus tard possible. Au moins, dans cette vie-ci, je m'étais endurci, rendu insensible à la douleur, ce qui était un avantage par rapport au bébé qui repart de zéro dans une nouvelle incarnation.

– Si bien que techniquement, votre quatrième raison de vivre n'était pas la peur de la mort.

– Probablement.

– Mais la peur de devoir vivre à nouveau.

– Oui.

– Et maintenant ?

Il réfléchit un moment. Chrissie s'agita sur ses genoux. Il caressa ses cheveux mouillés. Et finalement, il répondit :

– Je suis impatient de vivre à nouveau.

35

Harry entendit des bruits, au rez-de-chaussée, puis l'ascenseur, et enfin quelqu'un qui entrait dans la chambre du deuxième étage. Il se tendit, se disant que deux miracles à la suite étaient plus que ce que l'on pouvait décemment espérer, puis il entendit Sam qui l'appelait du bas de l'échelle.

– Je suis là, Sam ! Je n'ai rien !

L'instant suivant, Sam grimpait dans le grenier.

– Et Tessa ? Chrissie ? demanda Harry avec anxiété.

– Elles sont en bas. Elles vont bien toutes les deux.

– Grâce à Dieu !

Il laissa échapper un profond soupir, comme s'il retenait sa respiration depuis des heures.

– Regardez donc ces brutes, Sam.

– J'aime autant pas.

– Après tout, Chrissie avait peut-être raison, avec son histoire d'invasion d'extra-terrestres.

– C'est encore plus délirant.

– Quoi ? fit Harry, tandis que Sam, agenouillé à côté de lui, dégageait délicatement ses jambes du corps transformé de Worthy.

– Du diable si j'en ai la moindre idée. Je ne suis même pas sûr d'avoir envie de savoir.

– Nous entrons dans une époque où nous créons notre propre réalité, n'est-ce pas ? La science nous en donne la possibilité, petit à petit. Avant, seuls les fous faisaient ça.

Sam ne répondit rien.

– Ce n'est peut-être pas très malin de créer sa propre réalité, reprit Harry. L'ordre naturel reste sans doute ce qu'il y a de mieux.

– Peut-être. Par ailleurs, l'ordre naturel s'accommode fort bien de petits perfectionnements ici et là. Je me dis que nous devons essayer. Nous devons simplement espérer que les bricolages des hommes ne ressemblent pas à ceux de Shaddack. Ça va, Harry ?

– Beaucoup mieux, merci. (Il sourit.) Sauf, bien sûr, que je suis toujours infirme. Vous voyez cette chose, là, qui s'appelait Worthy ? Il se penchait sur moi. Sur le point de m'ouvrir la gorge. Et moi, je n'avais plus une seule balle. Je sentais déjà ses griffes à mon cou, et tout d'un coup il est tombé raide mort, bang ! C'est pas un miracle, un truc pareil ?

– Un miracle qui a eu lieu dans toute la ville, répondit Sam. On dirait bien qu'ils sont tous morts en même temps que Shaddack. Comme s'il y avait eu un lien entre eux. Allez, quittons ce carnage et descendons.

– Ils ont tué Moose, Sam.

– Mon œil, oui. Qu'est-ce que vous croyez qu'elles fabriquent en bas, nos deux bonnes femmes ?

Harry resta un instant stupéfait.

– Mais j'ai entendu...

– On dirait que quelqu'un lui a donné un coup de matraque sur la tête. Il a le crâne écorché et il saigne. Il s'est peut-être évanoui, mais je ne crois pas qu'il ait de fracture.

36

Chrissie s'installa à l'arrière du van avec Harry et Moose : Harry avait passé son bras valide autour de ses épaules et Moose posé la tête sur ses genoux. Peu à peu elle commençait à se sentir mieux. Elle n'était pas elle-même, non, pas encore, et peut-être ne se sentirait-elle plus jamais comme autrefois, mais elle allait mieux.

Ils se rendirent jusqu'au parc, à l'extrémité est d'Ocean Avenue. Tessa monta sur le trottoir, secouant tout le monde, et se gara sur l'herbe.

Sam ouvrit les portes arrière de la fourgonnette pour que Chrissie et Harry, enroulés côte à côte dans des couvertures, pussent le regarder travailler avec Tessa.

Plus courageux que Chrissie ne l'aurait été, Sam se rendit dans la zone résidentielle voisine, enjambant ou contournant les choses mortes, et fit démarrer, en trafiquant l'allumage, les voitures garées dans les rues. Une par une, lui et Tessa les ramenèrent jusqu'au parc où ils les disposèrent en un vaste cercle, moteur tournant au ralenti, et phares allumés pointés en direction du centre de ce cercle.

Sam leur avait expliqué que les renforts arriveraient très certainement en hélicoptère, même avec le brouillard, et que le cercle de lumière constituerait un bon terrain d'atterrissage pour eux. Avec vingt voitures à l'éclairage réglé sur pleins phares, l'intérieur du cercle était aussi lumineux qu'en plein jour.

Cette luminosité plaisait bien à Chrissie.

Avant même que la délimitation de la piste d'atterrissage fût terminée, quelques personnes commencèrent à faire leur apparition dans les rues : des personnes *vivantes*, n'ayant rien de bizarre, sans crocs, ni dards, ni griffes et se tenant debout sur leurs jambes – tout à fait normales, à en juger par leur apparence. Certes, la fillette avait appris à se méfier des apparences, car celles-ci pouvaient dissimuler les pires choses ; des choses qui étonneraient jusqu'aux journalistes du *National Enquirer.* On ne pouvait même pas être sûr de ses propres parents.

Mais elle était incapable de penser à ça.

Elle n'osait pas penser à ce qui leur était arrivé. Elle se doutait bien que les espoirs qu'elle pouvait entretenir avaient toutes les chances d'être vains, mais elle tenait à s'y accrocher tout de même encore un peu.

Les quelques personnes qui firent leur apparition dans les rues commencèrent à se diriger peu à peu vers le parc, pendant que Tessa et Sam finissaient de ranger les dernières voitures en cercle. Elles avaient toutes l'air hébété. Plus elles s'approchaient, plus Chrissie devenait nerveuse.

– Elles sont normales, voulut la rassurer Harry en la serrant contre lui de son bras valide.

– Comment en êtes-vous sûr ?

– Tu vois bien qu'elles crèvent de trouille. Heu... je ne devrais peut-être pas t'apprendre à parler comme ça.

– J'ai très bien compris.

Moose poussa un gémissement et s'agita. Il devait probablement souffrir du genre de mal de crâne que connaissent bien les karatékas qui cassent des briques à coups de tête.

– Eh bien, dit Harry, regarde-les ; pour avoir une frousse pareille, c'est qu'elles sont de la même espèce que toi, non ? Les autres, tu ne les as jamais vues avoir la frousse, il me semble.

Elle réfléchit pendant quelques instants.

– Si, pourtant. Le flic qui a descendu M. Shaddack, à l'école. Il avait la frousse. Jamais je n'avais vu autant de peur dans le regard de quelqu'un, avant. Jamais.

– Mais je t'assure, ces gens sont normaux, persista Harry, tandis que, tels des zombies, les survivants hébétés se rapprochaient de la fourgonnette.

– Ce sont les gens qui auraient dû être convertis juste avant minuit, mais personne n'est venu les chercher. Il doit y en avoir d'autres dans certaines maisons, barricadés chez eux et morts de peur. Ils doivent penser que tout le monde est devenu fou. Que des extra-terrestres ont débarqué, comme toi-même tu le croyais. Et puis, si c'étaient des métamorphosés, ils n'avanceraient pas en hésitant autant. Ils seraient arrivés en courant et nous auraient bouffé le nez le temps de le dire, plus tout ce qu'ils considèrent comme de bons morceaux.

Cette explication lui parut convaincante et lui arracha même un sourire ; elle se détendit un peu.

Mais juste une seconde plus tard, Moose releva brusquement sa grosse tête, poussa un jappement et se mit debout.

À l'extérieur, les personnes qui se dirigeaient vers le van se mirent à pousser des cris de surprise et de peur, et Chrissie entendit Sam s'exclamer :

– Mais nom de Dieu, qu'est-ce que c'est ?

Elle rejeta les chaudes couvertures dans lesquelles elle était enroulée et bondit hors de la fourgonnette pour voir ce qui se passait.

Derrière elle, inquiet en dépit des propos rassurants qu'il venait de tenir à l'instant, Harry demanda :

– Qu'est-ce qu'il y a ? Qu'est-ce qui ne va pas ?

Elle resta quelques secondes sans comprendre ce qui avait alerté tout le monde, puis elle vit les animaux. Ils grouillaient dans le parc – des dizaines de souris, quelques rats dépenaillés, des chats défiant toute description, une demi-douzaine de chiens, et peut-être deux douzaines d'écureuils, descendus de leur arbre. D'autres souris, rats et chats débouchaient de toutes les rues avoisinantes et se précipitaient pêle-mêle sur Ocean Avenue, pris de frénésie, puis, coupant par le parc, prenaient la direction de la route du comté. Cette débandade lui rappelait une histoire qu'elle avait lue autrefois, et il ne lui fallut que quelques instants pour qu'elle lui revînt à l'esprit : les lemmings. Périodiquement, quand la population des lemmings devient trop grande dans une zone donnée, les petits rongeurs se mettent à courir, à courir, droit vers la mer, où ils se noient par milliers. Tous ces animaux se comportaient comme les lemmings, tous partaient dans la même direction, indifférents à tout ce qui pouvait se trouver sur leur chemin, attirés par quelque chose qui restait mystérieux et qui devait donc être quelque pulsion intérieure.

Moose bondit du van et se joignit à la meute en fuite.

– Moose, non ! cria-t-elle.

Il trébucha, comme s'il s'était heurté à la matérialisation du cri lancé à sa poursuite. Il regarda derrière lui, puis sa tête revint brusquement se pointer vers la route du comté, comme s'il venait d'être rappelé à l'ordre d'une sèche traction de chaîne. Il démarra à toute vitesse.

– *Moose !*

Il trébucha encore, s'étalant de tout son long, cette fois, et roula sur lui-même avant de pouvoir se remettre sur pattes.

Plus ou moins consciemment, Chrissie savait que la comparaison avec les lemmings était bonne, que ces animaux se précipitaient vers leur mort, même s'ils partaient en direction opposée de la mer, vers une mort encore plus hideuse que la noyade et qui faisait partie de toutes les monstruosités qui venaient de se passer à Moonlight Cove. Si elle n'arrêtait pas Moose, jamais on ne le reverrait.

Elle courut derrière lui.

Elle était épuisée, recrue de fatigue, morte de peur et endolorie dans chaque muscle, mais elle trouva néanmoins la force de se jeter aux trousses du labrador car personne d'autre ne semblait comprendre qu'il courait à la mort. Tessa et Sam, tout intelligents qu'ils fussent, restaient plantés là, bouche bée, à contempler la débandade générale. Chrissie, coudes au corps, partit donc à toutes jambes et donna tout ce qu'elle pouvait, se prenant pour Chrissie Foster, la plus jeune championne olympique au monde du marathon, tandis que la foule l'encourageait en scandant son nom. Et tandis qu'elle courait, elle hurlait le nom du chien, car chaque fois qu'il l'entendait, il ralentissait, s'arrêtait presque et hésitait, ce qui lui faisait gagner du terrain. Puis ils arrivèrent à l'autre bout du parc et elle faillit bien tomber dans le profond fossé qui longeait la route du comté ; elle le sauta au dernier instant, non pas parce qu'elle l'avait aperçu, mais parce qu'elle ne quittait pas Moose des yeux et qu'elle l'avait vu bondir par-dessus quelque chose. Elle fit un atterrissage parfait, ne perdit pas une foulée, hurla le nom du chien et, cette fois, le rattrapa, l'empoignant par son collier. Il grogna et fit mine de la mordre, mais elle lui dit « Moose ! » d'un ton destiné à lui faire honte, et il n'alla pas jusqu'au bout de son geste. Ce fut la seule fois où il tenta de se rebiffer, mais, Seigneur, avec quelle énergie tentait-il de se libérer ! Il fallait à la fillette rassembler toutes ses forces pour seulement rester accrochée à lui, et il la traîna sur au moins vingt mètres, le long de la route ; ses grosses pattes griffaient le macadam tandis qu'il s'efforçait de suivre le reflux des petits animaux qui s'enfonçaient dans la nuit et le brouillard.

Le temps que le chien fût assez calmé pour accepter de revenir vers le parc, Tessa et Sam avaient rejoint Chrissie.

– Qu'est-ce qui est arrivé ? demanda Sam.

– Ils courent tous à la mort, répondit Chrissie, haletante. Je ne pouvais vraiment pas laisser Moose partir avec eux.

– À leur mort ? Comment le sais-tu ?

– Je ne sais pas comment je le sais... mais sinon, quoi ?

Ils restèrent quelques instants immobiles, dans l'obscurité et le brouillard, regardant dans la direction par laquelle les animaux avaient disparu.

– Quoi d'autre, en effet ? murmura Tessa.

37

Le brouillard commençait à se dissiper, mais la visibilité restait encore réduite à environ quatre cents mètres.

Debout aux côtés de Tessa, au milieu du cercle de Lumière, Sam entendit arriver les hélicos un peu après dix heures, avant de voir leurs phares. À cause des distorsions des sons provoquées par le brouillard, il ne pouvait dire de quel côté ils arrivaient, mais il penchait pour le sud : longeant la côte à environ deux cents mètres pour ne pas devoir s'inquiéter des collines, dans ce mauvais temps. Toutefois, grâce aux instruments modernes, ils pouvaient voler virtuellement dans n'importe quelle condition de visibilité ; les pilotes disposaient de lunettes de nuit à infrarouges, d'une portée de cent cinquante mètres, même par temps de brouillard.

Étant donné les liens étroits qui existaient entre le FBI et l'armée, les Marines en particulier, Sam se doutait bien qu'il allait voir débarquer une unité de reconnaissance des Marines composée des éléments classiques dans ce genre de situation : un hélicoptère CH-46 transportant l'équipe elle-même – probablement douze hommes détachés d'une unité d'assaut – accompagné de deux cobras à l'armement lourd.

Après s'être tournée dans toutes les directions, Tessa dit :

– Je ne les vois toujours pas.

– C'est normal, dit Sam. Nous ne les verrons que quand ils seront sur nous ou presque.

– Ils volent tous feux éteints ?

– Non. Ils sont équipés de lumière bleue, que l'on ne voit pratiquement pas depuis le sol, mais qui leur donne une sacrée bonne vision avec leurs lunettes de nuit.

D'ordinaire, en réaction à une menace terroriste, le CH-46, dont le nom officiel était le Sea Knight, mais que les troufions avaient surnommé « la Grenouille », aurait été se poser, avec son escorte, au nord de la ville. Trois équipes de quatre hommes auraient débarqué et parcouru l'agglomération par des routes différentes, vérifiant la situation au fur et à mesure, pour se retrouver au sud et être au besoin evacuées.

Mais étant donné la teneur du message envoyé par Sam, et comme la situation ne relevait pas à proprement parler du terrorisme et présentait des aspects particulièrement étranges, le commandement avait décidé d'adopter une approche plus audacieuse. Les hélicos survolèrent la ville à plusieurs reprises, à quelques mètres au-dessus du sommet des arbres et des toits. Par moments, leurs étranges projecteurs bleuâtres étaient visibles, mais on ne devinait rien de leur taille ni de leur forme ; et à cause de leur pales en fibre de verre, beaucoup plus silencieuses que les anciennes pales métalliques, les appareils avaient parfois l'air d'évoluer en silence, au loin, comme les vaisseaux d'extra-terrestres de quelques livre de science-fiction.

Ils vinrent finalement faire du surplace au-dessus du cercle de lumière, dans la partie dégagée du parc.

Ils ne se posèrent pas tout de suite. Tandis que les rotors puissants chassaient le brouillard, ils firent passer un projecteur sur les gens qui se tenaient à l'extérieur du cercle lumineux, et prirent plusieurs minutes pour examiner les dépouilles grotesques gisant dans les alentours du parc.

Finalement, tandis que les Cobra gardaient toujours l'air, le CH46 vint se poser doucement, presque à contrecœur aurait-on dit, au centre du cercle d'automobiles. Les hommes qui en jaillirent brandissaient des armes automatiques ; mais en dehors de cela ils ne ressemblaient guère à des soldats, car, à cause du message de Sam, ils portaient des tenues de décontamination antibactériennes, avec leurs propres bouteilles d'oxygène sur le dos. Ils avaient davantage l'air d'astronautes que de Marines.

Le lieutenant Ross Dalgood, un visage de bébé sous la visière de son casque, se dirigea droit sur Sam et Tessa, donna son nom et son grade et salua Sam par son nom – on avait eu le temps, manifestement, de lui communiquer la photo de l'agent du FBI avant le décollage.

– Existe-t-il des risques biologiques, agent Booker ?

– Je ne le crois pas, répondit Sam, tandis que les pales de l'hélicoptère ralentissaient et que leur bruit se réduisait à un halètement sifflant et régulier.

– Mais vous n'en êtes pas sûr ?

– En effet, je n'en suis pas sûr, admit Sam.

– Nous ne sommes que l'avant-garde, reprit Dalgood. Le gros du détachement va arriver d'un moment à l'autre ainsi que des gens de votre Bureau, par l'autoroute.

L'officier, accompagné de Sam et Tessa, se dirigea vers l'un des cadavres qui gisaient sur le trottoir, en bordure du parc.

– Je n'arrivais pas à croire ce que je voyais de là-haut, dit Dalgood.

– Et pourtant, il faut le croire, répondit Tessa.

– Mais... ce sont quoi, ces... choses ?

– Des croquemitaines, dit simplement Sam.

38

Tessa était inquiète pour Sam. Avec Chrissie et Harry, elle était retournée à la maison de Conquistador vers une heure du matin, après avoir été interrogée à trois reprises par les hommes en tenue de décontamination. En dépit d'affreux cauchemars, ils purent dormir quelques heures. Mais Sam ne revint pas de la nuit et n'était toujours pas là le lendemain mercredi à onze heures du matin, alors qu'ils finissaient de déjeuner.

– Il se croit peut-être indestructible, marmonna Tessa, mais il se trompe.

– Il ne vous est pas indifférent, remarqua Harry.

– Bien sûr, qu'il ne m'est pas indifférent.

– Je veux dire... plus que cela.

– Oh !... je ne sais pas.

– Moi, si, fit péremptoirement Chrissie.

Sam revint finalement à une heure de l'après-midi, crasseux, le visage gris. Tessa avait refait le lit de la chambre d'ami, et il s'effondra dessus à moitié habillé.

La jeune femme s'assit sur une chaise à côté de lui et le regarda dormir. Il poussait de temps en temps un grognement, donnait des coups de pied. Il prononça son nom, celui de Chrissie, parfois aussi celui de son fils, Scott : on aurait dit qu'il les avait perdus et errait sans fin à leur recherche, dans un endroit désolé et dangereux.

Les hommes du Bureau, toujours en tenue de décontamination, vinrent le chercher à dix-huit heures, alors qu'il n'avait même pas dormi cinq heures. On ne le revit pas du reste de la nuit.

À ce moment-là tous les cadavres – impressionnante collection tératologique – avaient été ramassés, étiquetés, scellés dans des sacs en plastique et rangés dans des chambres froides à l'intention des pathologistes.

Cette nuit-là, Tessa et Chrissie partagèrent le même lit. Allongée dans la chambre où ne régnait qu'une demi-pénombre (Tessa avait posé une serviette sur un abat-jour pour faire une veilleuse), la fillette dit :

– Ils sont partis.

– Qui ?

– Mon papa et ma maman.

– Je le crois aussi.

– Ils sont morts.

– Je suis désolée, Chrissie.

– Oh, je le sais bien. Je sais que vous avez du chagrin pour moi. Vous êtes très chouette.

Pendant quelques minutes, l'adolescente pleura dans les bras de Tessa.

Beaucoup plus tard, alors qu'elle était sur le point de s'endormir, elle reprit :

– Vous avez un peu parlé avec Sam, tout à l'heure. Est-ce qu'il vous a dit si on avait trouvé... à propos des animaux, l'autre nuit... où ils couraient tous ?

– Non, répondit la jeune femme. Pas la moindre idée, pour le moment.

– Ça me fiche la frousse.

– À moi aussi.

– Je veux dire, qu'on n'en ait pas la moindre idée.

– Oui, c'était aussi ce que je voulais dire.

39

Dès le jeudi matin, les équipes de techniciens du FBI et de consultants extérieurs du secteur privé avaient suffisamment étudié les mémoires de Sun et du projet Faucon-Lune pour comprendre que ce dernier consistait à implanter des mécanismes de contrôle non biologiques chez les gens, mécanismes ayant entraîné de profondes altérations biologiques parmi les victimes. Pour l'instant, personne n'avait la moindre idée du détail de leur fonctionnement, ni de la manière dont ils avaient pu provoquer des métamorphoses aussi radicales, mais on avait au moins la certitude que ni des bactéries, ni des virus, ni aucun organisme trafiqué n'étaient impliqués.

La quarantaine fut maintenue, pour interdire l'accès aux journalistes et aux curieux, mais les soldats, à leur grand soulagement, purent enfin se débarrasser de leurs tenues de décontamination, étouffantes et pénibles à porter. Il en fut de même pour des centaines de scientifiques et d'agents du FBI qui bivouaquaient un peu partout dans la ville.

On autorisa Sam, Tessa et Chrissie à quitter Moonlight Cove dès le vendredi matin, même si Sam savait qu'il lui faudrait revenir bientôt. Un tribunal compatissant, suivant les conseils de représentants d'organismes sociaux divers, accorda la garde temporaire de Chrissie à Tessa. Tous trois laissèrent Harry en lui disant un

« À très bientôt » sincère et embarquèrent dans un hélico du Bureau.

Afin d'éviter les dérapages sensationnalistes des médias sur les recherches se poursuivant fébrilement sur place, la presse n'était toujours pas autorisée à enquêter sur place, et Sam ne commença à prendre conscience de l'impact des événements que lorsqu'ils survolèrent le barrage routier de l'armée, près de la nationale. Des centaines de véhicules de presse s'entassaient sur le bas-côté de la route et dans les champs voisins. Le pilote volait encore suffisamment bas pour que Sam pût voir toutes les caméras qui se tournaient vers eux, tandis qu'ils passaient au-dessus de la foule.

– C'est pratiquement la même chose au barrage de la route du comté, au nord de Holliwell Road, leur dit le pilote. Des journalistes venus du monde entier dorment par terre dans des sacs de couchage parce qu'ils ne veulent pas aller passer la nuit dans un motel éloigné et être les derniers à entrer dans Moonlight Cove, lorsque la ville sera ouverte.

– Ils ne devraient pas s'en faire, répondit Sam. Elle ne le sera pas avant des semaines.

L'hélicoptère les déposa à l'aéroport de San Francisco, où trois places leur avaient été réservées pour un vol à destination de Los Angeles. En passant devant un marchand de journaux, Sam parcourut quelques titres :

COVE : UNE INTELLIGENCE ARTIFICIELLE DERRIÈRE LA TRAGÉDIE

UN SUPER-ORDINATEUR PRIS DE FOLIE

Absurdité, évidemment. Sun, le super-ordinateur de New Wave, n'était pas une intelligence artificielle. Rien de semblable n'existait encore sur terre, même si des légions de chercheurs faisaient la course pour être les premiers à mettre au point un véritable esprit électronique pensant par lui-même. Sun n'avait pas été pris de folie : il s'était contenté de respecter son programme, comme tout bon ordinateur.

Paraphrasant Shakespeare, Sam pensa : La faiblesse ne vient pas de notre technologie, mais de nous-mêmes.

Mais on vivait une époque où l'on rejetait tout ce qui allait de travers sur les ordinateurs – tout comme, des siècles auparavant, des cultures moins évoluées rejetaient leurs échecs sur un mauvais alignement des corps célestes.

Tessa lui montra du geste un autre titre :

LE MYSTÉRIEUX DÉSASTRE :
EXPÉRIENCES SECRÈTES DU PENTAGONE ?

Le Pentagone était le croquemitaine favori de certains milieux, presque adoré pour ses crimes réels ou imaginaires, parce que la vie était plus simple et plus facile à comprendre si l'on croyait qu'il était à la racine de tous nos maux. Pour ceux qui voyaient les choses ainsi, le Pentagone était pratiquement l'équivalent du monstre balourd de Frankenstein, avec ses gros croquenots et son costume étriqué : effrayant, certes, mais compréhensible, une horreur qu'il fallait bien entendu fuir, mais ayant l'avantage de la prévisibilité, et préférable au casse-tête de méchants plus flous et complexes.

Chrissie tira du présentoir une édition spéciale d'un grand journal à sensation, rempli d'histoires sur Moonlight Cove. Elle leur montra la grosse manchette :

DES EXTRA-TERRESTRES SUR LA CÔTE CALIFORNIENNE
LA VILLE LIVRÉE AU CANNIBALISME

Ils se regardèrent solennellement pendant un instant, puis sourirent. Pour la première fois depuis plusieurs jours, Chrissie éclata même de rire. Oh, un rire bref et sans jubilation, dans lequel on aurait peut-être pu déceler une pointe d'ironie un peu au-dessus de son âge, sans parler d'une trace de mélancolie – mais elle avait tout de même ri. Et Sam se sentit mieux.

40

Joel Ganowicz, journaliste à United Press International, faisait le pied de grue à l'un ou l'autre des barrages de Moonlight Cove depuis le mercredi matin. Il pionçait dans un sac de couchage à même le sol, les bois lui servaient de toilettes et il payait un charpentier au chômage pour lui apporter ses repas depuis Aberdeen Wells. Jamais, au cours de sa carrière, il ne s'était autant passionné pour un événement, jamais il n'avait eu autant envie de le couvrir le mieux possible. Sans savoir exactement pour quelles raisons, d'ailleurs. Bon, d'accord, c'était l'histoire la plus sensationnelle de la décennie, peut-être même plus. Mais pourquoi ressentait-il si impérieusement le besoin de rester sur place, d'aller à la pêche du moindre lambeau de vérité ? Pourquoi en était-il à ce point obsédé ? Son comportement était un mystère pour lui-même.

Mais il n'était pas seul dans ce cas.

L'histoire avait beau avoir été livrée aux médias par morceaux au cours des trois premiers jours, avant d'être exposée dans les moindres détails au cours d'une conférence de presse de quatre heures dès le jeudi soir, les journalistes avaient beau avoir interrogé la plupart des quelque deux cents survivants, personne n'en avait assez. L'étrange horreur de la mort des victimes – sans compter leur nombre, près de trois mille, plusieurs fois l'hécatombe de Jonestown – frappait l'imagination des lecteurs de journaux et des téléspectateurs, même si c'était la même chose qui était rabâchée. Le vendredi, elle n'avait rien perdu de son sensationnel, au contraire.

Joel, cependant, sentait que ce n'était ni la monstruosité des faits ni ces chiffres spectaculaires qui fascinaient le public, mais quelque chose de plus profond.

À dix heures, le vendredi matin, le journaliste était assis sur son sac de couchage roulé, dans un champ à proximité de la route du comté, à dix mètres à peine du poste de contrôle de la police, au nord de Holliwell ; il profitait d'une matinée d'octobre ensoleillée et étonnamment chaude et méditait précisément sur ces questions. Il commençait à se dire que la nouvelle avait frappé les esprits parce qu'elle ne touchait pas, en réalité, au conflit relativement moderne entre l'homme et la machine, mais à celui, immémorial, éternel, entre la responsabilité et l'irresponsabilité, entre la civilisation et la sauvagerie, entre les impulsions humaines contradictoires, tirant à hue vers la foi, à dia vers le nihilisme.

Joel réfléchissait toujours à ce problème lorsqu'il se leva et se mit à marcher. Au bout d'un moment il ne pensait plus à grand-chose, mais il avançait d'un pas plus décidé.

Il n'était pas seul. Parmi tous ceux qui attendaient au barrage routier, une bonne centaine, soit la moitié environ, avaient fait demi-tour comme un seul homme ou presque et se dirigeaient plein est à travers champs, d'un pas délibéré, sans hésiter sur le chemin ni faire de détours, mais coupant droit par la prairie en pente, la colline couverte de buissons et le bosquet d'arbres.

Ces marcheurs surprirent ceux qui n'avaient pas ressenti le brusque appel, et certains journalistes suivirent un moment le mouvement, posant des questions, puis les criant : personne ne leur répondit.

Joel était possédé du sentiment qu'il y avait un endroit où il devait absolument se rendre, un endroit particulier, où il n'aurait nul besoin de s'occuper de l'avenir. Il ignorait à quoi ressemblait ce lieu magique, mais il était sûr de le reconnaître lorsqu'il le verrait. Il hâtait le pas, impatient, poussé, *tiré*.

Besoin...

La chose protéenne, dans le sous-sol de la colonie Icare, était en prise au besoin. Elle n'était pas morte lorsque les autres enfants de Faucon-Lune avaient péri, car les microsphères qu'elle contenait s'étaient dissoutes lorsqu'elle avait recherché la libération dans l'absolue indifférenciation ; elle n'avait donc pas capté l'ordre de mort de Sun, transmis par micro-ondes. Même si elle l'avait reçu, elle ne serait pas morte, car la créature tapie au fond de la cave n'avait pas de cœur à arrêter.

Besoin...

Son besoin atteignait une telle intensité qu'elle palpitait et se tordait. Un besoin plus profond que le simple désir, plus terrible que n'importe quelle douleur.

Besoin...

Des bouches s'étaient ouvertes sur toute sa surface. La chose lança son appel au monde qui l'entourait d'une voix qui paraissait silencieuse mais ne l'était pas, une voix qui s'adressait directement à l'esprit de ses proies sans passer par leurs oreilles.

Et les proies venaient.

Son besoin ne tarderait pas à être satisfait.

Le colonel Lewis Tarker, commandant des forces envoyées à Moonlight Cove, et dont le quartier général était situé dans le parc d'Ocean Avenue, reçut un appel urgent du sergent Sperlmont, responsable du poste au barrage de la route du comté. Sperlmont déclara que six de ses douzes hommes venaient de partir, marchant comme des zombies, en compagnie d'une centaine de journalistes dans le même état bizarre.

– Il se passe quelque chose, mon colonel, ajouta-t-il. Ça n'est pas encore fini.

Tarker entra immédiatement en communication avec Oren Westrom, responsable de l'enquête pour le FBI, et avec lequel l'officier devait coordonner toutes les opérations à caractère militaire.

– Ce n'est pas terminé, conclut Tarker. J'ai l'impression que ces marcheurs sont encore plus bizarres que ce que Sperlmont a dit, bizarres d'une manière qu'il était incapable de décrire. Je le connais, et il est bien plus effrayé qu'il ne s'en doute lui-même.

Westrom, à son tour, envoya un hélicoptère du Bureau en patrouille. Il expliqua la situation à Jim Lobbow, le pilote, auquel il dit :

– Sperlmont va mettre un détachement à leurs trousses par voie de terre ; tâchez de voir vers où ils se dirigent, et pour quelle raison. Mais au cas où la situation vous paraîtrait difficile, je veux que vous restiez en l'air.

– C'est parti, répondit Lobbow.

– Vous avez fait le plein récemment ?

– Les réservoirs débordent.

– Parfait.

Dans la vie de Jim Lobbow, tout allait de travers – tout, sauf les hélicoptères.

Marié trois fois, divorcé trois fois, il avait vécu avec plus de femmes qu'il ne s'en souvenait. Même sans la pression de liens officialisés par le mariage, il ne pouvait avoir une relation prolongée avec une femme. Il avait un enfant, un garçon, de sa deuxième épouse, mais il ne le voyait que trois fois par an, et jamais plus d'une journée. Bien qu'élevé dans la foi catholique, cela non plus ne marchait pas pour lui, alors que tous ses frères et sœurs étaient restés pratiquants. Le dimanche était le seul jour où, semblait-il, il pouvait faire la grasse matinée, et l'idée de se lever pour assister à l'office l'ennuyait d'avance. Il avait beau rêver de posséder sa propre affaire, toutes les entreprises qu'il montait paraissaient vouées à l'échec ; il était à chaque fois confondu du travail qu'exigeait la gestion d'une affaire pourtant conçue pour rouler toute seule et, tôt ou tard, ça lui cassait trop les pieds.

Mais personne n'était meilleur pilote d'hélico que Jim Lobbow. Il était capable de décoller par le pire des temps, et d'atterrir sur n'importe quel terrain, dans n'importe quelles conditions.

Il enleva donc son appareil, un Jet-Ranger, et piqua sur la route du comté où il arriva le temps de le dire, car le ciel était dégagé et le barrage situé à seulement deux kilomètres du parc où était son terrain d'atterrissage. Au sol, une poignée de soldats des troupes régulières lui fit signe de prendre à l'est, vers les collines.

Lobbow suivit leurs indications, et en moins d'une minute retrouva les marcheurs qui s'ouvraient un chemin sur les hauteurs couvertes de buisson, avançant avec difficulté, mais détermination, frénésie même : ils éraillaient leurs chaussures, déchiraient leurs vêtements, mais fonçaient. C'était incontestablement bizarre.

Un bourdonnement curieux lui emplit la tête. Il pensa que ses écouteurs avaient un problème et les enleva quelques instants, mais ça ne venait pas d'eux.

Le bourdonnement ne s'arrêta pas. En fait, ce n'était nullement un bourdonnement, ce n'était pas un son, mais comment expliquer ? Une *sensation*.

Et qu'est-ce que je veux dire ? se demanda-t-il.

Il essaya de ne plus y penser.

Les marcheurs obliquaient maintenant vers l'est-sud-est et il alla au-devant d'eux, à la recherche d'une particularité quelconque, de quelque chose d'inhabituel vers quoi ils pourraient se diriger. Il aperçut presque immédiatement les bâtiments en ruine de la colonie Icare, avec sa maison de style victorien, sa grange au toit affaissé et ses autres bâtiments effondrés.

Quelque chose l'attirait vers cet endroit.

Il en fit le tour, une fois, deux fois.

Il avait beau ne voir qu'une ruine totale, il éprouva soudain le sentiment insensé qu'il y serait heureux, libre, sans plus le moindre souci, sans ex-femmes à ses trousses, sans pensions alimentaires à payer.

Par les collines du nord-ouest, arrivaient maintenant les marcheurs, cent ou davantage, qui ne marchaient plus mais couraient. Ils trébuchaient, tombaient, mais se relevaient aussitôt et reprenaient leur course.

Et Jim savait pour quelles raisons ils accouraient ainsi. Il décrivit un nouveau cercle autour des bâtiments : c'était l'endroit le plus séduisant qu'il eût jamais vu, celui qui lui donnerait le sursis. Il désirait cette libération, cette relaxe, plus que tout ce qu'il avait jamais voulu dans toute sa vie. Il fit grimper le Jet-Ranger, plongea au sud, remonta, plongea à l'ouest, remonta, et poursuivit ainsi sa danse dans tous les sens autour de la maison, revenant à la merveilleuse maison, il fallait qu'il fût là, il le fallait, et il lança le Jet-Ranger droit sur le porche d'entrée, directement dans la porte qui pendait, entrouverte, sur ses gonds arrachés ; il laboura les planchers droit vers le cœur de la maison, enfouissant l'appareil au fond même...

Besoin...

Les multiples bouches de la créature chantaient son besoin, et elle savait que momentanément ce besoin serait assouvi. Elle palpitait d'excitation.

Puis des vibrations. Des vibrations dures. Puis de la chaleur.

Elle ne se rétracta pas sous l'effet de la chaleur, car elle avait renoncé à tous ses nerfs et à toute structure biologique complexe nécessaire pour enregistrer la douleur.

La chaleur n'avait aucune signification pour la bête – si ce n'est qu'il ne s'agissait pas de nourriture et qu'elle ne satisfaisait donc pas ses besoins.

Tout en brûlant et s'amenuisant, elle essaya de chanter le chant qui attirerait à elle ce dont elle avait besoin, mais les flammes grondantes remplirent ses bouches et la réduisirent rapidement au silence.

Joel Ganowicz se retrouva à moins de cent mètres d'une maison en ruine qui explosa et prit feu sous ses yeux. Un incendie spectaculaire, avec des flammes de plus de trente mètres de haut montant dans l'air clair, tandis qu'une épaisse fumée noire enroulait ses premiers tourbillons ; les vieux murs s'effondrèrent aussitôt, avec entrain, comme s'ils étaient trop heureux d'arrêter de faire semblant de tenir debout. Une onde de chaleur le balaya et l'obligea à fermer les yeux, puis à battre en retraite, alors qu'il se trouvait tout de même assez loin. Il ne comprenait pas comment quelques vieilles planches pourries pouvaient créer un feu aussi intense.

Il se rendit soudain compte qu'il n'avait pas vu comment l'incendie avait été provoqué : il s'était soudain retrouvé là, en face de la ruine en feu.

Il regarda ses mains ; elles étaient égratignées et sales.

Son genou gauche apparaissait à travers une déchirure de son pantalon de velours, et ses Rockports étaient sérieusement éraillées.

Il regarda autour de lui et eut la surprise de découvrir des dizaines d'autres personnes dans le même état que lui, les vêtements en lambeaux, sales, hébétés. Impossible de se rappeler comment il était arrivé jusqu'ici, aucun souvenir de s'être joint à un groupe de marcheurs.

Pour ce qui était de la maison, elle brûlait rudement bien. Quelque chose... il était journaliste, et sa curiosité reprenait peu à peu le dessus. Quelque chose venait de se produire, et il devait trouver ce que c'était. Quelque chose de perturbant. De très perturbant. Mais au moins était-ce terminé, maintenant.

Il frissonna.

41

Lorsqu'ils pénétrèrent dans la maison de Sherman Oaks, la musique jouait si fort, à l'étage, sur la stéréo de Scott, que les vitres en tremblaient.

Sam s'engagea dans l'escalier et fit signe à Tessa et Chrissie de le suivre. Elles n'obéirent qu'à contrecœur, probablement gênées et se sentant déplacées, mais il n'était pas sûr de pouvoir agir comme il en avait l'intention s'il montait tout seul.

La porte de la chambre de Scott était ouverte. Le garçon allongé sur son lit, en jeans noir et en chemise du même tissu. Couché à l'envers sur le lit, la tête sur son oreiller, il pouvait ainsi contempler les posters placés sur le mur au-dessus : des rockers « black metal », en cuir noir et chaînes, certains avec des mains ensanglantées, d'autres avec la bouche ensanglantée, comme des vampires qui viendraient de se rassasier ; d'autres encore tenaient des crânes, l'un d'eux l'embrassant sur ce qui était l'emplacement de la bouche. Le dernier brandissait, dans ses mains en coupe, une poignée d'asticots grouillants.

Scott n'entendit pas son père entrer. Avec la musique poussée à ce volume, il n'aurait pas entendu une explosion thermonucléaire dans la salle de bains voisine.

Une fois près de la stéréo, Sam eut un mouvement d'hésitation, se demandant s'il faisait bien. Puis il écouta les paroles qui, sous forme de mugissements, sortaient de la machine, accompagnées des grincements métalliques d'une guitare martyrisée. Une chanson où il était question de tuer ses parents, de boire leur sang et de se tirer avec leur fric. Charmantes et suaves paroles ! Cela le décida. Il appuya sur un bouton qui coupa net la musique.

Scott sursauta et se redressa sur son lit :

– Hé !

Sam prit le disque sur la platine, le laissa tomber au sol et l'écrasa sous son talon.

– Bon Dieu, mais qu'est-ce qui te prend ?

Quarante ou cinquante disques, essentiellement de la même musique, étaient rangés dans des casiers ouverts, au-dessus de la stéréo. Sam les jeta tous au sol.

– Mais c'est pas vrai ! T'es devenu cinglé, ou quoi ?

– J'aurais dû faire ça il y a un bon moment.

Apercevant Tessa et Chrissie qui se tenaient juste de l'autre côté de la porte, Scott s'exclama :

– Et ces gonzesses, d'où elles sortent ?

– *Ces gonzesses,* ce sont des amies.

Se jetant dans une rage noire qui le faisait bouillonner, le garçon cracha :

– Et qu'est-ce qu'elles foutent ici, ces branleuses, mec ?

Sam éclata de rire. Il en avait presque le tournis. Il ne savait pas exactement pour quelle raison. Peut-être parce qu'il faisait enfin quelque chose pour mettre un terme à cette situation, parce qu'il prenait ses responsabilités.

– *Ces branleuses* sont avec moi, Scott.

Et de nouveau, il éclata de rire.

Il se sentait désolé d'avoir invité Chrissie à entendre une telle bordée d'injures, et du coup la regarda : mais il vit que non seulement elle avait gardé tout son calme, mais pouffait de rire. Il comprit que toutes les manifestations de colère et les gros mots du monde ne suffiraient pas à la blesser, non, pas après ce qu'elle avait vécu. En vérité, après la tourmente d'où ils sortaient à peine, le nihilisme infantile de Scott était comique, quasiment innocent, et parfaitement ridicule.

Sam grimpa sur le lit et commença à arracher les posters du mur ; Scott se mit à lui hurler des insultes, le volume à fond, cette fois, piquant une véritable crise. Sam arracha le dernier poster qu'il pouvait atteindre du lit, en descendit, et voulut s'attaquer à ceux du mur voisin.

Scott l'attrapa.

Avec douceur, son père le repoussa et commença de déchirer le portrait d'un autre rocker sanglant.

Scott le frappa.

Sam encaissa le coup, se tourna vers son fils et le regarda.

Scott avait le visage écarlate, les narines dilatées, les yeux exorbités par la haine.

Avec un sourire, Sam le prit dans ses bras et le serra contre lui.

Tout d'abord, Scott ne comprit manifestement pas ce qui se passait. Il crut que son père voulait le contenir, qu'il avait l'intention de le punir, et il voulut se dégager. Puis soudain il prit conscience – Sam vit son visage changer – que son père l'avait pris dans ses bras pour l'embrasser, que son vieux lui manifestait sa tendresse et en plus devant des gens, des femmes, des inconnues. Quand le garçon comprit cela, il se mit à se débattre furieusement, se tordant, donnant des coups de pied, repoussant son père de toutes ses forces, avec la volonté de fuir à tout prix, car ce comportement ne cadrait pas avec sa conception d'un monde sans amour, en particulier s'il avait le malheur d'y réagir positivement.

Ouais, c'était bien ça, bon Dieu, comprenait Sam. C'était cela, la raison de l'aliénation de son fils. La peur de ses réactions devant l'amour, la peur d'être repoussé... ou de trouver trop lourde à porter la responsabilité d'un véritable engagement.

En fait, pendant quelques instants, le garçon avait répondu à l'amour de son père et l'avait aussi serré très fort contre lui. Comme si le véritable Scott, le môme caché sous les couches de cynisme et de détachement de celui à qui on ne la fait plus, était remonté à la surface et avait souri. Il restait quelque chose de bon en lui, de bon et de pur, quelque chose qui pouvait être sauvé.

Puis l'adolescent se mit à injurier son père en des termes encore plus grossiers et explicites ; Sam ne fit que le serrer plus fort contre lui, puis il lui dit qu'il l'aimait, qu'il l'aimait désespérément, mais pas de la manière dont il s'était exprimé par téléphone depuis Moonlight Cove, dans la soirée de lundi, pas avec cette réserve provoquée par son propre sentiment de désespoir. Cette fois-ci, lorsqu'il déclara à Scott qu'il l'aimait, ce fut d'une voix étranglée par l'émotion, et il le lui répéta, exigeant d'être entendu et écouté.

Scott pleurait, maintenant, et Sam ne fut pas surpris de se rendre soudain compte qu'il pleurait aussi ; mais il ne croyait pas que leurs larmes avaient encore la même raison, car le garçon continuait à se débattre pour s'enfuir, même si, ayant épuisé le gros de son énergie, ce n'était que plus faiblement. Sam le retint donc contre lui et lui dit :

– Écoute, mon petit, tu vas finir par t'en faire pour moi, un jour ou l'autre, d'une manière ou d'une autre. Oh, oui ! Tu vas finir par comprendre que je me soucie de toi, que je m'intéresse à toi, et alors tu t'intéresseras à moi et tu t'inquiéteras pour moi, et pas seulement pour moi, d'ailleurs, non, tu vas t'occuper aussi de toi et ça ne va pas s'arrêter là, bon Dieu non, pas là, tu vas t'apercevoir que tu t'intéresses à des tas de gens, que c'est bon de se soucier des autres. Tu vas apprendre à aimer cette femme qui se tient là, à la porte, elle s'appelle Tessa, et aussi la petite Chrissie qui est avec elle, tu vas apprendre à l'aimer comme une sœur, tu vas l'apprendre, tu vas me virer cette espèce de machine sous laquelle tu te planques et tu vas apprendre à aimer et à être aimé. Il y a un type qui va nous rendre visite, un type qui n'a plus en tout et pour tout qu'une bonne main, pas de jambes, et lui, eh bien, il croit que la vie vaut la peine d'être vécue. Peut-être qu'il va rester ici quelque temps, voir si ça lui plaît, parce qu'il pourrait peut-être te montrer ce que j'aurais dû t'apprendre depuis longtemps – que la vie est bonne. Et tu verras, ce type a un chien, faut le voir, tu vas adorer ce chien, tu vas sans doute commencer par aimer son chien.

Sam éclata de rire à cette idée, mais ne lâcha pas son fils.

– Tu ne peux pas t'attendre à dire « tire-toi » à un chien et à ce qu'il t'obéisse comme ça, il ne va pas se tirer si tu ne commences pas par l'aimer. Après tu finiras bien par m'aimer, parce que c'est ce que je vais être, un chien, un vieux chien tout souriant, allant et venant dans la maison, indifférent aux insultes, un vieux clébard, quoi !

Scott avait cessé de se débattre. Il était probablement à bout de forces, c'était tout. Sam était sûr de n'avoir qu'à peine lézardé la muraille de rage dans laquelle se défendait son fils. À peine lézardé. Il avait laissé quelque chose de malfaisant s'installer dans leur existence, la malfaisance du désespoir qui se complaît en lui-même, et il avait transmis cet héritage à son fils : le déraciner ne serait pas facile. Il leur restait beaucoup de chemin à parcourir. Des mois de bagarre, peut-être même des années, des embrassades sans nombre, de solides étreintes pour ne pas lâcher le bon bout.

Regardant par-dessus l'épaule de Scott, il vit que Tessa et Chrissie s'étaient avancées dans la chambre. Elles aussi pleuraient. Dans leurs yeux, il lut une prise de conscience identique à la sienne : que la bataille pour Scott ne faisait que commencer.

Mais au moins avait-elle commencé. C'était une chose merveilleuse. Elle avait commencé !

Depuis Edgar Poe, il a toujours existé un genre littéraire qui cherche à susciter la peur, sinon la terreur, chez le lecteur. King et Koontz en sont aujourd'hui les plus épouvantables représentants. Nombre de ces livres ont connu un immense succès au cinéma.

ANDREWS Virginia C.	**Ma douce Audrina** 1578/**4**
BLATTY William P.	**L'exorciste** 630/**4**
CAMPBELL Ramsey	**Le parasite** 2058/**4**
	La lune affamée 2390/**5**
	Images anciennes 2919/**5** Inédit
CITRO Joseph A.	**L'abomination du lac** 3382/**4**
CLEGG Douglas	**La danse du bouc** 3093/**6** Inédit
	Gestation 3333/**5** Inédit
COLLINS Nancy A.	**La volupté du sang** 3025/**4** Inédit
	Appelle-moi Tempter 3183/**4** Inédit
COYNE John	**Fury** 3245/**5** Inédit
DEVON Gary	**L'enfant du mal** 3128/**5**
HERBERT James	**Le Sombre** 2056/**4** Inédit
HODGE Brian	**La vie des ténèbres** 3437/**7** Inédit
JAMES Peter	**Possession** 2720/**5** Inédit
	Rêves mortels 3020/**6** Inédit

KING Stephen

Carrie 835/**3**
Shining 1197/**5**
Danse macabre 1355/**4**
Cujo 1590/**4**
Christine 1866/**4**
Peur bleue 1999/**3**
Charlie 2089/**5**
Simetierre 2266/**6**
Différentes saisons 2434/**7**
La peau sur les os 2435/**4**
Brume - Paranoïa 2578/**4**
Brume - La Faucheuse 2579/**4**
Running Man 2694/**3**
ÇA 2892/**6**, 2893/**6** & 2894/**6**
(Egalement en coffret 3 vol. FJ 6904)
Chantier 2974/**6**
La tour sombre :
- Le pistolero 2950/**3**
- Les trois cartes 3037/**7**
- Terres perdues 3243/**7**
Misery 3112/**6**
Marche ou crève 3203/**5**
Le Fléau (Edition intégrale) 3311/**6** 3312/**6** & 3313/**6**
(Egalement en coffret 3 vol. FJ 6616)
Les Tommyknockers 3384/**4**, 3385/**4** & 3386/**4**
(Egalement en coffret 3 vol. FJ 6659)

KOONTZ Dean R.	**Spectres** 1963/**6** Inédit
	L'antre du tonnerre 1966/**3** Inédit
	Le rideau de ténèbres 2057/**4** Inédit
	Le visage de la peur 2166/**4** Inédit
	L'heure des chauves-souris 2263/**5**
	Chasse à mort 2877/**5**
	Les étrangers 3005/**8**
	Les yeux foudroyés 3072/**7**
	Le temps paralysé 3291/**6**
LANSDALE Joe. R.	**Le drive-in** 2951/**2** Inédit
	Les enfants du rasoir 3206/**4** Inédit

Achevé d'imprimer en Europe (France)
par Brodard et Taupin à La Flèche (Sarthe)
le 18 janvier 1994. 6264I-5
Dépôt légal janvier 1994. ISBN 2-277-23623-3

Éditions J'ai lu
27, rue Cassette, 75006 Paris
Diffusion France et étranger : Flammarion